Het geheim van de zusters

Kate Morton

Het geheim van de zusters

2007 – De Boekerij – Amsterdam

Oorspronkelijke titel: The Shifting Fog (Allen & Unwin)
Vertaling: Els Franci-Ekeler
Omslagontwerp: Wil Immink Design

ISBN 978-90-225-4639-0

© 2006 by Kate Morton
© 2007 voor de Nederlandse taal: De Boekerij bv, Amsterdam

Voor Davin, die in de achtbaan
mijn hand vasthoudt

Inhoud

DEEL 1

Filmscript
Definitieve versie, november 1998, p. 1-4

HET GEHEIM VAN DE ZUSTERS

Geschreven en geregisseerd door Ursula Ryan © 1998

MUZIEK: Herkenningsmelodie. Nostalgische muziek van het genre dat populair was tijdens de Eerste Wereldoorlog en de daaropvolgende jaren. Romantisch, maar met een onheilspellende ondertoon.

1 BUITENOPNAME. EEN LANDWEG – DIEPE SCHEMERING

Een landweg tussen groene velden die zich tot aan de horizon uitstrekken. Het is acht uur 's avonds. De zomerzon treuzelt vlak boven de kim, alsof hij geen zin heeft erachter te verdwijnen. Een auto, bouwjaar 1920, beweegt zich als een glanzende zwarte tor over de smalle weg. Hij rijdt langs volwassen braamstruiken, die in het schemerdonker een blauwige tint hebben. Vanuit de struiken buigen lange uitlopers zich naar de weg.

De auto rijdt met hoge snelheid over de weg. De lichtbundels van de koplampen gaan op en neer door hobbels en kuilen. We komen langzaam dichterbij, tot we naast de auto meerijden. De laatste gloed van de zon is verdwenen en nu is het donker. Het licht van de volle maan glijdt als witte linten over de donkere, glanzende motorkap. In het duistere interieur van de auto zijn de donkere profielen te zien van de inzittenden: een MAN en een VROUW in avondkleding. De man

11

chauffeert. Lovertjes op de japon van de vrouw glinsteren wanneer het maanlicht erop valt. Ze roken allebei. De oranje puntjes van hun sigaretten zijn als een miniversie van de koplampen. De VROUW lacht om iets wat de MAN zegt en buigt haar hoofd achterover, waardoor onder haar veren boa een bleke, slanke hals te zien is.

Ze bereiken een groot, dubbel smeedijzeren hek, de ingang naar een tunnel van hoge, donkere bomen. De auto draait de oprit in en volgt de schemerige gang van bladeren. We kijken door de voorruit tot we uit het dichte gebladerte komen en onze bestemming zien.

Een schitterend Engels landhuis op een heuvel: twaalf verlichte ramen over de gehele breedte, drie hoge dakkapellen, schoorstenen die uit het leien dak omhoogsteken. Op de voorgrond, als *pièce de résistance* van een groot, glad gazon, een marmeren fontein verlicht door lantaarns: enorme mieren, levensgrote arenden en gigantische vuurspuwende draken waaruit water dertig meter de lucht in wordt gespoten.

We behouden onze positie, zien hoe de auto zonder ons de oprit volgt rond de fontein. Hij stopt voor de ingang van het huis, waar een jonge BUTLER het portier opent en zijn hand uitsteekt om de VROUW te helpen met uitstappen.

ONDERTITEL: Riverton Manor, Engeland. Zomer 1924.

2 BINNENOPNAME. HET BEDIENDEVERTREK – AVOND
Het warme, schemerig verlichte bediendevertrek van Riverton Manor. Een sfeer van bedrijvigheid. We bevinden ons op enkelhoogte. Bedienden lopen bedrijvig heen en weer over de grijze stenen vloer. Op de achtergrond horen we het geluid van knallende champagnekurken, bevelen, uitbranders aan de jongste leden van het personeel. Er klingelt een bel. Nog steeds op enkelhoogte volgen we een DIENSTMEISJE dat naar de trap loopt.

3 BINNENOPNAME. TRAP – AVOND
We volgen het DIENSTMEISJE de trap op; uit rinkelende geluiden

maken we op dat ze een blad met glazen champagne draagt. Bij iedere tree stijgt ons zicht – vanaf haar smalle enkels, via de zoom van
haar zwarte rok, langs de witte banden en de kokette strik van haar
schortje, tot aan de blonde krullen in haar nek – tot we, eindelijk, op
dezelfde ooghoogte zijn als zij.

De geluiden uit het bediendevertrek vervagen, muziek en gelach
worden luider. Boven aan de trap gaat een deur voor ons open.

4 BINNENOPNAME. HAL – AVOND
Fel licht wanneer we de grote, marmeren hal betreden. Aan het
hoge plafond hangt een flonkerende kristallen kroonluchter. De
BUTLER doet de voordeur open om de elegant geklede MAN en
VROUW uit de auto binnen te laten. We pauzeren niet, maar steken
de hal over naar de achterzijde, waar brede tuindeuren toegang ver-
schaffen tot een terras.

5 BUITENOPNAME. TERRAS – AVOND
De deuren gaan voor ons open. Muziek en gelach bereiken een crescendo: we bevinden ons op een uitbundig feest. De sfeer is die van
naoorlogse extravaganza. Lovertjes, veren, zijden stoffen. Chinese
lampionnen van gekleurd papier bewegen boven het gazon zachtjes in de zomerwind. Er speelt een JAZZBAND, vrouwen dansen de
charleston. We zigzaggen tussen mensen met lachende gezichten
door. Ze draaien zich naar ons toe, pakken champagne van het blad
van het dienstmeisje: een vrouw met vuurrode lippenstift, een dikke
man met een blozend gezicht van de opwinding en de alcohol, een
magere oude dame behangen met juwelen, in haar hand een lang,
spits toelopend sigarettenpijpje, waaruit een krullend sliertje rook
opstijgt.

Er weerklinkt een oorverdovende knal en iedereen kijkt op naar het
vuurwerk dat in de nachtelijke hemel uiteenspat. Verrukte gilletjes
en hier en daar applaus. De weerschijn van het gekleurde vuurwerk
op de opgeheven gezichten, de jazzband speelt weer door en de
vrouwen dansen in steeds sneller tempo.

CUT NAAR:

6 BUITENOPNAME. EEN MEER – AVOND

Vierhonderd meter bij het huis vandaan staat een JONGEMAN aan de rand van het donkere Rivertonmeer. Feestgedruis op de achtergrond. Hij kijkt op naar de lucht. We komen dichterbij en zien dat het vuurwerk een rode gloed werpt op zijn knappe gezicht. Hoewel hij elegant gekleed is, maakt hij een wat wilde indruk. Zijn bruine haar is verward, lokken vallen over zijn voorhoofd, bijna tot in zijn donkere ogen, die met een opgejaagde blik de nachtelijke hemel afzoeken. Hij buigt zijn hoofd en kijkt naar iemand achter ons, verborgen tussen de schaduwen. Zijn ogen zijn vochtig, zijn houding is opeens doelbewust. Zijn lippen wijken uiteen alsof hij iets gaat zeggen, maar dat doet hij niet. Hij zucht.

We horen een KLIKJE. Onze blik gaat naar beneden. Hij heeft een pistool in zijn bevende vuist. Tilt het op tot buiten ons gezichtsveld. Een zenuwtrek gaat door de hand die langs zijn lichaam blijft hangen, en dan verstijft die. Het pistool gaat af en valt op de modderige grond. Een vrouw gilt, het feestgedruis gaat door.

BEELD WORDT LANGZAAM ZWART
TITEL SCÈNE: HET GEHEIM VAN DE ZUSTERS

De brief

Ursula Ryan
Focus Film Productions
1264 N. Sierra Bonita Ave 32
West Hollywood, CA
90046 USA

Mrs. Grace Bradley
Heathview Nursing Home
64 Willow Road
Saffron Green
Essex, CB10 1H2 UK

27 januari 1999

Geachte mevrouw Bradley,

Hopelijk neemt u het mij niet kwalijk dat ik u nogmaals schrijf, maar ik heb helaas geen antwoord ontvangen op mijn vorige brief, waarin ik u een uiteenzetting heb gegeven van het filmproject waarmee ik bezig ben: *Het geheim van de zusters*.

Het onderwerp van de film is een liefdesgeschiedenis, de relatie van de dichter R.S. Hunter met de gezusters Hartford, en Hunters zelfmoord in 1924. We hebben toestemming gekregen om de buitenopnamen op locatie te filmen, bij Riverton Manor, maar zullen studiosets gebruiken voor de binnenopnamen.

We zijn erin geslaagd veel van de sets na te bouwen aan de hand van foto's en beschrijvingen, maar ik zou niettemin een beoordeling uit de eerste hand enorm op prijs stellen. Deze film ligt me na aan het hart en ik zou het vreselijk vinden als ik hem onrecht zou aandoen wegens historische onjuistheden, hoe klein ook. Daarom zou ik u heel dankbaar zijn als u bereid zou zijn de sets te bekijken.

Ik zag uw naam (uw meisjesnaam) op een lijst tussen een stapel schriften die zijn geschonken aan het Museum van Essex. Ik zou het verband tussen Grace Reeves en uzelf niet hebben gelegd, als ik niet tevens een interview had gelezen met uw kleinzoon, Marcus McCourt, in de *Spectator*, waarin hij de historische banden van zijn familie met het dorp Saffron Green aanstipt.

Te uwer beoordeling sluit ik hierbij een recent artikel in uit *The Sunday Times* over de films die ik reeds heb gemaakt, alsmede een promotieartikel over *Het geheim van de zusters* dat is verschenen in *LA Film Weekly*. Zoals u daarin kunt lezen, zijn we erin geslaagd eersteklas acteurs te contracteren voor de rollen van Hunter, Emmeline Hartford en Hannah Luxton, onder wie Gwyneth Paltrow, die onlangs een Golden Globe Award heeft ontvangen voor haar rol in *Shakespeare in Love*.

Neemt u me alstublieft niet kwalijk dat ik u nogmaals schrijf, maar we gaan eind februari beginnen met de filmopnamen in de Shepperton Studios, ten noorden van Londen, en ik zou heel graag bij u op bezoek willen komen. Ik hoop dat u zo vriendelijk wilt zijn ons een handje te helpen met dit project. Ik ben te bereiken bij Mrs. Jan Ryan, 5/45 Lancaster Court, Fulham, Londen SW6.

Hoogachtend,

Ursula Ryan

Geesten roeren zich

In november had ik een nachtmerrie.

Het was 1924 en ik was weer in Riverton. Alle deuren stonden wijd open, zijden gordijnen bolden op in de zomerbries. Onder de oude esdoorn op de heuvel speelde een orkestje. De lome klanken van de violen zinderden in de hitte en mengden zich met het geluid van lachende stemmen en rinkelende glazen. De hemel had de kleur blauw van voor de oorlog, de kleur waarvan we hadden gevreesd dat hij nooit meer zou bestaan. Een van de butlers, keurig in zwart en wit, schonk champagne in het bovenste glas van een glazenpiramide. Iedereen applaudisseerde, verrukt over de heerlijke verspilling.

Ik zag mezelf, zoals dat in dromen kan, tussen de gasten lopen. Ik liep langzaam, veel langzamer dan in het echt mogelijk is, en de anderen waren een waas van zijde en lovertjes.

Ik was naar iemand op zoek.

Toen veranderde het decor en was ik bij het zomerhuis, alleen was het niet het zomerhuis van Riverton – dat kon het niet zijn. Het was niet het mooie, nieuwe gebouw dat Teddy had ontworpen, maar een oud pand vol klimop die tegen de muren kroop, door de ramen naar binnen drong en zich rond de pilaren strengelde.

Iemand riep me. Een vrouw, een stem die ik herkende, achter het huis, aan de rand van het meer. Ik liep de helling af, met mijn handen langs de hoogste rietstengels strijkend. Aan de rand van het water hurkte een gedaante.

Het was Hannah, in haar trouwjurk, waarvan de voorkant was besmeurd met modderspatten die aan de geborduurde rozen kleefden. Ze keek naar me op, haar gezicht spierwit tussen de schaduwen. Het bloed stolde in mijn aderen toen ze sprak. 'Je bent te laat.' Ze wees naar mijn handen. 'Je bent te laat.'

Ik keek naar mijn handen, jonge handen, bedekt met donkere riviermodder, en zag dat ze het stijve, koude lijf van een dode jachthond vasthielden.

Uiteraard weet ik heel goed waardoor het kwam. Door de brief van die cineaste. Ik krijg tegenwoordig niet veel post: soms een ansichtkaart van een plichtsgetrouwe vriendin die op vakantie is; een rondschrijven van de bank waar ik een spaarrekening heb; een uitnodiging voor de doop van een kind van wie de ouders, besef ik dan met een schok, zelf allang geen kinderen meer zijn.

Ursula's brief was op een dinsdagochtend eind november bezorgd, en Sylvia had hem meegebracht toen ze mijn bed kwam opmaken. Ze had haar zwaar aangezette wenkbrauwen opgetrokken en met de envelop gezwaaid.

'Post vandaag. Uit Amerika, aan de postzegels te zien. Van uw kleinzoon misschien?' De linkerwenkbrauw ging weer omhoog, een vraagteken, en haar stem daalde tot een hese fluistering. 'Afschuwelijk, wat er is gebeurd. Echt afschuwelijk. En het is juist zo'n aardige jongen.'

Sylvia klakte zachtjes met haar tong. Ik bedankte haar voor de brief. Ik mocht Sylvia graag. Ze is een van de weinigen die in staat zijn de rimpels in mijn gezicht te negeren en de twintigjarige te zien die in me leeft. Toch liet ik me zelfs door haar niet tot een gesprek over Marcus verleiden.

Ik verzocht haar de gordijnen open te doen. Heel even trok ze een pruilmondje en toen ging ze over op een van haar andere favoriete gespreksonderwerpen: het weer, de kans op sneeuw met de kerst, en hoe ellendig dat zou zijn voor de reumatische bewoners van het tehuis. Ik gaf antwoord wanneer dat vereist was, maar zat met mijn gedachten bij de envelop die op mijn schoot lag, met het schuine handschrift, de buitenlandse postzegels, en de verbogen hoekjes die getuigden van de lange weg die hij had afgelegd.

'Zal ik de brief even voorlezen?' vroeg Sylvia, terwijl ze hoopvol de kussens nog eens extra opschudde. 'Dan hoeft u uw ogen niet in te spannen.'

'Nee, dank je. Maar als je mijn leesbril even wilt aangeven?'

Toen ze weg was, na de belofte terug te komen om me aan te kleden zodra ze klaar was met haar ronde, haalde ik de brief uit de envelop. Mijn handen trilden een beetje toen ik me afvroeg of hij eindelijk naar huis kwam.

Maar de brief was helemaal niet van Marcus. Hij was geschreven door een jonge vrouw die een film over het verleden ging maken. Ze wilde graag dat ik de sets bekeek, ze wilde me terugvoeren naar dingen en plaatsen uit een ver verleden. Alsof ik niet mijn hele leven de illusie had gecreëerd dat ik die was vergeten.

Ik negeerde de brief. Ik vouwde hem stilletjes op en legde hem in een boek waar ik allang niet meer in las. Toen haalde ik diep adem. Het was niet de eerste keer dat ik werd herinnerd aan wat er op Riverton was gebeurd met Robbie en de gezusters Hartford. Ik heb een keer het laatste stukje van een tv-documentaire over oorlogsdichters gezien waar Ruth naar zat te kijken. Toen

Robbies gezicht het scherm vulde, kreeg ik kippenvel. Toch gebeurde er niets. Ruth vertrok geen spier, de verteller sprak door en ik pakte nog een bord uit het afdruiprek.

Een andere keer, toen ik de krant zat te lezen, viel mijn oog op een bekende naam in een artikeltje in de televisiegids: een programma over zeventig jaar Britse filmindustrie. Ik noteerde het tijdstip, met bevend hart, en vroeg me af of ik zou durven kijken. Uiteindelijk viel ik halverwege het programma in slaap. Er werd erg weinig gezegd over Emmeline. Een paar publiciteitsfoto's die geen van alle haar ware schoonheid recht deden, en een fragment uit een van haar stomme films, *The Venus Affair*, waarin ze er eigenaardig uitzag: met holle wangen en de houterige bewegingen van een marionet. Er werd niets gezegd over de andere films, die indertijd zo'n schandaal hadden veroorzaakt. In deze tijd van losse zeden en tolerantie zijn ze blijkbaar het vermelden niet meer waard.

Toch, niettegenstaande het feit dat ik al vaker met herinneringen was geconfronteerd, was Ursula's brief iets anders. Voor het eerst in meer dan zeventig jaar bracht iemand míj in verband met de gebeurtenissen, had iemand zich herinnerd dat er die zomer een jonge vrouw die Grace Reeves heette op Riverton was geweest. Daardoor voelde ik me kwetsbaar, naar de voorgrond geschoven. Schuldig.

Nee. Mijn besluit stond vast. De brief zou onbeantwoord blijven.

En dat bleef hij ook.

Daarna gebeurde er echter iets heel eigenaardigs. Herinneringen die al heel lang waren verbannen naar de donkerste spelonken van mijn geheugen, kropen tevoorschijn. Scènes flitsten door mijn hoofd, zomaar, haarscherp, alsof ik niet intussen een heel leven had geleefd. En na de eerste aarzelende druppels kwam de vloedgolf. Hele gesprekken, woord voor woord, met alle bijbehorende nuances; voorvallen die voor mijn geestesoog voorbijtrokken als in een film.

Ik sta versteld van mezelf. Mijn kortetermijngeheugen vertoont lacunes, maar ik heb gemerkt dat het verre verleden glashelder is. Ze roeren zich vaak de laatste tijd, die geesten uit het verleden, en tot mijn eigen verbazing vind ik dat niet eens zo erg. Lang niet zo erg als ik had gedacht. De schimmen waar ik mijn hele leven al voor op de loop ben, zijn zelfs een aangename verpozing geworden, waar ik naar uitkijk, zoals Sylvia uitkijkt naar de televisieseries waar ze het altijd over heeft en waarvoor ze haar ronden snel afwerkt, zodat ze er in de zitkamer naar kan gaan kijken. Ik was vergeten dat er in al die duisternis ook aangename herinneringen schuilen.

Toen vorige week de tweede brief kwam, in hetzelfde schuine handschrift op hetzelfde zachte papier, wist ik dat ik ja zou zeggen, dat ik de sets zou bekijken. Ik was nieuwsgierig, en dat ben ik al heel lang niet meer geweest. Er zijn niet zo veel dingen meer om nieuwsgierig naar te zijn wanneer je achtennegentig bent. Ik wilde deze Ursula Ryan, die van plan is hen allemaal opnieuw tot leven te brengen, die zo veel hart heeft voor hun verhaal, wel eens ontmoeten.

Dus heb ik haar een brief geschreven en Sylvia verzocht die voor me op de bus te doen, en nu hebben we binnenkort een afspraak.

De zitkamer

Mijn haar, dat altijd al licht van kleur was, is nu vlassig wit en heel lang. Het is ook erg zacht en lijkt met de dag zachter te worden. Het is mijn enige trots. Tegenwoordig heb ik niet veel meer waarmee ik kan pronken. Ik draag het nu al een aantal jaren zo, het is niet meer geknipt sinds 1989. Ik bof dat Sylvia het graag voor me borstelt, héél voorzichtig, en dat ze het iedere dag vlecht. Dat behoort niet tot haar taken, maar ik ben haar heel dankbaar dat ze het doet. Dat moet ik toch eens wat vaker tegen haar zeggen.

Vanochtend is het er niet van gekomen, omdat ik te opgewonden was. Toen Sylvia me mijn sap bracht, kon ik er bijna niets van drinken. De nervositeit die de hele week in me had gesiddered, had gedurende de nacht een hoogtepunt bereikt. Ze heeft me geholpen de nieuwe perzikkleurige jurk aan te trekken die ik met de kerst van Ruth heb gekregen, en verwisselde mijn pantoffels voor de schoenen die meestal onbenut in de kast staan. Het leer ervan is stevig en Sylvia moest flink duwen om mijn voeten erin te krijgen, maar dat is de prijs die je betaalt om fatsoenlijk voor den dag te komen. Ik ben te oud voor nieuwe dingen en kan me niet vinden in de gewoonte van de jongere bewoners van het tehuis om ook buiten op pantoffels te lopen.

De make-up gaf mijn wangen weer wat kleur, maar ik lette goed op dat Sylvia het niet te bont maakte. Ik wil er niet uitzien als de voorbeeldpop van een begrafenisondernemer. Iéts te veel rouge doet de balans al snel doorslaan, vooral omdat ik verder zo bleek ben, zo teer.

Met enige moeite maakte ik het gouden medaillon vast om mijn nek. De negentiende-eeuwse sierlijkheid viel op bij mijn alledaagse jurk. Ik hing het recht, verbaasd dat ik het had aangedurfd, benieuwd wat Ruth ervan zou zeggen.

Mijn blik gleed van het medaillon naar het zilveren fotolijstje op mijn kaptafel. Een foto van mijn trouwdag. Ik zet die er net zo lief niet neer, omdat het al zo lang geleden is en het huwelijk maar kort heeft geduurd – arme John –, maar ik doe het voor Ruth. Ik geloof dat ze zich graag voorstelt dat ik nog steeds om hem treur.

Sylvia hielp me naar de zitkamer, die ik nog altijd liever niet zo noem, waar het ontbijt werd geserveerd en waar ik op Ruth zou wachten, die erin had toegestemd (tegen beter weten in, had ze gezegd) me naar de Shepperton Studios te brengen. Ik liep met Sylvia naar een tafeltje in de hoek en verzocht haar me een glas sinaasappelsap te brengen. Toen las ik Ursula's brief nog een keer.

Ruth arriveerde precies om halfnegen. Hoeveel twijfels ze ook mag hebben of dit uitstapje wel verantwoord is, ze is onverbeterlijk punctueel. Altijd al geweest. Ik heb ooit gehoord dat kinderen die in tijden van stress geboren worden, nooit van het gevoel af komen dat hun iets boven het hoofd hangt. Ruth, een kind uit de Tweede Wereldoorlog, is daarvan het bewijs. Het tegendeel van Sylvia, die vijftien jaar jonger is en altijd in strakke rokjes loopt, te luidruchtig lacht en voor ieder nieuw 'vriendje' haar haren een andere kleur verft.

Ruth liep de kamer door, keurig gekleed, perfect gekapt en opgemaakt, maar zo stram alsof ze een bezemsteel had ingeslikt.

'Goedemorgen, mam,' zei ze en ze kuste mijn wang met koele lippen. 'Hebt u al ontbeten?' Ze keek naar het halfvolle glas dat voor me op tafel stond. 'Ik hoop dat u meer op hebt dan alleen sap. Het zit er dik in dat we in een file terechtkomen en daarna geen tijd hebben om onderweg ergens te stoppen.' Ze keek op haar horloge. 'Moet u nog naar de wc?'

Ik schudde mijn hoofd en vroeg me af wanneer ik de rol van kind had gekregen.

'Ik zie dat u papa's medaillon draagt. Dat heb ik al een tijd niet meer gezien.' Ze stak haar hand uit om het recht te hangen en knikte goedkeurend. 'Hij had smaak.'

Ik knikte instemmend, ontroerd door het feit dat de kleine onwaarheden die je jonge kinderen vertelt altijd onvoorwaardelijk worden geloofd. Ik voelde opeens een grote genegenheid voor mijn prikkelbare dochter en onderdrukte snel de moederlijke schuldgevoelens die zich altijd roeren wanneer ik naar haar bezorgde gezicht kijk.

Ze hielp me overeind, trok mijn arm door de hare en gaf me mijn wandelstok aan. Veel mensen hier geven de voorkeur aan een rollator of zo'n gemotoriseerde stoel, maar ik kan nog best goed lopen met mijn stok, en aangezien ik een gewoontedier ben, zie ik geen reden die in te ruilen.

Ze is een lieve meid, mijn Ruth – standvastig en betrouwbaar. Ze heeft zich nogal zakelijk gekleed vandaag, alsof ze een bezoek gaat brengen aan een jurist of een arts. Ik had niet anders verwacht. Ze wil een goede indruk maken; ze wil die cineaste laten zien dat ongeacht wat haar moeder in het verleden heeft uitgespookt, Ruth Bradley McCourt een respectabel lid van de maatschappij is.

We reden een poosje in stilte; toen zette Ruth de radio aan en begon zenders af te zoeken. Haar vingers waren die van een oude vrouw; de vingers waaraan ze 's ochtends met moeite haar ringen had geschoven, hadden gezwollen knokkels. Het is heel raar wanneer je je dochter oud ziet worden. Ik wierp een blik op mijn eigen handen en strengelde mijn vingers ineen op mijn schoot. Handen die in het verleden zo bedrijvig waren geweest, die eenvoudige en ingewikkelde taken hadden uitgevoerd; handen die er nu bleek, slap en werkeloos bij lagen. Ruth koos uiteindelijk voor een zender met klassieke muziek. De presentator babbelde een poosje over zijn weekend, en liet toen Chopin horen. Puur toeval, natuurlijk, dat ik juist vandaag de wals in cis klein moest horen.

Ruth stopte bij een aantal grote, witte gebouwen, vierkant als vliegtuighangars. Ze zette de motor af en bleef een ogenblik zitten, recht voor zich uit kijkend. 'Ik snap niet waarom u dit wilt doen,' zei ze zachtjes, haar lippen nauwelijks bewegend. 'U hebt zo veel van uw leven gemaakt. U hebt gereisd, gestudeerd, een kind grootgebracht... Waarom wilt u herinnerd worden aan wat u ooit bent geweest?'

Ze verwachtte geen antwoord en ik zei dan ook niets. Ze slaakte een korte zucht, stapte uit en haalde mijn wandelstok uit de kofferbak. Zonder iets te zeggen hielp ze me uit de auto.

Een jonge vrouw wachtte ons op. Een tenger meisje met lang, blond haar dat kaarsrecht over haar rug viel en aan de voorkant tot een volle pony was geknipt. Een meisje dat als alledaags beschreven zou worden als ze niet was gezegend met prachtige donkere ogen. Die ogen hoorden thuis op een olieverfportret: ronde, diepliggende, expressieve ogen met de rijke kleur van natte verf.

Ze snelde glimlachend op ons af en pakte mijn hand van Ruth' arm. 'Mevrouw Bradley, ik ben zo blij dat u bent gekomen. Ik ben Ursula.'

'Grace,' zei ik, voordat Ruth zou aandringen op 'doctor'. 'Zeg maar gewoon Grace.'

'Grace.' Ursula straalde. 'U hebt geen idee hoe blij ik was toen ik uw brief ontving.' Ze had een Brits accent, wat me verbaasde, gezien het Amerikaanse adres op haar brief. Ze wendde zich tot Ruth. 'Hartelijk dank dat u bereid bent vandaag voor chauffeur te spelen.'

Ik voelde Ruth naast me verstijven. 'Ik kon mijn moeder moeilijk met de bus laten gaan.'

Ursula lachte en het deed me plezier dat jonge mensen een stekelige opmerking zo makkelijk opvatten als ironie. 'Kom gauw binnen, daar is het lekker warm. Sorry dat we er zo'n haast mee hebben. We beginnen volgende week met filmen en werken ons uit de naad om alles op tijd klaar te krijgen. Ik had gehoopt dat onze decorontwerpster erbij zou zijn, maar die moest juist vandaag naar Londen om wat balen stof op te halen. Misschien bent u er nog wanneer ze terugkomt. Pas op voor deze hoge drempel.'

Ruth en zij namen me mee door een hal en een schemerige gang waar veel deuren op uitkwamen. Sommige stonden open en dan gluurde ik naar binnen en ving glimpen op van vage gedaanten die voor computerschermen zaten. Het had helemaal niets van die andere filmset waar ik al die jaren geleden met Emmeline was geweest.

'Hier is het,' zei Ursula toen we bij de laatste deur waren. 'Kom maar binnen, dan zal ik gaan zeggen dat we thee willen.' Ze duwde de deur open en ik stapte mijn verleden binnen.

Het was de zitkamer van Riverton. Zelfs het behang was hetzelfde. Bourgogne art nouveau van Silver Studios, 'Vlammende Tulpen', even fris als op de dag dat de behangers uit Londen waren gekomen. Een leren bank stond recht tegenover de open haard, met een paar doeken van Indiase zijde eroverheen gedrapeerd, precies zoals de doeken die lord Ashbury, de grootvader van Hannah en Emmeline, uit het buitenland had meegebracht toen hij nog een jonge marineofficier was. De scheepsklok stond waar hij altijd had gestaan: op de schoorsteenmantel, naast de Waterford-kandelaar. Iemand had zich veel moeite getroost om de juiste klok te vinden, maar die verried zich met iedere tik. Zelfs nu, na ruim tachtig jaar, herinner ik me het geluid van de klok in de zitkamer. De kalme, indringende manier waarop die het verstrijken van de tijd verkondigde: geduldig, zelfverzekerd, kil – alsof hij wist, zelfs toen al, dat de tijd degenen die in dat huis woonden niet goed gezind was.

Ruth leidde me naar de bank en liet me erop plaatsnemen, dicht bij de armleuning. Ik was me bewust van plotselinge bedrijvigheid achter me, mensen die zeulden met grote lampen, iemand die ergens verderop lachte.

Ik dacht aan de laatste keer dat ik in de zitkamer was geweest – de echte, niet deze nagemaakte –, de dag waarop ik had geweten dat ik Riverton zou verlaten en nooit meer zou terugkomen.

Teddy was degene aan wie ik het had verteld. Hij had het niet leuk gevonden, maar tegen die tijd was hij al een groot deel van zijn gezag kwijt, hem ontnomen door de omstandigheden. Zijn bleke gezicht had de verloren uitdrukking van een kapitein die wist dat zijn schip ging zinken en die daar niets tegen kon doen. Hij verzocht me, sméékte me te blijven, zo niet voor hem, dan uit loyaliteit aan Hannah. En ik gaf daar bijna gehoor aan. Bijna.

Ruth stootte me aan. 'Mam? Ursula vraagt u iets.'

'Neem me niet kwalijk. Ik had het niet gehoord.'

'Mam is een beetje doof,' zei Ruth. 'Op haar leeftijd is dat niet zo verwonderlijk. Ik probeer haar al een hele tijd mee te krijgen om haar oren te laten testen, maar in sommige dingen is ze erg obstinaat.'

Obstinaat ben ik inderdaad. Maar ik ben niet doof en vind het niet leuk wanneer mensen daar automatisch van uitgaan. Ik kan niet goed zien zonder bril, ik word snel moe, ik heb geen tanden of kiezen meer en leef alleen nog dankzij een cocktail van pillen, maar mijn gehoor is even scherp als het altijd is geweest. Ik heb gewoon door de jaren heen geleerd alleen maar te luisteren naar de dingen die ik horen wil.

'Ik zei, mevrouw Bradley, Grace, dat het vast heel eigenaardig voor u is om hier terug te zijn. Bij wijze van spreken. Het roept zeker veel herinneringen op?'

'Ja.' Ik schraapte mijn keel. 'Inderdaad.'

'Daar ben ik blij om,' zei Ursula glimlachend. 'Dan mag ik aannemen dat we het goed hebben gedaan?'

'Heel goed.'

'Ziet u iets wat verkeerd staat? Zijn we iets vergeten?'

Ik bekeek de set aandachtig. Accuraat tot in de kleinste details, tot en met de wapenschilden boven de deur, het middelste met een Schotse distel, net zo een als er in het medaillon dat ik droeg was geëtst.

Toch ontbrak er iets. De grote nauwkeurigheid ten spijt was de set volkomen sfeerloos. Het leek eerder een museum: interessant maar verstoken van leven.

Dat was ook wel begrijpelijk. De jaren twintig staan mij nog helder voor de geest, maar dat decennium is voor de ontwerpers van deze film 'de goeie, ouwe tijd'. Een historisch decor. Voor de bouw van deze replica was evenveel research en aandacht voor detail nodig geweest als voor de reproductie van een middeleeuws kasteel.

Ik voelde dat Ursula naar me stond te kijken, wachtend op mijn oordeel.

'Het is perfect,' zei ik uiteindelijk. 'Alles staat precies op de juiste plek.'

Daarop zei ze iets wat me een schokje gaf. 'Alleen de familie ontbreekt.'

'Ja,' zei ik. 'Alleen de familie ontbreekt.' Ik knipperde met mijn ogen en opeens zag ik hen: Emmeline languit op de bank, met haar lange benen en lange wimpers, Hannah die fronsend een boek uit de bibliotheek bestudeerde, Teddy die ijsbeerde over het Bessarabische tapijt…

'Emmeline was duidelijk iemand die van pret maken hield,' zei Ursula.

'Ja.'

'Over haar zijn we met gemak van alles te weten gekomen. Haar naam staat zo ongeveer in iedere roddelrubriek die ooit is afgedrukt. Om nog maar te zwijgen over de brieven en dagboeken van de helft van alle vrijgezelle mannen uit die tijd!'

Ik knikte. 'Ze was heel populair.'

Ze keek naar me op vanonder haar pony. 'Het was lang niet zo makkelijk om Hannahs karakter te doorgronden.'

Ik schraapte mijn keel. 'Nee?'

'Ze was bijna een mysterie. Niet dat ze de kranten niet heeft gehaald. Ze staat er vaak genoeg in. Had ook heel wat bewonderaars. Alleen lijkt het alsof niet veel mensen haar echt kenden. Men had bewondering voor haar, zelfs respect, maar men kende haar niet echt.'

Ik dacht aan Hannah. De mooie, intelligente, hunkerende Hannah. 'Ze had een complex karakter.'

'Ja,' zei Ursula, 'dat is precies de indruk die ik van haar heb gekregen.'

Ruth, die meeluisterde, zei: 'Een van hen is met een Amerikaan getrouwd, hè?'

Ik keek haar verbaasd aan. Ze had nooit iets willen zeggen over de Hartfords.

Ze hield mijn blik vast. 'Ik heb iets over hen gelezen.'

Echt iets voor Ruth om zich op dit bezoek voor te bereiden, ongeacht hoe onwelvoeglijk ze het onderwerp vond.

Ruth keek weer naar Ursula en sprak behoedzaam, oppassend geen fouten te maken. 'Ze is na de oorlog in het huwelijk getreden, geloof ik. Wie van de twee was dat?'

'Hannah.' Zo. Ik had het gedaan: de naam hardop gezegd.

'En haar zus?' vroeg Ruth. 'Emmeline. Is die ooit getrouwd?'

'Nee,' zei ik. 'Wel verloofd geweest.'

'Meerdere keren,' zei Ursula met een glimlach. 'Ze kon blijkbaar niet voor één man kiezen.'

Uiteindelijk wel. Uiteindelijk maakte ze haar keuze.

'We zullen er vermoedelijk nooit achter komen wat er die avond is gebeurd.' Dit zei Ursula.

'Nee.' Mijn vermoeide voeten begonnen te protesteren tegen het leer van mijn schoenen. Vanavond zouden ze opgezwollen zijn. Sylvia zou zich eerst opwinden en daarna een voetenbadje voor me klaarmaken. 'Nee, dat zal wel niet.'

Ruth ging rechtop zitten. 'Maar mevrouw Ryan, u moet toch weten wat er is gebeurd? Daar gaat uw film toch over?'

'Natuurlijk,' zei Ursula. 'In grote lijnen. Mijn overgrootmoeder was die avond op Riverton. Ze was aangetrouwde familie van de zusjes en het verhaal is bij ons een familielegende geworden. Mijn overgrootmoeder heeft het aan mijn grootmoeder verteld, en die heeft het aan mijn moeder verteld en mijn moeder aan mij. Vele malen zelfs. Het heeft grote indruk gemaakt. Ik heb altijd geweten dat ik er ooit een film over zou maken.' Ze glimlachte en haalde haar schouders op. 'Maar in ieder verhaal zitten hiaten. Ik heb dozen vol papperassen, de politierapporten en kranten staan vol feiten, maar dat is allemaal zijdelingse informatie. Nogal zwaar gecensureerd, vermoed ik. Helaas zijn de twee mensen die getuige waren van de zelfmoord al jaren dood.'

'Een nogal morbide onderwerp voor een film, moet ik zeggen,' zei Ruth.

'Nee, hoor, het is juist fascinerend,' antwoordde Ursula. 'Een rijzende ster aan het firmament van de Britse poëzie pleegt zelfmoord aan de rand van een donker meer, op de avond van een groot societyfeest. De enige getuigen zijn twee mooie zusjes die daarna geen woord meer tegen elkaar hebben gezegd. De een was zijn verloofde, en over de andere werd gefluisterd dat ze zijn minnares was. Dat is toch verschrikkelijk romantisch?'

Het angstgevoel in mijn binnenste werd enigszins gesust. Hun geheim was dus nog steeds intact. Ze was niet achter de waarheid gekomen. Ik vroeg me af waarom ik dat had gedacht. En ik vroeg me af welke misplaatste trouw er de oorzaak van was dat het me iets kon schelen. Waarom het me, zelfs na al die jaren, nog iets uitmaakte wat de mensen dachten.

Maar ook dat wist ik. Ik had het met mijn geboorte meegekregen. Meneer Hamilton had dat tegen me gezegd op de dag dat ik was vertrokken, toen ik boven aan de bediendetrap stond, met mijn weinige bezittingen in mijn leren koffertje, terwijl mevrouw Townsend in de keuken zat te huilen. Hij had gezegd dat het in mijn bloed zat, net zoals het geval was geweest bij mijn moeder en haar ouders; ik was gek dat ik wegging en een goede betrekking bij een gegoede familie opgaf. Boos had hij het verlies van trouw en trots van het Engelse volk gehekeld, gezworen dat hij niet zou toestaan dat dit ook Riverton zou infiltreren. We hadden geen oorlog gevoerd en gewonnen om nu onze goede manieren kwijt te raken.

Ik had op dat moment erg met hem te doen: zo rigide, er zo van overtuigd dat ik, door mijn betrekking te verlaten, me op een weg begaf die naar financiële en morele ondergang zou leiden. Pas veel later begreep ik hoe bang hij moest zijn geweest, hoe meedogenloos de maatschappelijke veranderingen die zich om hem heen voltrokken en hem onder druk zetten in zijn ogen moesten zijn geweest. Hoe wanhopig graag hij de oude zeden en gewoonten had willen bewaren.

Hij heeft trouwens gelijk gekregen. Niet in ieder opzicht, niet wat mijn ondergang betrof, want noch mijn financiën, noch mijn morele waarden hadden te lijden onder mijn vertrek uit Riverton, maar in die zin dat een deel van me dat huis nooit heeft verlaten. Beter gezegd: dat een deel van het huis míj niet wilde loslaten. Nog vele jaren hoefde ik maar de geur van de bijenwas van Stubbins & Co. te ruiken of een bepaald belletje te horen en ik was weer veertien en zat, moe van de lange werkdag, in het bediendevertrek een beker warme chocolademelk te drinken terwijl meneer Hamilton stukjes voorlas uit *The Times*, (maar dan alleen de artikelen die hij geschikt achtte voor onze beïnvloedbare oortjes), Nancy fronste om een oneerbiedige opmerking van Alfred, en mevrouw Townsend zachtjes snurkte in de schommelstoel, met haar breiwerk op haar brede, moederlijke schoot…

'Daar is de thee,' zei Ursula. 'Dank je wel, Tony.'

Plotsklaps stond er een jongeman naast me met een geïmproviseerd dienblad waarop kleurige mokken en een oud jampotje met suiker stonden. Hij zette het blad op het bijzettafeltje, en Ursula deelde de mokken uit. Ruth gaf er een aan mij door.

'Wat is er, mam?' Ze pakte een zakdoek en stak haar hand uit naar mijn gezicht. 'Voelt u zich niet goed?'

Toen pas voelde ik dat mijn wangen nat waren.

Het kwam door de geur van de thee. En doordat ik hier was, in deze kamer, doordat ik op deze bank zat. De last van oude herinneringen. Van streng bewaakte geheimen. De botsing tussen verleden en heden.

'Grace? Kan ik iets voor u doen?' vroeg Ursula. 'Zal ik de verwarming wat lager zetten?'

'Het lijkt me het beste dat ik haar naar huis breng.' Dat was Ruth weer. 'Ik wíst dat dit niet goed voor haar zou zijn. Het is haar allemaal te veel geworden.'

Ja, ik wilde naar huis. Thuis zijn. Ik voelde dat ik overeind werd gehesen, dat ik mijn wandelstok in mijn hand gedrukt kreeg. Stemmen wervelden om me heen.

'Het spijt me,' zei ik tegen niemand in het bijzonder. 'Ik ben erg moe.' Heel moe. Heel lang geleden.

Mijn voeten deden pijn, protesteerden tegen hun opsluiting. Iemand, misschien Ursula, stak haar handen uit om me in evenwicht te houden. Ik voelde de koude wind op mijn natte wangen.

Toen zat ik in de auto van Ruth en gleden huizen, bomen en verkeersborden langs.

'Maakt u zich geen zorgen, mam, het is nu voorbij,' zei Ruth. 'Het was stom van me. Ik had er niet in moeten toestemmen u daarnaartoe te brengen.'

Ik legde mijn hand op haar arm en voelde haar verstijven.

'Ik had naar mijn gevoel moeten luisteren,' zei ze. 'Ik ben erg dom geweest.'

Ik sloot mijn ogen. Luisterde naar het geronk van de motor, het zwiepen van de ruitenwissers, het geraas van het verkeer.

'Ja, rust u maar even lekker uit,' zei Ruth. 'U gaat naar huis. U hoeft nooit meer terug te gaan.'

Ik glimlachte en voelde me wegdrijven.

Het is te laat, ik ben al thuis. Ik ben terug.

The Braintree Daily Herald
17 januari 1925

Slachtoffer verkeersongeluk geïdentificeerd: plaatselijke schoonheid omgekomen

De identiteit van de persoon die gisterochtend dodelijk gewond raakte bij een verkeersongeluk op Braintree Road, is bekendgemaakt. Het is de plaatselijke schoonheid en filmactrice de hooggeboren mejuffrouw Emmeline Hartford (21). Mejuffrouw Hartford maakte deel uit van een groep van vier personen die van Londen naar Colchester reisden, toen hun automobiel van de weg af raakte en tegen een van de eikenbomen botste die het landschap aldaar typeren.

Mejuffrouw Hartford is het enige dodelijke slachtoffer. De andere inzittenden hebben geen ernstige verwondingen opgelopen, maar zijn voor behandeling overgebracht naar het Ipswich Hospital.

De groep was op weg naar Godley House, het buitenverblijf van mevrouw Frances Vickers, een jeugdvriendin van mejuffrouw Hartford. Toen ze op zondagmiddag nog niet waren gearriveerd, waarschuwde mevrouw Vickers de politie.

Er zal een onderzoek worden ingesteld naar de oorzaak van het ongeluk. Het is nog niet duidelijk of de bestuurder van de automobiel in staat van beschuldiging zal worden gesteld. Volgens getuigen is het ongeluk hoogstwaarschijnlijk veroorzaakt door een te hoge snelheid en door gladheid van het wegdek.

De enige nabestaande van mejuffrouw Hartford is haar oudere zus, de hooggeboren mevrouw Hannah Luxton, echtgenote van de heer Theodore Luxton, lid van de conservatieve partij van Saffron Green. Meneer en mevrouw Luxton waren niet beschikbaar voor commentaar, maar advocaten van het bureau Gifford & Jones hebben uit hun naam een verklaring afgelegd dat de familie diep geschokt is en om privacy verzoekt.

Dit is niet de eerste tragedie waarmee de familie recentelijk te maken heeft gekregen. Afgelopen zomer waren mejuffrouw Emmeline Hartford en mevrouw Hannah Luxton tot hun grote ontsteltenis getuige van de zelfmoord van lord Robert Hunter, op het landgoed Riverton. Lord Hunter genoot aanzien als dichter en had reeds twee dichtbundels gepubliceerd.

De kinderkamer

Het is een milde dag, een voorbode van de lente, en ik zit op de metalen bank in de tuin, onder de olm. Frisse lucht is goed voor me (zegt Sylvia), dus zit ik hier terwijl de schuchtere winterzon verstoppertje met me speelt. Mijn wangen zijn koud en rimpelig, als perziken die al te lang in de koelkast liggen.

Ik zit te denken aan de dag waarop ik op Riverton in dienst kwam. Ik zie het nog heel duidelijk voor me. De tussenliggende jaren verdwijnen in het niet en het is juni 1914. Ik ben weer veertien: naïef, onbeholpen en nerveus volg ik Nancy de schoongeschrobde, olmenhouten trappen op. Haar rok ruist efficiënt bij iedere stap, en met elke *woesj* wordt mijn onervarenheid aan de kaak gesteld. Ik kan haar niet bijhouden, het handvat van mijn koffer snijdt in mijn vingers. Ze verdwijnt uit het zicht wanneer ze de hoek omslaat naar de volgende trap, zodat ik op het ruisende geluid moet afgaan om de weg te vinden…

Boven aan de laatste trap vervolgde Nancy haar weg door een donkere gang met een laag plafond en stopte uiteindelijk, met een kort klikje van haar hakken, bij een smalle deur. Ze draaide zich om en fronste haar wenkbrauwen toen ik zeulend met de koffer op haar af strompelde. Haar strenge ogen waren even zwart als haar haar.

'Wat is er?' vroeg ze in afgemeten Engels dat haar Ierse klinkers verdoezelde. 'Ik wist niet dat je traag was. Daar heeft mevrouw Townsend niets over gezegd.'

'Ik ben niet traag. Het komt door mijn koffer. Die is zwaar.'

'Nou zeg,' zei ze, 'wat maak je daar een drama van. Hoe denk je als dienstmeisje te kunnen werken als je er al moeite mee hebt een koffer met kleren te dragen? Ik hoop voor jou dat meneer Hamilton je er niet op zal betrappen dat je de rolveger als een zandzak achter je aan sleept.'

Ze duwde de deur open. De kamer was klein en spartaans ingericht, en rook om onduidelijke redenen naar aardappelen. De helft ervan – een metalen bed, een commode en een stoel – was voor mij.

'Dat is jouw kant,' zei ze met een knikje naar de rand van het bed. 'Dit is mijn kant, en ik verzoek je vriendelijk nergens aan te zitten.' Ze liet haar vingers over haar commode wandelen, langs een kruisbeeld, een bijbel en een haarborstel. 'Lange vingers worden hier niet geduld. Pak je koffer uit, trek je uniform aan en kom naar beneden, zodat je kunt beginnen. Geen getreuzel, hoor je me? En denk er in 's hemelsnaam om dat je achterom naar het bediendevertrek gaat en niet dwars door het huis heen. We eten om twaalf uur omdat de kleinkinderen van meneer vandaag komen en we de kamers nog niet allemaal op orde hebben. Ik heb geen tijd om naar je te gaan zoeken. Je bent geen lanterfanter, hoop ik?'

'Nee, Nancy,' zei ik, nog beledigd over de insinuatie dat ik wel eens een dievegge zou kunnen zijn.

'Dat staat nog te bezien,' zei ze. Ze schudde haar hoofd. 'Ik weet het niet. Ik zeg dat ik er een meisje bij moet hebben, en wat sturen ze? Eentje zonder ervaring, zonder referenties en zo te zien nog een slome ook.'

'Ik ben niet...'

'Zwijg stil!' zei ze, met haar smalle voet stampend. 'Mevrouw Townsend zegt dat je moeder vlug en vaardig was, en dat de appel niet ver van de boom valt. Het is voor jou te hopen dat ze gelijk heeft. Lady Ashbury duldt geen getreuzel van meisjes als jij, en ik ook niet.' Ze schudde nog een keer misprijzend haar hoofd, draaide zich op haar hakken om en liet me in mijn eentje achter in de kleine, schemerige kamer op de zolderverdieping van het huis. *Woesj... woesj... woesj...*

Ik bleef met ingehouden adem staan luisteren.

Toen ik alleen was achtergebleven op de zachtjes zuchtende zolder, liep ik op mijn tenen naar de deur, deed die dicht en bekeek mijn nieuwe onderkomen.

Veel viel er niet te bekijken. Ik haalde mijn hand over het voeteneinde van het bed, bukkend waar het plafond schuin afliep onder het pannendak. Op het matras lag een grijze deken waarvan een van de hoeken op deskundige wijze was versteld. Aan de muur hing een ingelijst schilderijtje, de enige decoratie in de kamer: een primitief jachttafereel van een doorboord hert met een bloedende flank. Ik wendde snel mijn ogen van het stervende dier af.

Voorzichtig ging ik zitten, bevreesd dat ik kreukels zou maken in het gladde onderlaken. De spiralen van het bed kraakten. Ik vloog geschrokken overeind en voelde mijn wangen gloeien.

Stoffig licht viel naar binnen door het smalle raam. Ik ging op mijn knieën op de stoel zitten en keek naar buiten.

De kamer lag aan de achterzijde van het huis en je zat er erg hoog. Ik kon over de rozentuin en de pergola's heen de zuidelijke fontein zien. Erachter,

wist ik, lag het meer, en aan de overkant daarvan het dorp en het huisje waarin ik de eerste veertien jaren van mijn leven had gewoond. Ik stelde me voor
dat moeder nu bij het keukenraam zat, waar ze het beste licht had, gebogen
over het herstelwerk.

Ik vroeg me af of ze het in haar eentje wel zou redden. De laatste tijd ging
het niet erg goed met haar. Af en toe hoorde ik haar 's nachts in bed kreunen
wanneer de spieren in haar rug door krampen werden samengetrokken.
Soms waren haar vingers 's ochtends zo stijf dat ik ze in een pannetje warm
water moest masseren voordat ze in staat was zelfs maar een klosje garen uit
haar naaimandje te pakken. Mevrouw Rodgers uit het dorp had beloofd dat
ze iedere dag bij haar langs zou gaan, en de marskramer kwam twee keer in
de week, maar ze zou evengoed bijna de hele tijd alleen zijn. Zonder mijn
hulp zou ze lang niet zo veel verstelwerk kunnen doen. Waar moest ze van leven? Mijn karige loon was natuurlijk wel iets, maar zou het niet veel beter
zijn geweest als ik bij haar was gebleven?

Ze had zelf gewild dat ik naar de betrekking solliciteerde. Mijn tegenwerpingen had ze niet willen horen. Ze had haar hoofd geschud en gezegd dat ze
echt wel wist wat het beste voor mij was. Ze had gehoord dat ze een meisje nodig hadden en was er zeker van dat ik precies was waar ze naar zochten. Geen
woord over hoe ze het te weten was gekomen. Moeder en haar geheimen!

'Het is niet ver,' had ze gezegd. 'Op je vrije dagen kun je me komen helpen.'

Blijkbaar zag ze aan mijn gezicht hoe moeilijk ik het ermee had, want ze
stak haar hand uit om mijn wang te strelen. Dat deed ze nooit en dat had ik
dan ook niet verwacht. Beduusd kromp ik ineen toen ik haar ruwe handen,
haar schurende vingers voelde. 'Maak je geen zorgen, liever. Je wist dat je op
een gegeven moment een betrekking zou moeten zoeken. Het is beter zo. Dit
is een mooie kans. Dat zul je nog wel zien. Niet iedereen is bereid zulke jonge
meisjes in dienst te nemen. Lord Ashbury en lady Violet zijn lang geen slechte mensen. En meneer Hamilton mag dan streng zijn, maar hij is rechtvaar-
dig. Mevrouw Townsend ook. Werk hard, doe wat je wordt opgedragen, dan
komt alles best in orde.' Met trillende vingers kneep ze in mijn wang. 'En
Gracie… vergeet nooit wat je plaats is. Te veel jonge meisjes vergeten dat en
raken dan in moeilijkheden.'

Ik had haar beloofd dat ik zou doen wat ze zei en was de daaropvolgende
zondag in mijn mooiste jurk de heuvel op gelopen naar het grote huis, voor
een gesprek met lady Violet.

Het was een kleine, rustige huishouding, vertelde ze me. Alleen haar echtgenoot, lord Ashbury, die het altijd druk had met het landgoed en zijn clubs,

en zijzelf, woonden hier. Hun twee zonen, majoor Jonathan en meneer Frederick, waren volwassen en getrouwd, en woonden nu elders met hun gezin, hoewel ze regelmatig kwamen logeren, zodat ik hen vanzelf te zien zou krijgen als ik mijn werk naar behoren verrichtte en hier in dienst zou blijven. Nu slechts zij en haar echtgenoot op Riverton woonden, hadden ze geen huishoudster nodig, zei ze. Ze liet de dagelijkse gang van zaken met een gerust hart over aan meneer Hamilton, terwijl mevrouw Townsend, de kokkin, verantwoordelijk was voor alles wat met de keuken te maken had. Als zij tweeën tevreden over mij waren, was dat voor haar voldoende om me aan te nemen.

Daarna had ze gezwegen en me nauwkeurig bekeken, waardoor ik het gevoel had gekregen dat ik gevangenzat, als een muis in een glazen potje. Ik was me meteen bewust geworden van de lelijke zoom van mijn rok, die meerdere malen was uitgelegd in pogingen de lengte aan te passen aan mijn groeiende gestalte, en van de slijtplekjes in mijn kousen bij de hielen van mijn schoenen, en van mijn te lange nek en te grote oren.

Toen had ze met haar ogen geknipperd en geglimlacht: een strakke glimlach die haar ogen veranderde in ijzige halvemaantjes. 'Je ziet er proper uit en ik hoor van meneer Hamilton dat je overweg kunt met naald en draad.' Ze was opgestaan toen ik knikte en bij me vandaan gelopen naar het schrijfbureau, waarbij ze haar hand over de rugleuning van de fauteuil liet glijden. 'Hoe maakt je moeder het?' had ze gevraagd zonder zich om te draaien. 'Weet je dat ze hier vroeger heeft gewerkt?' Daarop antwoordde ik dat ik dat wist en dat moeder het goed maakte. En ik bedankte haar voor haar belangstelling.

Ik had blijkbaar het juiste antwoord gegeven, want meteen daarna had ze me vijftien pond per jaar geboden en gezegd dat ik de dag daarop kon beginnen. Toen had ze Nancy gebeld om me uit te laten.

Ik haalde mijn neus bij het raam vandaan, veegde de wasem weg die mijn adem op de ruit had achtergelaten en stapte van de stoel.

Mijn koffer stond nog op de plek waar ik hem had neergezet, naast Nancy's bed. Ik trok hem naar mijn commode en hield angstvallig mijn blik afgewend van het bloedende hert, bevroren in zijn afgrijselijke laatste ademtocht, toen ik mijn kleren in de bovenste la legde: twee rokken, twee bloezen en een zwarte maillot, die moeder me had laten verstellen, opdat ik het de komende winter warm zou hebben. Toen, met bonzend hart en een blik op de deur, pakte ik mijn geheime bezittingen uit.

Drie boeken in totaal, met verfomfaaide groene kaften die bedrukt waren met verbleekte gouden lettertjes. Ik legde ze helemaal achter in de onderste la en bedekte ze met mijn sjaal, die ik zorgvuldig aan de zijkanten instopte, zodat ze volledig aan het oog onttrokken waren. Meneer Hamilton was heel duidelijk geweest. De Bijbel was geoorloofd, maar iedere andere vorm van lectuur was hoogstwaarschijnlijk schadelijk en moest door hem worden goedgekeurd, anders liep ik het risico dat die geconfisqueerd werd. Ik was niet rebels, ik had toen juist een diepgeworteld plichtsgevoel, maar een leven zonder Holmes en Watson was ondenkbaar.

Ik schoof de koffer onder het bed.

Mijn uniform hing aan de haak aan de deur: zwarte jurk, witte schort, mutsje met een gerimpelde rand. Toen ik het aantrok, voelde ik me als een meisje dat de klerenkast van haar moeder heeft ontdekt. De jurk voelde stijf aan en de kraag schuurde in mijn nek op plaatsen waar hij door het vele dragen naar het bredere lichaam van iemand anders was gaan staan. Toen ik de banden van de schort vastmaakte, fladderde er een kleine, witte nachtvlinder weg, op zoek naar een nieuwe schuilplaats tussen de balken van het plafond; ik had veel zin om met hem mee te fladderen.

Het mutsje was van witte katoen en zo sterk gesteven dat de voorkant rechtop stond. Ik ging voor de spiegel boven Nancy's commode staan om te controleren of het netjes recht stond en om mijn lichtblonde haar over mijn oren te strijken, zoals mijn moeder me had geleerd. Bij de eerste blik die ik op het meisje in de spiegel wierp, viel me op wat een ernstig gezicht ze had. Het is heel griezelig wanneer je jezelf in rust betrapt. Een onbewaakt ogenblik, ontdaan van poses, wanneer je vergeet ook jezelf voor het lapje te houden.

Sylvia heeft me een kopje thee en een plak citroencake gebracht. Ze komt naast me zitten en haalt, met een snelle blik naar het kantoor, een pakje sigaretten tevoorschijn. (Het is wonderbaarlijk dat mijn ogenschijnlijke behoefte aan frisse lucht altijd samenvalt met haar behoefte aan een rookpauze.) Ze biedt me er een aan. Ik sla het aanbod af, zoals altijd, en ze zegt, zoals altijd: 'Waarschijnlijk maar beter, op uw leeftijd. Zal ik die van u dan maar oproken?'

Sylvia ziet er leuk uit vandaag. Ze heeft weer iets met haar haar gedaan en ik maak haar een complimentje. Ze knikt, blaast een sliert rook uit en schudt haar hoofd. Een lange paardenstaart slingert zich over haar schouder.

'Er zitten extensions in,' zegt ze. 'Die wilde ik al heel lang en ik dacht bij mezelf: meid, het leven is te kort om er niet fantastisch uit te zien. Net echt, hè?'

Ik ben te traag met antwoorden, wat ze opvat als instemming.

'Dat komt doordat het echt ís. Echt haar, net zoals beroemdheden gebruiken. Voel maar eens.'

'Goeie genade,' zeg ik wanneer ik de stugge staart betast. 'Écht haar.'

'Tegenwoordig kunnen ze veel.' Ze gebaart met haar sigaret en ik zie de natte paarse plekjes die haar lippen erop hebben achtergelaten. 'Het is uiteraard niet goedkoop, maar gelukkig had ik wat opzijgelegd, een appeltje voor de dorst.'

Wanneer ze stralend glimlacht, heeft ze iets van een rijpe pruim, en opeens heb ik door wat de *raison d'être* van deze herschepping moet zijn. En ja hoor: er komt een foto tevoorschijn uit de borstzak van haar bloes.

'Anthony,' zegt ze vertederd.

Ik zet nogal omstandig mijn bril op en bekijk het portret van een man van middelbare leeftijd met een grijze snor. 'Hij ziet er erg aardig uit.'

'Dat is hij ook,' zegt ze met een blijde zucht. 'We zijn alleen nog maar een paar keer 's middags uit geweest, voor een kopje thee, maar ik heb hier een heel goed gevoel over. Hij is een echte heer, ziet u. In tegenstelling tot de lapzwansen die ik tot nu toe heb gehad. Hij houdt de deur voor me open, brengt een bloemetje voor me mee, schuift mijn stoel voor me achteruit wanneer we ergens plaatsnemen. Een echte ouderwetse heer.'

Dat laatste zegt ze er speciaal voor mij bij, dat is duidelijk. Ze denkt dat hoogbejaarden vanzelfsprekend onder de indruk raken van ouderwetse zaken. 'Wat voor werk doet hij?' vraag ik.

'Hij geeft les op de middelbare school hier. Geschiedenis en Engels. Hij is heel intelligent. En erg sociaal voelend. Hij doet vrijwilligerswerk voor de plaatselijke Historische Vereniging. Hij vindt dat een fijne hobby, zegt hij, al die graven en gravinnen en baronnen en baronessen. Hij weet een heleboel over die familie van u, die in het grote huis op de heuvel woonde…' Ze zwijgt abrupt, loert naar het kantoor en slaat dan haar ogen ten hemel. 'Verdorie. Daar heb je Ratchet. Ik moet eigenlijk de thee rondbrengen. Bertie Sinclair zal wel geklaagd hebben, al kan hij beter af en toe een plakje cake overslaan, als je het mij vraagt.' Ze drukt haar sigaret uit en stopt de peuk in het luciferersdoosje. 'Slaven krijgen ook nooit eens rust. Kan ik nog iets voor u doen voordat ik ga? U hebt bijna niks van uw thee gedronken.'

Ik verzeker haar dat ik niets nodig heb, waarna ze snel de binnenplaats oversteekt, heupen en paardenstaart eendrachtig wiegend.

Het is prettig wanneer iemand om je geeft, wanneer iemand je een kopje thee brengt. Ik vind dat ik dat ook wel een beetje heb verdiend. Hoe vaak heb ik zelf niet thee geserveerd? Ik probeer me voor de aardigheid wel eens voor te stellen hoe het Sylvia zou zijn vergaan op Riverton. Niets voor haar, de zwijgende, gehoorzame eerbied van de dienstmeisjes van toen. Ze heeft te veel pit, ze is niet murw gemaakt door de steeds maar weer herhaalde vermaningen over 'haar plaats', de goedbedoelde instructies die haar verwachtingen moesten temperen. Nee, Nancy zou aan Sylvia lang niet zo'n gedweeë leerlinge hebben gehad als aan mij.

Ik weet wel dat je eigenlijk geen vergelijking kunt trekken. Dit zijn heel andere tijden. We hebben in deze eeuw te veel klappen gekregen. Vandaag de dag gaan zelfs jonge, bevoorrechte mensen prat op hun cynisme; ze hebben een lege blik in hun ogen en hun hoofd is gevuld met dingen die ze nooit hadden willen weten.

Dat is een van de redenen waarom ik niemand ooit iets heb verteld over de Hartfords en Robbie Hunter en hoe het tussen hen nu eigenlijk zat, al zijn er momenten geweest waarop ik heb overwogen alles te vertellen, om mezelf van de last te bevrijden. Ik wilde het aan Ruth vertellen. Of nog liever aan Marcus. Maar ik wist, nog voordat ik eraan begon, dat ik het hun niet duidelijk zou kunnen maken. Hoe het is geëindigd zoals het is geëindigd. Waaróm het zo is geëindigd. Hoezeer de wereld is veranderd.

Natuurlijk waren er ook toen al tekenen van vooruitgang te bespeuren. Er was veel veranderd door de oorlog – de Eerste Wereldoorlog – zowel voor de familie als voor het personeel. Wat waren we gechoqueerd toen er na de oorlog nieuwe bedienden arriveerden (en meestal snel weer vertrokken), vol socialistische eisen over minimumloon en vakantiedagen. Daarvóór had de wereld zo absoluut geleken, met duidelijke en intrinsieke scheidslijnen.

Op mijn eerste dag riep meneer Hamilton me bij zich in de provisiekamer, helemaal achter in het bediendevertrek, waar hij kromgebogen *The Times* stond te strijken. Hij richtte zich op en zette zijn mooie, ronde brilletje recht op de brug van zijn grote, kromme neus. Mijn kennisneming van 'de regels' was zo belangrijk dat mevrouw Townsend bij wijze van hoge uitzondering de voorbereidingen voor de koude lunch in de steek liet om er getuige van te zijn. Meneer Hamilton inspecteerde mijn uniform grondig en begon, blijkbaar tevreden, aan een preek over het verschil tussen 'ons' en 'hen'.

'Je mag nooit vergeten,' zei hij ernstig, 'wat een voorrecht het is dat je bent uitgenodigd om in zo'n keurige huishouding als deze te werken. Dat voorrecht brengt verantwoordelijkheden met zich mee. Jouw gedrag heeft op directe wijze zijn weerslag op de familie en je moet hen altijd eerbiedigen: hun geheimen bewaren en hun vertrouwen waardig zijn. Onthoud goed dat meneer alles altijd het beste weet. Neem hem en zijn gezin als voorbeeld. Dien hen zwijgend, vlijtig en dankbaar. Wanneer je werk onopgemerkt blijft, weet je dat je het goed hebt verricht, en wanneer jíj onopgemerkt blijft, weet je dat je voldoet.' Hij richtte zijn blik op een punt boven mijn hoofd, zijn rossige huid nog roder van de emoties. 'En Grace... vergeet nooit wat een eer het is dat ze je toestaan in hun huis te werken.'

Ik ben benieuwd wat Sylvia daarvan zou zeggen. De preek zou op haar in ieder geval niet het effect hebben dat hij op mij had; haar gezicht zou niet zijn samengetrokken van dankbaarheid en van de vage, ondefinieerbare blijdschap om een stapje hogerop te zijn gekomen in de wereld.

Ik ga verzitten en zie dat ze de foto heeft laten liggen van de nieuwe aanbidder die haar het hoofd op hol brengt met verhalen over het verleden, een man die van de aristocratie zijn hobby heeft gemaakt. Ik ken dat soort mannen. Ze maken plakboeken met krantenknipsels en foto's, en schetsen uitgebreide stambomen van families waartoe ze zelf geen toegang hebben.

Dat klinkt minachtend, maar dat ben ik niet. Ik ben geïnteresseerd, zelfs geïntrigeerd, in hoe de tijd mensen doet vervagen en alleen onduidelijke indrukken achterlaat. Lichaam en geest raken in vergetelheid, namen en data blijven bestaan.

Ik sluit mijn ogen weer. De zon is doorgebroken en nu zijn mijn wangen warm.

De bewoners van Riverton zijn allemaal al heel lang dood. Ik ben door de jaren verschrompeld, maar zij blijven eeuwig jong, eeuwig mooi.

Moet je mij horen. Wat doe ik opeens sentimenteel en romantisch. Ze zijn helemaal niet jong en ook niet mooi. Ze zijn dood. Begraven. Weg. Niets dan hersenschimmen die spelen met de herinneringen van de mensen die hen hebben gekend.

Aan de andere kant zijn mensen die in herinneringen voortleven nooit echt dood.

De eerste keer dat ik Hannah en Emmeline en hun broer David zag, waren ze aan het kibbelen over het effect van melaatsheid op het menselijke gelaat. Ze waren toen al een week op Riverton – waar ze iedere zomer kwamen logeren –, maar tot op dat moment had ik alleen maar af en toe iets van hun vrolijke gelach opgevangen en het geroffel van rennende voeten gehoord binnen het krakende geraamte van het oude huis.

Nancy had gezegd dat ik nog veel te onervaren was om me in beschaafd gezelschap te begeven – ongeacht hoe jong dat gezelschap was – en had me karweitjes gegeven die me ver bij de logés vandaan hielden. Terwijl de andere bedienden voorbereidingen troffen voor de komst van de volwassen gasten, die over veertien dagen zouden arriveren, kreeg ik de verantwoordelijkheid voor de kinderkamer.

Ze waren eigenlijk al te oud voor de kinderkamer, had Nancy gezegd, en zouden er vermoedelijk niet eens komen, maar het was een traditie, dus moest de grote kamer op de tweede verdieping, aan het einde van de gang van de oostelijke vleugel, gelucht en schoongemaakt worden en kwamen er dagelijks verse bloemen te staan.

Ik kan de kamer beschrijven, maar ik vrees dat een beschrijving, in welke vorm ook, de eigenaardige aantrekkingskracht die het vertrek op me had niet kan weergeven. Het was een grote, rechthoekige, sombere kamer met de fletsheid van onbedoelde verwaarlozing. Hij maakte een verlaten indruk, alsof er een vloek over was uitgesproken, als in een sprookje. Alsof hij honderd jaar sliep. Het was er muf en koud, en er hing een beklemmende sfeer. In het poppenhuis bij de haard was de tafel gedekt als voor een theekransje, maar de gasten zouden nooit komen.

Het behang kon blauw met wit gestreept zijn geweest, maar was door de tijd en door het vocht veranderd in morsig grijs, vol vlekken en met afbladderende stroken. Aan een van de muren hing een rij prenten met scènes uit de sprookjes van Hans Christian Andersen: het dappere tinnen soldaatje in het vuur, het mooie meisje met de rode schoentjes, de kleine zeemeermin die om haar verloren verleden weende. Het rook er bedompt, naar de geesten van kinderen en naar neergeslagen stof. Alsof dat leefde.

Aan het ene uiteinde van de kamer was een open haard met een leren fauteuil ernaast, en de muur die er haaks op stond, had grote boogramen. Als ik op de donkerbruine houten vensterbank klom en door de glas-in-loodramen naar buiten keek, zag ik een binnenplaats waar twee bronzen leeuwen op verweerde voetstukken de wacht hielden en neerkeken op de begraafplaats van het landgoed die verderop in het dal lag.

Een versleten hobbelpaard stond roerloos bij het raam: een statige schimmel met vriendelijke zwarte ogen, die dankbaar leek wanneer ik hem afstofte. Ernaast, als een stille metgezel, stond Raverley. De zwartbruine jachthond was van lord Ashbury geweest toen die nog klein was. Hij was gestorven nadat zijn poot in een voetangel was terechtgekomen. De preparateur had zijn best gedaan de schade te herstellen, maar alle lapjes vacht ter wereld konden niet verhullen wat eronder zat. Wanneer ik in de kamer bezig was, dekte ik Raverley altijd toe. Wanneer hij onder een stoflap zat, kon ik net doen alsof hij er niet was en dan keek hij tenminste niet naar me met zijn doffe glazen ogen en de gapende wond onder de opgelapte vacht.

Ondanks dit alles – Raverley, de geur van trage rotting, het afbladderende behang – werd de kinderkamer mijn favoriete kamer. Zoals voorspeld trof ik hem iedere dag leeg en verlaten aan, omdat de kinderen elders op het land-goed speelden. Ik probeerde iedere dag mijn andere taken zo snel mogelijk af te werken, zodat ik een paar minuutjes extra in de kamer kon vertoeven. In mijn eentje. Zonder Nancy's eindeloze terechtwijzingen, zonder meneer Hamiltons strenge verwijten, zonder de rumoerige camaraderie van de andere bedienden, die me het gevoel gaven dat ik nog heel veel moest leren. Ik werd algauw minder schichtig en begon de stille eenzaamheid al snel heel gewoon te vinden, de kamer te beschouwen als de mijne.

Bovendien waren er boeken, heel veel boeken, meer dan ik ooit op één plek bij elkaar had gezien: avonturenboeken, verhalen, sprookjes: ze verdrongen elkaar op de planken aan weerskanten van de haard. Eén keer waagde ik het er eentje van de plank te pakken; ik koos er willekeurig een die toevallig een erg mooie rug had, liet mijn hand over de stoffige kaft glijden, sloeg het open en las de naam die keurig netjes op het schutblad was geschreven: TIMOTHY HARTFORD. Toen sloeg ik de dikke bladzijden om, rook de geur van het schimmelige papier en zweefde weg naar een andere plek, een andere tijd.

Ik had leren lezen op de dorpsschool en mijn onderwijzeres, juffrouw Ruby, die waarschijnlijk dolblij was zo'n leergierige leerlinge te hebben getroffen, was begonnen me boeken te lenen uit haar persoonlijke collectie: *Jane Eyre, Frankenstein, Het kasteel van Otranto.* Wanneer ik ze terugbracht, bespraken we de delen van het verhaal die we het mooiste vonden. Juffrouw Ruby had gezegd dat ik best onderwijzeres kon worden. Moeder was niet erg blij geweest met dat nieuws. Ze had gezegd dat juffrouw Ruby me makkelijk zulke mooie dingen kon aanpraten, maar dat daarmee geen brood op de plank zou komen. Niet lang daarna had ze me de heuvel op gestuurd, naar Riverton, naar Nancy en meneer Hamilton, en naar de kinderkamer…

Een tijdlang was de kinderkamer míjn kamer, waren de boeken míjn boeken.

Maar op een dag was het mistig en begon het te regenen. Toen ik door de gang snelde met het plan een geïllustreerde jeugdencyclopedie in te kijken die ik de dag daarvoor had zien staan, bleef ik abrupt staan. In de kamer klonken stemmen.

Het was de wind, zei ik tegen mezelf, die de stemmen meevoerde vanuit een andere plek in het huis. Een zinsbegoocheling. Maar toen ik de deur op een kiertje opendeed en naar binnen gluurde, schrok ik hevig. Er waren mensen in de kamer. Jonge mensen die volmaakt bij het sprookjesachtige vertrek pasten.

Op dat moment, zomaar ineens, was de kamer de mijne niet meer. Ik bleef doodstil, besluiteloos, staan. Ik had geen idee of het gepast was mijn taken evengoed nu uit te voeren of later terug te komen. Ik keek nogmaals om het hoekje van de deur, en voelde me heel klein door hun gelach, hun zelfverzekerde, heldere stemmen, hun glanzende haar met daarin nog glanzender strikken.

De bloemen gaven de doorslag. Ze stonden te verleppen in de vaas op de schoorsteenmantel. 's Nachts waren al wat bloemblaadjes op de grond gevallen en die lagen daar nu verspreid, als een stil verwijt. Ik kon het risico niet nemen dat Nancy dat zou zien; ze had me heel duidelijk verteld wat mijn taken waren en er geen twijfel over laten bestaan dat mijn moeder het te horen zou krijgen als ik in conflict kwam met mijn meerderen.

Met de regels van meneer Hamilton in gedachten klemde ik de stoffer en het blik tegen mijn borst en liep op mijn tenen naar de haard, waarbij ik mijn uiterste best deed mezelf onzichtbaar te maken. Ik had me geen zorgen hoeven maken. Ze waren eraan gewend hun huis te delen met onzichtbare gedienstigen. Ze negeerden me terwijl ik net deed alsof ik hén negeerde.

Twee meisjes en een jongen: de jongste een jaar of tien, de oudste nog geen zeventien. Ieder van hen duidelijk een Ashbury: goudblond haar, ogen als de blauwe saffieren uit Ceylon – die hadden ze van de moeder van lord Ashbury, een Deense die (volgens Nancy) uit liefde was getrouwd en daarom was onterfd, waardoor ze haar bruidsschat was kwijtgeraakt. (Maar wie het laatst lacht, lacht het best, had Nancy gezegd, want toen de broer van haar man was overleden, was ze lady Ashbury geworden.)

Het langste meisje stond midden in de kamer en wapperde met wat vellen papier terwijl ze beschreef hoe lepreuze infecties eruitzagen. Haar jongere zus zat met gekruiste benen op de grond en keek met grote ogen naar haar op, haar arm afwezig rond Raverleys nek geslagen. Ik zag tot mijn verbazing en afgrijzen dat ze hem van zijn vaste plek hadden gehaald en dat het dier betrokken leek te worden bij wat ze aan het doen waren. De jongen zat op de vensterbank geknield en keek door de mist in de richting van de begraafplaats.

'En dan draai je je om naar het publiek, Emmeline, en zien ze dat je gezicht bedekt is met zweren van melaatsheid,' zei het langste meisje opgewekt.

'Wat is dat?'

'Een huidziekte,' zei het oudere meisje. 'Open wonden en etterende gezwellen, je weet wel.'

'Misschien kunnen we haar neus laten wegrotten, Hannah,' zei de jongen. Hij draaide zich om en knipoogde naar Emmeline.

'Ja,' zei Hannah doodserieus. 'Goed idee.'

'Nee,' jammerde Emmeline.

'Ach, Emmeline, doe niet zo kinderachtig. Hij zal niet écht wegrotten,' zei Hannah. 'We maken een masker. Iets heel afzichtelijks. Ik zal eens kijken of ik in de bibliotheek een medisch boek kan vinden. Hopelijk met plaatjes.'

'Ik snap niet waarom ík per se melaatsheid moet krijgen,' zei Emmeline.

'Vraag dat maar aan God,' zei Hannah. 'Die heeft het geschreven.'

'Maar waarom moet ik Miriam spelen? Kan ik niet iemand anders zijn?'

'Er zijn geen andere rollen,' zei Hannah. 'David moet Aäron zijn, omdat hij de langste is, en ik ben God.'

'Kan ik niet God zijn?'

'Natuurlijk niet. Ik dacht dat je de hoofdrol wilde.'

'Die wil ik ook,' zei Emmeline.

'Nou dan. God komt niet eens op het toneel,' zei Hannah. 'Ik moet mijn tekst achter een gordijn opzeggen.'

'Ik kan Mozes zijn,' zei Emmeline. 'En Raverley Miriam.'

'Geen sprake van,' zei Hannah. 'We moeten een echte Miriam hebben. Zij is veel belangrijker dan Mozes. Hij heeft maar één regel tekst. Daarom kunnen we daar Raverley voor gebruiken. Ik kan zijn tekst vanachter het gordijn zeggen. Of misschien schrap ik Mozes wel helemaal.'

'Kunnen we niet een ander toneelstukje doen?' vroeg Emmeline hoopvol. 'Dat over Maria en het kindeke Jezus?'

Hannah snoof minachtend.

Ze waren een toneelstuk aan het repeteren. Alfred, de butler, had me verteld dat er in het weekeinde van *bank holiday* voordrachten werden gehouden door de familieleden. Het was een traditie: sommigen zongen iets, anderen droegen gedichten voor, en de kinderen voerden altijd een toneelstukje op uit het favoriete boek van hun grootmoeder.

'We hebben dit stuk gekozen omdat het belangrijk is,' zei Hannah.

'Jíj hebt het gekozen omdat het belangrijk is,' zei Emmeline.

'Precies,' antwoordde Hannah. 'Het is belangrijk omdat een bepaalde vader twee soorten regels handhaaft: regels voor zijn zonen en regels voor zijn dochters.'

'In mijn oren klinkt dat heel redelijk,' zei David ironisch.

Hannah negeerde hem. 'Miriam en Aäron hebben zich schuldig gemaakt aan dezelfde overtreding: commentaar op het huwelijk van hun broer.'

'Wat zeiden ze dan?' vroeg Emmeline.

'Dat is niet belangrijk, alleen…'

'Zeiden ze lelijke dingen?'

'Nee, en daar gaat het ook niet om. Waar het om gaat, is dat God besluit dat Miriam voor straf melaats moet worden, terwijl Aäron alleen maar een uitbrander krijgt. Vind jij dat eerlijk, Emme?'

'Was Mozes niet met een Afrikaanse vrouw getrouwd?' vroeg Emmeline.

Hannah schudde geërgerd haar hoofd. Ik had al gemerkt dat ze dat vaak deed. Iedere beweging van haar ranke lichaam was doortrokken van felle energie, waardoor ze snel gefrustreerd raakte. Daarentegen had Emmeline de beheerste houding van een tot leven gekomen pop. Hun gelaatstrekken waren bijna eender wanneer je ze apart bekeek – twee kleine neuzen, twee paar helderblauwe ogen, twee mooie monden –, maar gaven elk van de meisjes een uniek uiterlijk. Hannah had veel van een elfenkoningin – bevlogen, mysterieus, fascinerend – terwijl Emmelines schoonheid veel toegankelijker was. Hoewel ze nog een kind was, deed de manier waarop haar lippen in rust uiteenweken me denken aan een foto van een filmster die ik ooit had opgeraapt toen hij uit de jaszak van de marskramer was gevallen.

'Is het zo of niet?' vroeg Emmeline.

'Ja, Emme,' zei David lachend. 'Mozes is met een Ethiopische getrouwd. Hannah is gewoon gefrustreerd dat we niet vechten voor de rechten van de vrouw, zoals zij.'

'Hannah! Dat meent hij toch niet? Je bent toch geen suffragette?'

'Natuurlijk wel,' zei Hannah. 'En jij ook.'

Emmeline vroeg op fluistertoon: 'Weet papa dat? Wat zal hij boos zijn.'

'Welnee,' zei Hannah. 'Papa is een puppy.'

'Een wolf zul je bedoelen,' zei Emmeline met trillende lippen. 'Maak hem alsjeblieft niet kwaad, Hannah.'

'Wees maar niet bang, Emme,' zei David. 'Alle vrouwen van stand willen tegenwoordig suffragettes zijn. Het is de nieuwste rage.'

Emmeline trok een bedenkelijk gezicht. 'Fanny heeft er anders niks over gezegd.'

'Wie ook maar een béétje wil meetellen, draagt dit jaar bij haar debuut een rokkostuum,' zei David.

Emmeline zette grote ogen op.

Ik stond bij de boekenplanken mee te luisteren en vroeg me af wat het allemaal betekende. Ik had het woord 'suffragette' nog nooit gehoord, maar had vaag het idee dat het wel eens een ziekte kon zijn, misschien wat mevrouw Nammersmith uit het dorp had gekregen toen ze tijdens de paasoptocht haar korset had uitgetrokken en door haar man naar het ziekenhuis in Londen was gebracht.

'Plaaggeest,' zei Hannah. 'Dat papa zo gemeen is dat hij mij en Emmeline niet naar school laat gaan, wil nog niet zeggen dat jij iedere gelegenheid moet aangrijpen om ons af te schilderen als domme gansjes.'

'Ook al zijn jullie dat wel,' zei David. Hij ging op de kist met speelgoed zitten en streek een goudblonde lok uit zijn ogen. Mijn adem stokte. Hij bezat net zo'n gulden schoonheid als zijn zussen. 'Jullie missen trouwens weinig. School is echt niet alles, hoor.'

'O nee?' Hannah trok achterdochtig haar wenkbrauwen op. 'Je zit anders altijd vol verhalen over wat ik allemaal misloop. Waarom doe je er opeens zo lauw over?' Ze sperde haar ogen open: twee helderblauwe volle manen. Op opgewonden toon vervolgde ze: 'Heb je soms iets uitgespookt waarvoor je van school bent gestuurd?'

'Natuurlijk niet,' antwoordde David haastig. 'Ik vind alleen dat het leven nog meer te bieden heeft dan met je neus in de boeken zitten. Mijn vriend Hunter zegt dat het leven zelf de beste leerschool is.'

'Wie is Hunter?'

'Een jongen die dit jaar pas op Eton is gekomen. Zijn vader is een wetenschapper. Hij schijnt iets ontdekt te hebben wat heel belangrijk blijkt te zijn, en nu heeft de koning hem in de adelstand verheven en hem de titel markies gegeven. Alleen is hij een beetje getikt. Robert ook, volgens de andere jongens, maar ík vind hem juist helemaal geweldig.'

'Die getikte Robert Hunter van je mag zich gelukkig prijzen dat hij het zich kan veroorloven zijn neus op te trekken voor zijn opleiding,' zei Hannah, 'maar hoe kan ik ooit een gerespecteerde toneelschrijfster worden als ik van papa niets mag leren?' Ze zuchtte gefrustreerd. 'Was ik maar een jongen.'

'Ik wil helemaal niet naar school,' zei Emmeline. 'En ik wil ook geen jongen zijn. Geen japonnen, afgrijselijke petten, en je moet de hele tijd over sport en politiek praten.'

'Ik zou het heerlijk vinden om over politiek te praten,' zei Hannah. Van pure hartstocht raakten er wat lokken los uit haar zorgvuldig bijeengebonden krullen. 'Om te beginnen zou ik Herbert Asquith dwingen vrouwen stemrecht te geven. Zelfs jonge vrouwen.'

David glimlachte. 'Jij zou de eerste premier van Groot-Brittannië kunnen worden die toneelstukken schrijft.'

'Inderdaad,' beaamde Hannah.

'Ik dacht dat je archeologe wilde worden,' zei Emmeline. 'Net als Gertrude Bell.'

'Politicus, archeologe – kan allebei. Dit is de twintigste eeuw.' Ze fronste.

'Alleen moet papa me dan wel toestaan te gaan studeren.'

'Je weet wat papa zegt over scholing voor meisjes,' zei David. Emmeline was hem vóór met de bekende woorden van hun vader: '"Het hellende vlak naar het kiesrecht voor vrouwen."'

'Papa zegt dat we van juffrouw Prince alles zullen leren wat we weten moeten,' zei Emmeline.

'Allicht. Hij hoopt dat ze ons zal opleiden tot saaie echtgenotes van saaie mannen. Wat papa betreft is het voldoende als we redelijk goed Frans spreken, redelijk goed kunnen pianospelen en af en toe beleefd verliezen bij het bridgen. Dan kunnen we geen problemen veroorzaken.'

'Papa zegt dat niemand van vrouwen houdt die te veel nadenken,' zei Emmeline.

David keek meewarig. 'Zoals die Canadese vrouw die hem de oren van het hoofd kletste met haar politieke praatjes. Die heeft het voor iedereen bedorven.'

'Ik wil helemaal niet dat iedereen me aardig vindt,' zei Hannah, en ze hief stoer haar kin op. 'Het zou me erg van mezelf tegenvallen als niemand een hekel aan me had.'

'Dan hoef je je geen zorgen te maken,' zei David. 'Ik weet uit betrouwbare bron dat *verschillende* van onze kennissen je niet mogen.'

Hannah fronste, maar het effect werd bedorven door de glimlach die probeerde door te breken. 'Ik ga vandaag in ieder geval niet naar les. Ik weiger nóg een keer "The Lady of Shalott" voor te dragen terwijl dat mens in haar zakdoek zit te snotteren.'

'Ze huilt om haar eigen verloren liefde,' zei Emmeline met een zucht.

Hannah keek haar schamper aan.

'Echt waar!' riep Emmeline uit. 'Ik heb het grootmama aan lady Clem horen vertellen. Juffrouw Prince was verloofd voordat ze bij ons kwam.'

'Is die man toch verstandig geworden,' zei Hannah.

'Hij is met haar zus getrouwd,' zei Emmeline.

Dat bracht Hannah tot zwijgen, maar niet voor lang. 'Dan had ze hem moeten aanklagen wegens het breken van de trouwbelofte.'

'Dat zei lady Clem ook, en ze zei nog veel ergere dingen, maar grootmama zei dat juffrouw Prince hem niet in moeilijkheden wilde brengen.'

'Dan is ze een domme gans,' zei Hannah. 'Ze is trouwens zonder hem beter af.'

'Wat ben je toch romantisch,' zei David laconiek. 'De arme vrouw is hopeloos verliefd op een man die ze niet kan krijgen en jij wilt haar zelfs niet af en toe een gedicht voorlezen. Wreedheid, uw naam is Hannah.'

Hannah trok een koppig gezicht. 'Niet wreed, maar praktisch. Romantische vrouwen laten zich het hoofd op hol brengen en doen domme dingen.'

David glimlachte – de geamuseerde glimlach van de oudere broer die wist dat ze vanzelf wel zou veranderen.

'Het is waar,' ging Hannah halsstarrig door. 'Juffrouw Prince kan beter ophouden met treuren en beginnen haar hoofd én onze hoofden te vullen met interessante dingen. Hoe de piramiden zijn gebouwd, bijvoorbeeld, of hoe Atlantis is verdwenen, of de avonturen van de Vikingen…'

Emmeline gaapte en David hief zijn handen op alsof hij zich overgaf.

'Maar goed,' zei Hannah met een frons terwijl ze de velletjes papier weer oppakte, 'we zitten onze tijd te verdoen. Laten we nog even beginnen op het punt waar Miriam melaats wordt.'

'We hebben het al honderd keer gerepeteerd,' zei Emmeline. 'Kunnen we niet iets anders doen?'

'Zoals?'

Emmeline haalde onzeker haar schouders op. 'Ik weet het niet.' Ze keek eerst naar Hannah en toen naar David. 'Zullen we Het Spel doen?'

Nee. Toen was het nog niet Het Spel. Toen was het gewoon 'het spel'. Een spel. Voor zover ik wist, kon Emmeline die ochtend net zo goed bikkelen of hoepelen of knikkeren bedoelen. Pas veel later kreeg Het Spel in mijn gedachten hoofdletters en begon ik het te associëren met fabelachtige geheimen, fantasieën en avonturen. Op die sombere, mistige ochtend, toen de regen tegen de ruiten van de kinderkamer tikte, schonk ik verder geen aandacht aan haar woorden.

Verborgen achter de fauteuil, waar ik de verdroogde bloemblaadjes bij elkaar veegde, probeerde ik me voor te stellen hoe het was om broers en zusjes te hebben. Ik had er altijd naar verlangd. Ik had dat een keer tegen moeder gezegd, haar gevraagd of ik soms een zusje kon krijgen. Iemand met wie ik kon roddelen en kattenkwaad uithalen, fluisteren en dromen. Moeder had gelachen, maar niet op een blije manier, en gezegd dat ze niet van plan was tweemaal dezelfde fout te maken.

Hoe zou het zijn, dacht ik, om ergens thuis te horen, de wereld tegemoet te treden als lid van een stam met kant-en-klare bondgenoten? Daar dacht ik over na, toen ik met afwezige gebaren de fauteuil afstofte en er onder mijn plumeau opeens iets in beweging kwam. Een deken werd teruggeslagen en een schorre vrouwenstem zei: 'Wat is er? Wat gebeurt er? Hannah? David?'

Ze was zo oud als de tijd. Een stokoude vrouw, verzonken tussen de kussens en daardoor bijna onzichtbaar. Dat moest Nanny Brown zijn. Ik had op gedempte, eerbiedige toon over haar horen spreken, zowel boven als beneden. Ze was lang geleden lord Ashbury's kindermeisje geweest, en ze was even onverbrekelijk met de familie verbonden als het huis zelf.

Ik bleef als bevroren staan, met de plumeau in mijn hand, terwijl drie paar lichtblauwe ogen naar me keken.

De oude vrouw vroeg nogmaals: 'Hannah? Wat gebeurt er?'

'Niets, Nanny Brown,' zei Hannah toen ze haar spraak had hervonden. 'We zijn gewoon aan het oefenen voor de soiree. We zullen wat zachter praten.'

'Denk erom dat Raverley niet te speels wordt, nu hij de hele tijd binnen zit,' zei Nanny Brown.

'Goed, Nanny Brown,' antwoordde Hannah. In haar stem had de felheid van daarnet plaatsgemaakt voor een even grote mate van gevoeligheid. 'We zullen ervoor zorgen dat hij zich rustig houdt.' Ze kwam naar voren en stopte de deken in rond de tengere gedaante van de oude vrouw. 'Gaat u nog maar fijn een poosje uitrusten, Nanny Brown.'

'Nou,' zei Nanny Brown slaperig, 'heel even dan.' Haar oogleden gingen trillend dicht en even later haalde ze weer diep en regelmatig adem.

Ik hield mijn adem in en wachtte tot een van de kinderen iets zou zeggen. Ze keken nog steeds naar me, met grote ogen. De seconden tikten weg en ik zag al voor me hoe ik naar Nancy gestuurd zou worden, of nog erger: naar meneer Hamilton, om uit te leggen hoe het was gekomen dat ik Nanny Brown had afgestoft. Het verdriet op moeders gezicht wanneer ik thuis zou komen, ontslagen zonder referenties…

Ze fronsten niet, gaven me geen standje, geen berisping. Ze deden iets wat ik absoluut niet had verwacht: als op een teken begonnen ze alle drie onbedaarlijk te lachen; ze vielen tegen elkaar aan, zodat ze als het ware één persoon werden.

Ik bleef verbijsterd staan. Hun reactie was veel onrustbarender dan de stilte die eraan vooraf was gegaan. Ik slaagde er niet in het trillen van mijn onderlip te bedwingen.

Na een poosje kwam het oudste meisje tot bedaren. 'Ik ben Hannah,' zei ze, terwijl ze haar ogen droogde. 'Hebben wij elkaar al ontmoet?'

Ik liet mijn adem ontsnappen en maakte een reverence. Met een héél klein stemmetje antwoordde ik: 'Nee, m'lady. Ik ben Grace.'

Emmeline giechelde. 'Ze is geen m'lady. Ze is gewoon juffrouw.'

Ik maakte nogmaals een reverence. Meed haar blik. 'Ik ben Grace, juffrouw.'

'Je komt me bekend voor,' zei Hannah. 'Was je hier ook al niet met Pasen?'

'Ja, juffrouw. Toen was ik hier nog maar net. Ik werk hier nu een maand.'

'Je lijkt me niet oud genoeg om dienstmeisje te zijn,' zei Emmeline.

'Ik ben veertien, juffrouw.'

'Ha!' zei Hannah. 'Net als ik. Emmeline is tien en David is al zestien, dus vreselijk oud.'

Nu nam David het woord. 'Stof jij altijd slapende mensen af, Grace?' Emmeline begon weer te giechelen.

'Nee. Nee, meneer. Alleen deze ene keer, meneer.'

'Jammer,' zei David. 'Het zou makkelijk zijn als ik nooit meer in bad hoefde.'

Ik wist niet waar ik het zoeken moest. Het bloed steeg naar mijn wangen. Ik had nog nooit een echte edelman ontmoet. Niet een van mijn leeftijd, niet een die mijn hart deed bonken met zijn nonchalante opmerking over in bad gaan. Vreemd. Ik ben nu een oude vrouw, maar wanneer ik terugdenk aan David, doen de gevoelens van toen zich toch weer gelden. Ik ben dus nog niet dood.

'Let maar niet op hem,' zei Hannah. 'Hij denkt altijd dat hij de leukste thuis is.'

'Ja, juffrouw.'

Ze bekeek me vorsend, alsof ze nog iets wilde zeggen, maar voordat ze daar de kans toe kreeg, hoorden we het geluid van snelle, lichte voetstappen die de trap op en de gang door kwamen. Steeds dichterbij. *Tik, tik, tik, tik…*

Emmeline holde naar de deur en keek door het sleutelgat.

'Het is juffrouw Prince,' zei ze, met een blik achterom naar Hannah. 'Ze komt deze kant op.'

'Snel!' zei Hannah op een beslissende fluistertoon. 'Anders worden we weer gemarteld met Tennyson.'

Snel trippelende voetstappen, ruisende rokken, en voordat ik wist wat er gebeurde, waren ze alle drie verdwenen. De deur vloog open en een vlaag koude, vochtige lucht kwam de kamer in. In de deuropening stond een preuts uitziende vrouw.

Ze keek snel de kamer rond en liet haar blik toen op mij rusten. 'Jij,' zei ze. 'Heb je de kinderen gezien? Ze zijn te laat voor hun les. Ik heb tien minuten op hen zitten wachten in de bibliotheek.'

Ik was geen leugenaarster en zou niet kunnen zeggen waarom ik het deed, maar op dat moment, toen juffrouw Prince over haar bril heen naar me keek, aarzelde ik geen seconde.

'Nee, juffrouw Prince,' zei ik. 'Al een tijdje niet.'

'Echt niet?'

'Nee, juffrouw.'

Ze hield mijn blik vast. 'Ik weet zeker dat ik hier stemmen hoorde.'

'Dat was ik, juffrouw. Ik was aan het zingen.'

'Aan het zingen?'

'Ja, juffrouw.'

Daarop volgde een diepe stilte, die pas werd verbroken toen juffrouw Prince driemaal met de aanwijsstok van het schoolbord in haar open hand sloeg en over de drempel stapte. Langzaam liep ze de kamer rond. *Tik... Tik... Tik... Tik...*

Toen ze bij het poppenhuis was aangekomen, zag ik dat een punt van de strik van Emmelines jurk eronder uitstak. Ik slikte. 'Ik... Ik geloof dat ik hen daarstraks heb gezien, juffrouw, herinner ik me nu. Buiten. In het oude botenhuis. Bij het meer.'

'Bij het meer,' herhaalde juffrouw Prince. Ze bleef bij de hoge ramen staan en keek naar de mist, die een wit licht wierp op haar bleke gezicht. 'Waar de wilg verbleekt, de espen trillen, briesjes huiv'ren duister, rillen...'

Ik kende Tennyson toen nog niet en dacht dat ze gewoon een erg mooie beschrijving van het meer gaf. 'Ja, juffrouw,' zei ik.

Ze draaide zich weer naar me toe. 'Ik zal de tuinman vragen hen te roepen. Hoe heet hij?'

'Dudley, juffrouw.'

'Ik zal Dudley verzoeken hen te roepen. Stiptheid is een grote deugd, dat mag men nooit vergeten.'

'Nee, juffrouw,' zei ik, met een reverence.

Ze klikklakte koeltjes de kamer door en deed de deur achter zich dicht.

De kinderen kwamen als bij toverslag tevoorschijn vanonder stoflakens, bij het poppenhuis, vanachter de gordijnen.

Hannah glimlachte naar me, maar ik bleef niet ronddralen. Ik begreep zelf niet wat ik had gedaan. Waaróm ik het had gedaan. Ik voelde me verward, beschaamd, verrukt.

Ik maakte nog een reverence en liep snel langs hen heen. Met vuurrode wangen holde ik de gang door, verlangend naar de veiligheid van het bediendevertrek, ver weg van deze eigenaardige, exotische, vroegrijpe kinderen en de vreemde emoties die ze in me opwekten.

In afwachting van de soiree

Ik hoorde Nancy mijn naam roepen toen ik de trap af snelde naar het schimmige bediendevertrek. Onder aan de trap bleef ik even staan om mijn ogen te laten wennen aan de duisternis en liep toen gauw door naar de keuken. Een koperen pot stond op het grote fornuis te pruttelen en de lucht was doordrongen van de zilte geur van gekookte ham. Katie, het keukenhulpje, stond bij de gootsteen pannen te schrobben, terwijl ze door de dampen naar het beslagen raam staarde. Mevrouw Townsend deed vermoedelijk een dutje, tot er boven gebeld zou worden om de thee. Nancy zat aan tafel in de eetkamer van het bediendevertrek met een grote verzameling vazen, kandelaars, schalen en wijnglazen voor zich.

'Ben je daar eindelijk?' zei ze, waarbij ze zo'n streng gezicht trok dat haar ogen zwarte streepjes werden. 'Ik was al bang dat ik naar je moest gaan zoeken.' Ze wees naar de stoel tegenover haar. 'Wat sta je daar nu dom te kijken? Pak een poetsdoek en kom me helpen.'

Ik ging zitten en koos een dikbuikige melkkan die sinds de zomer van het vorige jaar niet was gebruikt. Ik begon over de vlekken te wrijven, maar was in gedachten nog bij de kinderkamer boven. Ik zag de kinderen lachen, spelen, elkaar plagen. Het was alsof ik een prachtig plaatjesboek had opengeslagen en verdiept was geraakt in het verhaal, maar het abrupt had moeten wegleggen voordat ik erg ver was gekomen. Snap je? Ik was nu al in de ban geraakt van de kinderen Hartford.

'Niet zo wild,' zei Nancy. Ze nam me de poetsdoek af. 'Dit is meneers mooiste zilver. Laat meneer Hamilton maar niet zien dat je er krassen op maakt.' Ze tilde de vaas waar ze mee bezig was van de tafel en begon hem met gelijkmatige cirkelvormige bewegingen te poetsen. 'Kijk, zo moet het. Niet te hard wrijven. En aldoor in dezelfde richting.'

Ik knikte en wreef met de lap over de kan. Ik had eindeloos veel vragen over de Hartfords, vragen die Nancy ongetwijfeld kon beantwoorden, maar ik durfde ze bijna niet te stellen. Ik wist dat ze de bevoegdheid had, en die vermoedelijk ook onmiddellijk zou gebruiken, om zich ervan te verzekeren dat mijn taken me ver bij de kinderkamer vandaan zouden houden als ze doorkreeg dat ik méér plezier beleefde aan het schoonmaken van die kamer dan alleen de voldoening over mijn werk rechtvaardigde.

Maar als een prille minnaar die aan doodgewone dingen een heel bijzondere betekenis hecht, smachtte ik naar meer informatie over de kinderen. Ik dacht aan mijn boeken, veilig verborgen op onze zolderkamer, de boeken waarin Sherlock Holmes er altijd in slaagde door middel van slimme vragen bepaalde inlichtingen aan mensen te ontlokken. Ik haalde diep adem. 'Nancy...?'

'Mm-mm?'

'Wat is de zoon van lord Ashbury voor iemand?'

Haar donkere ogen flonkerden. 'Majoor Jonathan? O, dat is een echte...'

'Nee,' zei ik, 'niet majoor Jonathan.' Over hem wist ik al genoeg. Je hoefde maar één dag op Riverton te zijn om alles te horen over de oudste zoon van lord Ashbury, de erfgenaam van het geslacht Hartford die eerst op Eton en daarna op Sandhurst had gezeten. Zijn portret hing naast dat van zijn vader (en de andere voorvaderen) boven de grote trap, neerkijkend op de grote hal: opgeheven hoofd, glanzende medailles, koude blauwe ogen. Hij was de trots van Riverton, zowel boven als beneden. Een oorlogsheld, die in de Boerenoorlog had gevochten. De toekomstige lord Ashbury.

Nee, ik bedoelde Frederick, de 'papa' van de kinderen in de kinderkamer, voor wie ze evenveel genegenheid als ontzag leken te koesteren. De tweede zoon van lord Ashbury. Wanneer zijn naam werd genoemd, schudden lady Violets vriendinnen glimlachend hun hoofd en mompelde meneer iets onduidelijks boven zijn glas sherry.

Nancy deed haar mond open en toen weer dicht, als een vis die tijdens een storm op de oever van het meer terecht was gekomen. 'Vraag mij niets, dan lieg ik niet,' zei ze toen, terwijl ze de vaas ophief naar het licht om haar werk te kunnen beoordelen.

Ik poetste de kan tot hij blonk, zette hem weg en pakte een schotel. Zo was Nancy, ze had vreemde kuren: de ene keer was ze gul met informatie, de andere keer deed ze uitermate mysterieus.

Maar zoals verwacht, om geen andere reden dan dat er op de klok aan de muur vijf minuten waren verstreken, gaf ze zich gewonnen. 'Je hebt zeker een van de knechten horen praten? Alfred, neem ik aan. Onverbeterlijke roddelkonten zijn het.' Ze begon aan een andere vaas. Bekeek me argwanend. 'Heeft je moeder je niets over de familie verteld?'

Ik schudde mijn hoofd. Nancy trok ongelovig haar smalle wenkbrauwen op, alsof ze het zich niet kon voorstellen dat mensen andere dingen hadden om over te praten dan de familie op Riverton.

Moeder had nooit iets losgelaten over wat er in het grote huis allemaal was gebeurd. Toen ik klein was, had ik vaak geprobeerd haar uit te horen, verlangend naar verhalen over het prachtige landhuis op de heuvel. In het dorp deden geruchten genoeg de ronde en ik had gehoopt op smeuïge details die ik zou kunnen uitwisselen met de andere kinderen, maar ze schudde altijd haar hoofd en vermaande me iedere keer dat nieuwsgierigheid geen deugd was.

Uiteindelijk zei Nancy: 'Meneer Frederick... Wat kan ik je vertellen over meneer Frederick?' Ze hervatte het poetsen en zei met een zucht: 'Het is geen kwaaie vent. Hij is heel anders dan zijn broer, geen oorlogsheld, maar geen kwaaie vent. Hier beneden mogen we hem erg graag. Als je mevrouw Townsend mag geloven, was hij vroeger een grote deugniet, die veel kattenkwaad uithaalde. Hij is altijd erg aardig voor het personeel.'

'Is het waar dat hij goudzoeker is geweest?' Zo'n opwindend beroep leek me echt iets voor hem. Het leek me volkomen terecht dat de kinderen Hartford een interessante vader hadden. De mijne was een grote teleurstelling: een anonieme figuur die nog voordat ik was geboren al in het niets was opgelost en alleen opdook in felle fluistergesprekken tussen mijn moeder en haar zus.

'Korte tijd, ja,' zei Nancy. 'Hij heeft zo veel dingen gedaan dat ik de tel kwijt ben. Niets kan hem lang boeien, onze meneer Frederick. Mensen interesseren hem niet erg. Eerst was het een theeplantage in Ceylon, daarna goud zoeken in Canada. Toen dacht hij rijk te worden in de krantenbusiness. Nu zijn het automobielen, God zegene hem.'

'Verkoopt hij automobielen?'

'Hij maakt ze. Dat wil zeggen, de mensen die voor hem werken. Hij heeft een fabriek gekocht in Ipswich.'

'Ipswich. Dus hij woont daar? Met zijn gezin?' vroeg ik, om het gesprek op de kinderen te krijgen.

Ze hapte niet in het aas en bleef haar eigen gedachtegang volgen. 'Met een beetje goede wil blijft het hier nu bij. Zijn vader zal het vast prettig vinden eindelijk iets terug te krijgen voor zijn investering.'

Ik knipperde met mijn ogen, want ik begreep niet wat dat betekende. Voordat ik kon vragen wat ze ermee bedoelde, ging ze al door. 'Je krijgt hem trouwens gauw genoeg te zien. Hij komt aanstaande dinsdag hier, samen met de majoor en lady Jemima.' Ze liet een zeldzame glimlach zien, eerder goedkeurend dan verheugd. 'Voor zover ik me kan herinneren is er niet één zomerse vaste vrije dag geweest dat de hele familie niet bij elkaar was. Ze willen geen van allen het speciale zomerdiner mislopen. Het is een oude traditie.'

'Net als de soiree,' waagde ik te zeggen, zonder haar aan te kijken.

Nancy trok haar wenkbrauwen op. 'Iemand heeft je al ingelicht over de soiree, merk ik.'

Ik negeerde haar gemelijke toon. Nancy was er niet aan gewend dat haar roddeltjes haar afgesnoept werden. 'Alfred zei dat de bedienden worden uitgenodigd om de soiree te zien,' zei ik.

'Butlers!' Nancy schudde hooghartig haar hoofd. 'Naar hen kun je beter niet luisteren, meisje. Uitgenodigd! Het is de bedienden *toegestaan* de voorstelling te zien, wat erg aardig is van meneer. Hij weet hoeveel de familie voor ons betekent, hoe leuk we het vinden om de kleintjes te zien opgroeien.' Ze wijdde haar aandacht weer aan de vaas op haar schoot en ik hield mijn adem in terwijl ik afwachtte of ze zou doorgaan. Na een pauze die een eeuwigheid leek te duren, vertelde ze verder. 'Dit is het vierde jaar dat ze een voorstelling houden. Sinds juffrouw Hannah tien was en op het idee kwam dat ze toneelregisseur wilde worden.' Nancy knikte. 'Ze is me er eentje, juffrouw Hannah. En zij en haar vader zijn precies hetzelfde.'

'Hoe bedoel je?' vroeg ik.

Nancy dacht even over haar antwoord na. 'Ze hebben allebei iets onrustigs over zich,' zei ze toen. 'Ze zijn allebei heel vernuftig en hebben nieuwerwetse ideeën, en ze zijn precies even koppig.' Ze sprak afgemeten, met de nadruk op ieder detail van haar beschrijving, als een waarschuwing aan mijn adres dat deze eigenschappen wat de familie boven betrof gedoogd konden worden als aanvaardbare eigenaardigheden, maar dat ze voor meisjes als ik uit den boze waren.

Ik had dergelijke preken mijn hele leven al van moeder gehoord en knikte gedwee terwijl ze doorging. 'Over het algemeen kunnen ze uitstekend met elkaar overweg, maar wanneer ze ruzie hebben, is het huis te klein. Niemand weet meneer Frederick zo goed op stang te jagen als juffrouw Hannah. Als klein meisje wist ze al hoe ze hem tegen de haren in moest strijken. Ze is altijd een heethoofd geweest, met heftige driftaanvallen. Ik herinner me nog dat ze een keer heel erg boos op hem was en besloot hem eens goed aan het schrikken te maken.'

'Hoe dan?'

'Even denken… Meneer David was er niet, omdat hij rijles kreeg. Daar begon het mee. Juffrouw Hannah vond het niet leuk dat ze werd achtergesteld, dus pakte ze juffrouw Emmeline warm in en sloop met haar het huis uit zonder dat Nanny Brown het in de gaten had. Ze zijn helemaal naar de boomgaarden aan de andere kant van het landgoed gelopen, waar de boeren bezig waren appels te oogsten.' Ze schudde haar hoofd. 'Daar haalde ze juffrouw Emmeline over zich in de schuur te verstoppen, al kostte dat haar waarschijnlijk niet veel moeite. Juffrouw Hannah kan erg overredend zijn en juffrouw Emmeline vond het allemaal wel best, omdat ze er net zo veel appels kon eten als ze wilde. Even later stormde juffrouw Hannah hier binnen, hijgend en puffend alsof de dood haar op de hielen zat, en riep luidkeels om haar vader. Ik was net bezig de tafel te dekken voor de lunch en hoorde dat juffrouw Hannah tegen hem zei dat ze in de boomgaard vreemde mannen met een donkere huidskleur waren tegengekomen. Dat die hadden gezegd dat juffrouw Emmeline een erg mooi meisje was en dat ze mee mocht voor een lange tocht op hun boot. Juffrouw Hannah zei dat ze bang was dat het handelaren in blanke slavinnen waren.'

Mijn adem stokte om Hannahs brutale streek.

Nancy voelde zich nu heel gewichtig en begon steeds geanimeerder te vertellen. 'Meneer Frederick, zie je, was altijd al beducht geweest voor handelaren in blanke slavinnen. Hij trok eerst wit weg, liep toen rood aan, tilde juffrouw Hannah van de grond en holde met haar naar de boomgaarden. Bertie Timmins, die bezig was appels te plukken, vertelde later dat meneer Frederick in alle staten was toen hij aankwam. Hij riep dat ze onmiddellijk een zoekploeg moesten vormen, omdat juffrouw Emmeline was ontvoerd door twee donker uitziende mannen. Ze zochten de hele omgeving af, verspreidden zich in alle richtingen, maar konden niemand vinden die twee donkere mannen en een blond meisje had gezien.'

'Hoe hebben ze juffrouw Emmeline uiteindelijk gevonden?'

'Het gebeurde andersom: zij vond hén. Na een uurtje had juffrouw Emmeline er genoeg van om in de schuur te zitten en begon ze misselijk te worden van alle appels die ze had gegeten, dus is ze gewoon naar buiten gegaan. Ze begreep niet waarom iedereen zo gejaagd rondliep en waarom juffrouw Hannah haar niet was komen halen…'

'Was meneer Frederick erg kwaad?'

'Uiteraard,' zei Nancy luchtig, terwijl ze vlijtig poetste. 'Maar dat duurde niet lang. Hij kon nooit lang boos op haar blijven. Die twee hebben een speciale band. Om hem écht tegen zich in het harnas te jagen, is zo'n geintje lang niet genoeg.' Ze hield de flonkerende vaas omhoog en zette hem bij de andere spullen waarmee we klaar waren. Ze legde haar poetsdoek neer, hield haar hoofd schuin en masseerde haar schriele nek. 'Naar wat ik hoorde, kreeg meneer Frederick trouwens alleen maar een koekje van eigen deeg.'

'Waarom?' vroeg ik. 'Wat had hij gedaan?'

Nancy keek in de richting van de keuken om te zien of Katie veilig en wel buiten gehoorsafstand was. Voor het personeel van Riverton gold een aloude hiërarchie, die na eeuwen van dienstbaarheid diepgeworteld was en fijntjes was afgesteld. Ik stond als jongste dienstmeisje erg laag, maar Katie, het keukenhulpje, telde echt helemaal niet mee. Ik wou dat ik kon zeggen dat deze ongegronde ongelijkheid me ergerde; niet dat ik me er kwaad om maakte, maar dat ik de onrechtvaardigheid in ieder geval onderkende. Als ik dat zou doen, zou ik mijn jonge ik echter een empathie toeschrijven die ik niet had. Integendeel, ik genoot van de weinige privileges die ik dankzij mijn positie bezat. Er stonden per slot van rekening nog genoeg mensen bóven mij.

'Hij heeft zijn ouders heel wat kopzorgen bezorgd, onze meneer Frederick, toen hij nog jong was,' ging Nancy op gedempte toon door. 'Hij was zo'n heethoofd dat lord Ashbury hem naar Radley heeft gestuurd, opdat hij zijn broer op Eton geen slechte naam zou bezorgen. Later mocht hij zich ook niet inschrijven op Sandhurst, ook al wilde hij dolgraag bij de marine.'

Ik nam deze informatie in me op terwijl Nancy doorging: 'Heel begrijpelijk, hoor, gezien het feit dat majoor Jonathan het in het leger zo goed doet. Er is niet veel voor nodig om de goede naam van je familie te bederven. Het was het risico niet waard.' Ze hield op met het masseren van haar nek en pakte een vlekkerig zoutvaatje. 'Uiteindelijk is het allemaal goed gekomen. Hij heeft nu zijn autofabriek en drie geweldige kinderen. Dat zul je wel zien op de avond van de soiree.'

'Doen de kinderen van majoor Jonathan ook mee aan de voorstelling?'

Nancy's gezicht verstrakte en ze zei op een fluistertoon: 'Wat kraam je nu toch voor onzin uit?'

Grote spanning in de lucht. Ik had blijkbaar iets verkeerds gezegd. Nancy keek me zo streng aan dat ik mijn ogen moest neerslaan. De schaal die ik aan het poetsen was, blonk inmiddels als een spiegel en daarin zag ik mijn wangen vuurrood worden.

Nancy siste: 'De majoor heeft geen kinderen. Dat wil zeggen: niet meer.' Ze griste de poetsdoek uit mijn handen, waarbij haar lange, dunne vingers de mijne raakten. 'Ga weg. Ga iets anders doen. Met al dit geklets schiet ik geen lor op.'

Nancy dacht dat ik wist wat er met de kinderen van de majoor was gebeurd en ik slaagde er niet in haar van het tegendeel te overtuigen, wat ik ook deed of zei.

Zo ging dat op Riverton. Omdat mijn moeder jaren vóór mijn geboorte in het huis had gewerkt, ging het personeel er zonder meer van uit dat ik volledig op de hoogte was van alles wat er met de familie was gebeurd. Ze beschouwden me als een verlengstuk van mijn moeder en dachten dat alles wat zíj wisten over Riverton en de Hartfords, via een vreemdsoortige osmose op mij was overgebracht. Nancy vatte mijn onwetendheid zelfs op als een persoonlijke belediging. Wat haar betreft had ik allang moeten weten dat mevrouw altijd een beddenpan wenste, ongeacht het jaargetijde, dat ze 's zomers het liefst in het schemerdonker dineerde, dat ze 's ochtends altijd het Limoges-servies wilde voor haar thee... Ik was toch niet achterlijk? Of erger nog: brutaal?

In de daaropvolgende dagen probeerde ik Nancy zo veel mogelijk te ontlopen, voor zover dat kan wanneer je een kamer deelt en samen werkt. 's Avonds, wanneer ze zich gereedmaakte om te gaan slapen, lag ik héél stil, met mijn gezicht naar de muur, en deed ik alsof ik al sliep. Het was altijd een opluchting wanneer ze de kaars uitblies en het schilderij met het stervende hert in het donker verdween. Overdag trok Nancy een hooghartig gezicht wanneer we elkaar tegenkwamen, en boog ik nederig mijn hoofd.

Gelukkig hadden we het druk genoeg met de voorbereidingen voor de volwassen gasten van lord Ashbury. De logeerkamers in de oostelijke vleugel moesten worden geopend en gelucht, de stoflakens verwijderd en het meubilair gewreven. De mooiste lakens en slopen werden uit de grote kisten op de zolder gehaald, nagekeken op gebreken, en gewassen. Het was nog steeds regenachtig, waardoor we de waslijnen achter het huis niet konden gebruiken, zodat Nancy me opdracht gaf de lakens uit te spreiden over de droogrekken in de linnenkamer op de tweede verdieping.

Juist in die kamer kwam ik meer te weten over Het Spel, want toen het bleef regenen en juffrouw Prince besloot de kinderen Hartford in de bibliotheek de finesses van Tennysons poëzie bij te brengen, zocht het drietal steeds dieper in het hart van het huis naar plaatsen waar ze zich konden verstoppen. De kast in de linnenkamer, half achter de schoorsteen, was van al hun schuilplaatsen in het huis het verst verwijderd van de bibliotheek, dus sloegen ze daar hun kamp op.

Ik heb hen nooit Het Spel zien spelen. Regel Eén: Het Spel is geheim. Maar ik luisterde en keek, en een paar keer, toen de verleiding te groot werd en de kust vrij was, nam ik een kijkje in de kist. En toen kwam ik het volgende te weten: Het Spel was oud. Ze speelden het al jaren. Nee, niet speelden. Dat is het verkeerde werkwoord. Beleefden; ze beleefden Het Spel al jaren. Want Het Spel was méér dan de naam deed vermoeden. Het was een ingewikkelde fantasie, een parallelle wereld waar ze naartoe konden vluchten.

Er hoorden geen kostuums bij, geen zwaarden, geen verentooien. Niets waaraan je kon zien dat het een spel was. Daar ging het juist om: het was geheim. Het enige tastbare voorwerp was de kist. Een zwartgelakte kist die een van hun voorvaderen uit China had meegebracht, onderdeel van de buit die een ontdekkingsreis en plundertocht hadden opgeleverd. Hij had de afmetingen van een vierkante hoedendoos, niet al te groot en niet al te klein, en het deksel was ingelegd met halfedelstenen die een natuurtafereel vormden van een rivier met een brug, met op de achtergrond een kleine tempel en op de schuine oever een treurwilg aan de rand van het water. Op de brug stonden drie figuurtjes en boven hen cirkelde een vogel.

De kinderen bewaakten de kist nauwlettend, omdat hij alles bevatte wat ze voor Het Spel nodig hadden, want ook al moesten ze vaak rondrennen, vechten en zich verstoppen, het grootste plezier dat ze eraan beleefden, lag op een heel ander vlak. Regel Twee: alle tochten, avonturen, ontdekkingsreizen en bevindingen moeten worden vastgelegd. Ze kwamen de kamer binnengestormd, met rode wangen van opwinding, om hun laatste avonturen op te tekenen: plattegronden en schetsen, codes en tekeningen, scripts en boeken.

De boeken waren van miniatuurformaat, gebonden met draad, de pagina's dicht beschreven met zulke kleine letters dat je ze dicht bij je ogen moest houden om ze te kunnen lezen. Ze hadden titels: *Ontsnapt aan Kashchei de Onsterfelijke, Ontmoeting met Balam en zijn beer, Reis naar het land van de handelaren in blanke slavinnen*. Sommige waren geschreven in een code die ik niet begreep, hoewel de verklaring ervan, als ik tijd had gehad om te zoeken, vast en zeker op een stuk perkament te vinden was dat in de kist was opgeborgen.

Het Spel was op zich vrij eenvoudig. Het was uitgevonden door Hannah en David, en omdat zij de oudsten waren, namen zij meestal het initiatief. Zij beslisten welk terrein gereed was om verkend te worden. Ze hadden een raad van negen adviseurs, een uitgelezen gezelschap onder wie zich victoriaanse edelen en oude Egyptische koningen bevonden. Er mochten nooit meer dan negen adviseurs zijn en wanneer de loop van de gebeurtenissen een nieuwe opleverde die te aantrekkelijk was om te laten lopen, moest een van de anderen sterven of anderszins verdwijnen. (Men stierf altijd tijdens de uitoefening van zijn plicht, stond plechtig in een van de boekjes.)

Verder had ieder een vaste rol. Hannah was Nefertiti en David was Charles Darwin. Emmeline, die pas vier was toen de spelregels waren vastgesteld, had gekozen voor koningin Victoria. Een saaie keuze, vonden Hannah en David; begrijpelijk gezien Emmelines jeugdige leeftijd, maar niet erg geschikt voor deelname aan avonturen. Victoria werd niettemin opgenomen in Het Spel, meestal in de rol van slachtoffer van een ontvoering, die dan tot een gewaagde reddingsactie leidde. Wanneer de andere twee hun avonturen vastlegden, mocht Emmeline de schematische voorstellingen en landkaarten inkleuren: de zee moest blauw, de oceaan paars, en het land groen met geel.

Soms was David niet beschikbaar, wanneer het een uurtje ophield met regenen en hij naar buiten glipte om te gaan knikkeren met andere jongens op het landgoed, of wanneer hij een poosje ging pianospelen. Dan sloten Hannah en Emmeline een tijdelijk verbond en verborg het stel zich in de linnenkast met een zakje suikerklontjes dat ze uit de voorraadkast van mevrouw Townsend hadden gepikt, om in geheimtaal heel bijzondere namen te bedenken voor de gemene verrader. Maar hoe graag ze het ook wilden, ze speelden Het Spel nooit wanneer hij er niet bij was. Zoiets was eenvoudigweg ondenkbaar.

Regel Drie: het moet met drie mensen gespeeld worden. Niet meer en niet minder. Drie. Het getal dat in zowel de kunst als de wetenschap bijzondere betekenis had: de basiskleuren, het aantal punten dat vereist was om de plaats van een voorwerp in de ruimte te kunnen bepalen, het aantal noten van een akkoord. De punten van een driehoek, de eerste geometrische figuur. Onweerlegbaar feit: twee rechte lijnen kunnen geen ruimte omvatten. De punten van een driehoek kunnen verschuiven, verschillende hoeken vormen; de afstand tussen twee punten kan krimpen wanneer ze wegglijden van het derde, maar samen vormen ze altijd een driehoek. Zelfstandig, duidelijk, compleet.

Ik kwam achter de regels van Het Spel doordat ik ze stiekem las. Ze stonden geschreven in een kinderlijk, maar niettemin keurig handschrift op vergeeld papier, aan de binnenkant van het deksel van de kist. Ik zal ze nooit vergeten. Elke regel bevatte de namen van de kinderen: *Vandaag, de derde dag van de maand april, 1908, hebben David Hartford en Hannah Hartford bepaald dat*, en later, in een groter en abstracter lettertype, de initialen EH. Regels zijn voor kinderen een bloedserieuze zaak, en Het Spel vereiste een plichtsbesef dat volwassenen niet konden bevatten. Tenzij die volwassenen bedienden waren, want die wisten alles over plichtsbesef.

Zo zat het dus. Het was een spel, en niet het enige spel dat ze speelden. Na verloop van tijd ontgroeiden ze het, vergaten ze het, lieten ze het achter. Dat dachten ze tenminste. Tegen de tijd dat ik hen leerde kennen, liep het al op z'n laatste benen. Het ware leven stond op het punt tussenbeide te komen: echte avonturen, echte ontsnappingen en volwassenheid wachtten hen op, lachend en lokkend.

Het was alleen maar een spel, maar toch… Wat er uiteindelijk is gebeurd, zou toch niet gebeurd zijn als Het Spel er niet was geweest?

De dag brak aan waarop de gasten zouden arriveren en ik kreeg speciale toestemming, op voorwaarde dat ik al mijn taken af had, om vanaf de balustrade op de eerste verdieping toe te kijken. Toen het buiten begon te schemeren, zat ik achter de reling gehurkt, met mijn gezicht tegen de spijlen gedrukt, in afwachting van het knerpen van de banden van de automobielen op het grind van de oprit.

Als eerste arriveerde lady Clementine de Welton, een vriendin van de familie die de grandeur en melancholie van wijlen de koningin bezat, samen met haar protegee, juffrouw Frances Dawkins, die door iedereen Fanny werd genoemd, een mager, praatziek meisje van zeventien wier ouders bij de ramp met de *Titanic* om het leven waren gekomen. Naar verluidt was Fanny op zoek naar een echtgenoot, en volgens Nancy zag lady Violet het liefst een huwelijk tussen haar en meneer Frederick, die weduwnaar was. Ook al leek hijzelf daar weinig voor te voelen.

Meneer Hamilton ging hun voor naar de zitkamer, waar lord en lady Ashbury zaten te wachten, en kondigde met zwier hun komst aan. Ik keek hen na tot ze in de kamer verdwenen, lady Clementine voorop, met Fanny in haar kielzog, en moest denken aan meneer Hamiltons dienblad waarop bolle cognacglazen en slanke champagneflûtes tegen elkaar tikten.

Meneer Hamilton liep terug naar de hal en trok zijn manchetten recht – een gewoontegebaar van hem – toen de majoor en zijn echtgenote arriveerden. Zij was een kleine, mollige vrouw met bruin haar en een gezicht dat lieve trekken had, maar getekend was door verdriet. Het is uiteraard met wijsheid achteraf dat ik haar zo beschrijf, hoewel ik waarschijnlijk ook toen al vermoedde dat ze veel narigheid had meegemaakt. Nancy was nog steeds niet bereid het mysterie rond de kinderen van de majoor te onthullen, maar mijn jeugdige verbeelding, gevoed door romantische boeken, was vruchtbaar genoeg. Bovendien wist ik toen nog niets over de nuances in aantrekkingskracht tussen mannen en vrouwen, en redeneerde ik dat alleen een tragedie de reden kon zijn van het feit dat zo'n lange, knappe man als de majoor was getrouwd met een zo alledaags uitziende vrouw. Ik ging er maar van uit dat ze vroeger mooi geweest moest zijn, tot ze was getroffen door de wrede tegenspoed die haar van haar jeugd en schoonheid had beroofd.

De majoor, nog strenger dan op zijn portret aan de muur, vroeg gewoontegetrouw hoe meneer Hamilton het maakte, liet zijn ogen met de blik van een toekomstige eigenaar door de hal gaan en liep vervolgens met Jemima naar de zitkamer. Voordat ze achter de deur verdwenen, zag ik dat hij zijn hand teder op haar onderrug legde, een gebaar dat in tegenspraak was met zijn strenge uiterlijk en dat ik nooit ben vergeten.

Mijn benen waren stijf geworden van het hurken toen ik eindelijk de auto van meneer Frederick over het grind van de oprit hoorde aankomen. Meneer Hamilton keek misprijzend naar de klok in de hal alvorens de voordeur te openen.

Meneer Frederick was kleiner dan ik had verwacht, zeker niet zo lang als zijn broer, en ik kon van zijn gezicht niets zien, behalve de rand van zijn bril, want zelfs toen hij zijn hoed had afgezet, hief hij zijn hoofd niet op. Hij haalde alleen behoedzaam zijn hand over zijn hoofd om zijn haar glad te strijken.

Pas toen meneer Hamilton de deur van de zitkamer opendeed en hem aankondigde, verloor meneer Frederick een ogenblik zijn aandacht voor zijn bestemming. Zijn blik gleed door de hal, over het marmer, de portretten, het decor van zijn jeugd, en bleef rusten op de balustrade waar ik zat. Plotsklaps, voordat hij werd opgenomen in de rumoerige kamer, verbleekte hij alsof hij een spook had gezien.

De week ging snel voorbij. Nu er zo veel mensen in het huis verbleven, was ik voortdurend druk met bedden opmaken, thee rondbrengen en tafels dekken. Dat vond ik niet erg, want ik was niet bang voor hard werken; daar had moeder wel voor gezorgd. Bovendien keek ik reikhalzend uit naar het weekeinde en de soiree. De rest van het personeel maakte zich druk om het diner, maar het enige waar ik aan kon denken was de voorstelling. Ik had de kinderen vrijwel niet meer gezien sinds de volwassenen waren gearriveerd. De mist en regen waren net zo plotseling verdwenen als ze waren gekomen, en het warme, zonnige weer dat ervoor in de plaats kwam, was te mooi om binnen te zitten. Ik hield iedere dag hoopvol mijn adem in wanneer ik naar de kinderkamer liep, maar het mooie weer hield stand en de kinderen zouden dat jaar geen gebruik meer maken van de kinderkamer. Ze bleven buiten met hun lawaai, hun streken en Het Spel.

Samen met hen verdween ook het magische karakter van de kamer. De aangename stilte werd doodgewone leegte en het vlammetje van genot dat in me had gebrand doofde. Ik deed mijn werk nu zo snel mogelijk, stofte de boeken af zonder er ook maar één in te kijken, werd niet langer ontroerd door de ogen van het hobbelpaard; het enige wat me bezighield, was de vraag wat de kinderen buiten aan het doen waren. Ik bleef nu niet meer in de kamer dralen wanneer ik mijn werk gedaan had, maar ging meteen verder met de rest van mijn taken. Soms, wanneer ik een dienblad met ontbijtspullen ophaalde in een van de logeerkamers, of de po weghaalde van onder de bedden, werd mijn blik naar het raam getrokken door een klaterende lach en zag ik hen in de verte, aan het einde van de oprit, op weg naar het meer, duellerend met lange stokken.

Beneden spoorde meneer Hamilton het personeel voortdurend aan nog harder te werken. Een huis vol gasten was de beste test om te zien of het personeel voldeed, zei hij, en of de butler zijn naam waard was. Geen enkel verzoek mocht te veel zijn. We moesten werken als een goed geoliede machine, iedere uitdaging aankunnen, de verwachtingen van meneer en mevrouw overtreffen. Het moest een week worden van kleine triomfen, met als hoogtepunt het zomeravonddiner.

Meneer Hamiltons geestdrift werkte aanstekelijk; zelfs Nancy bloeide op en we sloten een soort wapenstilstand toen ze me, zij het met tegenzin, toestond haar te helpen in de zitkamer. Normaal gesproken was het niet mijn plaats, zei ze er nadrukkelijk bij, om in de kamers beneden te werken, maar omdat de familie van meneer er was, werd me het voorrecht gegund – onder streng toezicht – een deel van deze belangrijke taken op me te nemen. Aldus werd deze dubieuze buitenkans toegevoegd aan mijn al overvolle werkschema en vergezelde ik Nancy naar de zitkamer waar de volwassenen theedronken en dingen bespraken die me niet konden boeien: lange weekeinden in de buitenhuizen van vrienden, de Europese politiek, en een arme Oostenrijker die ergens ver weg was doodgeschoten.

De dag van de soiree (zondag 2 augustus 1914; ik herinner me de datum nog goed, niet zozeer vanwege de soiree, maar meer vanwege wat er daarna gebeurde) was toevallig de dag waarop ik 's middags vrij had en naar mijn moeder kon gaan, voor het eerst sinds ik op Riverton was gekomen. Toen ik tegen het einde van de ochtend mijn werk af had en mijn uniform verwisselde voor mijn eigen kleren, voelden die stijf en vreemd aan. Ik borstelde mijn blonde haar, dat vol golfjes zat in het deel dat gevlochten was geweest, vlocht het toen opnieuw, en bond de vlecht tot een knotje in mijn nek. Zag ik er anders uit dan voorheen? vroeg ik me af. Zou moeder me veranderd vinden? Ik was hier pas vijf weken en toch voelde ik me onverklaarbaar veranderd.

Ik daalde de bediendetrap af en liep door naar de keuken, waar mevrouw Townsend me tegemoetkwam en een pakketje in mijn handen stopte. 'Neem dit maar mee. Iets lekkers voor bij de thee,' zei ze op zachte toon. 'Een stuk van mijn citroenkwarktaart en een paar plakjes Engelse cake.'

Ik keek haar aan, een beetje onthutst over het onkarakteristieke gebaar. Mevrouw Townsend was net zo trots op haar perfect kloppende huishoudboekjes als op haar torenhoge soufflés.

Ik wierp een blik in de richting van de trap en antwoordde, eveneens op gedempte toon: 'Weet u zeker dat mevrouw…'

'Maak je geen zorgen over mevrouw. Zij en lady Clementine zullen niets tekortkomen.' Ze klopte haar schort af en trok haar ronde schouders naar achteren, waardoor haar boezem nog imposanter leek dan hij al was. 'En vergeet niet tegen je moeder te zeggen dat we hier goed voor je zorgen.' Ze schudde haar hoofd. 'Een fijn mens, jouw moeder. Ze heeft niets gedaan wat duizenden anderen vóór haar niet hebben gedaan.'

Daarna draaide ze zich om en liep bedrijvig de keuken weer in, even abrupt als ze voor mijn neus had gestaan. Ik bleef in de schemerige gang staan en vroeg me af wat ze met die woorden bedoelde.

De hele weg naar het dorp bleef ik erover nadenken. Dit was niet de eerste keer dat mevrouw Townsend me had verrast met een vriendelijk woord over mijn moeder. Ik voelde me enigszins ontrouw door mijn verbazing daarover, maar kon haar herinneringen aan opgewekt gedrag niet in verband brengen met de moeder die ik kende: de moeder met de sombere buien en lange stiltes.

Ze zat bij de deur op me te wachten en stond op zodra ze me zag aankomen. 'Ik begon al te denken dat je me was vergeten.'

'Het spijt me, moeder,' zei ik. 'Ik moest eerst mijn taken afwerken.'

'Ik hoop dat je vanochtend tijd hebt vrijgemaakt om naar de kerk te gaan.'

'Ja, moeder. De bedienden gaan altijd naar de mis in de kapel van Riverton.'

'Dat weet ik, meisje. Lang voor jouw geboorte ging ik daar al naartoe.' Ze wees met een knikje naar mijn handen. 'Wat heb je daar?'

Ik gaf haar het pakketje. 'Van mevrouw Townsend. En ik moest u de groeten doen.'

Moeder gluurde erin en beet op de binnenkant van haar wang. 'Daarvan krijg ik vannacht gegarandeerd brandend maagzuur.' Ze vouwde het papier weer dicht en zei zuinigjes: 'Maar het is toch aardig van haar.' Ze stapte opzij en duwde de deur open. 'Kom erin. Ga maar gauw theezetten, dan kun je me vertellen hoe alles is gegaan.'

Ik herinner me niet veel van het gesprek, want ik was die middag een afwezige gesprekspartner. Ik was met mijn gedachten niet bij moeder in haar kleine, sombere keuken, maar in de balzaal op de heuvel waar ik die ochtend samen met Nancy stoelen in rijen had gezet en goudkleurige gordijnen had opgehangen rond het toneel.

Moeder liet me allerlei karweitjes doen en al die tijd hield ik de keukenklok in de gaten en zag ik de wijzers steeds dichter naar vijf uur kruipen, het tijdstip waarop de voorstelling zou beginnen.

Ik was aan de late kant toen we afscheid namen. Tegen de tijd dat ik het hek van Riverton bereikte, stond de zon laag aan de hemel. Ik volgde de kronkelweg naar het huis. Schitterende bomen, geplant door een van lord Ashbury's voorvaderen, omzoomden de weg aan weerskanten en de hoogste takken bogen zich naar elkaar toe, zodat de weg een donkere, fluisterende tunnel was.

Toen ik eruit kwam en weer in het volle daglicht stond, was de zon net achter het dak verdwenen, waardoor het huis baadde in een paarsoranje gloed. Ik stak het terrein over, langs de fontein van Eros en Psyche, door de tuin waar lady Violet roze koolrozen kweekte, en vervolgde mijn weg naar de achteringang. Het bediendevertrek was verlaten en mijn voetstappen echoden toen ik meneer Hamiltons gulden regel overtrad door hard door de stenen gang te rennen. Ik holde de keuken door, langs de werktafel van mevrouw Townsend, waar een grote hoeveelheid brood en cake klaarlag, en stormde de trap op.

Het was griezelig stil in huis. Iedereen zat klaar voor de voorstelling. Toen ik de vergulde deur van de balzaal bereikte, streek ik snel mijn haar glad, trok mijn rok recht en glipte de donkere zaal in, waar ik mijn plaats innam tegen de zijmuur, bij de rest van de bedienden.

Alle goede dingen

Ik had niet verwacht dat het zo donker zou zijn in de zaal. Ik was nog nooit naar een toneelvoorstelling geweest, had alleen een keer een stukje poppenkast gezien toen ik met moeder bij haar zus Dee in Brighton op bezoek was. Er hingen zwarte gordijnen voor de ramen en het enige licht in de kamer was dat van de vier schijnwerpers die van de zolder waren gehaald. Ze vormden samen een gele gloed aan de voorzijde van het toneel, en de schuin naar boven gerichte lichtbundels zetten de spelers in een spookachtig licht.

Op het toneel zong Fanny de laatste maten van 'The Wedding Glide', waarbij ze haar wimpers en stem liet trillen. De laatste G werd een schrille F en het publiek liet een beleefd applausje horen. Ze glimlachte en maakte koket een reverence, maar het effect werd bedorven doordat het gordijn aldoor opbolde door ellebogen en attributen van de opgewonden deelnemers aan de volgende act.

Fanny verliet het toneel aan de rechterkant, terwijl Emmeline en David, gehuld in toga's, links opkwamen. Ze hadden drie lange planken en een laken bij zich, waarmee ze snel en doeltreffend een ietwat scheve tent in elkaar zetten. Ze knielden onder het tentdoek en wachtten tot het stil was in de zaal.

In de duisternis klonk een stem: 'Dames en heren. Een scène uit het boek Numeri.'

Goedkeurend gemompel.

De stem: 'We bevinden ons in de bijbelse tijd. Een familie heeft haar kamp opgeslagen aan de voet van een berg. Een broer en zus hebben zich afgezonderd om het recente huwelijk van hun broer te bespreken.'

Hier en daar begon iemand te klappen.

Toen declameerde Emmeline, op een gedragen toon: 'Maar broer, wat heeft Mozes gedaan?'

'Hij heeft een vrouw genomen,' zei David, nogal schalks.

'Maar ze is niet een van ons,' zei Emmeline, naar het publiek kijkend.

'Nee,' zei David. 'Je hebt gelijk, mijn zuster. Ze is een Ethiopische.'

Emmeline schudde haar hoofd en trok een uitermate bezorgd gezicht.

'Hij heeft een vrouw gekozen van buiten onze stam. Wat moet er van hem terechtkomen?'

Opeens klonk er achter het gordijn een luide, zware stem, versterkt alsof hij vanuit de hemel kwam (in werkelijkheid waarschijnlijk door een opgerold vel dun karton): 'Aäron! Miriam!'

Emmeline beeldde zo goed mogelijk angstige aandacht uit.

'Dit is God. Jullie vader. Kom naar buiten, naar het tabernakel van jullie kamp.'

Emmeline en David volgden het bevel op door onder het tentdoek vandaan te kruipen en een stukje naar voren te lopen. Het trillende licht van de schijnwerpers wierp een veelvoud aan schaduwen op het laken achter hen.

Mijn ogen waren inmiddels aan de duisternis gewend geraakt, zodat ik het publiek kon herkennen aan de silhouetten. Op de voorste rij, waar de piekfijn geklede dames zaten, zag ik lady Clementines hangwangen en lady Violets hoed met veren. Twee rijen achter hen zaten de majoor en zijn vrouw. Dichter bij mij zag ik meneer Frederick, met opgeheven hoofd en over elkaar geslagen benen, zijn scherpe blik gericht op het toneel. Ik bekeek zijn profiel. Hij zag er anders uit dan anders. In het trillende indirecte licht leken zijn wangen hol en zijn ogen glazig. Zijn ogen. Hij had zijn bril niet op. Ik had hem nog nooit zonder bril gezien.

God begon aan zijn preek en ik richtte mijn aandacht weer op het toneel. 'Miriam en Aäron. Waarom zijt ge niet bevreesd kwaad te spreken van mijn dienaar Mozes?'

'Het spijt ons, Heer,' zei Emmeline. 'We zeiden alleen…'

'Zwijg stil! Jullie hebben mijn toorn opgewekt!'

Daarop volgde een harde donderklap (een trommel, denk ik) en er ging een schokje door het publiek. Een rookwolk golfde vanachter het gordijn over het toneel.

Lady Violet slaakte een kreet van schrik, waarop David op een luide fluistertoon zei: 'Wees niet bang, grootmama, het hoort erbij.'

Gegrinnik in de zaal.

'Mijn toorn is opgewekt!' Hannahs luide stem bracht het publiek tot zwijgen. 'Dochter,' zei ze, en Emmeline keerde het publiek de rug toe om naar de reeds optrekkende rook te kijken. 'Gij! Zijt! Melaats!'

Emmeline sloeg haar handen voor haar gezicht. 'Nee!' riep ze. Ze bleef secondelang in die dramatische houding zitten en draaide zich toen weer om naar het publiek om het haar aangetaste gezicht te tonen.

Ieders adem stokte. Ze hadden uiteindelijk besloten geen masker te maken en in plaats daarvan een handjevol aardbeienjam en slagroom gebruikt, wat voor een gruwelijk effect zorgde.

'Deugnieten!' fluisterde mevrouw Townsend verongelijkt. 'Ze zeiden dat ze jam wilden voor hun broodjes.'

'Zoon,' zei Hannah na een dramatische pauze, 'gij zijt schuldig aan dezelfde zonde, maar ik kan mezelf er niet toe brengen mijn woede over u uit te storten.'

'Dank u, vader,' zei David.

'Zult ge erom denken niet meer over de vrouw van uw broer te praten?'

'Ja, Heer.'

'Dan mag u gaan.'

'Eilaas, Heer,' zei David, een glimlach onderdrukkend terwijl hij zijn hand uitstak naar Emmeline. 'Ik smeek u, genees mijn zuster!'

Het publiek wachtte doodstil op het antwoord van de Heer. 'Nee,' klonk het toen. 'Ze zal zich zeven dagen buiten het kamp moeten ophouden. Pas daarna mag ze weer in uw midden terugkeren.' Toen Emmeline verslagen op haar knieën zakte en David zijn hand op haar schouder legde, kwam Hannah aan de linkerkant uit de coulissen. Onderdrukte kreetjes in het publiek, want Hannah was van top tot teen als man gekleed: kostuum, hoge hoed, wandelstok, zakhorloge en op de punt van haar neus de bril van meneer Frederick. Ze liep naar het midden van het toneel, met haar wandelstok zwaaiend als een dandy. Toen ze sprak, imiteerde ze de stem van haar vader bijna volmaakt: 'Mijn dochter zal leren dat er regels zijn voor meisjes en andere regels voor jongens.' Ze haalde diep adem en zette haar hoed recht. 'Als dat niet zo was, zouden we op het hellende vlak komen naar het kiesrecht voor vrouwen.'

Het publiek bleef in een sidderende stilte zitten en alle monden vielen open.

De bedienden waren al net zo geschokt. Zelfs in de duisternis zag ik dat meneer Hamilton wit wegtrok. Hij had geen idee welk protocol hier vereist was en kon zijn onbedwingbare plichtsgevoel alleen maar gebruiken door als steunpilaar te fungeren voor mevrouw Townsend, die, nog niet eens hersteld van het misbruik van haar jam, met knikkende knieën zijwaarts helde.

Mijn blik ging naar meneer Frederick. Hij zat doodstil en stokstijf op zijn stoel. Ik bleef naar hem kijken en zag dat zijn schouders begonnen te bewegen, met kleine schokjes, alsof hij op het punt stond een van de woedeaanvallen te krijgen waar Nancy het over had gehad. Op het toneel waren de kinderen doodstil blijven staan, als poppen in een poppenhuis, en staarden naar het publiek dat naar hen keek.

Hannah zag er volkomen bedaard uit en stond erbij als de onschuld zelve. Heel even leek het alsof ze mijn blik opving en meende ik een zweem van een glimlach rond haar mondhoeken te zien. Ik glimlachte onwillekeurig terug, bevreesd, en hield er pas mee op toen Nancy in het schemerdonker naar me keek en in mijn arm kneep.

Glunderend greep Hannah Emmeline en David bij de hand en liep samen met hen naar de rand van het toneel om een buiging te maken. Daarbij viel er een klodder jam van Emmelines neus, die met een sissend geluid op een van de schijnwerpers neerkwam.

'Gut,' klonk een hoge, heldere stem op in het publiek – lady Clementine. 'Ik ken iemand die iemand kent die melaats was, in India. Zijn neus viel er óók zomaar af, in zijn scheerkom.'

Dat was voor meneer Frederick de druppel. Toen hij Hannahs blik opving, barstte hij in lachen uit. Nog nooit had ik iemand zo horen schateren; het was zo aanstekelijk dat je vanzelf ging meedoen. Een voor een schoten de anderen in de lach, behalve lady Violet, zag ik.

Ik moest zelf ook lachen, hikkend van pure opluchting, tot Nancy in mijn oor siste: 'Zo is het wel genoeg, juffertje. Kom mee om me te helpen met de koffie.'

Ik zou de rest van de soiree mislopen, maar had genoeg gezien. Toen we de zaal verlieten en de gang door liepen, hoorde ik het applaus wegsterven in afwachting van het volgende optreden en voelde ik dat een vreemd soort energie zich van me meester had gemaakt.

Tegen de tijd dat we de dienbladen met het gebak en de koffie in de zitkamer hadden klaargezet en de kussens van de fauteuils nog wat hadden opgeschud, was de soiree voorbij en kwamen de gasten binnen, arm in arm, in volgorde van belangrijkheid. Eerst lady Violet en majoor Jonathan, daarna lord Ashbury en lady Clementine, daarna meneer Frederick met Jemima en Fanny. De kinderen waren blijkbaar nog boven.

Toen ze waren gaan zitten, zette Nancy het blad met het koffieservies naast lady Violet op een tafeltje, zodat ze kon inschenken. Terwijl de anderen luchtig babbelden, boog lady Violet zich naar de leunstoel van meneer Frederick en zei, met een kille glimlach: 'Je staat die kinderen veel te vrij, Frederick.'

Meneer Fredericks mond trok strak, waaruit ik begreep dat hij dit soort kritiek vaker had gehoord.

Met haar blik gericht op de koffie die ze inschonk, zei lady Violet: 'Nu vind je hun streken nog leuk, maar er zal een dag komen waarop je spijt zult hebben van je toegeeflijkheid. Ze mogen van jou doen wat ze willen. Vooral Hannah. Niets is zo funest voor een lieftallige jongedame als misbruik maken van haar intellect.'

Na deze vernietigende opmerking rechtte lady Violet haar rug, zette een beminnelijk gezicht en reikte lady Clementine een kopje koffie aan.

Als vanzelf kwam het gesprek op het conflict in Europa en de vraag of Groot-Brittannië bij een oorlog zou worden betrokken.

'Er komt oorlog. Dat is altijd zo,' zei lady Clementine kalmpjes, terwijl ze het kopje aanpakte en haar achterwerk diep in lady Violets favoriete stoel drukte. Haar stem steeg toen ze vervolgde: 'En daar zullen we allemaal onder lijden. Mannen, vrouwen en kinderen. De Duitsers zijn geen beschaafd volk, zoals wij. Ze zullen ons land plunderen, onze kinderen in hun bed vermoorden en de brave Engelse vrouwen tot slaaf maken om kleine Hunnen voor hen te baren. Let op mijn woorden, want ik heb het zelden mis. Er komt oorlog voordat de zomer voorbij is.'

'Dat lijkt me toch iets overdreven, Clementine,' zei lady Violet. 'En als het oorlog wordt, zal het heus niet zo erg zijn als jij het beschrijft. Niet in deze moderne tijden.'

'Dat vind ik ook,' zei lord Ashbury. 'Het zal een twintigste-eeuwse oorlog worden, een heel ander soort dan voorheen. Bovendien zijn de Hunnen in alle opzichten minderwaardig aan ons Britten.'

'Het is misschien niet netjes om het te zeggen,' mengde Fanny zich in het gesprek, op de punt van de chaise longue, met dansende krullen van opwinding, 'maar ik hóóp eigenlijk dat het oorlog wordt.' Ze wendde zich haastig tot lady Clementine. 'Niet om de plunderingen, moorden en verkrachtingen natuurlijk, tantetje, maar omdat ik heren in uniform zo prachtig vind om te zien.' Ze wierp een snelle blik op majoor Jonathan en vervolgde: 'Ik heb vandaag een brief ontvangen van mijn vriendin Margery... Die kent u toch wel, tante Clem?'

Lady Clementines zware oogleden gingen dicht en weer open. 'Jammer genoeg wel. Een dwaas meisje met provinciaalse manieren.' Ze boog zich naar lady Violet. 'Opgegroeid in Dublin. Iers katholiek.'

Ik gluurde naar Nancy terwijl ik met suikerklontjes rondging en zag haar verstijven. Ze ving mijn blik op en keek me aan met een strenge frons.

'Margery,' ging Fanny door, 'is aan de kust op vakantie met familie en schreef dat toen ze haar moeder ging afhalen op het station, de treinen stampvol zaten met reservisten die in allerijl terug moesten naar hun hoofdkwartieren. Dat is allemaal toch wel heel opwindend.'

'Lieve kind,' zei lady Violet, opkijkend van de koffiekan, 'ik vind het van slechte smaak getuigen om louter vanwege de opwinding te wensen dat het oorlog wordt. Ben je het daarmee eens, Jonathan?'

De majoor stond bij de nu ongebruikte open haard en rechtte zijn rug. 'Ik ben het niet eens met Fanny's motivatie, maar moet toegeven dat ik haar gevoelens deel. Ik hoop zelf ook dat het oorlog wordt. Op het vasteland zijn ze in een verdomd onverkwikkelijke situatie geraakt – neemt u me mijn taalgebruik niet kwalijk, moeder, lady Clem, maar het is gewoon zo. Het goede, oude Brittannia zal eraan te pas moeten komen om orde te scheppen en de Hunnen eens flink op hun falie te geven.'

Onder de aanwezigen steeg gejuich op. Jemima greep de arm van de majoor en keek met stralende kraaloogjes bewonderend naar hem op.

De oude lord Ashbury pafte verwoed aan zijn pijp. 'Een beetje knokken,' zei hij, achteroverleunend in zijn fauteuil. 'Er gaat niets boven een oorlog om van een jongen een echte kerel te maken.'

Meneer Frederick ging verzitten, pakte het kopje koffie aan dat lady Violet hem aanreikte en begon zijn pijp te stoppen.

'En jij, Frederick?' vroeg Fanny koket. 'Wat zou jij doen als het oorlog werd? Dan hou je hopelijk toch niet op met auto's fabriceren? Het zou erg jammer zijn als we niet meer van die prachtige auto's konden krijgen vanwege een domme oorlog. Ik heb echt geen zin om weer met de paardenkoets te moeten.'

Meneer Frederick plukte, gegeneerd door Fanny's geflirt, een sliertje tabak van zijn broekspijp. 'Daar hoef je je geen zorgen over te maken. Auto's zijn de toekomst.' Hij drukte de tabak in zijn pijp aan en mompelde half binnensmonds: 'God verhoede dat een oorlog in de weg zou staan van domme wichten die niets om handen hebben.'

Op dat moment ging de deur open en kwamen Hannah, Emmeline en David binnen, met stralende gezichten vanwege hun succes. De meisjes hadden hun kostuums verwisseld voor identieke witte jurkjes met een matrozenkraag.

'Een prachtige voorstelling,' zei lord Ashbury. 'Ik kon er geen woord van verstaan, maar het zag er prima uit.'

'Heel mooi gedaan, kinderen,' zei lady Violet. 'Maar misschien mag grootmama volgend jaar helpen het onderwerp te kiezen?'

'En u, papa?' vroeg Hannah gretig. 'Vond u het mooi?'

Meneer Frederick meed de blik van zijn moeder. 'We hebben het straks nog wel over de creatieve aspecten ervan, goed?'

'Zeg eens, David,' kwinkeleerde Fanny boven de anderen uit. 'We hadden het over oorlog. Ga jij in dienst als Groot-Brittannië eraan meedoet? Je zou er reuzeknap uitzien in een officiersuniform.'

David pakte een kopje koffie aan van lady Violet en ging zitten. 'Daar heb ik nog niet over nagedacht.' Hij trok zijn neus op. 'Ik denk van wel. Ze zeggen dat het een unieke kans is om iets van de wereld te zien.' Hij keek met een ondeugende fonkeling in zijn ogen naar Hannah, nu hem zo'n mooie kans was geboden om haar een beetje op te hitsen. 'Alleen voor mannen, vrees ik, Hannah.'

Fanny gilde van het lachen, wat voor lady Clementine reden was nogmaals met haar ogen te knipperen. 'O, David, doe niet zo mal. Hannah wil heus geen oorlog voeren. Wat een belachelijk idee.'

'Juist wel,' zei Hannah hartstochtelijk.

'Lieve kind,' zei lady Violet perplex, 'je zou niet eens kleding hebben om in te vechten.'

'Ze zou een rijbroek en rijlaarzen kunnen dragen,' antwoordde Fanny.

'Of een kostuum,' zei Emmeline. 'Net als in het toneelstuk. Maar dan zonder de hoge hoed.'

Meneer Frederick ving de gebiedende blik van zijn moeder op en schraapte zijn keel. 'Ook al zijn Hannahs kledingperikelen voer voor sprankelende speculatie, ik wil jullie er graag aan herinneren dat dit helemaal geen probleem is. Zij noch David zal oorlog gaan voeren. Meisjes vechten niet en David zit nog op school. Hij zal een andere manier moeten vinden om de koning en het vaderland te dienen.' Hij keek naar David. 'Nadat je bent afgestudeerd op Eton en Sandhurst zien we wel weer.'

David hief zijn kin op. 'Als ik Eton afmaak en áls ik naar Sandhurst ga.'

Meteen werd het stil in de kamer en iemand schraapte zijn keel. Meneer Frederick tikte met zijn lepeltje tegen zijn koffiekopje. Na een lange stilte zei hij: 'David maakt maar een grapje. Nietwaar, zoon?' De stilte hield aan. 'Nietwaar?'

David deed heel even zijn ogen dicht en ik zag dat zijn kin licht trilde. 'Ja,' zei hij toen. 'Natuurlijk. Ik vond het gesprek zo somber worden met al die praatjes over oorlog voeren. Maar het was geen leuk grapje. Mijn verontschuldigingen, grootmama. Grootpapa.' Hij knikte hen toe en ik zag dat Hannah zijn hand een kneepje gaf.

Lady Violet glimlachte. 'Ik ben het volkomen met je eens, David. Laten we niet meer praten over een oorlog die er misschien helemaal niet zal komen. Neem maar fijn een van mevrouw Townsends heerlijke gebakjes.' Ze knikte naar Nancy, die nogmaals met het blad met gebak rondging.

Ze aten zwijgend terwijl de scheepsklok op de schoorsteenmantel het verstrijken van de tijd aangaf tot iemand een onderwerp wist te bedenken dat even boeiend was als oorlog. Uiteindelijk zei lady Clementine: 'Als je de gevechten even buiten beschouwing laat, eisen besmettelijke ziekten in oorlogstijd eigenlijk de meeste slachtoffers. De slagvelden zijn ideale kweekplaatsen voor allerlei nare epidemieën. Wacht maar af,' zei ze somber, 'als het oorlog wordt, krijgen we weer een pokkenepidemie.'

'Als het oorlog wordt,' zei David.

'Hoe weet je eigenlijk of het oorlog is?' vroeg Emmeline met grote ogen. 'Komt iemand van de regering dat vertellen?'

Lord Ashbury slikte een soesje in één keer door. 'Een van de mensen op mijn club zei dat er nu ieder moment een aankondiging te verwachten is.'

'Ik voel me net als een kind op kerstavond,' zei Fanny. Ze strengelde haar vingers ineen. 'Ik kon altijd nauwelijks wachten tot het licht werd en ik de cadeautjes mocht uitpakken.'

'Ik zou me niet al te veel verheugen, als ik jou was,' zei de majoor. 'Als Groot-Brittannië meedoet aan de oorlog, zal het binnen een paar maanden voorbij zijn. Het is nog lang geen Kerstmis.'

'Niettemin,' zei lady Clementine, 'ga ik lord Gifford morgen meteen een brief schrijven met instructies over mijn begrafenis. Ik raad jullie aan hetzelfde te doen. Voordat het te laat is.'

Ik had nog nooit iemand over zijn eigen begrafenis horen praten, laat staan over hoe die eruit moest zien. Moeder zou zeggen dat het ongeluk bracht als ik zoiets zei, en me zout over mijn schouder laten gooien om het onheil te weren. Ik bekeek lady Clementine tersluiks. Nancy had al eens iets gezegd over haar sombere levensinstelling. Beneden werd gefluisterd dat ze zich over de wieg van de pasgeboren Emmeline had gebogen en doodleuk had gezegd dat zo'n mooie baby geen lang leven was gegund. Niettemin was ik geschoqueerd.

De Hartfords, daarentegen, waren blijkbaar gewend aan haar sinistere uitlatingen, want ze bleven er uiterlijk volkomen kalm onder.

Hannah zette grote ogen op van zogenaamde schrik. 'U wilt toch niet zeggen, lady Clementine, dat u bang bent dat wij er geen mooie begrafenis van zullen maken?' Ze glimlachte liefjes en pakte de hand van de oude vrouw. 'Ik zou het een eer vinden als u het aan mij zou overlaten ervoor te zorgen dat u naar behoren ter aarde wordt besteld.'

'Dat zal best,' zei lady Clementine schamper. 'Maar als je zulke dingen niet zelf regelt, is het altijd maar de vraag wie de taak uiteindelijk op zich zal nemen.' Ze keek daarbij nadrukkelijk naar Fanny en snoof zo luidruchtig dat haar wijde neusgaten bewogen. 'Bovendien heb ik zo mijn eigen ideeën over begrafenissen. Ik ben al jaren met de mijne bezig.'

'Meen je dat?' vroeg lady Violet geïnteresseerd.

'Jazeker,' antwoordde lady Clementine. 'Het is een van de belangrijkste publieke gebeurtenissen in je leven, en die van mij zal spectaculair zijn.'

'Ik kijk er nu al naar uit,' zei Hannah laconiek.

'Met recht,' zei lady Clementine. 'Je kunt het je tegenwoordig echt niet veroorloven een povere indruk te maken. De mensen zijn lang niet zo vergevingsgezind als vroeger en het is niet prettig wanneer er negatieve kritiek over je in de krant komt te staan.'

'Ik wist niet dat u zich er iets van aantrekt wat er in de krant staat, lady Clementine,' zei Hannah, wat haar een waarschuwende frons van haar vader opleverde.

'Normaal gesproken niet,' antwoordde lady Clementine. Ze wees met haar met fonkelende ringen getooide vinger naar Hannah, toen naar Emmeline en tot slot naar Fanny. 'De naam van een dame mag alleen in de krant komen in de aankondiging van haar huwelijk en in haar overlijdensadvertentie.' Ze sloeg haar ogen op naar de hemel. 'En God helpe haar als de begrafenis slechte kritiek krijgt, want ze krijgt geen kans om dat te rectificeren.'

Na de triomfen op het toneel restte alleen nog het zomeravonddiner voordat het bezoek een eclatant succes genoemd kon worden. Het diner was het hoogtepunt van alle activiteiten van deze week. Een laatste uitspatting voordat de gasten weer vertrokken en de rust op Riverton zou terugkeren. Sommigen van de genodigden (onder wie, verklapte mevrouw Townsend, lord Ponsonby, een neef van de koning) zouden helemaal uit Londen komen, en Nancy en ik waren de hele middag bezig geweest, onder toeziend oog van meneer Hamilton, de tafel in de eetkamer te dekken.

Er zouden twintig personen aanzitten en Nancy noemde ieder voorwerp dat ze neerlegde, hardop bij naam: lepel voor soep, vismes en visvork, twee messen, twee grote vorken, vier kristallen wijnglazen van verschillende afmetingen. Meneer Hamilton volgde ons rond de tafel met zijn meetlint en poetsdoek om zich ervan te vergewissen dat de ruimte tussen de couverts precies de vereiste dertig centimeter bedroeg en dat hij in iedere blinkende lepel zijn verwrongen gezicht kon zien. In het midden van de met wit linnen gedekte tafel drapeerden we lange ranken klimop en rond de kristallen compoteschalen met glanzend fruit schikten we rode rozen. Ik was erg tevreden over deze decoraties; ze waren niet alleen mooi, maar pasten ook uitstekend bij mevrouws mooiste servies – een huwelijkscadeau, had Nancy me verteld, van niemand minder dan de Churchills.

We zetten de naamkaartjes, geschreven in lady Violets prachtige handschrift, bij de borden, aan de hand van haar zorgvuldig uitgewerkte tafelschikking. Het belang van de tafelschikking, legde Nancy uit, mocht nooit onderschat worden. Volgens haar hing het welslagen of mislukken van een diner zelfs geheel af van de tafelschikking. Blijkbaar had lady Violet haar reputatie van *perfecte* gastvrouw – niet slechts *goede* gastvrouw – te danken aan de gave die ze bezat om niet alleen de juiste mensen uit te nodigen, maar er ook voor te zorgen dat de gevatte, onderhoudende gasten strategisch tussen de belangrijke, saaie personen werden gesitueerd.

Jammer genoeg ben ik geen ooggetuige geweest van het zomeravonddiner van 1914, want al was me het voorrecht gegund geweest in de zitkamer te mogen helpen, het opdienen van het diner was de allerhoogste eer die je te beurt kon vallen, veel te hoog voor mijn bescheiden positie. Ditmaal mocht zelfs Nancy, tot haar grote verdriet, dat genoegen niet smaken, omdat lord Ponsonby erom bekendstond dat hij een hekel had aan vrouwelijke bedienden rond de tafel. Nancy's verdriet werd enigszins verzacht door de beslissing van meneer Hamilton dat ze evengoed boven mocht werken, namelijk in de nis van de eetkamer, waar ze ongezien het vaatwerk zou aanpakken dat Alfred en hij zouden afruimen, om het in de etenslift naar de keuken te laten afdalen. Op die manier, redeneerde Nancy, zou ze in ieder geval iets van de gesprekken kunnen opvangen. Ze zou weten wat er werd gezegd, maar niet door wie en tegen wie.

Mijn taak was, bepaalde meneer Hamilton, beneden naast de etenslift te staan. Dat deed ik dus, zonder te reageren op het grapje van Alfred dat ik daar lekker kon staan hijsen. Hij maakte altijd grapjes, die goed bedoeld waren en waar de anderen meestal wel om konden lachen; ik had echter nog geen ervaring met goedmoedige plagerijtjes, omdat ik eraan gewend was alleen te zijn.

Ik keek vol verwondering toe hoe de ene na de andere gang, opgediend in schitterende schalen, met de lift naar boven verdween: imitatie-schildpadsoep, vis, zwezerik, kwartel, asperges, aardappelen, abrikozentaart, blancmanger, terwijl er stapels vuile borden en lege schalen terugkwamen.

Terwijl de gasten boven sprankelden, hield mevrouw Townsend beneden, diep onder de eetkamer, de keuken stomend en sissend aan de gang, als een van de glanzende nieuwe voertuigen die sinds kort door het dorp trokken. Ze dribbelde heen en weer tussen de werktafels, wist haar aanzienlijke gewicht in een razend tempo te verplaatsen, stookte het vuur onder de oven op tot er zweetdruppels over haar rood aangelopen wangen liepen en sloeg haar handen jammerend ineen, in een geoefend vertoon van valse bescheidenheid, over de kwaliteit van de goudbruine korst van haar pasteien. De enige die ongevoelig leek voor de aanstekelijke opwinding was de arme Katie, wier gezicht niets dan misère uitdrukte: de eerste helft van de avond had ze ontelbare aardappelen geschild, en de tweede helft van de avond ontelbare pannen geschuurd.

Eindelijk, toen de koffiepotten, roomkannetjes en kommetjes met kristalsuiker op zilveren dienbladen naar boven waren gehesen, maakte mevrouw Townsend haar schort los, een teken voor de rest van ons dat het werk er voor die avond bijna op zat. Ze hing de schort aan een haak bij het fornuis en stopte de lokken grijs haar die waren ontsnapt weer in de ingewikkelde knot op haar hoofd.

'Katie!' riep ze, terwijl ze haar verhitte voorhoofd bette. 'Katie?' Ze schudde haar hoofd. 'Ik weet het niet, hoor. Of ze loopt je voor de voeten, óf ze is nergens te vinden.' Ze schommelde naar de eettafel, liet zich op een stoel neerzakken en slaakte een diepe zucht.

Katie verscheen in de deuropening, met een druipende theedoek in haar handen. 'Ja, mevrouw Townsend?'

'Katie,' zei mevrouw Townsend verwijtend terwijl ze naar de vloer wees. 'Wat doe je nu toch weer?'

'Weet ik niet, mevrouw Townsend.'

'Inderdaad. Je drupt op de vloer met die doek.' Mevrouw Townsend schudde haar hoofd en zuchtte weer. 'Ga snel een dweil halen om de vloer te drogen. Meneer Hamilton zal je ervan langs geven als hij die smeerboel ziet.'

'Ja, mevrouw Townsend.'

'En wanneer je dat gedaan hebt, ga je voor ons allemaal warme chocolademelk maken.'

Katie slofte terug naar de keuken en botste bijna tegen Alfred op, die in een jubelstemming de trap af racete. 'Hola, oppassen Katie, ik zou je bijna omverlopen.' Hij zeilde de hoek om en grijnsde tegen ons, zijn gezicht heel openhartig en vriendelijk. 'Goedenavond, dames.'

Mevrouw Townsend zette haar bril af. 'En, Alfred?'

'En, mevrouw Townsend?' antwoordde hij, zijn bruine ogen wijd opengesperd.

'En?' Ze knipte met haar vingers. 'Hou ons niet in spanning.'

Ik ging op mijn plek zitten, duwde mijn schoenen van mijn voeten en bewoog mijn tenen. Alfred was twintig, een lange jongeman met mooie handen en een prettige stem, die als jonge jongen al voor lord en lady Ashbury was komen werken. Ik geloof dat mevrouw Townsend erg op hem gesteld was, hoewel ze nooit iets over dergelijke dingen losliet en ik het haar niet durfde te vragen.

'In spanning?' zei Alfred. 'Ik begrijp niet wat u bedoelt, mevrouw Townsend.'

'Je weet heel goed wat ik bedoel.' Ze schudde haar hoofd. 'Hoe is het gegaan? Hebben ze iets gezegd wat voor mij van belang kan zijn?'

'Mevrouw Townsend,' antwoordde Alfred, 'daar mag ik niks over zeggen tot meneer Hamilton beneden komt. Dat zou toch niet netjes zijn?'

'Nu moet je eens even heel goed naar me luisteren, jochie,' zei mevrouw Townsend. 'Ik wil alleen maar weten of de gasten van lord en lady Ashbury van de maaltijd hebben genoten. Daar kan meneer Hamilton echt niets op tegen hebben.'

'Ik zou het niet weten, mevrouw Townsend.' Alfred knipoogde naar me, waardoor het bloed me naar de wangen steeg. 'Maar het is me wel opgevallen dat lord Ponsonby een tweede portie aardappelen nam.'

Mevrouw Townsend bedekte haar glimlach met haar ineengestrengelde handen en knikte zachtjes. 'Ik had van mevrouw Davis, die voor lord en lady Bassingstoke kookt, gehoord dat lord Ponsonby erg veel van aardappelen à la crème houdt.'

'Dat is nog zacht uitgedrukt! De anderen mogen blij zijn dat hij iets voor hen heeft overgelaten.'

Mevrouw Townsend deed of ze geschokt was door zijn woorden, maar haar ogen straalden. 'Alfred, zulke dingen mag je niet zeggen. Als meneer Hamilton je zou horen...'

'Als meneer Hamilton wát zou horen?' Nancy kwam binnen, ging zitten en zette haar mutsje af.

'Ik vertelde net aan mevrouw Townsend hoezeer de dames en heren van het diner hebben genoten,' zei Alfred.

Nancy trok een gezicht. 'Ik heb het nog nooit meegemaakt dat ze zo weinig op hun bord lieten liggen; dat kan Grace bevestigen.' Ik knikte, terwijl ze doorging. 'Meneer Hamilton heeft uiteraard het laatste woord, maar volgens mij hebt u uzelf overtroffen, mevrouw Townsend.'

Mevrouw Townsend trok haar bloes strak over haar buste. 'Ach,' zei ze vergenoegd, 'we hebben allemaal ons best gedaan.' Het getinkel van porselein trok onze aandacht naar de deur. Katie kwam voetje voor voetje de hoek om, haar handen om de randen van een dienblad met kopjes geklemd. Bij iedere stap klotste de chocolademelk over de rand van de kopjes, waardoor er op elk schoteltje een plasje kwam te liggen.

'O, Katie,' zei Nancy toen het dienblad met een klap op de tafel werd gezet. 'Wat heb je daar nu weer een rommeltje van gemaakt. Moet u zien wat ze heeft gedaan, mevrouw Townsend.'

Mevrouw Townsend sloeg haar ogen ten hemel. 'Soms denk ik echt dat ik mijn tijd verspil aan dat meisje.'

'Maar mevrouw Townsend,' jammerde Katie. 'Ik doe mijn best, echt waar. Ik kan het niet helpen…'

'Wat kun je niet helpen, Katie?' vroeg meneer Hamilton, die de trap afdaalde en binnenkwam. 'Wat heb je nu weer gedaan?'

'Niets, meneer Hamilton. Ik wilde alleen de chocolademelk naar binnen brengen.'

'En dat heb je gedaan, domme meid,' zei mevrouw Townsend. 'Ga nu maar snel de rest van de vaat afwassen. Het water is vast al helemaal koud geworden.'

Ze schudde haar hoofd toen Katie om de hoek verdween, keek toen naar meneer Hamilton en glimlachte stralend. 'Zijn ze allemaal vertrokken, meneer Hamilton?'

'Ja, mevrouw Townsend. Ik heb zojuist de laatste gasten, lord en lady Denys, naar hun automobiel vergezeld.'

'En de familie?' vroeg ze.

'De dames zijn naar bed. Meneer, de majoor en meneer Frederick drinken nog een sherry in de zitkamer en gaan daarna ook naar boven.' Meneer Hamilton legde zijn handen op de rugleuning van zijn stoel en wachtte even, waarbij hij in de verte keek, zoals altijd wanneer hij op het punt stond een belangrijke mededeling te doen. Wie nog niet zat, ging zitten en toen wachtten we af wat er zou komen.

Meneer Hamilton schraapte zijn keel. 'Jullie mogen allemaal trots zijn. Het diner was een groot succes en meneer en mevrouw zijn erg tevreden.' Hij glimlachte stijfjes. 'Meneer is zelfs zo vriendelijk geweest ons toestemming te geven een fles champagne te ontkurken en die samen te delen. Als teken van zijn erkentelijkheid,' zei hij.

We klapten verheugd in onze handen toen meneer Hamilton een fles uit de kelder ging halen en Nancy glazen pakte. Ik zat er heel stil bij en hoopte dat ik ook een glas zou krijgen. Dit was allemaal nieuw voor me, want moeder en ik hadden nooit een reden gehad iets te vieren.

Toen hij de laatste champagneflûte pakte, keek meneer Hamilton over de rand van zijn bril en langs zijn lange neus naar mij. 'Ja,' zei hij toen. 'Ik vind dat zelfs jij vanavond een klein glaasje mag, Grace. Het gebeurt niet iedere dag dat meneer zo'n groots diner geeft.'

Dankbaar pakte ik het glas aan en meneer Hamilton hief het zijne op. 'Een toost,' zei hij, 'op alle mensen die in dit huis wonen en werken. Moge ons allen een lang en waardig leven zijn gegund.'

We klonken met elkaar. Toen liet ik me tegen de rugleuning van mijn stoel zakken, nam een slokje van de champagne en genoot stilletjes van de prikkeling van de belletjes op mijn lippen. Iedere keer dat ik gedurende mijn lange leven champagne heb gedronken, maakte het herinneringen los aan die avond in het bediendevertrek van Riverton. Wanneer je samen iets bereikt, geeft het je een heel bijzonder soort energie, en lord Ashbury's woorden van lof deden onze wangen gloeien en onze harten zwellen. Alfred glimlachte naar me vanachter zijn glas en ik glimlachte schuchter terug. Ik luisterde stilletjes toen de anderen ons een gedetailleerde beschrijving gaven van alles wat er die avond te zien en te horen was geweest: de diamanten van lady Denys, de moderne opvattingen van lord Harcourt over het huwelijk, lord Ponsonby's voorliefde voor aardappelen à la crème.

Ik schrok op uit mijn gepeins door een schril gerinkel. Het werd meteen doodstil rond de tafel. We keken elkaar vragend aan, tot meneer Hamilton overeind sprong. 'Het is de telefoon!' zei hij en hij snelde de kamer uit.

Lord Ashbury had een van de eerste particuliere telefoonverbindingen in Engeland, en daar was iedereen die in het huis werkte ongelooflijk trots op. Het ontvangsttoestel was aangebracht in meneer Hamiltons provisiekamer, zodat hij, wanneer het apparaat tot ons aller opwinding begon te rinkelen, snel de verbinding tot stand kon brengen en het gesprek kon doorverbinden met boven. Ondanks dit goed georganiseerde systeem kreeg hij echter slechts zelden de gelegenheid het toe te passen, omdat maar heel weinig vrienden van lord en lady Ashbury zelf ook telefoon hadden. Niettemin boezemde de telefoon een bijna religieus ontzag in en wanneer er andere bedienden op bezoek waren, werd er altijd wel een reden verzonnen om hen naar de provisiekamer te krijgen, waar ze het apparaat met eigen ogen konden aanschouwen en dan meteen wisten wat een hoogstaand huishouden dit was.

Het was dan ook geen wonder dat het rinkelen van de telefoon ons alle-

maal sprakeloos maakte, en vanwege het late uur sloeg onze verbazing meteen om in angst. We bleven doodstil zitten, met gespitste oren, en hielden allemaal onze adem in.

'Hallo?' riep meneer Hamilton in de microfoon. 'Hallo?'

Katie kwam binnenwandelen. 'Ik hoorde een raar geluid. O, zitten jullie
aan de champagne?'

'Ssst,' sisten we als één man. Katie ging zitten en begon op haar brokkelige
nagels te bijten.

Vanuit de zijkamer hoorden we meneer Hamilton zeggen: 'Ja, dit is het
huis van lord Ashbury... Majoor Hartford? Ja, majoor Hartford is hier inderdaad op bezoek bij zijn ouders... ja, meneer, natuurlijk. Wie kan ik zeggen dat er belt?... Een ogenblik, alstublieft, kapitein Brown, dan verbind ik u
door.'

Mevrouw Townsend zei veelbetekenend op luide fluistertoon: 'Iemand
voor de majoor.' En toen luisterden we allemaal weer zwijgend. Vanaf mijn
plaats kon ik door de open deur nog net meneer Hamiltons gezicht zien; hij
stond erbij met een stramme nek en zijn mondhoeken wezen naar beneden.

'Hallo, meneer,' zei meneer Hamilton in het mondstuk. 'Het spijt me dat
ik u moet storen, meneer, maar er is telefoon voor de majoor. Het is kapitein
Brown uit Londen, meneer.'

Meneer Hamilton zweeg, maar bleef bij het toestel staan. Hij hield de
hoorn altijd nog even tegen zijn oor gedrukt, om er zeker van te zijn dat de
degene die werd gebeld, had opgenomen, zodat de verbinding niet per ongeluk te vroeg werd verbroken.

Terwijl hij wachtte en luisterde, zag ik dat zijn vingers de hoorn opeens
strak omklemden. Hij verstijfde en leek sneller te gaan ademen.

Toen hing hij zachtjes, behoedzaam de hoorn aan de haak en trok zijn jasje recht. Met trage passen keerde hij terug naar zijn plek aan het hoofd van de
tafel, waar hij bleef staan en de rugleuning van zijn stoel met beide handen
vastgreep. Hij keek ons een voor een aan. Toen zei hij op ernstige toon: 'Onze
grootste angst is werkelijkheid geworden. Sinds elf uur vanavond verkeert
Groot-Brittannië in staat van oorlog. Moge God ons allen beschermen.'

Ik huil. Na al deze jaren huil ik om hen. Warme tranen ontsnappen aan mijn
ogen, volgen de lijnen van mijn gezicht tot ze door de lucht worden opgedroogd en kil op mijn huid blijven kleven.

Sylvia is weer bij me. Ze heeft een papieren zakdoekje meegebracht en
wrijft daarmee opgewekt over mijn wangen. Voor haar zijn deze tranen al-

leen maar een kwestie van een lekkende waterleiding. Een van de onvermijdelijke, onschuldige consequenties van mijn hoge leeftijd.

Ze weet niet dat ik huil om alles wat er is veranderd. Dat ik, net zoals ik
soms bij het herlezen van een lievelingsboek stiekem hoop dat het anders zal
aflopen, ook nu tegen beter weten in hoop dat het geen oorlog zal worden.
Dat die ons ditmaal met rust zal laten.

Mystery Maker, **Vakblad voor de boekhandel**
Wintereditie, 1998
Nieuws in het kort

Echtgenote auteur overleden – Inspecteur Adams-serie voorlopig stopgezet

Londen: Fans die reikhalzend uitkeken naar het zesde boek van de populaire detectiveserie met inspecteur Adams in de hoofdrol, zullen lang moeten wachten. De auteur, Marcus McCourt, heeft naar verluidt het schrijven van het boek, *Dood in de heksenketel*, stopgezet na het plotselinge overlijden van zijn echtgenote, Rebecca McCourt, afgelopen oktober. Mevrouw McCourt overleed aan een aneurysma.

McCourt is niet bereikbaar voor commentaar, maar uit betrouwbare bron hebben we vernomen dat de anders zo aanspreekbare auteur weigert over de dood van zijn vrouw te praten en sindsdien een writer's block heeft. McCourts Britse uitgeverij, Raymes & Stockwell, geeft evenmin commentaar.

McCourts eerste vijf boeken in de inspecteur Adams-serie zijn onlangs verkocht aan de Amerikaanse uitgeverij Foreman Lewis voor een niet nader genoemd bedrag dat zeven cijfers schijnt te tellen. *Misdaad loont niet* zal worden uitgegeven onder de Hocador-imprint en zal in het voorjaar van 1999 in de Verenigde Staten verschijnen. Exemplaren kunnen vooruit besteld worden bij Amazon.

Rebecca McCourt was eveneens schrijfster. Haar debuutroman, *Purgatorio*, is het geromantiseerde verhaal van Mahlers onafgemaakte Tiende Symfonie, en was in 1996 genomineerd voor de *Orange Prize for Literature*.

Marcus en Rebecca McCourt leefden sinds kort gescheiden.

Saffron High Street

Er is regen op komst. Mijn rug is veel gevoeliger dan de instrumenten van de meteorologen en ik heb de hele nacht wakker gelegen, omdat mijn botten zachtjes kreunden en fluisterend verhalen vertelden over langvervlogen soepelheid. Ik strekte en kromde mijn weerbarstige oude lichaam. Het ongemak veranderde in frustratie, de frustratie werd verveling, en de verveling sloeg om in angst. Angst dat er nooit een einde zou komen aan de nacht en dat ik eeuwig in de lange, eenzame tunnel opgesloten zou zitten.

Genoeg. Ik weiger te piekeren over mijn zwakke gestel. Niets is zo vervelend als een zeurpiet. Uiteindelijk moet ik in slaap zijn gevallen, want vanochtend werd ik wakker, en voor zover ik weet gaan die twee dingen altijd met elkaar gepaard. Ik lag nog in bed, met mijn nachtpon rond mijn middel gedraaid, toen een meisje met opgerolde mouwen en een lange, dunne vlecht (niet zo lang als de mijne) bedrijvig binnenkwam, de gordijnen opendeed en het daglicht liet binnenstromen. Het was niet Sylvia, waaruit ik opmaakte dat het zondag was.

Het meisje – HELEN stond er op haar badge – zette me onder de douche. Ze hield mijn arm vast om me overeind te houden, waarbij haar moerbeirode nagels zich in mijn slappe, witte huid drukten, gooide haar vlecht naar achteren en begon mijn romp en ledematen in te zepen; terwijl ze een mij onbekend deuntje neuriede schrobde ze de restanten van de nacht weg. Toen ik schoon genoeg was naar haar zin, liet ze me op de plastic stoel zakken en mocht ik in mijn eentje nog een poosje onder het warme, stromende water zitten. Ik greep met beide handen de onderste stang, leunde voorzichtig naar voren en slaakte een diepe zucht toen het water over mijn verkrampte rug stroomde.

Nadat Helen me had afgedroogd, aangekleed en opgetut zat ik om half-acht in de eetzaal. Ik slaagde erin een slap geworden sneetje toast en een kopje thee naar binnen te werken voordat Ruth me kwam halen om naar de kerk te gaan.

Ik ben niet zo godsdienstig. Er zijn zelfs tijden geweest dat mijn geloof me

geheel en al in de steek liet, kwaad als ik was op de goedertieren Vader die toe-
liet dat zijn kinderen onvoorstelbare aardse verschrikkingen moesten doorstaan. Ik heb echter allang weer vrede gesloten met God. De leeftijd haalt de
scherpe randjes weg. Bovendien gaat Ruth graag naar de kerk en is het voor
mij een kleine moeite om haar tegemoet te komen.

Het is de vastenmaand, de tijd van de innerlijke bespiegelingen en boete-
doening die voorafgaat aan Pasen, en vanochtend was de preekstoel in de
kerk omkleed met paars doek. De preek was niet slecht; hij ging over schuld
en vergiffenis, wat ik wel passend vond, gezien de taak die ik besloten heb op
me te nemen. De pastoor las voor uit Johannes 14, drong er bij de parochianen op aan niet te luisteren naar de paniekzaaiers die millenniumdoem pre-
diken, maar in plaats daarvan innerlijke rust te zoeken met de hulp van Jezus. 'Ik ben de weg, de waarheid en het leven,' las hij. 'Niemand kan bij de
Vader komen dan door mij.' Daarna verzocht hij de parochianen aan de
vooravond van het nieuwe millennium een voorbeeld te nemen aan het vertrouwen van Christus' apostelen. Met uitzondering van Judas natuurlijk.
Een verrader die Christus voor dertig zilverlingen uitleverde en zich vervolgens opknoopte, is nu eenmaal niet aanbevelenswaardig.

Gewoontegetrouw liepen we na de kerk het korte stukje door High Street
naar Maggie's voor het ontbijt. We gaan altijd naar Maggie's, hoewel Maggie
zelf de stad vele jaren geleden heeft verlaten met een koffer en de echtgenoot
van haar beste vriendin. Vanochtend zag ik, toen we langzaam de licht hellende Church Street door liepen, met Ruth' hand op mijn arm, dat de doorn-
hagen langs de stoep al knoppen hebben. Nog één omwenteling van het wiel
en het is lente.

We rustten uit op het houten bankje onder de honderdjarige olm, waarvan de gigantische stam de hoek vormt van Church Street en Saffron High
Street. Het winterzonnetje drong door het netwerk van kale takken en ont-
dooide mijn rug. Vreemd zijn die heldere, zonnige dagen aan het einde van
de winter, dagen waarop je het tegelijkertijd warm en koud kunt hebben.

Toen ik klein was, reden er paarden en koetsen en mooie rijtuigen door
deze straten. Na de oorlog ook auto's: Austins en Tin Lizzies met toeterende
claxons en bestuurders die een grote stofbril droegen. De wegen waren toen
stoffig, vol kuilen en paardenpoep. Oude dames duwden kinderwagens met
spaakwielen, en kleine jongetjes met starende ogen verkochten kranten.

De zoutverkoopster zette haar kar altijd op de hoek waar nu de benzine-
pomp is. Vera Pipp: een pezig vrouwtje dat een arbeiderspet droeg en altijd
een dun stenen pijpje aan haar lip had hangen. Ik verstopte me achter moe-

ders rokken en keek met grote ogen toe wanneer mevrouw Pipp met een grote pikhaak zware brokken zout op haar kar overhevelde en die met een zaag en mes in kleinere stukken sneed. Ze is vaak in mijn boze dromen verschenen, met haar stenen pijp en glimmende pikhaak.

Aan de overkant van de straat was de lommerd, met de drie koperen bollen aan de voorgevel, zoals in iedere stad in Groot-Brittannië aan het begin van deze eeuw. Moeder en ik gingen er iedere maandag naartoe om onze zondagse kleren in te wisselen voor een paar shilling. Op vrijdag, wanneer moeder het loon voor het verstelwerk ontving van de kledingwinkel, stuurde ze me terug naar de lommerd om de kleren op te halen, zodat we iets fatsoenlijks hadden om aan te trekken naar de kerk.

Mijn lievelingswinkel was de kruidenier. In het pand zit nu een copyshop, maar toen ik klein was, was er een kruidenierswinkel die eigendom was van een echtpaar: een lange, magere man met een zwaar accent en nog zwaardere wenkbrauwen, en zijn kleine, dikke vrouw, die er prat op gingen dat ze alle verzoeken van hun klanten konden inwilligen, ongeacht hoe vreemd die waren. Zelfs in de oorlog slaagde meneer Georgias erin pakjes echte thee te leveren, aan wie het kon betalen. In mijn ogen was de winkel een luilekkerland. Ik keek altijd door de winkelruit naar de kleurige dozen mout van de firma Horlicks en de pakjes gemberkoekjes van Huntley & Palmer. Zulke luxe kwam bij ons thuis nooit op tafel. Op de brede, gladde toonbanken stonden gele blokken boter en kaas, dozen met verse, soms nog warme eieren, en zakken gedroogde bonen, die op de koperen weegschaal werden afgewogen. Op sommige dagen – de fijnste dagen – bracht moeder een pannetje mee van huis, dat door meneer Georgias dan volgeschept werd met stroop…

Ruth tikte op mijn arm en hielp me overeind. We liepen door Saffron High Street naar het verschoten rood-met-witte zonnescherm van Maggie's. We plaatsten onze vaste bestelling – twee kopjes English Breakfast-thee en één plak cake voor ons tweeën – en gingen aan het tafeltje bij het raam zitten.

Het meisje dat onze bestelling bracht, was nieuw, zowel bij Maggie's als in het vak, leek mij, te oordelen naar de stuntelige manier waarop ze in iedere hand een kopje droeg en het bordje met de cake op haar trillende pols liet balanceren.

Ruth keek met een misprijzend gezicht toe en trok haar wenkbrauwen op toen ze de plasjes thee op de schoteltjes zag. Ze wist zich goddank in te houden en legde met opeengeklemde lippen papieren servetjes tussen de kopjes en de schoteltjes om de gemorste thee op te zuigen.

Zoals altijd nipten we zwijgend van onze thee, tot Ruth het bordje met de cake over de tafel schoof. 'Neemt u mijn helft ook maar. U ziet er zo mager uit.'

Bijna herinnerde ik haar aan de woorden van mevrouw Simpson dat een vrouw nooit te rijk of te mager kan zijn, maar uiteindelijk zag ik ervan af. Ze had al nooit veel gevoel voor humor gehad en de laatste tijd was er bijna niets meer van te bespeuren.

Ik ben inderdaad mager. Ik heb geen eetlust meer. Niet dat ik geen honger heb, maar ik proef niets meer, en wanneer je laatste smaakpapillen opdrogen en afsterven, gebeurt hetzelfde met de weinige zin die je nog had om iets te eten. Het is ironisch. Als jonge vrouw heb ik een hopeloze strijd geleverd om eruit te zien als het ideaal van de vrouw dat toen in de mode was – magere armen, kleine borsten, een bloedeloos aanzien – en nu is dat mijn lot. Niet dat ik in de misplaatste veronderstelling verkeer dat het mij net zo goed staat als Coco Chanel.

Ruth bette haar mond met een servetje, veegde een onzichtbare kruimel weg, schraapte haar keel, vouwde het servetje tweemaal dubbel en legde het onder haar mes. 'Ik moet iets afhalen bij de apotheek,' zei ze. 'Vindt u het erg om hier op me te wachten?'

'Medicijnen?' vroeg ik. 'Waarom? Is er iets?' Ze is in de zestig, de moeder van een volwassen man, en toch slaat mijn hart een slag over.

'Het is niets bijzonders,' zei ze. Ze stond stijfjes op en zei op gedempte toon: 'Tabletjes om beter te kunnen slapen.'

Ik knikte; we wisten allebei waarom ze slecht slaapt. Het hing tussen ons in, een gedeelde droefenis, verpakt als een stilzwijgende afspraak om er niet over te praten. Over hem.

Ruth praatte snel door om de stilte te vullen: 'Blijf rustig zitten, ik ben zo terug. Het is hier lekker warm.' Ze pakte haar tas en jas, en bleef nog eventjes naar me staan kijken. 'Niet in uw eentje gaan dwalen, hoor.'

Ik schudde mijn hoofd toen ze snel naar de deur liep. Ruth is altijd bang dat ik zal verdwijnen als ze me alleen laat. Waar denkt ze dat ik naartoe zou gaan? vraag ik me vaak af.

Door het raam keek ik haar na tot ze verdween tussen de andere voetgangers die zich over de stoep haastten. Mensen in alle soorten en maten. En wat een kleding! Wat zou mevrouw Townsend daarvan gezegd hebben?

Een kind met roze wangen drentelde langs, dik ingepakt, aan de hand van een jachtige moeder. Het kind – het was moeilijk te bepalen of het een jongetje of een meisje was – keek naar me met grote, ronde ogen, zonder last te hebben van de sociale verplichting tot glimlachen waaronder de meeste volwassenen gebukt gaan. Een herinnering flitste door mijn hoofd. Ooit was ík dat kind, lang geleden, aan de hand van mijn moeder, die gehaast door de straat liep. De herinnering werd scherper. We waren langs dit pand gekomen, alleen was het toen geen tearoom, maar een slagerswinkel. Hompen vlees lagen op witmarmeren toonbanken achter de etalageruit, karkassen van hele koeien en varkens bengelden boven de met zaagsel bedekte vloer. De slager, meneer Hobbins, zwaaide naar me en ik herinner me dat ik wenste dat moeder zou blijven staan, dat we een mooie varkensschenkel zouden kopen om soep van te maken.

Ik bleef treuzelen voor het raam, met hoop in mijn hart, en zag de soep al voor me, met het vlees, prei en aardappelen, zachtjes pruttelend op ons fornuis, waardoor ons kleine keukentje werd gevuld met zilte dampen. Mijn verbeeldingskracht was zo groot dat ik de soep bijna kon proeven, wat het nog veel erger maakte.

Moeder bleef niet staan. Ze hield niet eens haar pas in. Toen het *tik-tak* van haar hakken zich steeds verder van me verwijderde, kreeg ik opeens een onweerstaanbaar verlangen haar schrik aan te jagen, haar te straffen voor het feit dat we arm waren, door net te doen alsof ze me kwijt was.

Ik bleef staan waar ik stond, ervan overtuigd dat ze zo dadelijk zou merken dat ik niet meer achter haar liep en dan snel zou terugkomen. Misschien, heel misschien, zou ze dan van pure opluchting besluiten zo'n varkensschenkel te kopen…

Opeens werd ik met een ruk omgedraaid en meegesleurd in de richting waar we vandaan gekomen waren. Het duurde een paar seconden voordat ik begreep wat er gebeurde: dat de knoop van mijn jas vastzat in de gehaakte tas van een duur geklede mevrouw, waardoor ik in haar pittige tempo werd meegetrokken. Ik herinner me als de dag van gisteren dat ik mijn handje uitstak om haar op haar grote, deinende borst te tikken, maar dat ik mijn hand snel terugtrok, opeens overvallen door schuchterheid, terwijl ik verwoed dribbelde om haar bij te houden. Opeens stak de mevrouw de straat over, met mij in haar kielzog. Ik begon te huilen. Ik voelde me reddeloos verloren. Ik zou moeder nooit meer zien. In plaats daarvan zou ik zijn overgeleverd aan de onbekende mevrouw met haar dure kleren.

Opeens zag ik aan de overkant van de straat mijn moeder, die tussen de andere winkelende mensen verder liep. Wat een opluchting! Ik wilde haar roepen, maar moest zo huilen dat ik geen lucht kreeg. Ik zwaaide hijgend met beide armen, terwijl de tranen over mijn wangen liepen.

Toen draaide moeder zich om en zag ze me. Haar gezicht bevror, ze drukte haar magere hand tegen haar platte borst en binnen een paar seconden was ze bij me. De andere mevrouw, die zich nog steeds niet bewust was van de extra ballast die ze meesleepte, kreeg nu pas in de gaten dat er iets aan de hand was. Ze draaide zich om en keek naar ons: naar mijn lange moeder met haar holle gezicht en verschoten rok, en naar het betraande schoffie dat ik in haar ogen ongetwijfeld was. Ze schudde met de tas en klemde hem toen angstvallig tegen haar borst. 'Scheer je weg! Of ik roep de politie!'

Een paar mensen, die de geur van een lekkere rel hadden geroken, kwamen om ons heen staan. Moeder bood de vrouw haar verontschuldigingen aan, maar de vrouw keek naar haar zoals je naar een rat in de voorraadkast kijkt. Moeder probeerde uit te leggen wat er was gebeurd, maar de vrouw liep achteruit bij haar vandaan. Ik zat nog steeds vast en moest dus wel met haar meelopen, waardoor ze nog harder begon te schreeuwen. Uiteindelijk verscheen er een agent die vroeg wie er zo'n herrie maakte.

'Dat kind probeerde mijn tas te stelen,' zei de vrouw en ze wees met een trillende wijsvinger naar mij.

'Is dat zo?' vroeg de agent.

Ik schudde mijn hoofd, niet in staat iets te zeggen, ervan overtuigd dat ik zou worden gearresteerd.

Moeder legde uit wat er was gebeurd: dat mijn knoop in de gehaakte tas vastzat, waarbij de agent knikte en de vrouw onzeker fronste. Ze keken allemaal naar de tas en zagen dat mijn knoop daar inderdaad in vastzat. De agent zei tegen moeder dat ze me moest losmaken.

Ze wurmde de knoop los, bedankte de agent, bood de vrouw nogmaals haar verontschuldigingen aan en keek toen naar mij. Ik wachtte af of ze zou gaan lachen of huilen. Uiteindelijk ging ze lachen én huilen, maar niet meteen. Ze greep me bij mijn bruine jas, trok me mee bij de zich verspreidende omstanders vandaan en stopte pas toen we de hoek van Railway Street om waren. Terwijl de trein naar Londen net optrok, keek ze me aan en siste: 'Ellendig kind. Ik dacht dat ik je kwijt was. Je wordt nog eens mijn dood, hoor je dat? Wil je dat, je eigen moeder het graf in helpen?' Toen trok ze mijn jas recht, schudde haar hoofd en pakte mijn hand zo strak vast dat het pijn deed. 'Soms wou ik dat ik je toch maar had achtergelaten in het weeshuis, God helpe me.'

Dat zei ze altijd wanneer ik ondeugend was geweest, en het dreigement bevatte ongetwijfeld méér dan een kern van waarheid. Er waren mensen genoeg die vonden dat ze er inderdaad beter aan zou hebben gedaan me in het weeshuis achter te laten. Voor een vrouw in huishoudelijke dienst leidde een zwangerschap onverbiddelijk tot ontslag, en sinds ik was geboren, was moeders leven een aaneenschakeling van schrapen en schipperen geweest.

Ik had het verhaal over hoe ik aan het weeshuis was ontsnapt zo vaak gehoord dat ik soms geloofde dat ik het bij mijn geboorte al kende. Moeders treinreis naar Russell Square in Londen, met mij dik ingepakt onder haar jas om me warm te houden, was een soort legende geworden. Hoe ze door Grenville Street en Guilford Street was gelopen, waar de mensen haar hoofdschuddend hadden nagekeken omdat ze heel goed wisten waar ze naartoe ging met haar bundeltje. Dat ze het gebouw al van verre had herkend vanwege de andere jonge vrouwen die op de stoep vertwijfeld heen en weer liepen met hun krijsende baby's. En toen, het allerbelangrijkste: de plotselinge stem, zo helder als glas (God, zei moeder; dwaasheid, zei tante Dee), die had gezegd dat ze moest terugkeren, dat het haar plicht was haar baby te houden. Het moment, volgens de overlevering, waarvoor ik eeuwig dankbaar moest zijn.

Die ochtend, op de dag van de knoop en de gehaakte tas, werd ik heel stil toen moeder het weeshuis te berde bracht. Niet, zoals ze zelf ongetwijfeld dacht, van dankbaarheid dat ik daar niet was achtergelaten, maar omdat ik me liet meevoeren op het platgetreden pad van mijn kinderdroom. Ik vond het namelijk heerlijk om me voor te stellen dat ik in het weeshuis woonde en samen met de andere kinderen vrolijke liedjes zong. Ik zou er een heleboel broertjes en zusjes hebben om mee te spelen, niet alleen maar een vermoeide, chagrijnige moeder met een gezicht dat was getekend door teleurstellingen. Waarvan ik er één was.

Een schaduw naast me voerde me terug door de lange laan der herinneringen naar het hier en nu. Ik keek op naar de jonge vrouw. Het duurde even voordat ik besefte dat het de serveerster was die ons had bediend. Ze keek afwachtend naar me.

Ik knipperde met mijn ogen en keek haar aan. 'Ik meen dat mijn dochter de rekening al heeft betaald.'

'Ja, mevrouw,' zei het jonge meisje. Ze had een zacht, Iers accent. 'Ja, ze heeft meteen betaald toen ze bestelde.' Het meisje bleef staan.

'Was er verder nog iets?' vroeg ik.

Ze slikte. 'Nou, Sue, die in de keuken werkt, zegt dat u de grootmoeder bent van... dat wil zeggen, ze zegt dat uw kleinzoon... dat Marcus McCourt uw kleinzoon is, en ik ben een enorme fan van hem. Ik ben gek op inspecteur Adams. Ik heb alle boeken gelezen.'

Marcus. De nachtvlinder van verdriet fladderde in mijn borst, zoals altijd wanneer iemand zijn naam noemt. Ik glimlachte naar haar. 'Dat is heel prettig om te horen. Dat zal mijn kleinzoon plezier doen.'

'Ik vond het zo erg toen ik het las van zijn vrouw.'

Ik knikte.

Ze aarzelde en ik bereidde me voor op de vragen die zouden komen, altijd dezelfde vragen: zou hij nu nog wel nieuwe boeken in de serie schrijven? Kwam er binnenkort weer eentje uit? Tot mijn verbazing bleek fatsoen, of schuchterheid, het te winnen van nieuwsgierigheid. 'Nou... het was leuk met u kennisgemaakt te hebben,' zei ze. 'En nu kan ik maar beter weer aan het werk gaan, anders krijg ik van Sue op mijn kop.' Ze draaide zich half om, maar bleef nog heel even staan. 'Zou u dat tegen hem willen zeggen? Hoeveel zijn boeken voor mij en al zijn fans betekenen?'

Ik beloofde het, hoewel ik niet wist wanneer ik mijn belofte kon nakomen. Zoals veel mensen van zijn generatie is hij aan het globetrotten. In tegenstelling tot zijn leeftijdgenoten hunkert hij echter niet naar avontuur, maar naar afleiding. Hij heeft zich gehuld in een wolk van verdriet en ik heb geen idee waar hij is. De laatste keer dat ik iets van hem heb gehoord is al weer maanden geleden. Een ansichtkaart van het Vrijheidsbeeld, met een poststempel uit Californië en de datum van vorig jaar. Het enige wat erop stond, was: *Van harte gefeliciteerd met uw verjaardag, M.*

Nee, het gaat niet alleen om verdriet, zo eenvoudig ligt het niet. Hij wordt achtervolgd door schuldgevoelens. Misplaatste schuldgevoelens om Rebecca's dood. Hij rekent het zichzelf aan, denkt dat alles anders zou zijn gelopen als hij haar niet had verlaten. Ik maak me zorgen om hem. Het schuldgevoel van de overlevenden van een tragedie is iets wat ik maar al te goed ken.

Door het raam zag ik Ruth aan de overkant van de straat; ze was aan de praat geraakt met de dominee en zijn vrouw, en was nog niet eens in de apotheek geweest. Met veel moeite schoof ik naar het puntje van mijn stoel, hing mijn handtas aan mijn arm en greep mijn wandelstok. Met bevende benen stond ik op. Er was werk aan de winkel.

Meneer Butler heeft in de hoofdstraat een kleine fourniturenzaak waarvan de pui met de gestreepte luifel ingeklemd zit tussen een bakker en een winkel waar kaarsen en wierook te koop zijn. Achter de rode, houten deur met de koperen klopper en zilveren bel is een onverwachte schat aan artikelen te vinden. Herenhoeden en stropdassen, schooltassen en leren koffers, koekenpannen en hockeysticks vechten gemoedelijk om een plaatsje in de diepe, smalle winkel.

Meneer Butler is een kleine man van ongeveer vijfenveertig jaar met een terugwijkende haarlijn en, zie ik, een uitdijende taille. Ik heb zijn vader gekend, en díéns vader, al zeg ik dat nooit tegen de huidige meneer Butler. Ik weet inmiddels dat jonge mensen in verlegenheid raken van verhalen over vroeger. Hij keek me over de rand van zijn bril heen glimlachend aan en zei dat ik er goed uitzag. Toen ik nog wat jonger was, in de tachtig, geloofde ik hem wanneer hij dat zei, ijdel als ik was. Nu weet ik dat je zulke opmerkingen moet opvatten als een vriendelijke uitdrukking van verbazing dat ik nog leef. Ik bedankte hem niettemin, want hij bedoelde het goed, en vroeg of hij bandrecorders verkocht.

'Om naar muziek te luisteren?' vroeg meneer Butler.

'Om in te praten,' zei ik. 'Mijn eigen woorden op te nemen.'

Hij aarzelde, zich vermoedelijk afvragend wat ik in 's hemelsnaam op de bandjes zou willen inspreken, maar haalde toen een klein, zwart voorwerp van een van de rekken. 'Daar is deze geschikt voor. Het wordt een dictafoon genoemd en alle kinderen hebben er tegenwoordig een.'

'Ja,' zei ik hoopvol. 'Die moet ik hebben, geloof ik.'

Hij voelde blijkbaar aan hoe weinig ervaring ik met dergelijke dingen had, want hij gaf er snel uitleg bij. 'Het is heel makkelijk. U drukt op dit knopje en praat dan hierin.' Hij leunde op de toonbank en wees een metalen plaatje met gaatjes aan dat aan de zijkant van het apparaatje zat. Ik kon de kamfer die uit zijn pak opsteeg bijna proeven. 'Dat is de microfoon.'

Ruth was nog steeds niet terug van de apotheek toen ik weer voor Maggie's stond. Om verdere vragen van de serveerster te ontlopen, trok ik mijn jas wat strakker om me heen en liet me neerzakken op het bankje van de bushalte voor de deur. Ik was helemaal buiten adem van mijn korte uitstapje.

De koude wind blies losse rommel door de straat: een snoepwikkel, wat verdroogde bladeren, een bruin-met-groene eendenveer. Ze dansten van de ene stoep naar de andere, rustten soms even uit, en werden dan door een nieuwe vlaag opgenomen. Op een gegeven moment snelde de veer voor de rest uit, omhelsd door een onstuimiger partner dan de vorige, die hem optilde en in pirouettes meevoerde tot boven de daken van de winkels, waar hij uit het zicht verdween.

Ik dacht aan Marcus, dansend over de wereldbol, in de greep van een eigenzinnige melodie waaraan hij niet kan ontsnappen. Er is tegenwoordig niet veel voor nodig om mijn gedachten naar Marcus te voeren. Al een paar slapeloze nachten lang dringt hij steeds weer tot me door. Als een vermoeide zomerbloem ligt hij geplet tussen de beelden van Hannah, Emmeline en Riverton. Mijn kleinzoon. Ontrukt aan tijd en plaats. Het ene moment een kleine jongen met zachte wangen en grote ogen, het volgende moment een volwassen man, hologig om de liefde die hij heeft verloren.

Ik wil zijn gezicht nog een keer zien. Het aanraken. Zijn lieve, bekende gezicht, getekend door de efficiënte handen van het leven, zoals uiteindelijk met alle gezichten gebeurt. Ingekleurd door voorvaderen en een verleden waar hij vrijwel niets van weet.

Ooit zal hij terugkeren, daar twijfel ik niet aan, want je ouderlijk huis is een magneet die zelfs de verst afgedwaalde kinderen terugtrekt. Maar of dat morgen zal zijn of over vele jaren zou ik niet kunnen zeggen. En ik heb geen tijd om erop te wachten. Ik zit al in de kille wachtkamer van de tijd, huiverend vanwege de oude geesten en echoënde stemmen die langzaam vervagen.

Daarom heb ik besloten een bandje voor hem te maken. Misschien meerdere bandjes. Ik ga hem een geheim vertellen, een oud geheim dat vele jaren bewaard is gebleven.

Ik was eerst van plan het op te schrijven, maar toen ik een vergeelde blocnote en een zwarte balpen had gevonden, bleken mijn vingers niet voldoende kracht te bezitten. Het waren gewillige maar onbruikbare handlangers, die mijn gedachten slechts konden omzetten in een onleesbaar zilver gekrabbel.

Dankzij Sylvia ben ik op het idee gekomen er een bandrecorder voor te gebruiken. Ze vond mijn blocnote tijdens een vlaag van schoonmaakwoede, die ze altijd gebruikt om de eisen van een lastige bewoner te ontlopen.

'U hebt zitten tekenen, zie ik,' zei ze, waarbij ze de blocnote omhooghield en om en om draaide, terwijl ze haar hoofd schuin hield. 'Erg modern. Wel mooi. Wat stelt het voor?'

'Een brief,' antwoordde ik.

Daarop had ze me verteld dat Bertie Sinclair brieven ontving en verstuurde met behulp van zijn cassetterecorder. 'En ik moet zeggen dat hij sindsdien een stuk minder lastig is. Minder veeleisend. Wanneer hij begint te klagen over zijn hernia, hoef ik alleen maar zijn cassetterecorder aan te sluiten zodat hij naar een van de bandjes kan luisteren, en dan is hij weer zoet.'

Ik zat op het busbankje en draaide het pakketje om en om in mijn handen, vol van de dingen die ik ermee kon doen. Zodra ik thuis was, zou ik eraan beginnen.

Ruth zwaaide naar me aan de overkant van de straat, liet een strakke glimlach zien en stak bij het zebrapad over, terwijl ze onderhand haar boodschappen van de apotheek in haar handtas deed. 'Mam,' zei ze verwijtend toen ze dichtbij was, 'waarom zit u hier in de kou?' Ze keek snel naar links en naar rechts. 'De mensen zullen nog denken dat ik u hier laat wachten.' Ze trok me overeind en nam me mee de straat door naar haar auto, de rubberen zolen van mijn schoenen geluidloos naast het tikken van haar zondagse schoenen.

Op de terugweg naar Heathview keek ik uit het raampje en zag de ene na de andere straat met kleine huizen van grijs leisteen langsglijden. In een daarvan, ongeveer halverwege, ingeklemd tussen twee gelijksoortige huisjes, was ik geboren. Ik wierp een blik op Ruth, maar ze liet niet merken of ze het in de gaten had. Daar was ook geen speciale reden voor. We kwamen er iedere zondag langs.

Toen we verder reden over de smalle weg en het dorp plaatsmaakte voor velden, hield ik eventjes mijn adem in, zoals altijd.

Vlak na Bridge Road maakte de weg een bocht en daar was het: de ingang van Riverton. Het dubbele hek van delicaat gietijzer, zo hoog als lantaarnpalen, dat toegang bood tot de fluisterende tunnel van oude bomen. Het hek is nu wit geschilderd, niet langer het glanzende zilver van weleer. Naast de gietijzeren krullen die de naam 'Riverton' vormen, hangt een bordje, waarop staat: GEOPEND: MAART-OKTOBER. 10.00-16.00 UUR. ENTREE: VOLWASSENEN £ 4,-, KINDEREN £ 2,-. GEEN KORTINGSKAARTEN.

De bandrecorder vereiste enige oefening. Gelukkig kon Sylvia me ermee helpen. Ze hield het apparaatje vlak bij mijn mond en op een teken van haar zei ik het eerste wat er in mijn hoofd opkwam: 'Hallo… hallo. Dit is Grace Bradley… Dit is een test. Een. Twee. Drie.'

Sylvia nam de dictafoon bij mijn mond vandaan en lachte. 'Heel professioneel.' Ze drukte op een knop en er klonk een snorrend geluid. 'Ik spoel het bandje terug zodat we het kunnen beluisteren.'

Er klonk een klikje toen de band bij het beginpunt was aangekomen. Ze drukte op PLAY, waarna we allebei wachtten.

Het was de stem van de ouderdom: zwak, versleten, bijna onverstaanbaar. Een bleek lint, zo gerafeld dat er nog maar een paar draden over waren. Slechts een fractie van mijn persoon, mijn ware stem, die ik in mijn hoofd en mijn dromen hoor.

'Mooi zo,' zei Sylvia. 'Nu kunt u het verder zelf wel. Als u me nodig hebt, geeft u maar een gil.'

Ze maakte aanstalten om weg te gaan en opeens werd ik gegrepen door een gevoel van nervositeit.

'Sylvia…'

Ze draaide zich om. 'Ja?'

'Wat moet ik zeggen?'

'Hoe moet ik dat nu weten?' zei ze lachend. 'Doe maar net alsof hij hier is en vertel hem gewoon wat u aan hem kwijt wilt.'

Dat heb ik dus gedaan, Marcus. Ik deed net alsof je op het voeteneinde van mijn bed lag, dwars over mijn benen, zoals je deed toen je klein was, en toen begon ik te praten. Ik heb je in het kort verteld waar ik mee bezig ben geweest, over de film en Ursula. Over je moeder heb ik niet veel gezegd, alleen dat ze je mist en dat ze je graag weer eens wil zien.

En ik heb je verteld over de herinneringen die zijn teruggekeerd. Niet over alle herinneringen; ik heb een doel voor ogen en dat doel is niet je te vervelen met verhalen over mijn verleden. Wel over het eigenaardige gevoel dat die herinneringen realistischer aan het worden zijn dan mijn huidige leven. Dat ik steeds zonder waarschuwing in het verleden terechtkom en als ik mijn ogen opendoe tot mijn grote teleurstelling zie dat ik terug ben in 1999. Dat mijn besef van tijd aan het veranderen is en dat ik me thuis begin te voelen in het verleden, maar als een bezoeker ben in de vreemde, verschoten werkelijkheid die we met algemene instemming het heden noemen.

Het is een eigenaardige gewaarwording om in je eentje in je kamer te zitten en tegen een zwart apparaatje te praten. In het begin sprak ik op fluistertoon, bang dat de anderen me zouden horen. Dat mijn stem en geheimen door de gang naar de zitkamer zouden drijven, als het geluid van een scheepshoorn die eenzaam toetert in een verafgelegen haven. Maar toen de hoofdzuster binnenkwam met mijn pillen, stelde haar verbaasde blik me meteen gerust.

Ze is nu weer weg. Ik heb de pillen op de vensterbank naast me gelegd. Ik zal ze straks innemen, maar wil nu nog een poosje helder blijven denken.

Ik zie de zon zakken boven de hei. Ik mag graag zijn pad volgen tot hij stilletjes is weggezakt achter de verre bomenrij. Vandaag knipperde ik, waardoor ik het laatste vaarwel misliep. Toen ik mijn ogen weer opende, was het ultieme moment voorbij; de trillende schijf was verdwenen en had een lege hemel achtergelaten: een heldere, kilblauwe hemel met strepen van ijzig wit. De hei huivert in de plotselinge schaduw en in de verte kruipt een trein door de mistige vallei, de elektrische remmen kreunend in de bocht naar het dorp. Ik kijk op de klok aan de muur. Het is de trein van zes uur, vol mensen die terugkeren van hun werk in Chelmsford en Brentwood, zelfs in Londen.

In gedachten zie ik het station. Niet zoals het is, maar zoals het was. De grote, ronde stationsklok die boven het perron hing, de onverstoorbare wijzerplaat en de nijvere wijzers die je er altijd aan herinnerden dat tijd en treinen op niemand wachten. Hij zal wel vervangen zijn door een onpersoonlijk, knipperend, digitaal geval. Ik zou het niet weten. Het is al lang geleden dat ik voor het laatst op het station was.

Ik zie het station zoals het eruitzag op de dag dat we er afscheid namen van Alfred, die oorlog ging voeren. Slierten papieren driehoekjes, rood met blauw, flirtend met de bries, kinderen die tussen de mensen door holden, terwijl ze op schrille fluitjes bliezen en met de Union Jack zwaaiden. Jonge mannen, wat waren ze jong, gesteven en gretig in hun nieuwe uniformen en schone soldatenschoenen. En, langgerekt langs het perron, de blinkende trein, popelend om te vertrekken. Om de nietsvermoedende passagiers naar een hel van modder en dood te brengen.

Genoeg daarover. Ik maak een veel te grote sprong vooruit.

'In heel Europa worden de lampen gedoofd. Onze generatie zal ze niet meer zien branden.'

Lord Grey, minister van Buitenlandse Zaken van Groot-Brittannië
3 augustus 1914

In het westen

Het jaar 1914 kroop richting 1915 en iedere dag werd er opnieuw een stukje van de hoop vernietigd dat de oorlog met de kerst voorbij zou zijn. Door een fataal schot in een ver land hadden repercussies zich uitgespreid over het hele continent van Europa en was de slapende reus van eeuwenoude rancune ontwaakt. Majoor Hartford werd gemobiliseerd, afgestoft, samen met andere helden van langvervlogen oorlogen; lord Ashbury nam zijn intrek in zijn appartement in Londen en sloot zich aan bij de Bloomsbury Home Guard, die deel uitmaakte van de landelijke burgerwacht. Meneer Frederick, die ongeschikt was voor militaire dienst wegens een longontsteking die hij in de winter van 1910 had gehad, fabriceerde nu geen auto's, maar vliegtuigen en ontving een speciale onderscheiding voor zijn waardevolle bijdrage aan de oorlogsindustrie. Een schrale troost, zei Nancy, die dat soort dingen wist, gezien het feit dat meneer Frederick er altijd van had gedroomd het leger in te gaan.

De geschiedenis heeft uitgewezen dat al naargelang 1915 voortschreed, de ware aard van de oorlog steeds beter zichtbaar werd. Maar de geschiedenis is een onbetrouwbare verteller, die met behulp van het meedogenloze gebruik van wijsheid achteraf de spelers in het stuk een beetje voor gek zet. Terwijl jonge mannen in Frankrijk vochten tegen ongekende angsten, verliep het leven op Riverton in 1915 vrijwel net zoals het in 1914 was verlopen. We waren ons er uiteraard van bewust dat het westelijke front in een impasse was geraakt – meneer Hamilton hield ons goed op de hoogte door dagelijks op bezielde toon voor te lezen uit de deprimerende krantenartikelen – en er waren heel wat kleine ongemakken waardoor de mensen hun hoofd schudden en op de oorlog mopperden, maar dat alles viel in het niet bij de grote bedrijvigheid die de oorlog teweegbracht bij degenen voor wie het dagelijkse leven was gestagneerd. Degenen die blij waren met de nieuwe arena waarin ze konden laten zien wat ze waard waren.

Lady Violet werd lid van talloze commissies, waarvan ze sommige zelf in het leven riep, zoals een commissie voor het speuren naar geschikte verblijfplaatsen voor geschikte Belgische vluchtelingen en eentje voor het organiseren van autodagtochten voor herstellende officieren. In heel Groot-Brittannië leverden jonge vrouwen, en zelfs jonge jongens, een bijdrage aan de verdediging van het land door de breipennen ter hand te nemen tegen het oprukkende kwaad, en bergen sjaals en sokken te produceren voor de jongens aan het front. Fanny kon niet breien, maar om meneer Frederick te imponeren met haar patriottisme, legde ze zich toe op de coördinatie van deze activiteiten en de organisatie van het verpakken en verzenden van de gebreide artikelen naar Frankrijk. Zelfs lady Clementine gaf blijk van een onvermoede solidariteit door een van lady Violets geaccepteerde Belgen onderdak te verlenen – een dame op leeftijd die niet erg goed Engels sprak, maar zulke goede manieren had dat dit van ondergeschikt belang was – en haar uit te horen over de gruwelijke details van de invasie.

Toen december naderde, werden lady Jemima, Fanny en de kinderen Hartford naar Riverton ontboden, omdat lady Violet had besloten dat Kerstmis evengoed op traditionele wijze zou worden gevierd. Fanny was liever in Londen gebleven, waar het leven veel opwindender was, maar kon moeilijk nee zeggen tegen de vrouw met wier zoon ze ooit hoopte te trouwen. (Niettegenstaande het feit dat de zoon zelf elders verbleef en helemaal niets van haar moest hebben.) Voor haar zat er niets anders op dan zich neer te leggen bij een aantal lange, winterse weken in het landelijke Essex. Ze liep erbij met het gezicht van een kind dat zich dood verveelt en dwaalde van de ene naar de andere kamer, waar ze lieftallige poses aannam, voor het onwaarschijnlijke geval dat meneer Frederick alsnog onverwachts thuis zou komen.

Jemima, daarentegen, had het erg moeilijk en leek nog molliger en minder aantrekkelijk dan het jaar ervoor. Ze had echter één ding voor op haar tegenhangster: ze was niet alleen getrouwd, maar ook nog eens getrouwd met een oorlogsheld. Wanneer er een brief van de majoor werd bezorgd en die door meneer Hamilton op een glanzend zilveren dienblad plechtig naar boven werd gebracht, kwam Jemima in het middelpunt van de belangstelling te staan. Ze nam de brief met een genadig knikje in ontvangst, wachtte een paar tellen met eerbiedig neergeslagen oogleden, zuchtte als de lijdzaamheid zelve en sneed de envelop open om de kostbare inhoud eruit te nemen. Dan werd de brief op plechtige toon voorgelezen aan de geboeide toehoorders.

Voor Hannah en Emmeline sleepte de tijd zich voort. Ze waren nu al twee weken op Riverton, en omdat ze vanwege het slechte weer gedwongen waren binnen te blijven en ook al geen les kregen, omdat juffrouw Prince zich elders bezighield met oorlogsinspanningen, begonnen ze zich te vervelen. Ze hadden alle spelletjes die ze kenden al gespeeld – kop-en-schotel, bikkelen, schatgraven (waarbij ze, voor zover ik het begreep, aan elkaars arm moesten krabben tot bloed of verveling een einde aan het spel maakte); ze hadden mevrouw Townsend geholpen kerstkoekjes en taarten te bakken tot ze misselijk waren van het stiekem gesnoepte beslag, en ze hadden Nanny Brown zover gekregen hun de sleutel van de opslagkamer op de zolder te geven, waar ze een poosje tussen de stoffige, vergeten schatten hadden gedwaald. Maar het enige wat ze eigenlijk wilden doen, was Het Spel spelen. Ik had Hannah in de Chinese kist zien snuffelen en oude avonturen zien herlezen, toen ze dacht dat niemand het zag. Maar voor Het Spel hadden ze David nodig, en die zat op Eton en kwam pas over een week thuis.

Op een middag eind november, toen ik in de linnenkamer de goede tafelkleden voor de kerst aan het strijken was, kwam Emmeline binnenstormen. Ze bleef een ogenblik speurend staan kijken en liep toen naar de warme kast. Toen ze de deur opendeed, viel er een cirkel van zacht kaarslicht over de drempel. 'Aha!' zei ze triomfantelijk. 'Ik dacht al dat je hier zat!'

Ze stak haar handen naar voren en opende ze om twee witte suikerbeestjes te laten zien. 'Van mevrouw Townsend.'

Uit de kast kwam een lange arm tevoorschijn en hij trok zich weer terug met een van de beestjes.

Emmeline likte aan de kleverige zoetigheid. 'Ik verveel me. Wat ben je aan het doen?'

'Ik zit te lezen,' was het antwoord.

'Wat zit je te lezen?'

Stilte.

Emmeline keek in de kast en trok een gezicht. '*Wereldoorlogje?* Alweer?'

Geen antwoord.

Emmeline sabbelde aan haar suikerbeest, bekeek het aandachtig van alle kanten, plukte een draadje weg dat aan een oor zat geplakt. 'Ik weet iets!' zei ze opeens. 'We kunnen naar Mars reizen! Wanneer David er is.'

Stilte.

'Daar zitten dan marsmannetjes, goede en slechte, en er loeren allerlei gevaren.'

Zoals alle jongste kinderen had Emmeline snel geleerd wat haar broer en zus leuk vonden; ze wist dat ze hiermee de juiste snaar had geraakt.

'We zullen het voorleggen aan de raad,' zei de stem.

Emmeline slaakte een opgewonden gilletje, klapte in haar kleverige handen en hief een geschoeide voet op om in de kast te stappen. 'Maar dan zeggen we toch wel tegen David dat het mijn idee was, hè?' vroeg ze.

'Pas op de kaars.'

'Ik kan de kaart rood kleuren in plaats van groen. Is het waar dat de bomen op Mars rood zijn?'

'Uiteraard; en het water ook, en de grond en de kanalen en de kraters.'

'Kraters?'

'Grote, diepe, donkere holen waar de marsmensen hun kinderen verborgen houden.'

Er verscheen een arm die de deur begon dicht te trekken.

'Zoals waterputten?' vroeg Emmeline.

'Maar dan dieper. Donkerder.'

'Waarom verstoppen ze hun kinderen daar?'

'Zodat niemand de afgrijselijke experimenten kan zien die ze op hen uitvoeren.'

'Wat voor experimenten?' vroeg Emmeline ademloos.

'Dat zul je nog wel merken,' zei Hannah. 'Wanneer David er is.'

Ons leven beneden was, zoals altijd, een fletse afspiegeling van dat van de familie boven.

Op een avond, toen de familie boven zich in de zitkamer had teruggetrokken, zaten we gezamenlijk rond de fel brandende open haard in het bediendevertrek. Meneer Hamilton en mevrouw Townsend zaten als boekensteunen aan weerskanten, Nancy, Katie en ik tussen hen in op de eetkamerstoelen, vlijtig breiend met tot spleetjes geknepen ogen in het flakkerende licht van de vlammen. Een koude wind gierde langs de ruiten en tochtvlagen deden de weckpotten van mevrouw Townsend op de planken trillen.

Meneer Hamilton schudde zijn hoofd, legde *The Times* opzij, zette zijn bril af en wreef in zijn ogen.

'Alweer slecht nieuws?' Mevrouw Townsend keek op van het kerstmenu dat ze aan het maken was, haar wangen rozig van het haardvuur.

'Heel slecht nieuws, mevrouw Townsend.' Hij zette de bril weer op de punt van zijn neus. 'Weer veel soldaten gesneuveld bij Ieper.' Hij stond op en liep naar het dressoir. Daarop had hij een kaart van Europa uitgespreid, waarop een heleboel miniatuursoldaatjes waren geplaatst (speelgoed van David, dacht ik, dat van de zolder was gehaald), die allerlei legers en veldslagen voorstelden. Hij nam de hertog van Wellington weg van een plek in Frankrijk en bewoog hem naar een plaats bij twee Duitse huzaren. 'Het bevalt me niets,' mompelde hij.

Mevrouw Townsend zuchtte. 'En dít bevalt mij niets.' Ze tikte met haar pen op het menu. 'Hoe moet ik een kerstdiner voor de hele familie maken als ik vrijwel geen boter, geen thee en zelfs geen kalkoen heb?'

'Geen kalkoen, mevrouw Townsend?' zei Katie verschrikt.

'Niet eens een vleugel.'

'Maar wat moeten ze dán eten?'

Mevrouw Townsend schudde haar hoofd. 'Trek nu niet meteen zo'n angstig gezicht. Ik verzin wel iets. Weet ik me niet altijd te redden?'

'Ja, mevrouw Townsend,' zei Katie bloedserieus. 'Dat wel.'

Mevrouw Townsend keek haar onderzoekend aan, zag dat het niet ironisch bedoeld was en piekerde verder over het menu.

Ik zat nog steeds te breien, maar toen ik drie keer achter elkaar een steek liet vallen, legde ik het breiwerk gefrustreerd weg en stond op. Er zat me al de hele avond iets dwars. Ik was in het dorp getuige geweest van iets wat ik niet helemaal begreep.

Ik streek mijn schort glad en liep naar meneer Hamilton, die, in mijn ogen, zo ongeveer alles wist.

'Meneer Hamilton?' vroeg ik aarzelend.

Hij draaide zich naar me om en keek me over zijn bril heen aan, de hertog van Wellington nog tussen twee lange, spitse vingertoppen geklemd. 'Ja, Grace?'

Ik keek om naar de anderen, die zaten te praten.

'Zeg het maar,' zei meneer Hamilton. 'Of heb je je tong verloren?'

Ik schraapte mijn keel. 'Nee, meneer Hamilton,' zei ik. 'Ik... Ik wilde u iets vragen. Over iets wat ik vandaag in het dorp heb gezien.'

'Ja?' zei hij. 'Voor de draad ermee, meisje.'

Ik wierp een blik op de deur. 'Waar is Alfred, meneer Hamilton?'

Hij fronste. 'Die is boven de sherry aan het inschenken. Hoezo? Wat heeft Alfred hiermee te maken?'

'Ik... Ik heb hem vandaag in het dorp gezien...'

'Dat kan kloppen,' zei meneer Hamilton. 'Ik had hem om een boodschap gestuurd.'

'Dat weet ik, meneer Hamilton. Ik heb hem gezien. In McWhirter's. En ik zag hem toen hij de winkel uit kwam.' Ik klemde mijn lippen op elkaar. Om onverklaarbare redenen kon ik het bijna niet over mijn hart verkrijgen de rest te vertellen. 'Hij heeft een witte veer gekregen, meneer Hamilton.'

'Een witte veer?' meneer Hamilton zette grote ogen op en de hertog van Wellington viel met een klap op de tafel.

Ik knikte en zag weer voor me hoe Alfreds houding plotseling was veranderd: de manier waarop hij midden in zijn zwierige pas was gestopt. Hij was verdwaasd blijven staan, de veer in zijn hand, terwijl voorbijgangers elkaar veelbetekenend iets hadden toegefluisterd. Toen had hij zijn ogen neergeslagen en was hij snel doorgelopen, met afhangende schouders en gebogen hoofd.

'Een witte veer?' Ik vond het helemaal niet prettig dat meneer Hamilton dit zo hard zei dat het de aandacht van de anderen trok.

'Wat zegt u, meneer Hamilton?' Mevrouw Townsend keek over haar bril.

Hij streek met zijn hand over zijn wangen en lippen, schudde ongelovig zijn hoofd. 'Alfred heeft een witte veer gekregen.'

'Nee!' schrok mevrouw Townsend, en ze drukte haar mollige hand tegen haar borst. 'Dat bestaat niet. Niet een witte veer. Niet onze Alfred.'

'Hoe weet u dat?' vroeg Nancy.

'Grace heeft het zien gebeuren,' zei meneer Hamilton. 'Vanochtend in het dorp.'

Ik knikte. Mijn hart begon te bonken van het onaangename gevoel dat ik een doos van Pandora met andermans geheimen had geopend. En dat ik die nu niet meer dicht kon krijgen.

'Dit is belachelijk,' zei meneer Hamilton, terwijl hij aan de panden van zijn vest trok. Hij liep terug naar zijn plaats en haakte zijn bril om zijn oren. 'Alfred is geen lafaard. Hij draagt iedere dag zijn steentje bij aan de oorlogsinspanningen door dit huishouden draaiende te houden. Hij heeft een belangrijke positie bij een belangrijke familie.'

'Maar dat is niet hetzelfde als echt vechten, of wel, meneer Hamilton?' vroeg Katie.

'Natuurlijk wel,' brieste meneer Hamilton. 'Ieder van ons heeft een rol te vervullen in deze oorlog, Katie. Zelfs jij. Het is onze plicht de gewoonten van ons mooie land in stand te houden, zodat de soldaten, wanneer ze straks zegevierend terugkeren, de maatschappij zullen terugvinden zoals ze zich die herinneren.'

'Dus zelfs wanneer ik de pannen schrob, doe ik iets voor de oorlog?' vroeg Katie verwonderd.

'Niet zoals jíj ze schrobt,' antwoordde mevrouw Townsend.

'Ja, Katie,' zei meneer Hamilton, 'door je eigen taken uit te voeren en sjaals te breien, help ook jij mee.' Hij wierp een blik op Nancy en mij. 'Net als wij allemaal.'

'Als je het mij vraagt, is het niet genoeg,' zei Nancy met gebogen hoofd.

'Hoe bedoel je, Nancy?' vroeg meneer Hamilton.

Nancy hield op met breien en liet haar knokige handen op haar schoot rusten. 'Nou,' zei ze behoedzaam, 'neem Alfred. Een jonge, gezonde vent. Die kan toch veel beter helpen met wat de andere jongens daarginds in Frankrijk aan het doen zijn? Iederéén kan sherry serveren.'

'Iedereen kan...?' Meneer Hamilton verbleekte. 'Juist jij, Nancy, zou moeten weten dat het werk van een huishoudelijke staf talenten vereist die niet iedereen bezit.'

Nancy kreeg een kleur. 'U hebt gelijk, meneer Hamilton. Zo bedoel ik het ook niet.' Ze wreef over haar witte knokkels. 'Ik... Ik voel me gewoon zelf ook een beetje nutteloos de laatste tijd.'

Meneer Hamilton stond op het punt dat tegen te spreken toen Alfred plotsklaps de trap af kwam denderen en de kamer binnenviel. Meneer Hamiltons mond klapte dicht en we deden er eendrachtig het zwijgen toe.

'Alfred,' zei mevrouw Townsend uiteindelijk, 'waarom hol jij als een bezetene de trap af?' Ze keek om zich heen en koos mij. 'Je jaagt de arme Grace de stuipen op het lijf. Het kind bleef er bijna in van de schrik.'

Ik glimlachte zwakjes naar Alfred, want ik was helemaal niet geschrokken. Ik was alleen maar verrast, net zoals de anderen. En berouwvol. Ik had meneer Hamilton niet over de veer moeten vertellen. Ik begon erg op Alfred gesteld te raken; hij was vriendelijk en had vaak de tijd genomen om me uit mijn schulp te lokken. Door achter zijn rug om met anderen over deze beschamende zaak te praten, zette ik hem bijna voor gek.

'Sorry, Grace,' zei Alfred. 'Maar meneer David is zojuist gearriveerd.'

'Ja,' zei meneer Hamilton met een blik op zijn horloge. 'Precies op tijd. Dawkins zou hem om tien uur van het station afhalen. Mevrouw Townsend heeft zijn avondmaaltijd klaar, dus die kun je meteen naar boven brengen.'

Alfred knikte, nog een beetje buiten adem. 'Dat weet ik, meneer Hamilton...' Hij slikte. 'Maar... meneer David heeft iemand meegebracht. Van Eton. Ik meen dat het de zoon van lord Hunter is.'

Ik haal diep adem. Je hebt me ooit verteld dat de meeste verhalen een punt bereiken waarop de verteller zich niet meer kan bedenken. Wanneer alle hoofdpersonen al op het toneel zijn geweest en het decor geplaatst is voor de rest van het toneelstuk. De verteller raakt zijn macht kwijt en de hoofdpersonen beginnen zelfstandig te handelen.

De opkomst van Robbie Hunter op ons toneel brengt dit verhaal dicht bij dat onherroepelijke punt. Zal ik doorgaan? Misschien is het nog niet te laat om me te bedenken. Om hen allemaal terug te leggen, zachtjes, tussen de lagen vloeipapier in de dozen van mijn herinnering.

Ik glimlach, want ik ben net zomin in staat een punt achter dit verhaal te zetten als om de tijd stil te zetten. Ik ben niet romantisch genoeg om me voor te stellen dat het verhaal verteld wil worden, en eerlijk genoeg om toe te geven dat ik het wil vertellen.

Dus komt nu Robbie Hunter op het toneel.

De volgende ochtend ontbood meneer Hamilton me in alle vroegte in de provisiekamer, deed de deur zachtjes dicht en lichtte me in over de twijfelachtige eer die me te beurt was gevallen. Iedere winter moesten de tienduizend boeken, mappen en manuscripten in de bibliotheek van Riverton van de planken worden gehaald, afgestoft en teruggezet. Dit jaarlijkse ritueel bestond al sinds 1846. De moeder van lord Ashbury had deze regel ingesteld. Ze was panisch geweest voor stof, zei Nancy, en daar had ze goede redenen voor. Op een avond tegen het einde van de herfst was lord Ashbury's kleine broertje, die toen op een maand na drie jaar was en geliefd bij iedereen die hem kende, in slaap gevallen en nooit meer wakker geworden. Zijn moeder heeft nooit een dokter kunnen vinden die bereid was haar theorie te bevestigen, maar ze was ervan overtuigd dat de dood van haar jongste zoon te wijten was aan het stof dat in de lucht hing. Vooral het stof in de bibliotheek, omdat de twee jongens daar die noodlottige dag hadden gespeeld en avonturen hadden verzonnen tussen de land- en zeekaarten die de reizen van verre voorvaderen beschreven.

Lady Gytha Ashbury was een vrouw die niet met zich liet sollen. Ze zette haar verdriet van zich af en putte nogmaals uit de bron van kracht en vastberadenheid die haar in staat had gesteld haar vaderland, familie en bruidsschat op te geven voor de liefde. Ze verklaarde het stof de oorlog, mobiliseerde haar troepen en beval hun de verraderlijke vijand te verdrijven. Het personeel werkte een volle week, dag en nacht, voordat ze ervan overtuigd was dat al het stof was verwijderd. Toen pas huilde ze om haar kleine jongen.

Daarna werd dit ritueel ieder jaar, zodra de laatste rode en bruine blaadjes van de bomen vielen, nauwgezet uitgevoerd. Zelfs na haar dood werd de traditie gehandhaafd en in het jaar 1915 was ik degene aan wie werd opgedragen de nagedachtenis aan de vorige lady Ashbury in ere te houden. (Gedeeltelijk, denk ik, als straf voor het feit dat ik de dag daarvoor Alfred in het dorp had gadegeslagen. Meneer Hamilton nam het me niet in dank af dat ik het onderwerp oorlogsschaamte had meegebracht naar Riverton.)

'Deze week ontsla ik je van je gewone taken, Grace,' zei hij met een flauwe glimlach vanachter zijn tafel. 'Je gaat iedere ochtend rechtstreeks naar de bibliotheek, waar je op de galerij moet beginnen en alle schappen afwerken tot op de grond.'

Ik moest me uitrusten, zei hij, met een paar handschoenen, een vochtige lap en de berusting die de gruwelijk saaie taak waardig was.

'Onthoud goed, Grace,' zei hij, beide handen met gespreide vingers op het tafelblad gedrukt, 'dat lord Ashbury stof een bijzonder serieuze zaak vindt. Je krijgt een grote verantwoordelijkheid, waarvoor je dankbaar moet zijn…'

Zijn preek werd onderbroken door een klop op de deur.

'Binnen,' riep hij met een frons.

De deur ging open en Nancy kwam opgewonden binnen, haar magere gestalte trillend als een espenblad. 'Meneer Hamilton,' zei ze, 'kom gauw, er is iets waar u onmiddellijk naar moet kijken.'

Hij stond ogenblikkelijk op, liet zijn jas van het hangertje aan de deur glijden en liep snel de trap op. Nancy en ik volgden hem op de voet.

In de hal boven stond Dudley, de tuinman, die zijn wollen muts steeds overnam van zijn ene hand in zijn andere. Op de grond, nog druipend van zijn eigen sappen, lag een enorme Noorse spar, die zojuist was omgehakt.

'Meneer Dudley,' zei meneer Hamilton, 'wat doet u hier?'

'Ik heb de kerstboom gebracht, meneer Hamilton.'

'Dat zie ik, maar wat doet u híér.' Hij maakte een gebaar dat de hal omvatte en keek weer naar de boom. 'En nog belangrijker: wat doet deze boom hier? Het is een gigantisch exemplaar.'

'Ja, het is een mooie, hè?' zei Dudley volkomen ernstig en hij keek naar de boom zoals een andere man naar zijn maîtresse kijkt. 'Ik had er al jaren een oogje op, maar ik heb geduldig gewacht tot hij volgroeid was. En dit jaar was hij dat.' Hij keek meneer Hamilton met een bedenkelijk gezicht aan. 'Een beetje té volgroeid.'

Meneer Hamilton draaide zich om naar Nancy. 'Wat is hier in 's hemelsnaam aan de hand?'

Nancy's handen waren tot vuisten gebald en haar mond was een boze streep geworden. 'De boom is te groot, meneer Hamilton. Meneer Dudley heeft geprobeerd hem rechtop te zetten in de zitkamer, waar de kerstboom altijd staat, maar hij is een halve meter te lang.'

'Heb je hem dan niet opgemeten?' vroeg meneer Hamilton aan de tuinman.

'Jawel, meneer,' zei Dudley, 'maar ik ben nooit erg goed geweest in rekenen.'

103

'Pak dan je zaag en haal er een halve meter af.'

Meneer Dudley schudde triest zijn hoofd. 'Dat zou ik graag doen, meneer, maar helaas is er geen halve meter over om eraf te zagen. De stam kan onmogelijk korter worden dan hij nu is, en ik kan moeilijk een stuk van de bovenkant afzagen.' Hij keek ons onbevangen aan. 'Waar zou de engel dan moeten zitten?'

We stonden met ons allen te piekeren over dit vraagstuk terwijl de seconden door de marmeren hal weggleden. Ieder van ons was zich er scherp van bewust dat de familie zo dadelijk naar beneden zou komen voor het ontbijt. Uiteindelijk hakte meneer Hamilton de knoop door. 'Dan zit er niets anders op. We kunnen de top er niet af zagen, omdat de engel dan plek noch doel zou hebben, dus zullen we moeten afwijken van de traditie en de boom deze ene keer elders neerzetten. In de bibliotheek.'

'In de bibliotheek, meneer Hamilton?' vroeg Nancy.

'Ja. Onder de glazen koepel.' Hij keek Dudley meewarig aan. 'Waar de volle lengte ervan volledig tot zijn recht zal komen.'

En zo kwam het dat ik op de ochtend van 1 december 1915 op de galerij van de bibliotheek stond, bij het eerste boek van de bovenste plank, en me geestelijk voorbereidde op een volle week boeken afstoffen, terwijl er midden in het vertrek een schitterende spar stond waarvan de bovenste takken als in vervoering waren opgeheven naar de hemel. Ik bevond me ter hoogte van de kruin, waar de dennengeur het sterkst was en de lome sfeer van warme stoffigheid beheerste.

De galerij van de bibliotheek van Riverton besloeg de gehele lengte van het vertrek, hoog boven de grond, en het viel me moeilijk me niet te laten afleiden. Uitstel leidt snel tot afstel en het uitzicht op de kamer was fascinerend. Het is algemeen bekend dat ongeacht hoe goed je een bepaalde plek kent, het evengoed een openbaring is wanneer je hem van bovenaf bekijkt. Ik leunde op de balustrade en keek naar beneden, langs de boom.

De bibliotheek, die er normaal gesproken zo weids en indrukwekkend uitzag, had het aanzien gekregen van een decor voor een toneelstuk. Normale meubelstukken zoals de Steinway-piano, het eikenhouten schrijfbureau en lord Ashbury's wereldbol, leken opeens kleiner, miniaturen van zichzelf, en wekten de indruk dat ze waren opgesteld ten behoeve van acteurs die nog op het toneel moesten verschijnen.

Vooral de zithoek straalde een theatrale verwachting uit. In het midden de bank, geflankeerd door de fauteuils, alle overtrokken met meubelstof van William Morris, de rechthoek van winters zonlicht die over de piano en op het oosterse tapijt viel. Rekwisieten die geduldig wachtten tot de spelers hun plaatsen zouden innemen. Wat voor soort toneelstuk zouden ze opvoeren, vroeg ik me af, in een decor als dit? Een komedie, een treurspel, een stuk met een moderne inslag?

Ik had de hele dag zo kunnen staan treuzelen, als een stem in mijn hoofd, de stem van meneer Hamilton, me er niet aan herinnerde dat lord Ashbury gewend was onverwachte inspecties te houden. Dus liet ik met tegenzin al deze gedachten varen en pakte ik het eerste boek. Ik stofte het af – voorkant, achterkant, rug – zette het terug en pakte het volgende.

Halverwege de ochtend had ik vijf van de tien planken op de galerij af. Een kleine troost was dat ik, omdat ik bij de hoogste planken was begonnen, nu eindelijk bij de onderste was en mijn werk zittend kon doen. Nu ik al honderden boeken had afgestoft, had ik er handigheid in gekregen en deden mijn handen hun werk automatisch, en dat was maar goed ook, want mijn hersenen waren zo'n beetje op non-actief komen te staan.

Ik had net het zesde boek van de zesde plank gepakt toen een brutale klank van de piano, scherp en onverwachts, de winterse stilte van het vertrek verstoorde. Ik draaide me om en gluurde langs de boom naar beneden.

Bij de piano stond een jongeman die ik nog nooit eerder had gezien. Hij liet zijn vingers toonloos over de ivoren toetsen glijden. Ik wist wie het was, toen al. Het was meneer Davids vriend van Eton, de zoon van lord Hunter, die gisteravond laat was gearriveerd.

Hij was knap om te zien. Eigenlijk zijn alle jonge mannen knap, maar bij hem was het méér: de schoonheid van roerloosheid. Helemaal alleen in het vertrek, met ernstige, donkere ogen onder de rechte, donkere wenkbrauwen, wekte hij de indruk van diepgaand verdriet dat niet naar behoren was verwerkt. Hij was lang en mager, maar niet zo mager dat hij slungelachtig was, en zijn bruine haar was langer dan in de mode was; sommige lokken sprongen weerbarstig opzij, streken langs zijn jukbeenderen en hingen over de boord van zijn overhemd.

Ik keek naar hem terwijl hij de bibliotheek rondkeek, langzaam, aandachtig, vanaf het punt waar hij stond. Zijn blik bleef uiteindelijk rusten op een schilderij. Blauw linnen, bewerkt met zwart, als achtergrond voor een hurkende vrouwenfiguur, haar rug naar de schilder toe gekeerd. Het schilderij hing helemaal achteraf, tussen twee dikbuikige Chinese vazen in blauw en wit.

Hij liep ernaartoe om het van dichtbij te bekijken en bleef ertegenover staan. Het was boeiend om te zien hoe hij erin opging, en mijn gevoel voor fatsoen delfde jammerlijk het onderspit voor mijn nieuwsgierigheid. De boeken op de zesde plank stonden er vergeten bij, hun ruggen bedekt met een jaar stof, terwijl ik naar de jongen keek.

Hij boog zich bijna onmerkbaar achterover en toen weer naar voren, zijn aandacht volledig geconcentreerd op het schilderij. Ik zag dat zijn handen langs zijn lichaam hingen. Roerloos.

Hij stond daar nog steeds met zijn hoofd schuin het schilderij te bekijken toen achter hem de deur van de bibliotheek werd opengegooid en Hannah binnenkwam met de Chinese kist tegen zich aan gedrukt.

'David! Eindelijk! We hebben een fantastisch idee. Ditmaal kunnen we naar…'

Ze zweeg verschrikt toen Robbie zich omdraaide en naar haar keek. Langzaam verscheen er een glimlach op zijn gezicht, en daarmee verdwenen alle sporen van melancholie, en wel zo volkomen dat ik me afvroeg of ik het me soms had ingebeeld. Zonder de ernst was zijn gezicht jongensachtig, glad, bijna meisjesachtig mooi.

'Neem me niet kwalijk,' zei ze, met een plotselinge blos op haar wangen. Blonde lokken waren uit haar haarband ontsnapt. 'Ik dacht dat je iemand anders was.' Ze zette de kist op de bank en schikte, bijna automatisch, haar witte boezelaar.

'Ik neem het je allerminst kwalijk.' Een glimlach, vluchtiger dan de vorige, en toen draaide hij zich weer om naar het schilderij.

Hannah staarde naar zijn rug, verward tot in haar vingertoppen. Ze wachtte, net als ik, tot hij zich weer zou omdraaien, haar een hand zou geven, zich zou voorstellen, zoals de beleefdheid voorschreef.

'Om met zo weinig zo veel te zeggen,' was wat hij uiteindelijk zei.

Hannah keek in de richting van het schilderij, maar hij stond ervoor, waardoor ze er geen mening over kon geven. Ze haalde diep adem, volkomen van haar stuk gebracht.

'Ongelooflijk,' ging hij door. 'Vind je niet?'

Zijn brutaliteit liet haar geen andere keus dan mee te doen, dus ging ze naast hem staan voor het schilderij. 'Mijn grootpapa vindt het niet mooi.' Een poging om luchtig te klinken. 'Hij vindt het deprimerend en aanstootgevend. Daarom hangt het hier.'

'Vind jij het deprimerend en aanstootgevend?'

Ze keek naar het schilderij alsof ze het voor het eerst zag. 'Misschien wat deprimerend, maar niet aanstootgevend.'

Robbie knikte. 'Iets wat zo eerlijk is, kan niet aanstootgevend zijn.'

Hannah wierp een steelse blik op zijn profiel en ik vroeg me af wanneer ze hem zou vragen wie hij was en hoe het kwam dat hij in de bibliotheek van haar grootvader schilderijen stond te bewonderen. Ze deed haar mond open, maar merkte dat ze geen woorden kon vinden.

'Waarom hangt je grootvader het op, als hij het aanstootgevend vindt?' vroeg Robbie.

'Hij heeft het cadeau gekregen,' antwoordde Hannah, blij met een vraag waar ze het antwoord op wist. 'Van een belangrijke Spaanse graaf die hier een keer kwam jagen. Het is van een Spaanse schilder.'

'Ja,' zei hij. 'Picasso. Ik heb meer van zijn werk gezien.'

Hannah trok haar wenkbrauwen op en Robbie glimlachte. 'In een boek dat mijn moeder me heeft laten zien. Ze was een Spaanse van geboorte; ze had daar familie.'

'Spanje,' zei Hannah verlangend. 'Ben je ooit in Cuenca geweest? En Sevilla? Heb je het Alcázar gezien?'

'Nee,' zei Robbie, 'maar dankzij alle verhalen van mijn moeder heb ik het gevoel dat ik al die plaatsen ken. Ik had haar beloofd dat we er ooit samen naar zouden terugkeren. Als vogels zouden we ontsnappen aan de Engelse winter.'

'Niet deze winter?' vroeg Hannah.

Hij keek haar bevreemd aan. 'Het spijt me, ik dacht dat je het wist. Mijn moeder is dood.'

Mijn adem stokte in mijn keel. Op hetzelfde moment ging de deur open en kwam David binnen. 'Ik zie dat jullie elkaar al hebben ontmoet,' zei hij met een lome glimlach.

David was gegroeid sinds ik hem voor het laatst had gezien. Of leek dat maar zo? Misschien bedrogen mijn ogen me. Misschien kwam het door zijn manier van lopen, zijn houding, waardoor hij ouder leek, volwassener, niet meer zoals ik me hem herinnerde.

Hannah knikte en schuifelde schutterig weg. Ze keek naar Robbie, maar als ze van plan was geweest iets te zeggen, het misverstand uit de weg te ruimen, werd haar de tijd niet gegund. De deur vloog open en Emmeline stormde binnen.

'David!' riep ze. 'Eindelijk. We vervelen ons dood en we willen zo graag Het Spel doen. Hannah en ik hebben al besloten waar…' Ze deed er het zwijgen toe toen ze Robbie zag. 'O. Hallo. Wie ben jij?'

'Robbie Hunter,' zei David. 'Je hebt Hannah al ontmoet, Robbie, en dit is mijn kleine zusje Emmeline. Robbie zit op Eton.'

'Blijf je het hele weekeinde?' vroeg Emmeline, met een snelle blik in Hannahs richting.

'Robbie had geen plannen voor de kerst,' zei David. 'Dus vond ik dat hij net zo goed bij ons kon komen logeren.'

'De héle kerstvakantie?' vroeg Hannah.

David knikte. 'We kunnen wat extra gezelschap goed gebruiken, hier in de rimboe. Anders worden we stapelgek.'

Ik kon Hannahs frustratie gewoonweg voelen. Haar handen lagen doodstil op de Chinese kist. Ze dacht aan Het Spel – Regel Drie: er mogen maar drie personen aan meedoen. Reeds verzonnen episodes, avonturen waar ze verlangend naar had uitgekeken, werden haar ontstolen. Ze keek met een beschuldigende blik naar David, maar hij veinsde er geen erg in te hebben.

'Wat een boom!' zei hij uitermate opgewekt. 'We mogen wel meteen beginnen met optuigen, anders redden we het niet voor de kerst.'

Zijn zusters verroerden zich niet.

'Vooruit, Emme,' zei hij. Hij tilde de doos met versieringen van de tafel op de grond, maar meed daarbij Hannahs blik. 'Laat Robbie maar eens zien hoe het moet.'

Emmeline keek naar Hannah. Het was duidelijk dat ze in tweestrijd stond. Ze was net zo teleurgesteld als haar zus, had net zo verlangend naar Het Spel uitgekeken als zij, maar ze was de jongste van de drie en was er daarom aan gewend het vijfde wiel aan de wagen te zijn. Nu had David háár naar de voorgrond gehaald. Háár gekozen om hem te helpen. De kans om als duo iets te doen, ten koste van de derde partij, was onweerstaanbaar. Davids genegenheid, zijn gezelschap, waren haar zo dierbaar dat ze onmogelijk kon weigeren.

Ze wierp een steelse blik op Hannah, lachte toen naar David, pakte de doos die hij haar aanreikte en begon de glazen kerstballen uit te pakken. Ze hield ze om beurten omhoog zodat David ze plechtig een plaatsje kon geven in de boom.

Hannah wist dat ze verslagen was. Terwijl Emmeline bij iedere vergeten decoratie een verrukt kreetje slaakte, rechtte Hannah haar rug – draag je nederlaag altijd waardig – en liep met de Chinese kist de kamer uit. David keek haar na en was zo fatsoenlijk een schuldbewust gezicht te trekken. Toen ze met lege handen terugkeerde, keek Emmeline op. 'Hannah,' zei ze, 'Robbie zegt dat hij nog nooit een engeltje van Saksisch porselein heeft gezien. Hoe vind je dat?'

Hannah liep stijfjes naar het vloerkleed en knielde erop neer. David zat achter de piano, zijn gespreide vingers een paar centimeter boven het ivoor.

Hij liet ze zachtjes op de toetsen zakken en bracht het instrument met luchtige toonladders tot leven. Pas toen de piano en wij allen de riedeltjes al bijna niet meer hoorden en nergens op verdacht waren, begon hij te spelen. Een stuk muziek dat naar mijn mening misschien wel het mooiste is dat ooit is geschreven. Chopins wals in cis klein.

Hoe onvoorstelbaar het nu ook lijkt, die dag in de bibliotheek hoorde ik voor het eerst muziek. Echte muziek, bedoel ik. Ik herinnerde me vaag dat moeder wel eens voor me had gezongen toen ik nog heel klein was, voordat ze pijn in haar rug kreeg en de liedjes opdroogden, en meneer Connelly van de overkant pakte vaak zijn fluit om sentimentele Ierse liedjes te spelen wanneer hij op vrijdagavond in de pub te veel had gedronken. Maar dat was iets heel anders dan dit.

Ik legde mijn wang tegen de spijlen van de balustrade, sloot mijn ogen en gaf me over aan de glorieuze, meeslepende melodie. Ik zou niet kunnen zeggen hoe goed hij speelde; waarmee had ik het moeten vergelijken? Voor mij was het volmaakt, zoals alle fijne herinneringen.

Toen de laatste noot nog natrilde in de zonnige kamer, hoorde ik Emmeline zeggen: 'Mag ik nu even spelen, David? Dit kan ik geen kerstmuziek noemen.'

Ik deed mijn ogen open toen ze bekwaam 'Komt allen tezamen' begon te spelen. Ze speelde goed en het was een mooie melodie, maar de betovering was verbroken.

'Speel jij ook?' vroeg Robbie aan Hannah, die met gekruiste benen op de grond zat en opvallend stil was.

David lachte. 'Hannah heeft veel talenten, maar muzikaliteit hoort daar niet bij.' Hij grinnikte. 'Maar wie weet, na alle stiekeme lessen die je naar verluidt in het dorp hebt genomen…'

Hannah keek naar Emmeline, die schuldbewust haar schouders ophaalde. 'Het was per ongeluk.'

'Ik geef de voorkeur aan woorden,' zei Hannah koeltjes. Ze wikkelde het vloeipapier van een pakketje tinnen soldaatjes en legde ze op haar schoot. 'Die zijn eerder bereid te doen wat ik van hen verlang.'

'Robbie schrijft ook,' zei David. 'Hij is dichter, en nog een heel goede ook. Dit jaar zijn er al wat gedichten van hem gepubliceerd in de *College Chronicle*.' Hij hield een glazen bal omhoog, die flintertjes licht wierp op het tapijt. 'Welk vond ik ook alweer zo mooi? Dat over de verbrokkelende tempel?'

Robbies antwoord ging verloren, omdat op dat moment de deur openging en Alfred binnenkwam met een dienblad vol speculaaspoppetjes, suikerpruimen en papieren hoorntjes gevuld met noten.

'Neemt u me niet kwalijk, juffrouw,' zei Alfred en hij plaatste het dienblad op het flessentafeltje, 'mevrouw Townsend dacht dat u wel iets lekkers bliefde.'

'Ja, heerlijk!' zei Emmeline. Ze hield midden in het lied op en holde naar de tafel om een suikerpruim uit te kiezen.

Toen hij zich omdraaide om het vertrek weer te verlaten, keek Alfred tersluiks op naar de galerij en zag mijn nieuwsgierige blik. De Hartfords gingen al weer door met het optuigen van de boom, dus glipte hij eromheen en klom de wenteltrap op naar mij.

'Hoe gaat het?'

'Goed,' fluisterde ik. Mijn stem klonk raar in mijn oren nadat ik hem zo lang niet had gebruikt. Ik keek schuldbewust naar het boek op mijn schoot, de lege plek op de boekenplank, pas zes boeken van het begin.

Hij volgde mijn blik en trok zijn wenkbrauwen op. 'Je boft dat ik je eventjes kan helpen.'

'Maar zou meneer Hamilton…'

'Die mist me zo snel niet. Een halfuurtje kan er wel af.' Hij glimlachte naar me en wees naar het einde van de plank. 'Als ik nu eens daar begin, dan kunnen we naar elkaar toe werken.'

Ik knikte met een mengeling van dankbaarheid en terughoudendheid.

Alfred haalde een stofdoek uit zijn jaszak, pakte een boek van de plank en ging op de grond zitten. Ik keek naar hem; hij maakte de indruk geheel op te gaan in het werk. Hij draaide het boek efficiënt om, verwijderde al het stof, zette het terug op de plank en pakte het volgende boek. Hij zag eruit als een kind dat via een tovertruc in het lichaam van een man terecht was gekomen, zoals hij daar zat met zijn benen gekruist, aandachtig werkend, zijn bruine haar, dat altijd zo keurig zat, nu heen en weer zwaaiend op het ritme van zijn bewegende arm.

Hij keek opzij en ving mijn blik toen ik mijn gezicht net weer wilde afwenden. De uitdrukking in zijn ogen bezorgde me een verrassende huivering. Ik bloosde. Dacht hij dat ik hem had zitten bekijken? Keek hij nog naar me? Ik durfde niet weer te kijken, uit angst dat hij mijn blik verkeerd zou uitleggen. Maar toch… Ik kreeg het helemaal warm bij de gedachte dat hij me zat te observeren.

Dit was nu al dagen zo. Er zat iets tussen ons in, maar ik kon er de vinger niet op leggen. De ongedwongen omgang waaraan ik gewend was geraakt, was veranderd in stuntelig gedrag, een verwarrende neiging dingen verkeerd uit te leggen of verkeerd op te vatten. Ik vroeg me af of het incident met de witte veer daar de oorzaak van was. Misschien had hij me in het dorp naar hem zien staren, of erger nog: was hij erachter gekomen dat ik degene was die het aan meneer Hamilton en de andere bedienden had verklapt.

Ik begon het boek op mijn schoot ijverig af te stoffen en keek nadrukkelijk niet Alfreds kant op, maar gluurde weer door de spijlen naar het decor beneden. Als ik Alfred negeerde zou het onbehaaglijke gevoel misschien net zo onmerkbaar voorbijgaan als de tijd.

Ik keek weer naar de Hartfords, maar voelde me opeens volkomen los van hen staan: ik voelde me als iemand die tijdens een toneelvoorstelling in slaap is gesukkeld en bij het wakker worden ziet dat het decor is veranderd en de dialoog een stuk is gevorderd. Ik stelde me in op hun stemmen, die in het transparante winterse licht als van heel ver naar de galerij opstegen.

Emmeline bood Robbie iets aan van mevrouw Townsends blad met lekkernijen en haar oudere broer en zus hadden het over de oorlog.

Hannah, die bezig was een zilveren ster aan een tak te hangen, keek opeens met een verbluft gezicht om. 'Wanneer ga je dan?'

'Begin volgend jaar,' zei David, met een kleur van opwinding.

'Maar wanneer heb je…? Hoe lang heb je…?'

Hij schokschouderde. 'Ik zit er al heel lang aan te denken. Je kent me toch? Ik hou van avonturen.'

Hannah keek naar haar broer. Ze was al zo teleurgesteld geweest dat ze vanwege Robbies onverwachte verschijning Het Spel niet konden spelen, maar dit nieuwe verraad sloeg alles. Op kille toon vroeg ze: 'Weet papa het al?'

'Niet precies,' antwoordde David.

'Hij vindt het nooit goed.' Wat klonk ze opgelucht en zeker van haar zaak.

'Hij zal weinig keus hebben,' zei David. 'Hij krijgt er namelijk niets over te horen tot ik goed en wel op Franse bodem ben.'

'En als hij erachter komt?' vroeg Hannah.

'Hij komt er niet achter,' zei David, 'omdat niemand hem iets zal vertellen.' Hij keek haar indringend aan. 'Bovendien mag hij met net zo veel bekrompen protesten komen als hij wil, maar hij zal me niet kunnen tegenhouden. Daar geef ik hem geen kans toe. Ik laat me dit niet ontnemen omdat hijzelf niet mocht gaan. Ik ben mijn eigen baas en het is de hoogste tijd dat hij dat begrijpt. Dat híj zo'n miserabel leven leidt, wil niet zeggen…'

'David,' zei Hannah op scherpe toon.

'Het is waar,' zei David, 'ook al wil jij dat niet erkennen. Hij zit zijn hele leven al bij grootmama onder de plak, heeft een vrouw getrouwd die hem niet kon uitstaan, heeft allerlei zakelijke ondernemingen laten mislukken…'

'David!' zei Hannah, en ik kon horen hoe verontwaardigd ze was. Ze keek snel of Emmeline buiten gehoorsafstand zat. 'Wat een trouweloosheid. Schaam je je niet?'

David keek Hannah recht in de ogen en sprak op zachte toon: 'Ik weiger het slachtoffer te worden van zijn verbitterde gevoelens. Het is meelijwekkend.'

'Waar hebben jullie het over?' vroeg Emmeline, die met een handvol gesuikerde noten naar hen toe was gekomen. Ze trok een frons tussen haar wenkbrauwen. 'Jullie hebben toch geen ruzie, hè?'

'Natuurlijk niet,' zei David, die zwakjes glimlachte, alhoewel Hannah woedend bleef kijken. 'Ik vertelde alleen maar aan Hannah dat ik naar Frankrijk ga. Om oorlog te voeren.'

'Wat spannend! Ga jij ook, Robbie?'

Robbie knikte.

'Ik had het kunnen weten,' zei Hannah.

David negeerde haar. 'Iemand moet op hem passen.' Hij grinnikte naar Robbie. 'En waarom zou alleen híj die lol mogen hebben?' Ik zag iets in zijn ogen toen hij dat zei – bewondering, genegenheid?

Hannah zag het ook. Haar mond verstrakte. Ze wist meteen wie ze de schuld kon geven van het feit dat David hen in de steek liet.

'Robbie gaat oorlog voeren om aan zijn vader te ontkomen,' zei David.

'Waarom?' vroeg Emmeline opgewonden. 'Wat doet die dan?'

Robbie haalde zijn schouders op. 'De lijst is lang en de schrijver verbitterd.'

'Geef eens een aanwijzing,' zei Emmeline. 'Vooruit.' Ze keek hem met grote ogen aan. 'Ik weet het al! Hij heeft gedreigd je te onterven!'

Robbie lachte droog en humorloos. 'Allerminst.' Hij rolde een glazen ijspegel heen en weer tussen zijn vingers. 'Het tegendeel is het geval.'

Emmeline fronste. 'Heeft hij gedreigd je alles te laten erven?'

'Hij wil dat we net doen alsof we een gelukkig gezin zijn,' zei Robbie.

'Wil je dan niet gelukkig zijn?' vroeg Hannah koeltjes.

'Ik wil geen gezin zijn,' antwoordde Robbie. 'Ik ben liever op mezelf.'

Emmeline zette opnieuw grote ogen op. 'Ik zou het vreselijk vinden als ik helemaal alleen was, zonder Hannah en David. En papa, natuurlijk.'

'Voor mensen als jij is het iets anders,' antwoordde Robbie kalm. 'Jouw familie heeft je niets misdaan.'

'De jouwe jou wel?' vroeg Hannah.

Er viel een stilte, waarin alle ogen, inclusief die van mij, zich op Robbie richtten.

Ik hield mijn adem in. Ik wist al wat er met Robbies vader aan de hand was. Op de avond dat Robbie onverwachts op Riverton was aangekomen, toen meneer Hamilton en mevrouw Townsend haastig overleg hadden gepleegd inzake een maaltijd en een logeerkamer, had Nancy zich naar me toe gebogen en me toevertrouwd wat ze wist.

Robbie was de zoon van de onlangs in de adelstand verheven lord Hasting Hunter, een wetenschapper die roem en fortuin had verworven met de ontdekking van een nieuw soort glas dat in de oven gebakken kon worden. Hij had een groot landhuis gekocht bij Cambridge, met een aparte kamer voor zijn experimenten, en leefde daar nu samen met zijn vrouw het leven van de welgestelden. De jongen, vertelde Nancy, was het resultaat van een verhouding met zijn dienstmeisje. Een Spaans meisje dat amper Engels sprak. Lord Hunter had genoeg van haar gekregen toen haar buik dik werd, maar had erin toegestemd haar in dienst te houden en voor de scholing van de jongen te betalen, in ruil voor haar zwijgen. Haar zwijgen had haar tot waanzin gedreven en uiteindelijk had ze zichzelf van het leven beroofd.

Het was een schande, had Nancy gezegd, terwijl ze hoofdschuddend een diepe zucht had geslaakt, dat een dienstmeisje zo schandelijk werd behandeld en een jongen vaderloos moest opgroeien. Daar zou iedereen toch medelijden mee krijgen? Maar evengoed, was ze met een veelbetekenende blik doorgegaan, zou lady Ashford de komst van deze onverwachte gast niet leuk vinden. Ieder moet bij zijn eigen soort blijven.

Wat ze daarmee bedoelde, was duidelijk: je had titels en titels, titels die je erfde en titels die flonkerden als een van die nieuwerwetse automobielen. Robbie Hunter, de al dan niet buitenechtelijke zoon van een gloednieuwe lord, was niet goed genoeg voor mensen als de Hartfords en dus niet goed genoeg voor mensen als wij.

'Zeg het nou!' zei Emmeline. 'Vooruit! Wat heeft je vader voor iets vreselijks gedaan?'

'Wat krijgen we nu?' vroeg David met een glimlach. 'Is dit de inquisitie?' En hij zei tegen Robbie: 'Mijn verontschuldigingen, Hunter. Het zijn nieuwsgierige aagjes. Ze krijgen hier veel te weinig gezelschap.'

Emmeline glimlachte en gooide een handjevol vloeipapier naar hem. Het raakte hem niet en dwarrelde terug op de berg die zich onder de boom had gevormd.

'Het geeft niets,' zei Robbie, zich oprichtend. Hij streek een lok haar uit zijn ogen. 'Sinds de dood van mijn moeder probeert mijn vader me weer op te eisen.'

'Je weer op te eisen?' vroeg Emmeline fronsend.

'Nadat hij me eerst doodgemoedereerd had veroordeeld tot een door schande getekend leven, wil hij nu opeens een erfgenaam. Blijkbaar kan zijn echtgenote die niet leveren.'

Emmeline keek eerst naar David en toen naar Hannah in afwachting van een vertaling.

'Daarom gaat Robbie de oorlog in,' zei David, 'om vrij te kunnen zijn.'

'Wat vervelend van je moeder,' zei Hannah knorrig.

'Ja, dat vind ik ook,' viel Emmeline haar bij en haar kindergezichtje drukte meteen een geoefend medeleven uit. 'Wat zul je haar missen. Ik mis mijn eigen moeder ook zo erg, en ik heb haar niet eens gekend, omdat ze bij mijn geboorte is gestorven.' Ze slaakte een zucht. 'En nu ga je oorlog voeren om aan je wrede vader te ontsnappen. Het is net iets uit een boek.'

'Een melodrama,' zei Hannah.

'Een romance,' zei Emmeline vol vuur. Ze rolde een bundeltje vloeipapier open en ving een aantal handgemaakte kaarsen op in haar schoot. Ze verspreidden meteen een geur van kaneel en dollekervel. 'Grootmama zegt dat het de plicht van iedere man is om in de oorlog te gaan vechten. Ze zegt dat degenen die thuisblijven zich drukken.'

Op de galerij voelde ik een prikkeling over mijn hele lichaam. Ik keek naar Alfred, maar wendde snel mijn ogen af toen ik zag dat hij ook naar mij keek. Hij kreeg een kop als een boei en zijn ogen stonden vol zelfverwijt. Net als die dag in het dorp. Hij stond abrupt op en liet zijn stofdoek vallen, maar toen ik hem die wilde aanreiken, schudde hij zijn hoofd. Hij keek me niet meer aan en mompelde dat meneer Hamilton zich vast afvroeg waar hij bleef. Ik keek hem machteloos na toen hij snel de trap afdaalde en, zonder dat de kinderen Hartford erg in hem hadden, de bibliotheek uit glipte. Ik vervloekte mijn gebrek aan zelfbeheersing.

Emmeline draaide zich bij de boom om, keek naar Hannah en zei: 'Grootmama is teleurgesteld in papa. Ze vindt dat hij er veel te makkelijk van af komt.'

'Dat is volkomen onterecht,' zei Hannah fel. 'En papa komt er echt niet makkelijk van af. Hij zou mórgen gaan vechten als hij kon.'

Er bleef in de kamer een drukkende stilte hangen. Ik was me bewust van mijn ademhaling, waarvan het tempo was gestegen uit solidariteit met Hannah.

'Je hoeft niet boos te worden op míj,' pruilde Emmeline. 'Grootmama zegt dat, niet ik.'

'Die oude heks,' zei Hannah driftig. 'Papa doet wat hij kan voor de oorlog. Meer kun je niet van iemand verlangen.'

'Hannah zou graag met ons meegaan naar het front,' zei David tegen Robbie. 'Zij en mijn pa weigeren toe te geven dat er in een oorlog geen plaats is voor vrouwen en oude mannen met slechte longen.'

'Wat een flauwekul,' zei Hannah.

'Wat is flauwekul?' vroeg hij. 'Dat een oorlog niets is voor vrouwen en oude mannen, of dat jij zou willen gaan vechten?'

'Je weet heel goed dat ze aan mij net zo veel zouden hebben als aan jou. Ik ben erg goed in het nemen van strategische beslissingen, zeg je zelf altijd…'

'Dit is écht, Hannah,' viel David haar in de rede. 'Het is een echte oorlog, met echte geweren, echte kogels en echte vijanden. Het is geen fantasie, geen spel.'

Ik hield mijn adem in; Hannah keek alsof hij haar een klap in haar gezicht had gegeven.

'Je kunt niet je hele leven in een fantasiewereld leven,' ging David door. 'Je kunt niet de rest van je leven avonturen verzinnen, schrijven over dingen die nooit echt zijn gebeurd, een rol spelen die je zelf hebt verzonnen…'

'David!' riep Emmeline. Ze keek naar Robbie en toen weer naar David. Haar onderlip trilde toen ze zei: 'Regel Een: Het Spel is geheim.'

David keek naar Emmeline en de uitdrukking op zijn gezicht verzachtte. 'Je hebt gelijk. Sorry, Emme.'

'Het is geheim,' fluisterde ze. 'Dat is belangrijk.'

'Daar heb je volkomen gelijk in,' zei David. Hij woelde door haar haar. 'Kijk niet zo verdrietig, joh.' Hij bukte zich naar de doos met versieringen. 'Hé!' zei hij. 'Kijk eens wie ik hier heb? Mabel!' Hij hief een glazen engeltje op met vleugels van geblazen glas, een verkreukelde gouden rok en een zedig wassen gezicht. 'Dit is toch je lievelingsengel? Zal ik haar bovenin hangen?'

'Mag ik het dit jaar doen?' vroeg Emmeline, haar tranen drogend. Een dergelijke kans zou ze niet snel voorbij laten gaan, ook al was ze nog zo van streek.

David keek naar Hannah, die net deed alsof ze de palm van haar hand bekeek. 'Wat vind jij, Hannah? Heb je er bezwaren tegen?'

Hannah keek hem met een kille blik aan.

'Mag het?' vroeg Emmeline, die al overeind sprong in een warreling van rokken en vloeipapier. 'Jullie doen het altijd. Ik ben nog nooit aan de beurt geweest, en ik ben geen klein kind meer.'

David deed net alsof hij diep moest nadenken. 'Hoe oud ben je inmiddels?'

'Elf,' zei Emmeline.

'Elf…' herhaalde David. 'Bijna twaalf.'

Emmeline knikte gretig.

'Goed dan,' zei hij uiteindelijk. Hij knikte naar Robbie en glimlachte. 'Kun je me even helpen?'

Samen droegen ze de trapleer naar de boom en plaatsten de poten tussen het verfrommelde papier waarmee de vloer bezaaid was.

'Nu ben ik net Jantje van de bonenstaak,' giechelde Emmeline toen ze begon te klimmen, de engel in haar hand geklemd.

Ze besteeg de ladder tot ze bij de een na laatste sport was. Ze stak de hand uit waarin ze de engel vasthad en reikte naar de top van de boom, die nét buiten haar bereik bleek te zijn.

'Verdorie,' zei ze binnensmonds. Ze keek neer op de opgeheven gezichten. 'Bijna. Nog eentje hoger.'

'Wees voorzichtig,' zei David. 'Kun je je ergens aan vasthouden?'

Ze stak haar vrije hand uit, greep een slappe tak van de spar en pakte er toen ook een met haar andere hand. Heel langzaam tilde ze haar linkervoet op en zette die behoedzaam op de bovenste sport.

Ik hield mijn adem in toen ze haar rechtervoet optilde. Ze lachte triomfantelijk en stak haar hand uit om Mabel op haar troon te plaatsen, toen haar ogen opeens de mijne zagen. Op haar gezicht verscheen eerst een verbaasde uitdrukking, die meteen veranderde in paniek toen haar voet weggleed en ze begon te vallen.

Ik deed mijn mond open voor een waarschuwende kreet, maar het was al te laat. Met een ijselijke gil die me kippenvel bezorgde, viel ze als een lappenpop naar beneden en kwam als in een wolk van witte kanten rokken tussen het vloeipapier terecht.

Het was alsof de kamer uitzette. Heel even stond alles en iedereen volkomen stil. Toen kwam de onvermijdelijke inkrimping. Lawaai, bewegingen, paniek, hitte.

David tilde Emmeline in zijn armen. 'Emme? Zeg eens iets! Emme?' Hij keek naar de vloer waar de engel lag. Het glas was besmeurd met bloed. 'O god, ze heeft zich aan het glas gesneden.'

Hannah zat op haar knieën bij hen. 'Het heeft haar pols doorgesneden.' Ze keek om zich heen en zag Robbie. 'Ga hulp halen.'

Ik holde de trap al af, met mijn hart in mijn keel. 'Ik ga wel, juffrouw,' zei ik, en ik glipte snel de kamer uit.

Ik rende de gang door, terwijl ik Emmelines roerloze lichaam voor me zag en iedere hijgende ademhaling een verwijt was. Het was mijn schuld dat ze was gevallen. Ze had niet verwacht boven de top van de boom mijn gezicht te zien. Als ik niet zo nieuwsgierig was geweest, als ik haar niet zo had verrast...

Ik zwierde om de pilaar onder aan de trap en botste tegen Nancy op.

'Pas een beetje op,' zei ze met een frons.

'Nancy,' zei ik tussen het hijgen door, 'help. Ze bloedt.'

'Waar heb je het over?' vroeg Nancy nors. 'Wie bloedt?'

'Juffrouw Emmeline,' zei ik. 'Ze is gevallen... in de bibliotheek... van de ladder... Meneer David en Robert Hunter...'

'Als ik het niet dacht!' Nancy draaide zich razendsnel om en holde naar het bediendevertrek. 'Die jongen! Ik had al zo'n voorgevoel. Hier zomaar komen binnenvallen. Zoiets doen fatsoenlijke mensen niet.'

Ik probeerde uit te leggen dat Robbie geen rol had gespeeld bij het ongeluk, maar Nancy weigerde te luisteren. Ze roffelde de trap af en snelde naar de keuken, waar ze de medicijntas onder het aanrecht vandaan haalde. 'Neem nou maar van mij aan: jongens die er zo uitzien als hij veroorzaken altijd problemen.'

'Maar Nancy, hij had er niets mee te maken.'

'Had er niets mee te maken?' zei ze. 'Hij is hier amper één dag en moet je zien wat er is gebeurd.'

Ik gaf het op. Ik hijgde nog na van het rennen, en wanneer Nancy eenmaal iets in haar hoofd had, slaagde ik er nooit in haar op andere gedachten te brengen.

Ze pakte een desinfecteermiddel en verbandrolletjes, en holde de trap op. Ik vloog achter haar magere, doortastende gestalte aan en moest me inspannen om haar bij te houden toen haar zwarte schoenen verwijtend door de schemerige, smalle gang bonkten. Nancy zou alles in orde maken; ze wist precies hoe je zulke dingen moest opknappen.

Maar toen we bij de bibliotheek aankwamen, was het te laat.

In het midden van de bank, met een dappere glimlach op haar witte gezicht, zat Emmeline. Haar broer en zus zaten aan weerskanten naast haar en David streelde haar gezonde arm. Haar gewonde pols was strak verbonden met een lap witte stof, afgescheurd van haar boezelaar, zag ik, en lag op haar schoot. Robbie Hunter stond iets achteraf.

'Het gaat al weer,' zei Emmeline, naar ons opkijkend. 'Robbie heeft mijn arm verbonden.' Ze keek met roodomrande ogen naar hem. 'Ik ben hem verschrikkelijk dankbaar.'

117

'We zijn hem allemaal dankbaar,' zei Hannah, die naar Emmeline bleef kijken.

David knikte. 'Heel indrukwekkend, Hunter. Je zou arts moeten worden.'

'Dank je feestelijk,' zei Robbie. 'Ik kan niet tegen bloed.'

David keek naar de rode vlekken op de vloer. 'Daar heb ik anders niks van gemerkt.' Hij keek weer naar Emmeline en streelde haar haar. 'Je boft dat het met jou niet net zo is afgelopen als met onze neefjes, Emme; het is een diepe snee.'

Emmeline liet niet merken of ze dat hoorde. Ze keek naar Robbie op dezelfde manier als meneer Dudley naar zijn spar had gekeken. Naast haar voeten lag de kerstengel, vergeten, met haar stoïcijnse gezicht, gebroken glazen vleugels en met bloed besmeurde gouden rok.

The Times
25 februari 1916

Een vliegtuig tegen de zeppelins

Het voorstel van de heer Hartford
(Van onze correspondent)
Ipswich, 24 feb.

De heer Frederick Hartford, die morgen een belangrijke redevoering zal houden in het parlement over de luchtafweer van Groot-Brittannië, heeft me vandaag iets meer verteld over zijn ideeën. Het gesprek vond plaats in Ipswich, waar zijn automobielfabriek is gevestigd.

De heer Hartford, broer van majoor Jonathan Hartford V.C. en zoon van lord Herbert Hartford of Ashbury, vindt dat aanvallen met zeppelins moeten worden geweerd met behulp van een nieuw, lichtgewicht, snel eenmansvliegtuig, van het soort waarvan de heer Louis Blériot eerder deze maand in de *Petit Journal* al gewag heeft gemaakt.

De heer Hartford zei dat hij niet in de bouw van zeppelins gelooft, omdat ze log en kwetsbaar zijn, en om die laatste reden uitsluitend 's nachts kunnen worden ingezet. Als het parlement ermee instemt, zal de heer Hartford tijdelijk de fabricage van automobielen stopzetten om te beginnen met de bouw van de lichtgewicht vliegtuigen.

Ook de heer Simion Luxton, een financier met een soortgelijke belangstelling voor luchtverdediging, zal morgen in het parlement een redevoering houden. Het afgelopen jaar heeft de heer Luxton twee van Groot-Brittanniës kleinere autofabrieken gefinancierd, en onlangs ook een vliegtuigfabriek bij Cambridge. In deze fabrieken is men reeds begonnen met de bouw van vliegtuigen die speciaal voor oorlogvoering zijn ontworpen.

De heer Hartford en de heer Luxton vertegenwoordigen de oude en nieuwe gezichten van Groot-Brittannië. De stamboom van de Ashbury's gaat terug tot de tijd van koning Hendrik VII, terwijl de heer Luxton de kleinzoon is van een mijnwerker uit Yorkshire, die zijn eigen financieringsbusiness heeft opgezet en sindsdien veel succes heeft gehad. Hij is gehuwd met mevrouw Estella Luxton, Amerikaanse erfgename van het fortuin van Stevenson, de bekende farmaceutische fabrikant.

Tot ons volgende weerzien

Die avond, hoog op de zolder, kropen Nancy en ik dicht tegen elkaar aan in een wanhopige poging de ijzige kou te trotseren. De winterzon was allang onder en de nijdige wind loeide rond de siertorentjes op het dak en kroop geniepig door kieren in de muren.

'Ze zeggen dat er voor het einde van het jaar sneeuw komt,' fluisterde Nancy, de deken tot aan haar kin optrekkend. 'En ik geloof dat ze gelijk hebben.'

'De wind klinkt als een huilende baby,' zei ik.

'Niet waar,' zei Nancy. 'Hij klinkt als van alles, maar niet als een baby.'

Die avond vertelde ze me het verhaal van de kinderen van de majoor en Jemima, twee jongetjes met bloed dat weigerde te stollen. Ze waren eraan doodgegaan, eerst de ene en toen de andere, en lagen nu zij aan zij in de koude, harde grond van de begraafplaats van Riverton.

De eerste, Timmy, was van zijn paard gevallen toen hij met de majoor over het landgoed reed.

Hij had vier dagen en nachten geleden, vertelde Nancy. Toen was het huilen eindelijk gestopt en had zijn zieltje rust gevonden. Hij was lijkbleek geweest toen hij stierf, omdat al zijn bloed zich in zijn gezwollen schouder had opgehoopt, op zoek naar een mogelijkheid om te ontsnappen. Ik dacht aan het boek met de mooie kaft dat ik in de kinderkamer had gezien, met de naam Timothy Hartford op het schutblad.

'Het was verschrikkelijk om zijn gehuil te moeten aanhoren,' ging Nancy door. Toen ze haar voeten bewoog, kwam er een vlaag vol koude lucht mee. 'Maar dat was nog niets vergeleken bij dat van haar.'

'Van wie?' fluisterde ik terug.

'Zijn moeder. Jemima. Het begon toen ze de kleine wegdroegen en het ging een week lang aan één stuk door. Als je dát eens had gehoord. Van zulk verdriet zou je subiet grijze haren krijgen. Ze kon geen hap door haar keel krijgen, zelfs niets drinken; ze werd bijna net zo wit als de jongen, God hebbe zijn ziel.'

Ik huiverde en probeerde haar beschrijving te verenigen met de alledaagse, mollige vrouw die veel te saai leek om zo luidruchtig te rouwen. 'Je zei "kinderen". Wat is er met de anderen gebeurd?'

'Eén andere,' zei Nancy. 'Adam. Die is iets ouder geworden dan Timmy en we dachten allemaal dat hij aan de vloek was ontsnapt. Maar dat was niet zo. Het arme kind. Hij was alleen maar steviger ingepakt dan zijn broer. Het enige wat hij van zijn moeder mocht doen was in de bibliotheek zitten lezen. Ze was niet van plan dezelfde fout een tweede keer te maken.' Nancy zuchtte en trok haar knieën wat hoger op om warm te blijven. 'Maar geen enkele moeder kan haar zoon ervan weerhouden kattenkwaad uit te halen als hij dat per se wil.'

'Wat voor kattenkwaad heeft hij dan uitgehaald? Wat is de oorzaak van zijn dood geweest, Nancy?'

'Uiteindelijk struikelde hij alleen maar op de trap,' zei Nancy. 'Het gebeurde in het huis van de majoor in Buckinghamshire. Ik was er niet bij, maar Clara, het dienstmeisje dat daar werkte, heeft het met haar eigen ogen gezien, want die was net in de hal aan het afstoffen. Ze zei dat hij te hard naar boven holde, struikelde en viel. Meer niet. Het deed hem blijkbaar niet eens erg pijn, want hij sprong overeind en holde verder. 's Avonds, zei Clara, zwol zijn knie op als een ballon, net als met Timmy's schouder was gebeurd, en later in de nacht begon hij te huilen.'

'Heeft het dagen geduurd?' vroeg ik. 'Net als de vorige keer?'

'Nee, met Adam niet.' Nancy ging op heel zachte toon verder. 'Clara zei dat de arme jongen de hele nacht schreeuwde van de pijn, om zijn moeder riep en haar smeekte de pijn weg te nemen. Niemand in dat huis heeft die nacht een oog dichtgedaan, zelfs meneer Barker, de livreiknecht, niet, en die was half doof. Iedereen lag te luisteren naar het leed van die arme jongen. De majoor heeft de hele nacht bij de deur van zijn kamer gestaan, zo dapper als wat, zonder een traan te laten.

Vlak voordat de nieuwe dag aanbrak, vertelde Clara, hield het huilen op, zomaar opeens, en daalde er een doodse stilte neer over het huis. 's Ochtends, toen Clara de jongen zijn ontbijt bracht, lag Jemima languit op het bed met haar zoontje in haar armen, zijn gezicht zo vredig als een van Gods engelen, alsof hij sliep.'

'Huilde ze net zo verschrikkelijk als de eerste keer?'

'Nee. Clara zei dat ze er bijna net zo vredig uitzag als hij. Blij dat hij uit zijn lijden was verlost, neem ik aan. De nacht was voorbij en ze was bij hem geweest tot hij naar een beter oord was gegaan, waar leed en pijn hem niet konden bereiken.'

Ik dacht daarover na. Over dat het huilen zo abrupt was gestopt. Over de opluchting van zijn moeder. 'Nancy,' zei ik langzaam, 'je denkt toch niet…'

'Ik denk dat het een geluk bij een ongeluk was dat hij sneller is gestorven dan zijn broer, en meer niet,' zei Nancy op scherpe fluistertoon.

Daarop bleef het lang stil, alsof ze in slaap was gevallen, maar haar ademhaling klonk licht, waardoor ik vermoedde dat ze alleen deed alsof. Ik trok de deken op rond mijn nek en sloot mijn ogen, terwijl ik erg mijn best deed me geen voorstelling te maken van schreeuwende jongetjes en wanhopige moeders.

Ik sliep bijna toen Nancy's fluisterstem de koude lucht doorsneed. 'En nu is ze weer in verwachting. In augustus komt de baby.' Opeens werd ze erg vroom. 'Bid dus maar extra hard voor haar. Vooral in deze tijd. De Heer luistert aandachtiger rond de kerst. Bid dat ze ditmaal een gezonde baby krijgt.' Ze draaide zich om en trok de deken met zich mee. 'Eentje die niet leeggebloed in het graf terechtkomt.'

Het werd Kerstmis, lord Ashbury's bibliotheek werd stofvrij verklaard en op de dag na kerst trotseerde ik de kou en liep naar Saffron Green om een boodschap te doen voor mevrouw Townsend. Lady Violet zou op nieuwjaarsdag een lunch geven, in de hoop meer steun te vergaren voor de commissie die hulp bood aan de Belgische vluchtelingen. Nancy had haar horen zeggen dat ze het plan had opgevat haar activiteiten uit te breiden tot Franse en Portugese bannelingen, als dat nodig mocht zijn.

De beste manier om indruk te maken met een lunch, zei mevrouw Townsend, was door de originele Griekse gebakjes van meneer Georgias te serveren. Die kon niet iedereen zich veroorloven, zei ze er op een gewichtige toon bij, vooral niet in deze zware tijden. Wis en waarachtig niet. Mij werd opgedragen naar de banketbakker te gaan om mevrouw Townsends bestelling op te halen.

Hoewel het verschrikkelijk koud was, had ik wel zin in het uitstapje naar het dorp. Na weken van festiviteiten – eerst Kerstmis en nu oud en nieuw – was het een aangename verandering om buiten te lopen, in mijn eentje, om een ochtend bevrijd te zijn van Nancy's onophoudelijke, nauwlettende toezicht. Nadat ze me maandenlang min of meer met rust had gelaten, had ze de laatste tijd weer veel aandacht voor de manier waarop ik mijn werk deed. Ze hield me constant in de gaten, tikte me regelmatig op de vingers, liet me zien hoe bepaalde dingen anders of beter konden. Ik kreeg het onrustige gevoel dat ik werd voorbereid op een verandering waar ik nog geen weet van had.

Ik had ook om persoonlijke redenen geen bezwaar tegen het uitstapje naar het dorp. Het vierde boek in de Sherlock Holmes-serie van Arthur Conan Doyle was verschenen en ik had de marskramer verzocht een exemplaar voor me te kopen. Ik had er een halfjaar voor gespaard en dit was de allereerste keer dat ik een gloednieuw boek kocht. *The Valley of Fear*. De titel op zich bezorgde me rillingen van gespannen verwachting.

Ik wist dat de marskramer met zijn vrouw en zes kinderen in een van de kleine, grijze huisjes woonde in de armoedige achterbuurt achter het station, waar me meteen een doordringende stank van brandende steenkool tegemoetkwam. De straatkeien waren zwart en de lantaarnpalen bedekt met een laagje roet. Ik klopte bedeesd op de kale deur en deed afwachtend een stap achteruit. Een kind van een jaar of drie met stoffige schoenen en een versleten trui zat op het stoepje en sloeg met een stok op de afvoerpijp. Zijn blote knietjes zaten onder de korstjes en waren blauw van de kou.

Ik klopte nogmaals, wat harder nu. Even later ging de deur open en verscheen er een broodmagere vrouw met een zwangere buik onder haar strakke schort, en een peuter met rode ogen op haar arm. Ze zei niets, maar keek met doodse ogen dwars door me heen terwijl ik naar woorden zocht.

'Goedendag,' zei ik op een toon die ik van Nancy had overgenomen. 'Ik ben Grace Reeves. Ik ben op zoek naar meneer Jones.'

Ze bleef zwijgen.

'Ik ben een klant.' Mijn stem trilde nu een beetje en klonk enigszins vragend toen ik vervolgde: 'Ik heb een boek besteld?'

Een flikkering in haar ogen, een bijna onmerkbaar bewijs dat ze me hoorde. Ze hees het kind wat hoger op haar knokige heup en gebaarde met haar hoofd naar de achterzijde van het huis. 'Hij is achter.'

Ze deed een stapje opzij. Ik wrong me langs haar heen en liep in de enige richting die het huis te bieden had. Achter een deur was een keuken, waar het stonk naar zure melk. Twee jongetjes, smoezelig van armoede, zaten aan de tafel en schoten steentjes naar elkaar toe op het bekraste, vurenhouten tafelblad.

De grootste van de twee raakte de steen van zijn broertje en keek naar me op. Zijn ogen stonden als volle manen in zijn magere gezicht. 'Moet u mijn vader hebben?'

Ik knikte.

'Hij is buiten de wagen aan het smeren.'

Ik maakte blijkbaar een verloren indruk, want hij wees met een stomp vingertje naar een smalle houten deur naast het fornuis.

Ik knikte weer en glimlachte flauwtjes.

'Ik mag binnenkort met hem mee op zijn ronden,' zei de jongen, die zijn steentje oppakte en opnieuw richtte. 'Als ik acht ben.'

'Bofkont,' zei de kleinere jongen jaloers.

De oudste haalde zijn schouders op. 'Iemand moet de ronden doen wanneer hij weg is, en jij bent nog te klein.'

Ik liep naar de deur en duwde hem open.

Onder een waslijn vol vergeelde lakens en hemden stond de marskramer voorovergebogen de wielen van de wagen te bekijken. 'Die rotkar,' vloekte hij half binnensmonds.

Ik schraapte mijn keel. Hij draaide zich met een ruk om en stootte zijn hoofd aan de stang van de kar.

'Pokkeding.' Hij tuurde naar me, zijn pijp in zijn mondhoek geklemd.

Ik probeerde Nancy weer na te doen, maar het lukte niet, en uiteindelijk was ik al blij dat ik íets wist uit te brengen. 'Ik ben Grace. Ik kom voor het boek.' Ik wachtte. 'Sir Arthur Conan Doyle?'

Hij leunde tegen de kar. 'Ik weet wie je bent.' Hij blies zijn adem uit en ik rook de zoete, verbrande geur van tabak. Hij veegde zijn met olie besmeurde handen af aan zijn broek en bleef naar me kijken. 'Ik moet de kar in orde maken, zodat mijn zoon hem kan duwen.'

'Wanneer gaat u weg?' vroeg ik.

Hij keek over de waslijnen heen, die doorzakten door het gewicht van de gelige spoken, en tuurde naar de hemel. 'Over een maand. Ik ga bij de marine.' Hij streek met een vieze hand over zijn voorhoofd. 'Ik heb altijd al willen varen, als kind al.' Hij keek naar me en ik wendde mijn ogen af toen ik de moedeloosheid op zijn gezicht zag. Achter het keukenraam keken de vrouw, de peuter, en de twee jongens naar ons. Doordat het glas bobbelig was, en grauw van het roet, was het alsof hun gezichten onder water zaten in een troebele poel.

De marskramer volgde mijn blik. 'Je kunt bij de marine goed verdienen,' zei hij. 'Als je het overleeft.' Hij gooide de lap neer en liep naar het huis. 'Kom maar mee. Het boek ligt binnen.'

De koop werd gesloten in de kleine voorkamer en daarna liet hij me uit. Ik keek recht voor me uit, om de hongerige gezichten die naar me keken niet te zien. Toen ik het stoepje afdaalde, hoorde ik de oudste jongen vragen: 'Wat heeft die mevrouw gekocht, papa? Heeft ze zeep gekocht? Ze rook naar zeep. Het was een aardige mevrouw, hè papa?'

Ik liep zo snel als mijn benen me konden dragen zonder te gaan hollen. Ik wilde zo veel mogelijk afstand scheppen tussen mij en dat gezin, tussen mij en die kinderen die dachten dat ik, een doodgewoon dienstmeisje, een dame van stand was.

Het was een opluchting toen ik de hoek van Railway Street omsloeg en de benauwende stank van kolen en armoede achter me kon laten. Ik had zelf ook ontberingen gekend – moeder en ik hadden vaak maar nét genoeg gehad om van rond te komen – en ik begreep nu pas goed hoezeer ik op Riverton was veranderd. Zonder het te beseffen was ik gewend geraakt aan de warmte, het comfort en de overdaad; ik begon het zelfs gewoon te vinden. Ik liep snel door, stak achter de kar van de melkboer de straat over, mijn wangen rood van de bijtende kou, en nam me heilig voor mijn positie op Riverton niet kwijt te raken. Nooit mijn plaats verspelen, zoals mijn moeder was overkomen.

Vlak voor het kruispunt met High Street dook ik onder een luifel in een portiek. Ik ging dicht bij de deur staan, een glanzend zwarte deur met een koperen naamplaat. Mijn adem vormde witte wolkjes in de lucht toen ik mijn aankoop onder mijn jas vandaan haalde en mijn handschoenen uittrok.

Ik had in het huis van de marskramer amper naar het boek gekeken, alleen gecontroleerd of de titel klopte. Nu stond ik mezelf toe de kaft te bekijken, met mijn vingers over het leer te strijken en de cursieve letters te volgen van de titel op de rug: *The Valley of Fear*. Fluisterend sprak ik de opwindende woorden uit, bracht het boek naar mijn neus en snoof de inkt van de pagina's op. De geur van ongekende mogelijkheden.

Ik verborg de verboden schat in de voering van mijn jas en drukte hem tegen mijn borst. Mijn allereerste gloednieuwe boek. Ik had nog nooit iets bezeten wat niet tweedehands was. Nu moest ik het alleen nog in mijn la op de zolder zien te verstoppen zonder de achterdocht van meneer Hamilton op te wekken en Nancy's vermoedens te bevestigen. Ik stak mijn verkleumde vingers weer in mijn handschoenen, kneep mijn ogen tot spleetjes tegen de witte schittering van de straat, stapte de portiek uit en botste tegen een jongedame die met ferme pas kwam aangelopen.

'Pardon!' zei ze geschrokken. 'Mijn fout.'

Ik keek op en kreeg een kleur. Het was Hannah.

'Wacht eens even…' Ze keek nadenkend. 'Ik ken jou. Je werkt voor mijn grootvader.'

'Ja, juffrouw. Ik ben Grace, juffrouw.'

'Grace.' Mijn naam vloeide over haar lippen.

Ik knikte. 'Ja, juffrouw.' Onder mijn jas bonkte mijn hart schuldbewust achter het boek.

Ze maakte haar hemelsblauwe das los, waardoor er een stukje lelieblanke huid zichtbaar werd. 'Je hebt ons ooit gered van een marteling in de vorm van romantische poëzie.'

'Ja, juffrouw.'

Ze keek naar de straat, waar de wind het vocht in de lucht veranderde in ijzel, en huiverde in haar dikke jas. 'Het is beestachtig koud.'

'Ja, juffrouw,' zei ik.

'Ik had beter niet naar het dorp kunnen gaan,' zei ze, en ze keek daarbij weer naar mij. Haar wangen waren gekust door de kou. 'Maar ik heb muziekles.'

'Ik zou ook niet zijn gegaan, juffrouw,' zei ik. 'Maar ik moet een bestelling afhalen voor mevrouw Townsend. Gebakjes. Voor de nieuwjaarslunch.'

Ze keek naar mijn lege handen en toen naar de portiek waaruit ik tevoorschijn was gekomen. 'Een vreemde plek om gebakjes te kopen.'

Ik volgde haar blik. Op de koperen plaat op de zwarte deur stond MRS. DOVE'S SECRETARIAL SCHOOL. Ik zocht naar een antwoord. Het maakte niet uit wat, als ik mijn aanwezigheid in die portiek er maar mee kon verklaren. Alles behalve de waarheid. Ik mocht het risico niet nemen dat mijn aankoop aan het licht kwam. Meneer Hamilton had geen twijfel laten bestaan over de regels inzake leesmateriaal. Maar wat moest ik zeggen? Als Hannah aan lady Violet zou vertellen dat ik zonder toestemming lessen nam, zou ik mijn baan kunnen verliezen.

Voordat ik een smoes kon verzinnen, schraapte Hannah haar keel en streek ze over het bruine pakketje dat ze bij zich had. 'Nou?' zei ze. Het woord bleef tussen ons in hangen.

Doodongelukkig wachtte ik op de beschuldiging die nu ongetwijfeld zou komen.

Hannah ging op haar andere been staan, hief haar kin op en keek me recht in de ogen. Ze bleef even zo staan en concludeerde toen: 'Nou, Grace, zo te zien hebben we allebei een geheim.'

Ik was zo verbluft dat ik geen antwoord kon geven. Van pure zenuwen had ik helemaal niet gezien hoe nerveus ze zelf was. Ik slikte en klemde mijn hand om de rand van mijn verborgen schat. 'Ja, juffrouw?'

Ze knikte en toen greep ze tot mijn stomme verbazing mijn hand en zwengelde die stevig op en neer. 'Gefeliciteerd, Grace.'

'Juffrouw?'

'Ik weet wat je onder je jas verborgen houdt.'

'Ja, juffrouw?'

'Omdat ik precies hetzelfde doe.' Ze wees op het pakketje en probeerde een opgewonden glimlach te onderdrukken. 'Dit is geen bladmuziek, Grace.'

'Nee, juffrouw?'

'En ik neem géén muziekles.' Ze keek me met wijdopen ogen aan. 'Lessen voor de lol! In oorlogstijd! Dat zou toch te gek zijn voor woorden?'

Ik schudde verbijsterd mijn hoofd.

Ze boog zich samenzweerderig naar voren. 'Wat vind jij het leukste, typen of steno?'

'Ik zou het niet weten, juffrouw.'

Ze knikte. 'Je hebt gelijk: hoe kun je daar nu tussen kiezen? Ze zijn allebei even belangrijk.' Ze zweeg en glimlachte. 'Hoewel ik eerlijk gezegd een zwak heb voor steno. Dat heeft iets opwindends. Het is net…'

'Een geheime code?' zei ik, denkend aan de Chinese kist.

'Ja.' Haar ogen straalden. 'Precies! Een geheime code. Een mysterie.'

'Ja, juffrouw.'

Ze richtte zich weer op en knikte naar de deur. 'Ik moet maar eens gaan. Juffrouw Dove verwacht me en ik wil haar niet laten wachten. Ze heeft een hekel aan laatkomers, zoals je weet.'

Ik maakte een reverence en stapte onder de luifel vandaan.

'Grace?'

Ik draaide me om en knipperde de ijzel weg. 'Ja, juffrouw?'

Ze legde haar vinger op haar lippen. 'Nu hebben we samen een geheim.'

Ik knikte en we bleven elkaar nog eventjes eendrachtig aankijken, tot ze vergenoegd glimlachte en achter de zwarte deur verdween.

Op 31 december, toen de laatste minuten van 1915 weggleden, stonden we beneden met ons allen rond de eetkamertafel om het nieuwe jaar te verwelkomen. Lord Ashbury had ons toegestaan een fles champagne en twee flessen bier te openen, en mevrouw Townsend was erin geslaagd nog iets lekkers klaar te maken, ondanks de tekorten in de voorraadkamer. We zwegen toen de wijzers van de klok naar het ultieme moment kropen en juichten toen het nieuwe jaar werd ingeluid. Nadat meneer Hamilton ons was voorgegaan in een uitbundig 'Auld Lang Syne', kwam het gesprek, zoals altijd, op de plannen en beloften voor het nieuwe jaar. Nadat Katie ons had verteld dat ze zich had voorgenomen nooit meer cake uit de voorraadkamer te snoepen, deed Alfred een belangrijke aankondiging.

'Ik ga het leger in,' zei hij, waarbij hij meneer Hamilton aankeek. 'Ik ga oorlog voeren.'

Ik hield mijn adem in en iedereen was op slag stil, in afwachting van meneer Hamiltons reactie. Na een paar lange ogenblikken zei hij: 'Zo', waarbij zijn mond vertrok tot een strakke glimlach. 'Dat is een nobel besluit, Alfred, en ik zal het uit jouw naam met meneer bespreken, maar eerlijk gezegd denk ik dat hij je niet zal willen laten gaan.'

Alfred slikte. 'Dank u, meneer Hamilton, maar dat is niet nodig.' Hij haalde diep adem. 'Ik heb het al aan meneer verteld, toen hij uit Londen was aangekomen. Hij zei dat ik de juiste beslissing had genomen en wenste me veel succes.'

Meneer Hamilton nam de tijd om dat te verwerken. Zijn ogen schoten vuur om wat hij als trouweloosheid van Alfreds kant beschouwde. 'Natuurlijk. De juiste beslissing.'

'Ik vertrek in maart,' zei Alfred beschroomd. 'Ik krijg uiteraard eerst een basistraining.'

'En dan?' vroeg mevrouw Townsend, toen ze weer in staat was iets te zeggen. Ze zette haar handen op haar ronde heupen.

'Dan...' Een glimlach van opwinding vormde zich rond zijn mond. 'Dan naar Frankrijk, neem ik aan.'

'Welnu,' zei meneer Hamilton, die zich snel van de schok herstelde, stijfjes. 'Daar moeten we op drinken.' Hij stond op en hief zijn glas. We volgden aarzelend zijn voorbeeld. 'Op Alfred. Dat hij maar net zo blijmoedig en gezond bij ons mag terugkeren.'

'Amen,' zei mevrouw Townsend, die niet kon verhullen hoe trots ze was. 'En hoe eerder, hoe beter.'

'Ho, ho, mevrouw T.,' zei Alfred grinnikend. 'Niet ál te snel. Ik wil wel wat avonturen beleven.'

'Als je maar goed op jezelf past, beste jongen,' zei mevrouw Townsend met tranen in haar ogen.

Alfred keek naar mij toen de anderen hun glazen lieten bijvullen. 'Ik ga helpen het land te verdedigen, Grace.'

Ik knikte om hem te laten weten dat hij nooit een lafaard was geweest. Dat ik dat nooit had gedacht.

'Zul je me schrijven, Gracie? Beloof je het?'

Ik knikte weer. 'Natuurlijk.'

Hij glimlachte naar me en ik voelde dat ik een kleur kreeg.

'Nu we toch aan het toosten zijn,' zei Nancy opeens, terwijl ze tegen haar glas tikte. 'Ik heb ook een nieuwtje.'

Katie zei verschrikt: 'Je gaat toch niet trouwen, Nancy?'

'Natuurlijk niet,' antwoordde Nancy bruusk.

'Wat dan?' vroeg mevrouw Townsend. 'Ik hoop niet dat jij ons ook gaat verlaten. Dat zou me echt te veel worden.'

'Niet precies,' zei Nancy. 'Ik heb me opgegeven om spoorwegbewaker te worden. Op het station in het dorp. Ik zag de advertentie vorige week bij het boodschappen doen.' Ze keek meneer Hamilton aan. 'Mevrouw vond het een heel goed idee. Ze zei dat het een positief beeld geeft van ons huishouden als we allemaal een bijdrage leveren.'

'Dat is zeker waar,' zei meneer Hamilton met een diepe zucht, 'zolang iedereen hier ín huis ook maar zijn en haar taken uitvoert.' Hij zette zijn bril af en wreef over de brug van zijn lange neus. Toen zette hij de bril weer op en keek me ernstig aan. 'Ik heb een beetje medelijden met jou, meisje. Er zal veel verantwoordelijkheid op je jonge schouders komen te rusten wanneer Alfred vertrokken is en Nancy er een baan bij heeft. Ik kan op dit moment onmogelijk nieuwe mensen krijgen. Je zult een groot deel van hun werk op je moeten nemen, tot alles weer bij het oude is. Begrijp je dat?'

Ik knikte plechtig. 'Ja, meneer Hamilton.' Nu begreep ik waarom Nancy me de laatste tijd zo op mijn vingers had gekeken: ze had me erop voorbereid in haar voetsporen te treden, zodat ze zelf toestemming zou krijgen om buiten de deur te gaan werken.

Meneer Hamilton schudde zijn hoofd en masseerde zijn slapen. 'Je zult het eten moeten opdienen, je over de zitkamer ontfermen, 's middags thee schenken. En je zult de jongedames, juffrouw Hannah en juffrouw Emmeline, moeten helpen met aankleden, zolang ze hier logeren…'

Het was een lange lijst, maar halverwege luisterde ik al niet meer. Ik was veel te opgewonden over mijn nieuwe verantwoordelijkheden met betrekking tot de zusjes Hartford. Na mijn toevallige ontmoeting met Hannah in het dorp was mijn belangstelling voor de zusjes, vooral voor Hannah, nog groter geworden. Omdat ik was opgegroeid met romantische boeken en detectiveverhalen, was ze in mijn ogen een heldin: mooi, intelligent en dapper.

Alhoewel ik het op het moment zelf niet zo zag, begrijp ik nu waarom ik me zo tot haar aangetrokken voelde. We waren van dezelfde leeftijd, woonden in hetzelfde huis in hetzelfde land, en Hannah symboliseerde een keur aan kansen die ik zelf nooit zou krijgen.

Nancy zou de vrijdag daarop al haar eerste dienst doen op het station, waardoor er bijzonder weinig tijd overbleef om me verder in te lichten over haar taken. Iedere nacht werd ik in mijn slaap gestoord door een harde trap tegen mijn enkel of een elleboog in mijn ribben, omdat ze zich opeens een belangrijke instructie herinnerde en bang was dat ze 's ochtends zou vergeten me die te vertellen.

Donderdag hielden mijn onrustige gedachten me de halve nacht uit mijn slaap. Om vijf uur, toen ik mijn voeten behoedzaam op de koude houten vloer zette, mijn kaars aanstak en mijn maillot, jurk en schort aantrok, had ik vlinders in mijn buik.

Ik werkte mijn vaste taken in een razend tempo af, keerde terug naar het bediendevertrek en ging daar zitten wachten. Ik zat aan de tafel, te nerveus om te kunnen breien, en luisterde naar het tikken van de klok.

Om halftien, toen meneer Hamilton zijn horloge vergeleek met de klok aan de muur en me eraan herinnerde dat het tijd was de ontbijtspullen op te halen en de jonge dames te helpen met aankleden, liep ik bijna over van gespannen verwachting.

Hun kamers waren boven, naast de kinderkamer. Ik klopte op de deur van Hannahs kamer – kort en zacht, omdat Nancy had gezegd dat het slechts een formaliteit was – en ging naar binnen. Dit was de eerste keer dat ik in de Shakespearekamer kwam, want Nancy had zelfs vandaag haar taken slechts met grote tegenzin uit handen gegeven en had de meisjes zelf hun ontbijt gebracht voordat ze naar het station was vertrokken.

De kamer was vrij donker vanwege het verkleurde behang en het zware meubilair. Het slaapkamerameublement – bed, nachtkastje en commode – was van met snijwerk versierd mahoniehout, en een rood vloerkleed reikte bijna van muur tot muur. Boven het bed hingen de drie schilderijen waaraan de kamer zijn naam ontleende; alle stelden heldinnen voor, had Nancy me verteld, van de beste toneelschrijver die Engeland ooit had gekend. Ik moest haar op haar woord geloven, want in mijn ogen zag geen van de drie eruit als een heldin: de eerste knielde op de vloer en hief een glazen buisje met vloeistof op; de tweede zat in een stoel terwijl twee mannen – een met een zwarte huid en een met een blanke – een eindje verderop stonden; de derde stond in een beek en haar lange, met veldbloemen doorvlochten haar dreef op het water.

Toen ik binnenkwam, was Hannah al op. Ze zat in een witte nachtpon aan de kaptafel, haar bleke voeten over elkaar geslagen op het felgekleurde tapijt, als in gebed, haar hoofd aandachtig gebogen over een brief. Ik had haar nog nooit zo onbeweeglijk gezien. Nancy had de gordijnen al geopend en een baan bleek zonlicht viel door het schuifraam op Hannahs rug en speelde met haar lange blonde vlechten. Ze had geen erg in mijn aanwezigheid.

Ik kuchte. Ze keek op.

'Grace,' zei ze nonchalant. 'Nancy heeft me verteld dat jij haar taken overneemt wanneer ze op het station moet werken.'

'Ja, juffrouw,' zei ik.

'Is dat niet wat veel, dat je haar werk erbij moet nemen?'

'Nee, juffrouw,' zei ik. 'Helemaal niet.'

Hannah boog zich naar voren en zei op zachte toon: 'Met de lessen van juffrouw Dove erbij heb je het nu anders wel érg druk.'

Ik begreep niet waar ze het over had. Wie was juffrouw Dove en waarom zou die mij lessen moeten geven? Toen herinnerde ik het me: de secretaresseschool in het dorp. 'Ik red me wel, juffrouw.' Ik slikte en ging snel op iets anders over. 'Zal ik maar met uw haar beginnen, juffrouw?'

'Ja,' zei Hannah en ze knikte veelbetekenend. 'Ja, natuurlijk. Je hebt groot gelijk dat je er niet over wilt praten, Grace. Ik zou zelf ook voorzichtiger moeten zijn.' Ze probeerde een glimlach te onderdrukken en bíjna lukte dat haar. Toen lachte ze hardop. 'Alleen… het is zo'n opluchting dat ik nu iemand heb die ervan weet.'

Ik knikte ernstig, maar beefde vanbinnen. 'Ja, juffrouw.'

Met een laatste glimlach en een blik van verstandhouding legde ze haar vinger op haar lippen en verdiepte zich weer in de brief. Ik zag aan het adres bovenaan dat hij van haar vader was.

Ik koos een paarlemoeren haarborstel uit de set op de kaptafel en ging achter haar staan. Toen ik in de ovale spiegel keek en zag dat Hannah nog steeds in de brief verdiept was, waagde ik het haar wat nader te bekijken. Het licht dat door het raam naar binnen kwam, streelde haar gezicht en gaf haar spiegelbeeld iets engelachtigs. Ik kon het netwerk van fijne adertjes onder haar bleke huid volgden, kon haar ogen heen en weer zien gaan onder de dunne oogleden terwijl ze de regels las.

Ze ging verzitten. Ik wendde mijn ogen af en frunnikte aan de strikjes onder aan de vlechten. Ik trok ze eraf, maakte de lange vlechten los en begon haar haar te borstelen.

Hannah vouwde de brief dubbel en legde hem onder een kristallen bonbonschaaltje op de kaptafel. Ze keek naar zichzelf in de spiegel, drukte haar lippen op elkaar en keek naar het raam. 'Mijn broer gaat naar Frankrijk,' zei ze bitter. 'Om oorlog te voeren.'

'O ja, juffrouw?' zei ik.

'Hij en zijn vriend. Robert Hunter.' Ze sprak die laatste naam met afschuw uit en liet haar wijsvinger langs de rand van de brief glijden. 'Mijn arme vader weet nergens van. We mogen het hem niet vertellen.'

Ik borstelde ritmisch en telde het aantal slagen. (Nancy had gezegd honderd keer, en dat ze het zou weten als ik er een paar oversloeg.) Toen zei Hannah: 'Ik wou dat ik ook kon gaan.'

'Oorlog voeren, juffrouw?'

'Ja,' zei ze. 'De wereld is aan het veranderen, Grace, en ik wil erbij zijn.' Ze keek naar me op in de spiegel, haar blauwe ogen licht in de zonneschijn, en zei toen iets wat klonk alsof ze het citeerde: 'Ik wil weten hoe het voelt om door het leven veranderd te worden.'

'Veranderd te worden, juffrouw?' Ik kon me onmogelijk voorstellen waarom ze nog meer wenste dan wat de goede God haar al had gegeven.

'Getransformeerd, Grace. Ik wil niet eeuwig blijven lezen en spelen en doen alsof. Ik wil leven. Ervaringen opdoen die niets met mijn leven van nu te maken hebben.' Ze keek me weer aan, met flonkerende ogen. 'Heb jij dat nooit? Verlang jij nooit naar méér dan het leven je heeft gegeven?'

Ik staarde haar een paar seconden aan, verrukt over het onbestemde gevoel dat ze me in vertrouwen nam, maar in grote verlegenheid gebracht doordat dit een vorm van vriendschappelijkheid vereiste waar ik onmogelijk aan kon beantwoorden. Het probleem was dat ik het gewoon niet begreep. De gevoelens die ze beschreef waren als een vreemde taal. Het leven was me tot nu toe goed gezind geweest. Hoe zou ik daaraan kunnen twijfelen? Meneer Hamilton herinnerde me er voortdurend aan dat ik van geluk mocht spreken dat ik deze baan had, en als hij het niet deed, prentte mijn moeder het me nog eens extra in. Ik had geen idee wat ik moest antwoorden, maar Hannah zat afwachtend naar me te kijken. Ik deed mijn mond open en mijn tong liet met een veelbelovend klikje los van mijn verhemelte, maar er kwamen geen woorden naar buiten.

Ze zuchtte en bewoog haar schouders, en rond haar mond verscheen een flauwe glimlach die teleurstelling uitdrukte. 'Nee, natuurlijk niet. Het spijt me, Grace. Ik heb je van streek gemaakt.'

Ze wendde haar blik af en ik hoorde mezelf zeggen: 'Ik zou eigenlijk graag detective willen worden, juffrouw.'

'Detective?' Haar ogen vonden de mijne weer in de spiegel. 'Bedoel je als meneer Bucket in *Bleak House*?'

'Meneer Bucket ken ik niet, juffrouw. Ik bedoel iemand als Sherlock Holmes.'

'Meen je dat? Een echte detective?'

Ik knikte.

'Die aanwijzingen vindt en misdaden oplost?'

Ik knikte.

'In dat geval,' zei ze, innig vergenoegd, 'had ik het mis, en weet je heel goed wat ik bedoel.' Toen keek ze weer met een flauwe glimlach uit het raam.

Ik wist niet zeker hoe het precies zat, waarom mijn impulsieve antwoord haar zo bekoorde, en dat kon me ook niets schelen. Ik wist alleen dat ik me nu koesterde in de warme gloed van het feit dat we iets gemeen hadden.

Ik legde de borstel op de kaptafel en veegde mijn handen af aan mijn schort. 'Nancy zei dat u vandaag uw wandelkleding aan wilt, juffrouw.'

Ik pakte de kleding uit de kast en liep ermee naar de kaptafel, waar ik de rok zodanig vasthield dat ze erin kon stappen.

Op dat moment ging er een met behang beklede deur naast het hoofdeinde van het bed open en kwam Emmeline binnen. Vanaf de plek waar ik knielde met Hannahs rok in mijn handen, zag ik haar de kamer door lopen. Emmeline bezat een schoonheid die haar leeftijd weersprak. Iets in haar grote, blauwe ogen, volle lippen, zelfs de manier waarop ze geeuwde, wekte de indruk van sluimerende volwassenheid.

'Hoe is het met je arm?' vroeg Hannah. Ze legde een hand op mijn schouder om zich in evenwicht te houden toen ze in de rok stapte.

Ik hield mijn hoofd gebogen en hoopte dat Emmeline niet al te veel pijn had, en dat ze zich mijn rol in het gebeurde niet zou herinneren. Ze liet er in ieder geval niets van merken. Ze haalde haar schouders op en wreef afwezig over haar verbonden pols. 'Ik voel er bijna niets van. Ik laat het verband er alleen maar om zitten omdat het zo interessant staat.'

Hannah draaide zich om naar de muur. Ik tilde haar nachtpon over haar hoofd en liet het lijfje van het wandelkostuum over haar hoofd en armen glijden. 'Je zult er wel een litteken aan overhouden,' plaagde ze.

'Weet ik.' Emmeline ging op het voeteneinde van Hannahs bed zitten. 'Eerst vond ik dat vervelend, maar Robbie zei dat je het een oorlogsverwonding zou kunnen noemen. En dat je er karakter van krijgt.'

'O ja?' zei Hannah bits.

'Hij zei dat de beste mensen veel karakter hebben.'

Ik trok het lijfje strak en wurmde de eerste knoop door het knoopsgat.

'Hij gaat vanochtend met ons paardrijden,' zei Emmeline, met haar hakken tegen het bed bonkend. 'Hij wil dat David hem het meer laat zien.'

'Veel plezier dan.'

'Ga je niet mee? Het is eindelijk mooi weer. Je zei zelf dat je stapelgek zou worden als je nog lang binnen moest zitten.'

'Ik ben van gedachten veranderd,' zei Hannah nonchalant.

Emmeline zweeg even en zei toen: 'David had dus gelijk.'

Terwijl ik doorging met het lijfje dichtknopen, merkte ik dat Hannahs houding verstijfde. 'Hoe bedoel je?'

'Hij heeft tegen Robbie gezegd dat je zo koppig bent als wat, dat je jezelf de hele winter in huis zou opsluiten om hem te ontlopen, als je daartoe zou besluiten.'

Hannah klemde haar lippen op elkaar. Ze wist zo gauw geen antwoord te verzinnen. 'Nou… zeg dan maar tegen David dat hij het mis heeft. Ik ontloop hem helemaal niet. Ik heb dingen te doen. Belangrijke dingen. Dingen waar jullie niks van af weten.'

'Zoals? Met een chagrijnig gezicht in de kinderkamer de hele kist nog een keer doorlezen?'

'Gemene spion die je bent!' zei Hannah verontwaardigd. 'Geen wonder dat ik snak naar een beetje privacy,' brieste ze. 'En je hebt het trouwens mis. Ik ga de kist niet meer doornemen. De kist staat er niet eens meer.'

'Hoe bedoel je?'

'Ik heb hem verstopt,' zei Hannah.

'Waar?'

'Dat vertel ik je pas wanneer we weer gaan spelen.'

'Maar we gaan de hele winter niet spelen,' zei Emmeline. 'Dat kan niet. Niet zonder het aan Robbie te vertellen.'

'Dan vertel ik het je van de zomer wel,' zei Hannah. 'Je zult het niet eens missen. David en jij hebben genoeg andere dingen te doen nu Robert Hunter hier is.'

'Waarom heb je zo'n hekel aan hem?' vroeg Emmeline.

Daarop viel er een plotselinge stilte, een onnatuurlijke pauze in het gesprek, waarin ik me eigenaardig aanwezig voelde, me bewust van mijn hartslag en mijn ademhaling.

'Dat weet ik niet,' zei Hannah. 'Sinds hij hier is, is alles veranderd. Het voelt alsof alles me uit handen glipt. Alsof dingen al verdwijnen voordat ik goed en wel weet wat ze zijn.' Ze stak haar arm uit zodat ik de manchet recht kon trekken. 'Waarom mag jij hem zo graag?'

Emmeline haalde haar schouders op. 'Omdat hij grappig en intelligent is. Omdat David hem zo graag mag. Omdat hij mijn leven heeft gered.'

'Dat laatste is een beetje overdreven,' snoof Hannah terwijl ik de laatste knoopjes van het lijfje vastmaakte. 'Hij heeft een strook van je jurk afgescheurd en die om je pols gebonden.' Ze draaide zich om naar Emmeline.

Emmelines ogen gingen wijd open en ze sloeg haar hand voor haar mond toen ze begon te lachen.

'Wat is er?' vroeg Hannah. 'Wat valt er te lachen?' Ze bukte zich om zichzelf in de spiegel te bekijken. 'O,' zei ze fronsend.

Emmeline liet zich schaterend op Hannahs kussens vallen. 'Je ziet eruit als die halvegare jongen uit het dorp,' zei ze. 'Die van zijn moeder altijd veel te kleine kleren aan moet.'

'Dat is niet aardig van je, Emmeline,' zei Hannah, maar ze moest zelf ook lachen. Ze bekeek haar spiegelbeeld, bewoog haar schouders naar achteren en naar voren in een poging het lijfje op te rekken. 'En het is niet eens waar. Die jongen heeft er nog nooit zó belachelijk uitgezien.' Ze bekeek zichzelf van opzij. 'Ik ben blijkbaar gegroeid sinds de vorige winter.'

'Ja,' zei Emmeline, die naar het lijfje keek dat strak om Hannahs borsten zat gespannen. 'Je bent een stuk gegroeid!'

'Dit kan ik echt niet meer aan,' zei Hannah.

'Als papa net zo veel aandacht besteedde aan ons als aan zijn fabriek,' zei Emmeline, 'zou hij zelf zien dat we af en toe nieuwe kleren nodig hebben.'

'Hij doet zijn best.'

'Dat zeg jíj,' zei Emmeline. 'Als we niet oppassen, maken we straks ons debuut in onze matrozenjurkjes.'

Hannah haalde haar schouders op. 'Dat zal me een zorg zijn. Die rare, ouderwetse traditie!' Ze keek weer in de spiegel en trok aan het lijfje. 'Maar ik zal hem schrijven of we wat nieuwe kleren kunnen krijgen.'

'Ja,' zei Emmeline. 'En geen overgooiers, maar echte japonnen, zoals die van Fanny.'

'Vandaag,' zei Hannah, 'zal ik wel een overgooier moeten aantrekken. Dit is geen gezicht.' Ze keek me met opgetrokken wenkbrauwen aan. 'Wat zal Nancy ervan zeggen wanneer ze hoort dat haar instructies niet stipt zijn opgevolgd?'

'Dat zal ze niet leuk vinden, juffrouw,' zei ik, en ik waagde het erbij te glimlachen, terwijl ik het lijfje weer losknoopte.

Emmeline keek op, hield haar hoofd schuin en knipperde met haar ogen. 'Wie is dat?'

'Dit is Grace,' zei Hannah. 'Weet je nog? Het dienstmeisje dat ons afgelopen zomer van juffrouw Prince heeft gered.'

'Is Nancy ziek?'

'Nee, juffrouw,' zei ik. 'Ze is naar het dorp, ze werkt op het station. Vanwege de oorlog.'

Hannah trok haar wenkbrauwen op. 'Dan heb ik medelijden met de onschuldige reizigers die hun kaartje verliezen.'

'Ja, juffrouw,' zei ik.

'Grace zal ons met aankleden helpen wanneer Nancy op het station werkt,' zei Hannah tegen Emmeline. 'Leuk, hè, dat we eindelijk eens iemand van onze eigen leeftijd hebben?'

Ik maakte een reverence en verliet de kamer met mijn hoofd in de wolken. Ergens hoopte ik dat er nooit een einde aan de oorlog zou komen.

Het was een koude, heldere dag in maart toen we Alfred gingen uitzwaaien. Er was geen wolkje aan de ijsblauwe lucht te bekennen en er hing een sfeer van opwinding die ons allemaal naar het hoofd steeg. Ik zat boordevol goede voornemens toen we van Riverton naar het dorp liepen. Meneer Hamilton en mevrouw Townsend hielden thuis de boel in de gaten, maar Nancy, Katie en ik hadden speciale toestemming gekregen, op voorwaarde dat we onze vaste taken af hadden, om met Alfred mee te gaan naar het station. Het was onze nationale plicht, had meneer Hamilton gezegd, om onze dappere jongens morele steun te bieden wanneer ze vertrokken om voor het vaderland te gaan vechten.

Het bieden van die morele steun was trouwens strak begrensd: we mochten onder geen voorwaarde in gesprek raken met andere soldaten, die jongedames als wij als een makkelijke prooi zouden kunnen beschouwen.

Wat voelde ik me gewichtig toen ik in mijn zondagse jurk door High Street liep, in gezelschap van een heuse soldaat. En ik was niet de enige die zich zo voelde. Ik zag dat Nancy speciaal voor de gelegenheid haar lange vlecht had opgestoken tot een kunstige wrong, die veel weg had van die van lady Ashbury. Ook Katie had haar best gedaan haar wilde krullen in bedwang te houden.

Toen we op het station arriveerden, waren er al veel soldaten en mensen die hen kwamen uitzwaaien. Geliefden omhelsden elkaar, moeders trokken gloednieuwe uniformjasjes recht en gewichtig rondlopende vaders slikten moeizaam hun gevoelens weg. Het rekrutenbureau van Saffron Green, dat voor geen ander wilde onderdoen, had de afgelopen maand een mobilisatiecampagne gevoerd en lord Kitcheners wijzende vinger was nog op alle lantaarnpalen te zien. Ze zouden een apart bataljon vormen, zei Alfred – de Soldaten van Saffron – en tezamen de oorlog in gaan. Het was een stuk beter, zei hij, wanneer je de mannen met wie je ging vechten en met je wie dagelijks zou optrekken al kende en als je elkaar graag mocht.

De wachtende trein glom, zwart met koper, en stootte zo nu en dan een grote, ongeduldige wolk stoom uit. Alfred liep met zijn plunjezak het perron op en bleef daar staan. 'Nou, meisjes,' zei hij, terwijl hij de plunjezak op de grond zette en om zich heen keek. 'Dan moeten we hier maar afscheid nemen.'

We knikten en namen de kermisachtige sfeer in ons op. Aan het einde van het perron, waar de officieren stonden, speelde de fanfare. Nancy wuifde beleefd naar een streng uitziende conducteur, die dat met een knikje beantwoordde.

'Alfred,' zei Katie verlegen, 'ik heb iets voor je.'

'Echt waar, Katie?' zei Alfred. 'Dat is aardig van je.' Hij hield haar zijn wang voor.

'O, Alfred,' zei Katie, hevig blozend. 'Ik bedoel geen *kus*.'

Alfred knipoogde naar Nancy en mij. 'Wat een teleurstelling, Katie. En ik dacht nog wel dat je me iets wilde geven waar ik aan kon denken wanneer ik ver van huis ben.'

'Maar ik heb wel iets voor je.' Katie hield hem een verkreukelde theedoek voor. 'Alsjeblieft.'

Alfred trok zijn wenkbrauwen op. 'Een theedoek? Nou, dank je wel, Katie. Die zal me beslist aan thuis herinneren.'

'Het is geen theedoek,' zei Katie. 'Nou ja, dat is het wél, natuurlijk, maar er zit iets in. Kijk maar.'

Alfred maakte het pakketje open en zag drie plakken van mevrouw Townsends Engelse cake.

'Ik kon er geen boter op doen, vanwege de rantsoenen,' zei Katie, 'maar hij is zo ook lekker.'

'Hoe weet jij dat, Katie?' zei Nancy vinnig. 'Mevrouw Townsend zal het niet leuk vinden dat je weer aan haar voorraden hebt gezeten.'

Katies onderlip trilde. 'Ik wilde Alfred alleen maar iets meegeven.'

'Goed, goed.' Nancy's blik verzachtte. 'Deze ene keer dan, omdat het oorlog is.' Ze keek Alfred aan. 'Grace en ik hebben ook iets voor je, Alfred. Nietwaar, Grace? Grace?'

Ik had aan het einde van het perron een paar bekende gezichten gezien: Emmeline stond daar met Dawkins, de chauffeur van lord Ashbury, te midden van een groep jonge officieren in prachtige nieuwe uniformen.

'Grace?' Nancy trok aan mijn arm. 'Ik zei tegen Alfred dat we iets voor hem hebben meegebracht.'

'O, ja.' Ik stak mijn hand in mijn tas en gaf Alfred een pakketje dat in bruin papier was gewikkeld.

Hij pakte het behoedzaam uit en glimlachte toen hij zag wat erin zat.

'Ik heb de sokken gebreid en Nancy de sjaal,' zei ik.

'Nou,' zei Alfred, de spullen nauwkeurig bekijkend, 'ze zien er prima uit.' Hij sloot zijn hand om de sokken en keek me aan. 'Ik zal aan je denken, aan jullie allemaal, wanneer ik het lekker warm heb en alle andere jongens lopen te kleumen. Wat zullen ze jaloers zijn op mijn drie meisjes: de beste meisjes in heel Engeland.'

Hij stopte de cadeautjes in zijn plunjezak, vouwde het papier netjes op en gaf het aan me terug. 'Hier, Grace. Mevrouw Townsend is vast al op het oorlogspad vanwege de ontbrekende plakken cake, dus kun je haar bakpapier maar beter teruggeven.'

Ik knikte en stopte het papier in mijn tas. Ik voelde dat hij naar me bleef kijken.

'Zul je niet vergeten me te schrijven, Gracie?'

Ik schudde mijn hoofd en keek hem aan. 'Nee, Alfred. Ik zal het niet vergeten.'

'Dat is te hopen,' zei hij en hij glimlachte. 'Anders zwaait er wat wanneer ik terug ben.' Hij keek weer ernstig. 'Ik zal je missen.' Toen keek hij naar Nancy en Katie. 'Ik zal jullie allemaal missen.'

'O, Alfred,' zei Katie opgewonden. 'Moet je al die andere soldaten zien. Wat zien ze er mooi uit in hun nieuwe uniformen. Zijn dat nu allemaal jongens uit Saffron?'

Terwijl Alfred jongemannen aanwees die hij op het rekruteringsbureau had leren kennen, keek ik weer naar het einde van het perron en zag ik Emmeline naar een andere groep zwaaien en weghollen. Twee van de jonge officieren draaiden zich om en keken haar na. Het waren David en Robbie Hunter. Waar was Hannah? Ik ging op mijn tenen staan. Ze had David en Robbie de hele winter zo veel mogelijk ontweken, maar ze zou David toch wel komen uitzwaaien?

'... en dat is Rufus,' zei Alfred, waarbij hij naar een magere soldaat met vooruitstekende tanden wees. 'Een zoon van de voddenman. Tot nu toe werkte hij met zijn vader, maar hij denkt dat hij in het leger meer kans heeft op een dagelijkse warme maaltijd.'

'Dat zou heel goed kunnen,' zei Nancy. 'Als je voddenman bent. Maar jíj kunt niet zeggen dat je het op Riverton niet goed hebt.'

'Nee, zeker niet,' zei Alfred. 'Ik heb in dat opzicht ook niets te klagen. Mevrouw Townsend en meneer en mevrouw geven ons meer dan genoeg te eten.' Hij glimlachte en zei: 'Al moet ik eerlijk zeggen dat ik er een beetje genoeg van heb om altijd maar binnen te moeten zijn. Het lijkt me fijn om een poosje wat meer in de openlucht te vertoeven.'

Een vliegtuig vloog ronkend over het station, een Blériot XI-2, zei Alfred, en gejuich steeg op onder het publiek. Een golf van opwinding rolde over het perron en sleurde iedereen mee. De conducteur, een zwart-met-wit figuurtje in de verte, blies op zijn fluitje, pakte zijn megafoon en verzocht iedereen in te stappen.

'Nou,' zei Alfred, met een haperende glimlach, 'daar ga ik dan.'

Een meisje kwam het stationsgebouw uit. Hannah. Ze zocht met haar ogen het perron af en wuifde aarzelend toen ze David zag. Ze liep zigzaggend tussen de mensen door en stopte pas toen ze bij haar broer was. Ze bleef zonder iets te zeggen voor hem staan, haalde iets uit haar tas en gaf het hem. Ik wist al wat het was. Ik had het die ochtend op haar commode zien liggen. *De tocht over de Rubicon*. Een van de boekjes van Het Spel, een van hun favoriete avonturen, zorgvuldig opgetekend, geïllustreerd en ingebonden met garen. Ze had het in een envelop gedaan en die dichtgebonden met een stukje touw.

David keek ernaar en keek toen weer naar Hannah. Hij stopte het pakje in zijn borstzak, wreef er met zijn hand over en pakte toen haar handen vast; hij zag eruit alsof hij haar op haar wangen wilde kussen, haar wilde omhelzen, maar dat deden ze nooit, dus deed hij dat nu ook niet. Hij boog zich naar voren en zei iets tegen haar. Ze keken allebei naar Emmeline en Hannah knikte.

David draaide zich half om en zei iets tegen Robbie. Toen keek hij weer naar Hannah, die in haar tas begon te zoeken. Ze was op zoek naar een cadeautje voor Robbie, begreep ik. David had vast gezegd dat Robbie ook een aandenken moest krijgen, iets wat hem geluk moest brengen.

Alfreds stem, dicht bij mijn oor, bracht mijn dwalende aandacht terug naar ons eigen groepje. 'Dag, Gracie,' zei hij. Zijn lippen beroerden het haar in mijn nek. 'Heel erg bedankt voor de sokken.'

Mijn hand vloog naar mijn oor, nog warm van zijn woorden, toen Alfred zijn plunjezak op zijn schouder nam en naar de trein liep. Toen hij bij het portier was, stapte hij op de onderste tree, draaide zich om en keek ons lachend aan over de hoofden van de andere soldaten heen. 'Duim voor me,' zei hij, en toen verdween hij, naar binnen geduwd door de anderen die gretig aan boord stapten.

Ik zwaaide. 'Hou je haaks!' riep ik naar de ruggen van de onbekende jongemannen, en nu pas besefte ik wat een groot gat er op Riverton was gevallen door zijn vertrek.

David en Robbie stapten in een wagon van de eerste klas, samen met de andere officieren. Dawkins liep achter hen aan met Davids bagage. Er waren minder officieren dan gewone soldaten en ze konden allemaal met gemak een zitplaats vinden. Hun gezichten verschenen voor de ramen, terwijl Alfred er moeite mee had een goede staanplaats te vinden in zijn wagon.

De trein floot, reutelde en vulde het perron met stoom. De lange aandrijfstangen begonnen heen en weer te gaan en langzaam kwam de trein in beweging langs het perron.

Hannah liep met de trein mee, nog steeds in haar tas zoekend, blijkbaar tevergeefs. Uiteindelijk, toen de trein al vaart kreeg, keek ze op, trok de witte satijnen strik uit haar haar en stopte die in Robbies wachtende hand.

Mijn blik gleed over het perron en bleef rusten op de enige roerloze gedaante tussen de opgewonden mensen: Emmeline. Ze had een witte zakdoek in haar opgeheven hand, maar zwaaide er niet meer mee. Haar ogen waren wijdopen en haar glimlach was veranderd in een uitdrukking van onzekerheid.

Ze ging op haar tenen staan en keek naar de mensen. Ze wilde ongetwijfeld David vaarwel zeggen. En Robbie Hunter.

Opeens klaarde haar gezicht weer op en wist ik dat ze Hannah had gezien.

Maar het was te laat. Toen ze zich tussen de mensen door worstelde, haar kreten overstemd door het lawaai van de locomotief, het gefluit en het gejuich, zag ik Hannah nog steeds met de jongens meehollen, haar lange haar nu helemaal los, tot ze samen met de trein achter een sluier van stoom verdween.

DEEL 2

Brochure over Britse landgoederen
1999

Riverton Manor, Saffron Green, Essex

Riverton Manor was van oorsprong een elizabethaanse hofstede, ontworpen door John Thorpe. In de achttiende eeuw is het huis onder handen genomen door de achtste burggraaf van Ashbury, die twee vleugels liet aanbouwen en het daarmee veranderde in een sierlijk landhuis. In de negentiende eeuw, toen weekeinden op het platteland populair werden, onderging Riverton een nieuwe metamorfose, naar het ontwerp van de architect Thomas Cubitt: er werd een tweede verdieping toegevoegd om logeerkamers te creëren. Verder werd, in navolging van de victoriaanse gewoonte de bedienden zo onzichtbaar mogelijk te houden, een doolhof aan bediendekamers ingericht op de zolder; tot slot werd achter in het huis een trap ingebouwd die rechtstreeks naar de keuken leidde.

De nog steeds indrukwekkende restanten van het ooit zo prachtige pand zijn omgeven door schitterend aangelegde tuinen, het werk van sir Joseph Paxton. In de tuinen staan twee gigantische stenen fonteinen, waarvan de grootste, die Eros en Psyche uitbeeldt, onlangs is gerestaureerd. Tegenwoordig wordt hij in werking gesteld door een elektrische pomp, maar van oorsprong had hij een eigen stoommachine, waarvan werd gezegd dat hij 'net zo veel lawaai maakte als een exprestrein' wanneer hij werd aangestoken teneinde via de honderddertig spuitmonden, verborgen tussen gigantische mieren, arenden, vuurspuwende draken, gedrochten uit de hel, engeltjes en goden, het water dertig meter de lucht in te laten spuiten.

De tweede, kleinere fontein beeldt de val van Icarus uit en staat aan het einde van het Lange Pad aan de achterzijde van het huis. Achter de Icarusfontein ligt het meer, met aan de rand daarvan het zomerhuis, dat in 1923 in opdracht van de toenmalige eigenaar van Riverton, de heer Theodore Luxton, is gebouwd ter vervanging van het oorspronkelijke botenhuis. Het meer is in deze eeuw berucht geworden als de plaats waar de dichter Robert S. Hunter zichzelf in 1924 van het leven beroofde, op de avond van het jaarlijkse midzomerfeest.

Aan het uiterlijk van de tuinen hebben alle generaties op Riverton iets bijgedragen. De Deense echtgenote van lord Herbert, lady Gytha Ashbury, had belangstelling voor snoeikunst en heeft een klein gedeelte van de tuin laten beplanten met lage taxushagen; dat gedeelte heet nog steeds de Egeskovtuin, naar het Deense kasteel van lady Ashbury's familie. Later liet lady Violet, de echtgenote van de elfde lord Ashbury, in het gazon aan de achterzijde een rozentuin aanleggen.

Na een desastreuze brand in 1938 raakte Riverton Manor geheel in verval. Het landgoed werd in 1974 gedoneerd aan Monumentenzorg en is sedertdien geheel opgeknapt. De noordelijke en zuidelijke tuin, inclusief de fontein van Eros en Psyche, zijn onlangs in ere hersteld, onder auspiciën van de afdeling Beroemde Engelse Tuinen van Monumentenzorg. Aan de Icarusfontein en het zomerhuis, bereikbaar via het Lange Pad, wordt nog gewerkt.

De kapel van Riverton, gesitueerd in een pittoresk dal niet ver van het huis, heeft een tearoom (niet door Monumentenzorg beheerd), die gedurende de zomermaanden geopend is, en in Riverton Manor is een mooie souvenirwinkel. Voor informatie over de uren waarop de fontein in werking wordt gesteld, kunt u bellen naar: 01277-876857.

12 juli

Ik kom in de film. Niet ik, maar een jong meisje dat mij gaat spelen. Blijkbaar is een lang leven op zich voldoende om interessant te zijn, ongeacht het feit dat je slechts zijdelings met bepaalde tragedies te maken hebt gehad. Twee dagen geleden kreeg ik een telefoontje van Ursula, de jonge regisseuse met het slanke postuur en het lange asblonde haar. Ze vroeg of ik bereid was de actrice te ontmoeten aan wie de dubieuze eer te beurt was gevallen de rol te spelen van 'Dienstmeisje 1', vanaf nu aangeduid met 'Grace'.

Ze komen hierheen, naar Heathview. Niet dat dit een erg sfeervolle plek is voor dit rendez-vous, maar ik heb lichamelijk en geestelijk de kracht niet voor de reis en kan ook niet doen alsof. Daarom zit ik in de fauteuil op mijn kamer op hen te wachten.

Daar is het klopje op de deur. Ik kijk naar de klok – halftien. Ze zijn keurig op tijd. Ik merk opeens dat ik mijn adem inhoud en vraag me af waarom.

Nu zijn ze in de kamer, in mijn kamer. Sylvia en Ursula en het meisje dat mij gaat spelen.

'Goedemorgen, Grace,' zegt Ursula en ze glimlacht naar me onder haar tarwekleurige pony. Dan bukt ze zich om me een kus op mijn wang te geven, waar ik helemaal beduusd van ben.

Ik krijg een brok in mijn keel.

Ze gaat op het voeteneinde van mijn bed zitten – wat een tikje vrijpostig is, maar tot mijn eigen verbazing vind ik het helemaal niet erg – en pakt mijn hand. 'Grace,' zegt ze, 'dit is Keira Parker.' Ze kijkt glimlachend op naar het meisje dat schuin achter me staat. 'Zij zal jou spelen in de film.'

Het meisje, Keira, komt naar voren. Ze is hooguit zeventien, en ik word getroffen door haar symmetrische schoonheid. Halflang blond haar dat in een paardenstaart is gebonden. Een rond gezicht, volle lippen met glanzende lipgloss en blauwe ogen onder een gaaf voorhoofd. Een gezicht dat is gemaakt om bonbons te verkopen.

Ik herinner me mijn manieren, schraap mijn keel en zeg: 'Je mag wel gaan zitten.' Ik wijs naar de bruine kunstleren stoel die Sylvia daarstraks uit de zitkamer heeft gehaald.

Keira gaat bevallig zitten, draait de enkels van haar slanke, in spijkerbroek gehulde benen om elkaar en kijkt tersluiks naar links, naar mijn kaptafel. Haar spijkerbroek is versleten, er hangen rafels aan de zakken. Vodden zijn geen teken van armoede meer, heeft Sylvia me verteld, maar een symbool van stijl. Keira glimlacht bedaard en kijkt weer naar mijn spulletjes. 'Dank u wel dat ik mocht komen, Grace,' zegt ze nu, alsof ook zij zich opeens haar manieren herinnert.

Dat ze me gewoon maar Grace noemt, vind ik raar, maar ik verwijt mezelf dat ik onredelijk doe. Als ze me 'mevrouw' had genoemd, zou ik gezegd hebben dat ze niet zo formeel hoeft te doen, net zoals ik tegen Ursula heb gezegd.

Ik ben me ervan bewust dat Sylvia bij de open deur rondhangt, de stijlen opwrijft met een ijver die haar nieuwsgierigheid moet verhullen. Ze is gek op filmsterren en beroemde voetballers. 'Sylvia,' zeg ik, 'zouden we misschien een kopje thee kunnen krijgen?'

Sylvia kijkt om met een gezicht dat alleen maar toewijding uitdrukt. 'Thee?'

'En wat koekjes,' zeg ik.

'Natuurlijk.' Met tegenzin stopt ze de poetsdoek in haar zak.

Ik kijk Ursula vragend aan.

'Graag,' zegt ze. 'Met een wolkje melk en één klontje suiker.'

'En u, juffrouw Parker?' vraag Sylvia aan Keira. Ze klinkt nerveus en op haar wangen verschijnt een blos; ik concludeer daaruit dat ze de jonge actrice kent.

Keira geeuwt en antwoordt: 'Groene thee met citroen.'

'Groene thee,' zegt Sylvia langzaam, alsof ze zojuist het antwoord heeft vernomen op de vraag hoe de wereld is ontstaan. 'Met citroen.' Ze blijft roerloos bij de deurpost staan.

'Dank je wel, Sylvia,' zeg ik. 'En ik mijn thee graag zoals ik gewend ben.'

'Goed.' Sylvia knippert met haar ogen. De betovering is verbroken en ze komt in beweging. Wanneer de deur achter haar dichtgaat, blijf ik achter met mijn twee gasten.

Meteen heb ik er spijt van dat ik Sylvia heb weggestuurd. Ik word getroffen door een onredelijk gevoel dat haar aanwezigheid de terugkeer van het verleden op veilige afstand hield.

Maar ze is weg en wij drieën zwijgen eendrachtig. Ik kijk weer naar Keira, neem haar gezicht in me op, probeer mezelf te herkennen in haar mooie gelaatstrekken. Opeens wordt de stilte verbroken door een eigenaardig muziekje, gedempt en blikkerig.

146

'Neem me niet kwalijk,' zegt Ursula en ze duikt in haar tas. 'Ik was van plan hem af te zetten.' Ze haalt een kleine, zwarte mobiele telefoon uit de tas; de muziek bereikt een crescendo en stopt abrupt wanneer ze op een toets drukt. Ze glimlacht verlegen. 'Sorry.' Ze kijkt naar het schermpje en haar gezicht betrekt van schrik. 'Willen jullie me even excuseren?'

Keira en ik knikken, en Ursula loopt de kamer uit met de telefoon tegen haar oor gedrukt.

De deur gaat dicht en ik zeg tegen mijn jonge bezoekster: 'We kunnen net zo goed alvast beginnen.'

Ze knikt, bijna onmerkbaar, en haalt een map uit haar grote tas. Ze doet de map open en neemt er een stapeltje papier uit dat bijeengehouden wordt met een grote paperclip. Ik zie aan de tekst dat het een script is – vetgedrukte hoofdletters gevolgd door stukjes tekst met een normaal lettertype.

Ze slaat een paar pagina's om, stopt en perst haar glanzende lippen op elkaar. Dan zegt ze: 'Ik zou graag iets meer willen weten over uw relatie met de familie Hartford. Met de meisjes.'

Ik knik. Dat had ik al verwacht.

'Ik heb niet zo'n grote rol,' zegt ze. 'Ik heb niet veel tekst, maar ik kom in het begin vaak voor in de shots.' Ze kijkt me aan. 'U weet wel, met dienbladen rondgaan en dat soort dingen.'

Ik knik weer.

'Daarom vond Ursula het een goed idee dat ik met u wat over de meisjes zou praten, over wat u van hen vond. Dan kan ik wat meer inzicht krijgen in mijn *motivatie*.' Ze spreekt het laatste woord nadrukkelijk uit, alsof ze het over een begrip heeft waar ik misschien nog nooit van heb gehoord. Ze recht haar rug en haar gezicht krijgt een iets doelbewustere uitstraling. 'Ik heb geen hoofdrol, maar het is evengoed belangrijk het typetje zo goed mogelijk neer te zetten. Je weet immers maar nooit wie de film zal zien.'

'Dat spreekt voor zich.'

'Nicole Kidman heeft *Days of Thunder* alleen gekregen omdat Tom Cruise haar in een Australische film had gezien.'

Dit feit en deze namen moeten me blijkbaar iets zeggen. Ik knik en ze gaat door.

'Daarom wil ik graag weten hoe u zich voelde. Wat u vond van uw werk en van de meisjes.' Ze buigt zich naar voren, haar ogen het koude blauw van Venetiaans glas. 'Het is voor mij heel fijn, dat u nog… Ik bedoel…'

'Dat ik nog leef,' zeg ik. 'Ja, dat snap ik.' Ik vind haar openhartigheid bijna prijzenswaardig. 'Wat wil je precies weten?'

Ze glimlacht – opgelucht, neem ik aan, dat haar blunder snel wordt weggevoerd op de stroom van ons gesprek. 'Nou,' zegt ze, met een blik op de pagina op haar knieën, 'laat ik maar met de saaie vragen beginnen.'

Mijn hart gaat sneller kloppen. Ik vraag me af wat er gaat komen.

'Vond u het leuk om als dienstmeisje te werken?' vraagt ze.

Ik adem uit: niet echt een zucht, maar ontsnappende lucht. 'In het begin wel.'

Ze kijkt bedenkelijk. 'Echt waar? Ik kan me niet voorstellen dat iemand het leuk vindt om de hele dag mensen te bedienen. Wat vond u er zo leuk aan?'

'De anderen waren een soort familie van me geworden. Ik hield van de kameraadschap.'

'De anderen?' Er verscheen een gretige blik in haar ogen. 'U bedoelt Emmeline en Hannah?'

'Nee. De andere bedienden.'

'O.' Ze is teleurgesteld. Ze had ongetwijfeld al een betere rol voor zichzelf in gedachten, een aangepast script waarin het dienstmeisje Grace niet langer iemand is die alles van buitenaf bekijkt, maar in het geheim lid is van een kliek rond de gezusters Hartford. Ze is nog jong, en ze is opgegroeid in een heel andere wereld. Ze snapt niet dat sommige grenzen niet overschreden mogen worden. 'Dat is heel aardig,' zegt ze, 'maar ik heb geen enkele scène samen met de andere bedienden, dus heb ik daar niks aan.' Ze laat haar balpen langs de vragenlijst glijden. 'Wat vond u níét leuk aan uw werk als dienstmeisje?'

Voor dag en dauw mijn bed uit, de zolder die 's zomers zo heet was als een oven en 's winters zo koud als een ijskast, rode handen van het wassen, pijn in mijn rug van het schoonmaken; vermoeidheid die tot in het merg van mijn botten doordrong. 'Het was vermoeiend. Ik maakte lange dagen en had vrijwel geen tijd voor mezelf.'

'Ja,' zegt ze, 'zo speel ik het ook. Ik hoef meestal niet eens te doen alsof. Na een dag repeteren heb ik sowieso lamme armen van het rondlopen met dat stomme dienblad.'

'Ik vond de pijn in mijn voeten het ergst,' zeg ik. 'Maar dat was alleen in het begin, en ook toen ik zestien was geworden en nieuwe schoenen kreeg.'

Ze schrijft iets op de achterkant van haar script, in ronde, cursieve letters, en knikt. 'Heel goed,' zegt ze. 'Daar kan ik wel iets mee.' Ze blijft schrijven en rondt het laatste woord af met een sierlijke krul. 'En dan nu de interessante vragen. Ik wil meer weten over Emmeline. Ik wil weten wat u van haar vond.'

Ik vraag me af hoe ik die vraag moet aanpakken.

'Ik speel een paar scènes met haar, ziet u, en ik weet niet precies wat ik dan moet denken. Wat ik moet overbrengen.'

'Wat voor scènes zijn het?' vraag ik nieuwsgierig.

'Bijvoorbeeld de scène waarin ze Hunter voor het eerst ontmoet, bij het meer, waar ze uitglijdt en bijna verdrinkt en ik…'

'Bij het meer?' zeg ik verbaasd. 'Maar daar heeft ze hem niet voor het eerst ontmoet. Het was in de bibliotheek, midden in de winter. Ze…'

'De bibliotheek?' Ze trekt haar volmaakte neus op. 'Geen wonder dat de schrijvers dat hebben veranderd. Er is niets dynamisch aan een kamer vol oude boeken. Het ziet er nu veel beter uit, aan het meer waar hij zelfmoord pleegde. Alsof het einde van het verhaal al in het begin zit. Heel romantisch, net als de film van Baz Lurhmann, *Romeo + Juliet*.'

Als zij het zegt.

'Ik moet dan naar het huis rennen om hulp te halen, maar wanneer ik terugkom, heeft hij haar al gered en mond-op-mondbeademing toegepast. De actrice speelt dat dan zo dat ze alleen maar oog voor hém heeft en er helemaal geen erg in heeft dat wij te hulp zijn gekomen.' Ze stopt en kijkt me met wijdopen ogen aan, alsof ze vindt dat ze duidelijk heeft uitgelegd wat ze bedoelt. 'Vindt u niet dat ik – dat Grace – op de een of andere manier moet reageren?'

Ik heb zo snel geen antwoord klaar en ze gaat zelf al door.

'Niet overdreven, natuurlijk. Subtiel. U weet wel.' Ze snuift een beetje, houdt haar hoofd schuin, met haar neus in de lucht, en slaakt een zucht. Ik begrijp pas dat ze iets voor me aan het uitbeelden is wanneer ze die houding laat varen en me afwachtend aankijkt. 'Zoiets?'

'Tja.' Ik kies mijn woorden zorgvuldig. 'Je moet natuurlijk zelf weten hoe je je rol wilt spelen, hoe je Grace wilt spelen. Maar als ik het was, en als het weer 1915 was, zou ik nooit…' Ik wapper met mijn hand, niet in staat haar spel onder woorden te brengen.

Ze staart me aan alsof me een belangrijke nuance ontgaat. 'Maar vindt u het niet een beetje bot van haar dat ze Grace niet eens bedankt dat ze hulp is gaan halen? Ik vind het nogal dom dat ik moet wegrennen en terugkomen en er dan alleen maar bij staan, zonder ook maar íéts te doen.'

Ik slaak een zucht. 'Je hebt misschien gelijk, maar zo was dat in die tijd. Het zou vreemd zijn geweest, als ze níét zo was geweest. Snap je?'

Ze lijkt niet overtuigd.

'Ik verwachtte niets anders van haar.'

'Maar u zult toch wel iets gevóéld hebben?'

'Natuurlijk.' Het stuit me opeens erg tegen de borst om over de doden te praten. 'Maar daar liet ik niets van merken.'

'Nooit?' Ze verwacht geen antwoord, wil er ook geen, en daar ben ik blij om, want ik wil de vraag niet beantwoorden. Ze pruilt. 'Voor mij is de hele relatie tussen de bedienden en de familie ronduit belachelijk. Dat de ene groep de andere groep op zijn wenken moest bedienen...'

'Zo was dat toen,' zeg ik alleen maar.

'Ja, dat zegt Ursula ook aldoor.' Ze zucht. 'Maar daar heb ik dus niet veel aan. Ik bedoel, bij acteren gaat het om reageren. Het is moeilijk om een interessante persoon neer te zetten wanneer je constant instructies krijgt dat je niet mag reageren. 'Ik voel me als een soort pop die alleen maar "ja, juffrouw", "nee, juffrouw" en "goed, juffrouw" mag zeggen.'

Ik knik. 'Ja, dat valt niet mee.'

'Ik had aanvankelijk een auditie gedaan voor de rol van Emmeline,' vertrouwt ze me toe. 'Dát is nou echt een rol om je vingers bij af te likken. Wat een interessante persoonlijkheid. En zo sexy, omdat ze zelf actrice was en bij een auto-ongeluk om het leven is gekomen. U zou de kostuums eens moeten zien!'

Ik herinner haar er maar niet aan dat ik de originele kostuums ken.

'Maar ze wilden een naam die publiek trekt.' Ze trekt een gezicht en bekijkt haar nagels. 'Niet dat ze mijn auditie niet goed vonden,' zei ze. 'De producer heeft me tweemaal laten terugkomen. Hij zei dat ik ook veel meer op Emmeline lijk dan Gwyneth Paltrow.' Ze spreekt de naam van de andere actrice uit met een sneer die haar een ogenblik van haar schoonheid berooft. 'Het enige wat zij wel heeft en ik niet, is een nominatie voor een Academy Award, en iedereen weet dat Britse acteurs tweemaal zo hard moeten werken om voor een oscar genomineerd te worden. Vooral wanneer je in soaps bent begonnen.'

Het is duidelijk dat ze erg teleurgesteld is, en ik kan het haar niet kwalijk nemen; hoe vaak heb ík niet gewenst dat ik Emmeline was, en niet het dienstmeisje?

'Maar goed,' zegt ze verongelijkt, 'ik speel de rol van Grace en daar moet ik het beste van zien te maken. Ursula heeft trouwens beloofd dat ik een speciaal interview krijg voor de dvd, omdat ik de enige ben die degene die ze uitbeeldt, in levenden lijve heeft ontmoet.'

'Ik ben blij dat ik nog van enig nut ben.'

Mijn ironie is niet aan haar besteed. 'Ja,' zegt ze.

'Heb je nog meer vragen?'

'Even kijken.' Wanneer ze een pagina omslaat, valt er iets uit het script. Het dwarrelt naar beneden als een grijze vlinder en komt op z'n kop op de grond terecht. Wanneer ze het opraapt, zie ik dat het een foto is van een groep in het zwart gestoken, ernstig kijkende mensen. Zelfs van een afstand herken ik de foto meteen. Ik herinner me de situatie precies, zoals een film, een droom of een schilderij je vanwege bepaalde elementen meteen weer voor ogen staat.

'Mag ik even?' zeg ik en ik steek mijn hand uit.

Ze reikt me de foto aan, legt hem tussen mijn kromgegroeide vingers. Onze handen raken elkaar en ze trekt de hare snel terug, bang dat ze ergens mee besmet zal worden. Met ouderdom misschien.

De foto is een kopie van het origineel. Het papier is glad, koel en mat. Ik hef het op naar het raam, naar het schijnsel van het licht boven de hei, en tuur ernaar door mijn bril.

Daar zijn we. Het huishouden van Riverton anno 1916.

Elk jaar werd er zo'n foto gemaakt, in opdracht van lady Violet. Elk jaar kwam er een fotograaf speciaal uit Londen en zagen we de bewuste dag met de nodige opwinding tegemoet.

De foto van de twee rijen ernstige mensen die zonder te knipperen naar het met een zwarte doek bedekte fototoestel keken, werd een paar dagen later door een speciale bode bezorgd, kwam een poosje op de schoorsteenmantel in de zitkamer te staan en werd daarna op de betreffende pagina in het plakboek van de familie Hartford geplakt, tussen uitnodigingen, menu's en krantenknipsels.

Als het een foto van een ander jaar was geweest, zou ik de precieze datum niet hebben geweten, maar deze foto is gedenkwaardig vanwege alles wat er vlak daarna gebeurde.

Meneer Frederick zit vooraan in het midden tussen zijn moeder en Jemima. Jemima zit een beetje ineengedoken en heeft een zwarte sjaal rond haar bovenlichaam om te verdoezelen dat ze hoogzwanger is. Hannah en Emmeline sluiten aan beide zijden de rij, als aanhalingstekens, de een langer dan de ander, allebei in een zwarte japon. Nieuwe japonnen, maar niet van het soort waar Emmeline op had gehoopt.

Achter meneer Frederick staat meneer Hamilton, het middelpunt van de tweede rij, met mevrouw Townsend en Nancy aan weerskanten. Katie en ik staan achter de meisjes Hartford, terwijl meneer Dawkins, de chauffeur, en meneer Dudley, de tuinman, aan de zijkanten de rij sluiten. De twee rijen zijn duidelijk van elkaar gescheiden. En Nanny Brown bezet een plaats ertussenin. Ze zit in een rieten stoel uit de serre te knikkebollen, zonder dat ze volledig bij de voorste of de achterste rij hoort.

Ik kijk naar mijn ernstige gezicht, mijn strak naar achteren gebonden haar dat mijn hoofd het aanzien geeft van een speldenknop, waaraan mijn te grote oren extra opvallen. Ik sta pal achter Hannah, wier blonde haar, geborsteld tot zachte golven, afsteekt bij mijn zwarte jurk.

We kijken allemaal ernstig, zoals toen de gewoonte was, maar voor deze foto was het ook toepasselijk. De bedienden waren altijd in het zwart gekleed, maar ditmaal ook de familie. Want die zomer waren ze deel gaan uitmaken van de rouw die over heel Engeland en de hele wereld was neergedaald.

Het was 12 juli 1916, de dag na de begrafenis van lord Ashbury en de majoor. De dag waarop Jemima's baby werd geboren en de dag waarop de vraag die op ons aller lippen lag werd beantwoord.

Het was een bijzonder warme zomer, warmer dan iemand zich kon herinneren. Vergeten was de koude, grijze winter waarin de dagen en nachten onmerkbaar in elkaar overgingen. Al wekenlang stond de zon aan een strakblauwe, wolkeloze lucht en braken de dagen haarscherp, helder en stralend aan.

Ik werd die ochtend nog vroeger wakker dan anders. De zon stond al boven de beuken langs het meer, priemde door het zolderraam en wierp een lichtbaan over het bed en mijn gezicht. Ik vond het niet erg. Het was prettig om wakker te worden wanneer het al licht was, en niet met mijn werk te hoeven beginnen in de donkere kilte van het slapende huis. Voor een dienstmeisje was de zomerzon een prettige metgezel bij haar dagelijkse bezigheden.

De fotograaf zou om halftien komen en tegen de tijd dat we ons hadden verzameld op het gazon aan de voorkant van het huis, was het al drukkend warm. Zelfs de zwaluwen die Riverton als hun thuis beschouwden en hun nest hadden gebouwd tussen de balken van het dak, keken zwijgend en nieuwsgierig naar ons, zonder dat ze de fut hadden om te fluiten. De bomen langs de oprit stonden er doodstil bij, hun dichte bladerkronen volkomen roerloos, alsof ze hun energie wilden sparen tot een bries weer een ritselende ruis aan hen zou ontlokken.

Het gezicht van de fotograaf was vlekkerig van transpiratie toen hij ons een voor een in positie bracht, de familie op stoelen, de rest erachter. Zo werden we vereeuwigd, allen in het zwart, onze ogen gericht op de lens van de camera, onze gedachten bij de begraafplaats in het dal.

Later, in de betrekkelijke koelte van het bediendevertrek, ging Katie in opdracht van mevrouw Townsend limonade maken, terwijl alle anderen lusteloos rond de tafel zaten.

'Dit is het einde van een tijdperk,' zei mevrouw Townsend. Ze bette haar gezwollen ogen met een zakdoekje. Ze zat al vanaf het begin van de maand te huilen. Ze was begonnen toen we het nieuws hadden vernomen dat de majoor in Frankrijk was gesneuveld, en was nog veel harder gaan huilen toen lord Ashbury een week na de ontvangst van die tijding een fatale hartaanval had gekregen. Nu huilde ze niet meer met tranen, maar was het alsof haar ogen voortdurend lekten.

'Het einde van een tijdperk,' herhaalde meneer Hamilton, die tegenover haar aan tafel zat. 'Daar hebt u gelijk in, mevrouw Townsend.'

'Die arme meneer...' De woorden bestierven op haar lippen. Ze schudde haar hoofd, zette haar ellebogen op de tafel en sloeg haar handen voor haar gezwollen gezicht.

'De hartaanval was erg onverwacht,' zei meneer Hamilton.

'Arme man!' zei mevrouw Townsend. Ze hief haar hoofd weer op. 'Gestorven aan een gebroken hart. Hij kon het niet verdragen zijn zoon op deze manier te moeten verliezen.'

'Daar hebt u gelijk in, mevrouw Townsend,' zei Nancy. Ze knoopte het sjaaltje van haar bewakersuniform om haar hals. 'Ze stonden elkaar erg na, hij en de majoor.'

'De majoor!' Nieuwe tranen blonken in mevrouw Townsends ogen en haar onderlip trilde. 'Die arme man. Dat hij zó aan zijn einde moest komen. Op een smerige moddervlakte in Frankrijk.'

'Aan de Somme,' zei ik, en ik kon de ronde klanken van het woord, de onheilspellende resonantie, bijna proeven. Ik dacht aan Alfreds laatste brief, dunne velletjes grauw papier die roken naar verre oorden. De brief was een week geleden in Frankrijk gepost en ik had hem eergisteren ontvangen. Hij was luchtig geschreven, maar met een serieuze ondertoon; er waren dingen die niet werden gezegd en die me onrustig maakten. 'Is Alfred daar ook, meneer Hamilton? Aan de Somme?'

'Dat neem ik aan, meisje. Naar wat ik in het dorp heb gehoord, zou ik zeggen dat de Soldaten van Saffron inderdaad daarnaartoe zijn gestuurd.'

Katie, die kwam aanlopen met een dienblad met glazen limonade, vroeg geschrokken: 'Meneer Hamilton, stel nou dat Alfred...'

153

'Katie!' zei Nancy scherp. Ze wierp een blik op mij en ik zag dat mevrouw Townsend haar hand voor haar mond sloeg. 'Let jij nu maar op dat je dat blad voorzichtig neerzet en hou verder je mond.'

Meneer Hamilton tuitte zijn lippen. 'Maken jullie je nu maar geen zorgen over Alfred. Hij is optimistisch gestemd en is in goede handen. De bevelhebbers weten heus wel wat ze doen. Ze zouden Alfred en de andere jongens niet de strijd in sturen als ze er niet van overtuigd waren dat ze in staat zijn de koning en het vaderland te verdedigen.'

'Dat wil nog niet zeggen dat hij niet kan worden doodgeschoten,' zei Katie verongelijkt. 'De majoor is ook doodgeschoten, en hij was nog wel een held.'

'Katie!' Meneer Hamiltons gezicht kreeg de kleur van gekookte rabarber en mevrouw Townsends adem stokte. 'Een beetje respect!' Hij liet zijn stem dalen tot een trillende fluistering. 'Na alles wat de familie de afgelopen twee weken heeft moeten doorstaan.' Hij schudde zijn hoofd en zette zijn bril recht. 'Ik kan het niet eens verdragen je hier te zien. Ga terug naar de keuken om…' Hij keek hulpzoekend naar mevrouw Townsend.

Mevrouw Townsend hief haar vlekkerige gezicht op en zei tussen haar snikken door: 'Om de potten en pannen te schrobben. Zelfs de oude, die de vuilnisman mag meenemen.'

We zwegen allemaal toen Katie verongelijkt naar de keuken verdween. Domme Katie, met haar praatjes over doodgaan. Alfred kon heus wel op zichzelf passen. Dat zei hij in iedere brief, en ook dat ik niet al te veel gehecht moest raken aan zijn taken hier in huis, omdat hij binnen de kortste keren terug zou komen om zijn plaats weer in te nemen. Dat ik die alleen maar warm moest houden voor hem. Ik dacht ook aan iets anders dat Alfred had gezegd. Iets waardoor ik me zorgen was gaan maken over onze banen.

'Meneer Hamilton,' zei ik zachtjes, 'zou ik u mogen vragen wat dit nu voor ons betekent? Wie komt er aan het hoofd van de familie te staan nu lord Ashbury…?'

'Meneer Frederick, natuurlijk,' zei Nancy. 'Hij is lord Ashbury's tweede zoon.'

'Nee,' zei mevrouw Townsend, met een blik op meneer Hamilton. 'De zoon van de majoor. Wanneer hij is geboren. Hij is de erfgenaam van de titel.'

'Het hangt ervan af,' zei meneer Hamilton gewichtig.

'Waarvan?' vroeg Nancy.

Meneer Hamilton liet zijn blik over ons allen gaan. 'Of Jemima een zoon of een dochter krijgt.'

Haar naam was voldoende om mevrouw Townsend weer aan het huilen te maken. 'Die arme stakker,' zei ze. 'Dat ze haar man zo heeft moeten verliezen. En nu krijgt ze nog een baby ook. Het is niet eerlijk.'

'En ze is niet de enige in Engeland,' zei Nancy hoofdschuddend.

'Maar het is niet hetzelfde,' zei mevrouw Townsend. 'Het is niet hetzelfde wanneer het om iemand gaat die bij je hoort.'

De derde bel in de rij langs de trap rinkelde en mevrouw Townsend schrok op. 'Lieve hemel,' zei ze en ze drukte haar hand tegen haar borst.

'De voordeur.' Meneer Hamilton stond op en zette zijn stoel netjes bij de tafel. 'Dat zal lord Gifford zijn. Om het testament voor te lezen.' Hij stak zijn armen in zijn jas, trok aan de revers en keek over zijn bril heen naar mij voordat hij de trap op liep. 'Lord Ashbury zal zo meteen om thee bellen, Grace. En vergeet niet om na de thee juffrouw Hannah en juffrouw Emmeline buiten een karaf limonade te brengen.'

Toen hij de trap op liep, wreef mevrouw Townsend over haar hartstreek. 'Ik kan al deze dingen niet meer zo goed aan als vroeger,' zei ze bedroefd.

'Zeker niet in deze hitte,' zei Nancy. Ze keek op de klok. 'Het is net halfelf. Lady Violet belt over twee uur pas om de lunch. Waarom gaat u niet een poosje liggen? Grace kan de thee wel doen.'

Ik knikte, blij met een klusje dat me zou afleiden van alle droefenis. Van de oorlog. Van Alfred.

Mevrouw Townsend keek van Nancy naar mij.

Nancy zette een streng gezicht, maar haar stem klonk zachter dan anders. 'Ga maar, mevrouw Townsend. Als u eventjes hebt gerust, voelt u zich vast een stuk beter. Ik zorg wel dat alles hier in orde is voordat ik naar het station vertrek.'

De tweede bel klingelde, die van de zitkamer, en mevrouw Townsend schrok weer. Ze knikte met een mengeling van verslagenheid en opluchting. 'Goed dan.' Ze keek me aan. 'Maar als je iets nodig hebt, maak je me wakker, hoor.'

Ik liep met het blad de donkere bediendetrap op naar de hal. Daar kwamen licht en warmte me tegemoet. Alle gordijnen in het huis waren dichtgetrokken in opdracht van lady Ashbury, die zich aan de victoriaanse rouwtradities wenste te houden, maar het elliptische glaspaneel boven de voordeur had geen gordijn en daar scheen de zon onbelemmerd naar binnen. Het deed me denken aan het fototoestel: de hal was een flits van licht in het midden van een met een zwarte doek bedekte kist.

Ik liep naar de zitkamer en duwde de deur open. Binnen was het warm en

155

benauwd; de lucht die er sinds het begin van de zomer was binnengestroomd, zat er nu opgesloten vanwege de rouw. De grote tuindeuren bleven gesloten en zowel de brokaten overgordijnen als de zijden ondergordijnen waren dichtgetrokken en hingen er futloos bij. Op de drempel aarzelde ik. Iets in de kamer stond me tegen, iets wat niets te maken had met het schemerdonker en de warmte.

Toen mijn ogen aan het duister gewend raakten, kreeg het sombere tableau vorm. Lord Gifford, een al wat oudere man met een rossige huidskleur, zat in de fauteuil van wijlen lord Ashbury met een zwarte leren map open op zijn dikke knieën. Hij las er hardop uit voor, genietend van de klank van zijn stem in de schemerige kamer. Een elegante koperen lamp met een gebloemde kap op de tafel naast hem wierp een cirkel van zacht licht.

Op de leren bank tegenover hem zaten Jemima en lady Violet. Twee weduwen. Lady Violet leek sinds vanochtend alweer iets te zijn gekrompen: een klein vrouwtje in een zwarte japon van crêpe, haar gezicht verscholen achter een sluier van donker kant. Jemima was eveneens in het zwart, haar gezicht contrasterend lijkbleek. Haar handen, die altijd aan de mollige kant waren geweest, leken opeens klein en zwak, en streelden afwezig haar dikke buik. Lady Clementine had zich op haar slaapkamer teruggetrokken, maar Fanny, die nog steeds aasde op een kans meneer Frederick aan de haak te slaan, had toestemming gekregen erbij te blijven en zat gewichtig naast lady Violet met een gepast droevige uitdrukking op haar gezicht.

Op een tafel naast hen stonden de bloemen die ik die ochtend in de tuin had geplukt: roze rododendrons, roomkleurige clematis en tere jasmijn, maar ze lieten nu al droefgeestig hun blaadjes vallen en de jasmijn vulde de gesloten kamer met een zware, bijna verstikkende geur.

Aan de andere kant van de tafel stond meneer Frederick, met zijn hand op de schoorsteenmantel, zijn jas stijf rond zijn lange gestalte. In het schemerige licht was zijn gezicht zo onbeweeglijk als dat van een wassen beeld; hij knipperde zelfs niet met zijn ogen en zijn uitdrukking was stoïcijns. Het zwakke licht van de lamp wierp een schaduw op een van zijn ogen. Het andere oog hield hij strak en doelbewust op zijn prooi gericht. Terwijl ik naar hem keek, besefte ik dat hij naar míj keek.

Hij wenkte me met de vingers van de hand die op de schoorsteenmantel lag, een subtiel gebaar dat ik over het hoofd zou hebben gezien als hij er voor de rest niet zo volkomen bewegingloos bij had gestaan. Hij wilde dat ik hém het blad bracht. Ik keek naar lady Violet, net zo nerveus om deze wijziging in het protocol als om het feit dat meneer Frederick aandacht aan me schonk.

Lady Violet keek echter niet in mijn richting, dus deed ik wat hij wilde, waarbij ik zijn blik zorgvuldig meed. Toen ik het blad op de tafel had gezet, knikte hij in de richting van de theepot, een teken dat ik moest inschenken, en richtte zijn aandacht toen weer op lord Gifford.

Ik had nog nooit de thee ingeschonken, niet in de zitkamer, niet voor mevrouw. Ik wist niet goed wat ik moest doen en pakte aarzelend het melkkannetje, blij dat het zo donker was, terwijl lord Gifford aan het woord was.

'… want, afgezien van de reeds gespecificeerde uitzonderingen, zou het volledige bezit van lord Ashbury, samen met zijn titel, zijn overgegaan op zijn oudste zoon en erfgenaam, majoor Jonathan Hartford…'

Hier laste hij een pauze in. Jemima onderdrukte een snik, wat juist een nog veel hartverscheurender effect had.

Boven mijn hoofd maakte Frederick een klikkend keelgeluid. Ongeduldig, dacht ik, en ik wierp een tersluikse blik in zijn richting terwijl ik melk in het laatste kopje schonk. Zijn kaak stond strak, zijn kin stak met een strenge, autoritaire houding naar voren boven zijn hals. Hij blies langzaam en afgemeten zijn adem uit. Zijn vingers trommelden in staccato op de schoorsteenmantel en hij zei: 'Gaat u door, lord Gifford.'

Lord Gifford ging verzitten in lord Ashbury's fauteuil. Het leer zuchtte, rouwend om degene die er altijd had gezeten. Hij schraapte zijn keel en verhief zijn stem.

'… gezien het feit dat er na het nieuws over de dood van majoor Hartford geen nieuwe regelingen zijn getroffen, komt de erfenis, in navolging van de oude wetten betreffende het eerstgeboorterecht, toe aan het oudste mannelijke kind van majoor Hartford.' Hij keek over de rand van zijn bril naar Jemima's buik en vervolgde: 'Mocht majoor Hartford geen mannelijke kinderen hebben, dan komen erfenis en titel toe aan de tweede zoon van lord Ashbury, meneer Frederick Hartford.'

Lord Gifford keek op. Het lamplicht werd weerspiegeld in de glazen van zijn bril. 'Het ziet er dus naar uit dat we een poosje geduld moeten betrachten.'

Hij zweeg en ik maakte van de gelegenheid gebruik om de dames hun kopjes thee aan te reiken. Jemima pakte het hare werktuiglijk aan zonder naar me te kijken en zette het op haar schoot. Lady Violet wees haar kopje af. Alleen Fanny pakte de kop en schotel gretig aan.

'Lord Gifford,' zei meneer Frederick op kalme toon, 'hoe gebruikt u de thee?'

'Met melk, maar zonder suiker,' zei lord Gifford. Hij stak zijn vingers onder zijn boord en scheidde de katoen van zijn plakkerige nek.

Ik tilde de theepot voorzichtig op en begon in te schenken, oppassend voor de dampende tuit. Ik gaf hem de kop en schotel, die hij aanpakte zonder me te zien. 'Gaat het goed met de zaken, Frederick?' vroeg hij, zijn dikke lippen over elkaar wrijvend voordat hij een slokje thee nam.

Vanuit mijn ooghoek zag ik meneer Frederick knikken. 'Redelijk, lord Gifford,' antwoordde hij. 'We zijn overgeschakeld van de fabricage van automobielen naar de fabricage van vliegtuigen, en we gaan inschrijven op een nieuw contract van het ministerie van Oorlog.'

Lord Gifford trok zijn wenkbrauwen op. 'Laten we hopen dat die Amerikaanse firma er niet op inschrijft. Ik hoor dat die al genoeg vliegtuigen hebben gemaakt voor iedere man, vrouw en kind in Groot-Brittannië!'

'Ik spreek niet tegen dat ze veel vliegtuigen hebben gemaakt, lord Gifford, maar míj zult u daar niet in zien.'

'Nee?'

'Massaproductie,' zei meneer Frederick, bij wijze van uitleg. 'Ze werken te snel, proberen de lopende band bij te houden, hebben geen tijd om te controleren of alles naar behoren wordt gedaan.'

'Het ministerie schijnt dat niet erg te vinden.'

'Op het ministerie kijken ze niet verder dan hun neus lang is,' zei meneer Frederick. 'Maar dat komt nog wel. Zodra ze de kwaliteit van onze producten zien, zullen ze geen contracten meer tekenen voor die koekblikken.' Daarna lachte hij een beetje te hard.

Ik keek onwillekeurig op. Voor iemand die net zijn vader en enige broer had verloren, vond ik dat hij zich kranig hield. Te kranig. Het riep vraagtekens op over de genegenheid die Nancy had beschreven, en over Hannahs toewijding. Voor mij had hij opeens meer van de kleingeestige, verbitterde man uit Davids karakterisering.

'Heb je nog iets van David vernomen?' vroeg lord Gifford.

Toen ik meneer Frederick zijn thee aanreikte, bewoog hij opeens zijn arm, waardoor het kopje met de hete inhoud op het Bessarabische tapijt terechtkwam.

'O!' zei ik. Ik voelde dat ik wit wegtrok. 'Neemt u me niet kwalijk, meneer.'

Hij staarde naar me, las iets af van mijn gezicht. Zijn lippen weken uiteen, maar voordat hij iets zei, veranderde hij van gedachten.

Een scherpe ademhaling van Jemima trok alle ogen in haar richting. Ze ging rechtop zitten, drukte haar handen in haar zij en liet ze toen over haar strakgespannen buik glijden.

'Wat is er?' vroeg lady Violet vanonder haar sluier.

Jemima gaf geen antwoord. Het leek alsof ze woordeloos communiceerde met haar baby. Ze staarde voor zich uit en bleef over haar buik wrijven.

'Jemima?' vroeg lady Violet. Angst gaf haar stem, die toch al koud en doods was van verdriet, een snijdende klank.

Jemima hield haar hoofd een beetje schuin, alsof ze luisterde. Met fluisterende stem zei ze: 'Hij beweegt niet meer.' Ze ging sneller ademhalen. 'Hij trappelde aldoor, maar nu niet meer.'

'Je moet even gaan liggen,' zei lady Violet. 'Het komt door de hitte.' Ze slikte. 'Die vermaledijde hitte.' Ze keek om zich heen, zoekend naar iemand die dat zou bevestigen. 'En…' Ze schudde haar hoofd, klemde haar lippen op elkaar, niet bereid, niet in staat misschien, om de andere reden te noemen. 'Dat is alles.' Ze raapte al haar moed bijeen, rechtte haar rug en zei gedecideerd: 'Je moet even gaan liggen.'

'Nee,' zei Jemima met trillende onderlip. 'Ik wil hier blijven. Voor Jonathan. Voor u.'

Lady Violet pakte Jemima's handen, trok ze zachtjes weg van haar buik en sloot haar eigen handen eromheen. 'Dat weet ik wel.' Ze stak een hand uit om aarzelend Jemima's doffe, bruine haar te strelen. Het was een eenvoudig gebaar, maar het herinnerde me eraan dat lady Violet zelf ook moeder was. Zonder zich te bewegen zei ze: 'Grace. Help Jemima naar boven, zodat ze wat kan gaan rusten. Laat die spullen maar. Die komt Hamilton zo wel halen.'

'Ja, mevrouw.' Ik maakte een reverence en liep naar Jemima. Toen ik naast haar stond, bukte ik me om haar overeind te helpen, blij dat me de gelegenheid werd geboden aan de kamer en het verdriet te ontsnappen.

Op weg naar de deur, met Jemima naast me, wist ik opeens wat er ánders was aan de kamer, afgezien van het schemerdonker en de warmte: de klok op de schoorsteenmantel, die altijd iedere seconde met een onverschillige tik had laten verstrijken, stond stil. De slanke, zwarte wijzers waren bevroren in een arabesk nadat lady Ashbury opdracht had gegeven alle klokken op tien voor vijf stil te zetten, het tijdstip waarop haar echtgenoot was overleden.

De val van Icarus

Nadat we Jemima naar haar kamer hadden gebracht, keerde ik terug naar het bediendevertrek, waar meneer Hamilton de pannen inspecteerde die Katie had afgewassen. Hij keek op van mevrouw Townsends favoriete braadpan en zei dat de zusjes Hartford bij het oude botenhuis waren en dat ik hun limonade en boterhammen moest brengen. Hij had blijkbaar nog niet gehoord dat er een kop thee op het tapijt was gevallen en daar was ik blij om. Ik haalde een kan limonade uit de koelkamer, zette die samen met twee hoge glazen op een dienblad, voegde er een bord met minisandwiches van mevrouw Townsend aan toe en liep via de achterdeur naar buiten.

Boven aan de trap bleef ik even staan om mijn ogen aan het schelle licht te laten wennen. Na vier regenloze weken waren de kleuren van het landgoed danig verbleekt. De zon stond in het zenit en het witte licht gaf de tuin het wazige aanzien van de aquarellen in lady Violets boudoir. Ik had mijn mutsje op, maar op de plek van de scheiding in mijn haar verbrandde mijn huid onmiddellijk.

Ik stak Theatre Lawn over; het grote gazon was pas gemaaid en geurde heerlijk naar droog gras. Aan de rand ervan was Dudley gebukt bezig de heg te snoeien. De punten van de snoeischaar zaten vol groen sap, maar op de plekken waar het nog schoon was, blonk het staal.

Hij voelde mijn aanwezigheid, draaide zich om en kneep zijn ogen tot spleetjes. 'Warme dag,' zei hij met een hand boven zijn ogen.

'Ja, je kunt eieren bakken op de rails,' zei ik, Nancy napratend, al vroeg ik me af of dat wel echt zo was.

Aan het einde van het gazon was een brede trap van leisteen die naar lady Ashbury's rozentuin leidde. De roze en witte bloemen bedekten het latwerk en bijen gonsden bedrijvig in de gele hartjes.

Ik liep onder de bogen door, duwde het draaihekje open en vervolgde mijn weg over Theatre Lawn, die bestond uit grijze kasseien omvat door geel en wit vetkruid. Halverwege het pad maakte de heg van haagbeuken plaats voor de lage taxusboompjes die de Egeskovtuin omzoomden. Ik schrok toen twee van de kunstig gesnoeide struiken tot leven kwamen en grinnikte in mezelf om de twee hoogmoedige wilde eenden met prachtige groene veren die helemaal vanaf het meer hiernaartoe waren gekomen en me met glanzende zwarte ogen aankeken.

Aan het einde van de Egeskovtuin was het tweede draaihekje, minder mooi (onderscheid moet er zijn, nietwaar?) en half begroeid met taaie ranken van de jasmijn. Aan de andere kant van het hek stond de Icarusfontein en daarachter, aan de rand van het meer, het botenhuis.

De grendel van het hek was roestig en ik moest het dienblad neerzetten om hem los te kunnen krijgen. Ik zette het op een vlak stukje grond tussen wat aardbeienplanten en rukte aan de grendel tot ik er beweging in kreeg. Ik duwde het hek open, pakte het dienblad en vervolgde in een wolk van jasmijngeur mijn weg naar de fontein.

Eros en Psyche, die aan de voorkant van het huis groots en magnifiek in het midden van het gazon stonden, waren in al hun pracht een soort proloog op het huis zelf, maar de kleinere fontein op deze zonnige open plek helemaal aan het einde van de tuin aan de zuidzijde had iets mysterieus en melancholieks.

Het was een ronde fontein met een basis van gestapelde stenen, zestig centimeter hoog en op het breedste punt zeven meter in doorsnee. De rand was bekleed met kleine, geglazuurde, azuurblauwe tegels, als de saffieren halsketting die lord Ashbury voor lady Violet had meegebracht na zijn diensttijd in het Verre Oosten. In het midden rees een groot, onregelmatig gevormd blok roodbruin marmer op, zo hoog als twee mannen, breed van onderen en spits toelopend. Halverwege, roomwit afstekend tegen het bruin, was Icarus uitgebeeld, in een halfliggende positie. Zijn vleugels waren van bleek marmer, dat zodanig was bewerkt dat het leek alsof de vleugels van echte veren waren. Ze waren aan zijn gespreide armen bevestigd en raakten de zuil achter hem. Rond zijn liggende gestalte rezen uit het water drie zeemeerminnen op, hun lange haar krullend rond hun engelachtige gezichten. De ene had een kleine harp vast, de tweede droeg een kroon van geweven bladeren, de derde strekte haar handen uit naar Icarus' bovenlichaam om hem, met haar witte handen op zijn roomwitte huid, vanuit de diepte naar boven te halen.

In de zinderende hitte scheerde een koppel zwaluwen vlak langs het beeld, zich niet bewust van de schoonheid ervan. Ze streken neer op de marmeren zuil, vlogen meteen weer op en zeilden over de oppervlakte van de poel om hun bek te vullen met water. Toen ik naar hen keek, merkte ik pas hoe warm ik het had en kreeg ik ontzettend veel zin om mijn hand in het koele water te steken. Ik keek om naar het huis in de verte, waar alle bewoners zo opgingen in de rouw dat ze er geen erg in zouden hebben dat een dienstmeisje helemaal aan het einde van de tuin een ogenblik pauzeerde om verkoeling te zoeken.

Ik plaatste het dienblad op de rand van de fontein en zette één knie op de tegels, die door mijn zwarte kousen heen warm aanvoelden. Ik boog me naar voren en stak mijn hand uit, maar trok hem snel weer terug toen ik het door de zon gekuste water aanraakte. Ik rolde mijn mouw op en stak nogmaals mijn hand uit, ditmaal met de bedoeling ook mijn arm in het water onder te dompelen.

Als tinkelende muziek in de zomerse stilte klonk een lach op.

Ik bleef roerloos zitten, spitste mijn oren en gluurde langs het beeld.

Het waren Hannah en Emmeline, niet bij het botenhuis, maar op de rand van de fontein aan de andere kant van het beeld. Ik wist niet wat ik zag: ze hadden hun zwarte rouwjurken uitgetrokken en zaten erbij in niets anders dan hun onderrok, keurslijfje en kanten onderbroek. Hun schoenen lagen op het witte stenen pad dat rond de fontein liep. Hun lange haar glansde alsof het wedijverde met de zon. Ik keek weer om naar het huis en vroeg me af hoe ze durfden. Ik vroeg me ook af of mijn aanwezigheid gevolgen zou hebben. En of ik dat vreesde of hoopte.

Emmeline lag op haar rug met haar voeten naast elkaar. Haar opgetrokken knieën waren net zo wit als haar onderrok en wezen naar de blauwe hemel. Haar ene arm was gebogen, met haar hand onder haar hoofd. Haar andere arm – zachte, bleke huid die de zon nooit zag – hield ze gestrekt boven het water, terwijl haar pols draaiende bewegingen maakte, zodat haar vingers steeds het water raakten en flauwe rimpelingen elkaar najoegen over de oppervlakte.

Hannah zat naast haar, met één been onder zich gevouwen en het andere opgetrokken. Ze liet haar kin op haar knie rusten en haar tenen flirtten achteloos met het water. Ze had haar armen om haar gebogen been geslagen en had een vel dun papier in haar hand, zo dun dat het transparant leek in het felle licht van de zon.

Ik trok mijn arm terug, rolde mijn mouw naar beneden en richtte me op. Met een laatste, verlangende blik op de sprankelende poel pakte ik het dienblad weer op.

Toen ik dichterbij kwam, kon ik verstaan wat ze zeiden.

'… ik vind hem een enorme stijfkop,' zei Emmeline. Er lag een bergje aardbeien tussen hen in; ze stak er een in haar mond en gooide het kroontje in de tuin.

Hannah haalde haar schouders op. 'Zo is hij nu eenmaal.'

'Dat weet ik,' zei Emmeline, 'maar ik vind het evengoed niet eerlijk dat hij zo halsstarrig blijft weigeren. Als David daar in Frankrijk de moeite neemt ons te schrijven, kan papa op z'n minst zo goed zijn de brieven te lezen.'

Hannah keek naar het beeld, met haar hoofd schuin, zodat de rimpelingen van het water als linten van licht over haar gezicht gleden. 'David heeft papa voor schut gezet. Hij heeft achter zijn rug om iets gedaan wat papa hem had verboden.'

'Maar dat is nu al meer dan een jaar geleden.'

'Papa is niet vergevingsgezind en dat weet David heel goed.'

'Maar het is zo'n leuke brief. Lees dat stukje over de mess en de pudding nog eens.'

'Ik peins er niet over. Ik heb het je nu al drie keer voorgelezen, terwijl het eigenlijk te ruig is voor zulke jonge oren.' Ze hield de brief omhoog. Hij wierp een schaduw op Emmelines gezicht. 'Hier. Lees zelf maar. Op de volgende pagina staat zelfs een illustratie.' Een warme windvlaag greep het vel papier en toen het opfladderde, zag ik de zwarte lijnen van een schets in de bovenhoek.

Mijn schoenen knerpten op de witte stenen van het pad. Emmeline keek op en zag me achter Hannah staan. 'Limonade!' zei ze. Ze haalde haar arm uit het water, de brief vergetend. 'Wat fijn! Ik sterf van de dorst.'

Hannah draaide zich om en stopte de brief in de tailleband van haar onderrok. 'Grace,' zei ze met een glimlach.

'We houden ons hier schuil voor de ouwe Lik-ford,' zei Emmeline. Ze zwaaide haar benen een kwartslag en ging rechtop zitten, met haar rug naar de fontein. 'Wat is de zon warm, hè? Ik word er helemaal draaierig van.'

'En rood,' zei Hannah.

Emmeline hief haar gezicht op naar de zon en sloot haar ogen. 'Kan me niks schelen. Ik wou dat het altijd zomer was, het hele jaar door.'

'Is lord Gifford al weg, Grace?' vroeg Hannah.

'Ik weet het niet zeker, juffrouw.' Ik zette het dienblad op de rand van de fontein. 'Ik denk het wel. Hij was in de zitkamer toen ik net thee serveerde en mevrouw zei niet dat hij zou blijven eten.'

'Laten we het hopen,' zei Hannah. 'Alles is al erg genoeg op het moment, zonder dat hij ook nog eens de gelegenheid hoeft te krijgen de hele middag in mijn decolleté te koekeloeren.'

Tussen wat kamperfoeliestruiken met roze-en-gele bloemetjes stond een gietijzeren tuintafeltje. Ik droeg het naar de fontein, zodat ik het dienblad erop kon neerzetten. Ik plaatste de gekrulde poten zorgvuldig tussen de stenen van het pad, droeg het dienblad ernaartoe en schonk limonade in de glazen.

Hannah liet een aardbei aan het kroontje tussen haar duim en wijsvinger heen en weer draaien. 'Je hebt niet toevallig gehoord wat lord Gifford zei, Grace?'

Ik aarzelde. Ik mocht eigenlijk niet luisteren wanneer ik thee inschonk.

'Over grootpapa's landgoed,' zei ze. 'Over Riverton.' Ze keek niet naar me en ik vermoedde dat ze zich net zo slecht op haar gemak voelde om haar vraag als ik om het antwoord.

Ik slikte en zette de kan neer. 'Ik… Ik zou het niet kunnen zeggen, juffrouw…'

'Ze heeft iets gehoord!' riep Emmeline uit. 'Kijk maar – ze bloost.' Ze boog zich naar voren en keek me met grote ogen aan. 'Vertel op. Wat gaat er gebeuren? Krijgt papa alles? Blijven we hier?'

'Dat weet ik niet, juffrouw,' zei ik, ineenkrimpend, zoals altijd wanneer Emmeline haar dwingende aandacht op me richtte. 'Niemand weet het.'

Emmeline pakte een glas limonade. 'Iemand moet het weten,' zei ze nuffig. 'Om te beginnen lord Gifford. Waarom is hij anders hierheen gekomen, als het niet over grootpapa's testament gaat?'

'Ik bedoel, juffrouw, dat het ervan afhangt.'

'Waarvan?'

Nu zei Hannah: 'Van de baby van tante Jemima.' Ze keek me in de ogen. 'Nietwaar, Grace?'

'Ja, juffrouw,' zei ik zachtjes. 'Althans, ik geloof dat ze dat zeiden.'

'Van de baby van tante Jemima?' herhaalde Emmeline.

'Als het een jongetje is,' zei Hannah bedachtzaam, 'erft hij alles. En als het geen jongetje is, wordt papa lord Ashbury.'

Emmeline, die net een aardbei in haar mond had gestopt, sloeg haar hand voor haar mond en begon te lachen. 'Stel je voor: papa heer en meester van Riverton – Wat een belachelijk idee.' De perzikkleurige tailleband van haar onderrok was aan de rand van de fontein blijven hangen en begon uit te rafelen. Een lange zigzagdraad hing langs haar been. Ik moest eraan denken dat straks te repareren. 'Denk je dat hij hier zal willen wonen?'

Ja! dacht ik hoopvol. Het afgelopen jaar was het veel te stil geweest op Riverton. We hadden niets anders te doen gehad dan ongebruikte kamers afstoffen en proberen ons niet al te veel zorgen te maken over degenen die aan het oorlog voeren waren.

'Ik weet het niet,' zei Hannah. 'Ik hoop van niet. Het is al erg genoeg dat we hier de hele zomer moeten doorbrengen. Buiten de stad duren de dagen twee keer zo lang en er zijn lang niet zo veel leuke dingen te doen.'

'Ik denk dat hij het wel zou willen.'

'Welnee,' zei Hannah met grote stelligheid. 'Papa kan zijn fabriek niet in de steek laten.'

'Dat weet ik niet,' zei Emmeline. 'Als er íéts is waar papa nog meer van houdt dan van die domme motoren, dan is het Riverton. Hij is liever hier dan waar ook ter wereld.' Ze keek op naar de hemel. 'Al snap ik niet wat er zo leuk aan is om ver van de bewoonde wereld te zitten met niemand om mee te praten en…' Ze deed er abrupt het zwijgen toe en zei op ademloze toon: 'Hannah! Weet je wat ik opeens bedenk? Als papa een lord wordt, worden wij dan "hooggeboren"?'

'Dat denk ik wel,' zei Hannah. 'Niet dat het iets uitmaakt.'

Emmeline sprong overeind en zette grote ogen op. 'Tuurlijk maakt dat iets uit.' Ze zette haar glas op het tafeltje en klom op de rand van de fontein. 'De hooggeboren Emmeline Hartford van Riverton Manor. Dat klinkt lang niet gek!' Ze draaide zich om, maakte een buiging naar haar spiegelbeeld, sloeg haar oogleden neer en stak bevallig haar hand uit. 'Aangenaam kennis te maken, knappe jongeheer. Ik ben de hooggeboren Emmeline Hartford.' Ze lachte om haar eigen grap en huppelde over de betegelde rand, met haar armen gespreid om haar evenwicht niet te verliezen, terwijl ze de voorname introductie gierend van het lachen nog een paar keer herhaalde.

Hannah keek verstrooid toe. 'Heb jij zusjes, Grace?'

'Nee, juffrouw,' zei ik. 'En ook geen broers.'

'Nee?' zei ze, op een toon alsof een leven zonder broers of zusjes iets was wat ze zich niet kon voorstellen.

'Het heeft niet zo mogen zijn, juffrouw. Ik heb alleen mijn moeder.'

Ze keek naar me, haar ogen halfdicht tegen de zon. 'Je moeder. Die heeft hier gewerkt.'

Het was geen vraag maar de vaststelling van een feit. 'Ja, juffrouw. Tot mijn geboorte, juffrouw.'

'Je lijkt erg op haar. Uiterlijk.'

Daarmee overviel ze me. 'Ja, juffrouw?'

'Ik heb haar gezien op een foto in grootmama's album. Een van de groepsfoto's uit de vorige eeuw.'

Toen ze zag hoe verbijsterd ik keek, ging ze snel door: 'Niet dat ik ernaar op zoek was; dat moet je niet denken, Grace. Ik was op zoek naar een foto van mijn eigen moeder en zag toen die foto. De gelijkenis is opvallend. Hetzelfde mooie gezicht, dezelfde vriendelijke ogen.'

Ik had nooit een foto van mijn moeder gezien van toen ze jong was, en Hannahs beschrijving was zo tegenstrijdig met de moeder die ik kende dat ik meteen een onbedwingbaar verlangen voelde die foto zelf te bekijken. Ik wist waar het album van lady Ashbury lag: in de linkerlade van haar schrijfbureau. En het gebeurde vaak, heel vaak nu Nancy aldoor weg was, dat ik in mijn eentje de zitkamer afstofte. Als ik een moment koos waarop iedereen elders bezig was, en als ik erg snel was, zou ik makkelijk een kijkje kunnen nemen. Ik vroeg me af of ik het zou durven.

'Waarom is ze niet teruggekomen naar Riverton?' vroeg Hannah. 'Nadat jij was geboren, bedoel ik.'

'Dat was niet mogelijk, juffrouw. Niet met een baby.'

'Toch heeft grootmama wel vaker een gezin in dienst gehad.' Ze glimlachte. 'Denk je eens in: dan hadden we elkaar van jongs af aan gekend.' Hannah keek uit over het water en fronste licht. 'Misschien was ze hier niet gelukkig en wilde ze daarom niet terugkomen.'

'Ik weet het niet, juffrouw,' zei ik. Het gaf me een zeer onbehaaglijk gevoel om met Hannah over mijn moeder te praten. 'Ze praat er nooit over.'

'Is ze nu ergens anders in dienst?'

'Ze doet naai- en verstelwerk. In het dorp.'

'Ze werkt dus voor zichzelf?'

'Ja, juffrouw.' Zo had ik het nooit bekeken.

Hannah knikte. 'Dat geeft haar vast voldoening.'

Ik bekeek haar aandachtig. Ik wist niet zeker of ze me plaagde, maar haar gezicht stond ernstig. Bedachtzaam.

'Dat weet ik niet, juffrouw,' zei ik bedeesd. 'Ik… Ik ga vanmiddag naar huis. Zal ik het voor u vragen?'

Haar ogen hadden een afwezige blik, alsof ze met haar gedachten ver weg was. Toen keek ze naar me en vervlogen die gedachten. 'Nee, het is niet belangrijk.' Ze streek met één vinger over Davids brief, die nog in de tailleband van haar onderrok zat. 'Heb je nog iets van Alfred gehoord?'

'Ja, juffrouw,' zei ik, blij dat ze over iets anders begon. Alfred was veel veiliger terrein. Hij hoorde bij mijn huidige wereld. 'Ik heb vorige week een brief ontvangen. Hij komt in september met verlof naar huis. Althans, dat hopen we.'

'In september,' zei ze. 'Dat is al snel. Je zult wel blij zijn om hem weer te zien.'

'Ja, juffrouw, daar ben ik erg blij om.'

Hannah glimlachte veelbetekenend en ik bloosde. 'Ik bedoel, juffrouw, dat we allemaal blij zullen zijn hem weer te zien.'

'Dat geloof ik graag, Grace. Alfred is een prima jongen.'

Mijn wangen waren vuurrood, want Hannah had het goed geraden. Hoewel er nog steeds brieven van Alfred voor het hele personeel kwamen, kwamen er steeds meer die alleen voor mij waren. De inhoud ervan was ook aan het veranderen. De verhalen over de gevechten hadden plaatsgemaakt voor opmerkingen over thuis en andere dingen, geheime dingen. Hoezeer hij me miste, hoeveel hij om me gaf. De toekomst… Ik knipperde met mijn ogen. 'En meneer David, juffrouw?' vroeg ik. 'Komt hij ook thuis binnenkort?'

'Hij hoopt op december.' Ze wreef zachtjes over het geëtste oppervlak van haar medaillon, wierp een blik op Emmeline en ging op zachte toon door: 'Ik heb sterk het gevoel dat dit de laatste keer zal zijn dat hij thuiskomt.'

'Ja, juffrouw?'

'Nu hij is ontsnapt, Grace, nu hij iets van de wereld heeft gezien… Hij heeft nu zijn eigen leven. Een echt leven. Na de oorlog zal hij in Londen gaan wonen en piano studeren en een groot musicus worden. Een leven leiden vol opwindende avonturen, net als het spel dat we vroeger speelden…' Ze keek langs me heen in de richting van het huis en haar glimlach verdween. Ze slaakte een zucht. Een lange, diepe zucht, waarbij haar schouders zakten. 'Soms…'

Het woord bleef in de lucht hangen: smachtend, zwaar, zwanger, en ik wachtte op de rest, maar die bleef uit. Ik had geen idee wat ik zou moeten zeggen, dus deed ik waar ik goed in was: ik zweeg en schonk de rest van de limonade in haar glas.

Ze keek weer naar me en reikte me haar glas aan. 'Hier, Grace, neem jij dit maar.'

'Nee, nee, juffrouw. Dank u wel, juffrouw. Dat hoeft echt niet.'

'Doe niet zo mal,' zei Hannah. 'Je wangen zijn bijna net zo rood als die van Emmeline. Hier.' Ze hield me het glas voor.

Ik keek naar Emmeline, die aan de andere kant van de fontein roze-engele bloemetjes van de kamperfoelie op het water liet drijven. 'Echt, juffrouw, ik…'

'Grace,' zei ze, zogenaamd streng. 'Het is warm. Ik sta erop.'

Ik zuchtte en pakte het glas aan. Het voelde koel aan in mijn hand, verleidelijk koel. Ik bracht het naar mijn lippen… Misschien een klein slokje…

Hannah keek met een ruk om toen er achter haar een opgewonden kreet opklonk. Ik hief mijn hoofd op en kneep mijn ogen tot spleetjes tegen het witte licht. De zon was aan de afdaling naar het westen begonnen en het was heiig.

Emmeline zat op haar hurken op de richel van het beeld, naast Icarus. Haar blonde, golvende haar hing los en ze had een takje witte clematis achter haar oor gestoken. De natte zoom van haar onderrok plakte tegen haar benen. In het warme, witte licht was het alsof ze deel uitmaakte van de beeldengroep. Een vierde zeemeermin die tot leven was gekomen. Ze wuifde naar ons. Naar Hannah. 'Kom! Je kunt hiervandaan het meer zien!'

'Ik weet allang hoe het meer eruitziet,' zei Hannah. 'Ik heb het je zelf laten zien, of weet je dat niet meer?'

Hoog in de lucht klonk het zachte geronk van een vliegtuig. Ik wist niet wat voor een het was. Dat zou Alfred me kunnen vertellen.

Hannah keek ernaar en bleef naar de lucht staren tot het vliegtuig een stip was geworden in het hete licht van de zon. Toen stond ze resoluut op, liep snel naar de plek waar hun kleren lagen en begon haar zwarte jurk aan te trekken. Ik zette haastig het glas limonade neer om haar te helpen.

'Wat doe je?' vroeg Emmeline.

'Ik kleed me aan.'

'Waarom?'

'Ik ga naar binnen. Ik heb iets te doen.' Hannah zweeg toen ik het lijfje voor haar dichtmaakte. 'Franse werkwoorden voor juffrouw Prince.'

'Franse werkwoorden?' Emmeline trok een achterdochtig gezicht. 'Het is vakantie.'

'Ik heb om extra werk gevraagd.'

'Nietes.'

'Welles.'

'Dan ga ik met je mee,' zei Emmeline, maar ze verroerde zich niet.

'Mij best,' antwoordde Hannah koeltjes. 'Misschien is lord Gifford er nog; dan heb je gezelschap als je je mocht gaan vervelen.' Ze ging op het bankje zitten en begon haar laarsjes dicht te rijgen.

'Toe nou,' zei Emmeline pruilend. 'Zeg nou wat je gaat doen. Je weet best dat ik geheimen kan bewaren.'

'Ja, gelukkig wel,' zei Hannah. 'Stel je voor dat iemand erachter kwam dat ik Franse werkwoorden zit te oefenen.'

Emmeline bleef naar Hannah zitten kijken terwijl ze met haar hakken ritmisch tegen een marmeren vleugel trommelde. Ze hield haar hoofd schuin. 'Ga je écht gewoon Frans doen?'

'Echt,' zei Hannah. 'Ik ga naar binnen om vertalingen te maken.' Ze wierp een snelle blik op mij en toen begreep ik wat haar leugentje inhield. Ze ging inderdaad vertalingen maken, maar in steno, niet in het Frans. Ik sloeg mijn ogen neer, vergenoegd over mijn rol van samenzweerder.

Emmeline bewoog traag haar hoofd heen en weer en kneep haar ogen half toe. 'Liegen is een doodzonde.' Ze klampte zich nu aan strohalmen vast.

'Dat weet ik, heilige Emmeline,' zei Hannah lachend.

Emmeline sloeg haar armen over elkaar. 'Goed. Dan niet. Jouw domme geheimen interesseren me niet.'

'Mooi zo,' zei Hannah. Ze glimlachte naar me en ik glimlachte terug. 'Bedankt voor de limonade, Grace.' Daarna verdween ze. Ze duwde het draaihek open en liep weg over het Lange Pad.

'Ik kom er heus wel achter,' riep Emmeline haar na. 'Ik ontdek altijd alles.'

Er kwam geen antwoord en ik hoorde Emmeline snuiven. Toen ik me omdraaide, zag ik dat de witte clematis die ze in haar haar had gevlochten nu op de stenen lag. Ze keek me chagrijnig aan. 'Is die limonade voor mij? Ik sterf van de dorst.'

Die middag bracht ik een kort bezoek aan mijn moeder, dat het vermelden niet waard is, op één ding na. Wanneer ik kwam, gingen moeder en ik altijd in de keuken zitten, waar ze het beste licht had voor haar verstelwerk en waar we het grootste deel van onze tijd hadden doorgebracht voordat ik op Riverton was gaan werken. Die dag deed ze de deur voor me open en nam ze me mee naar de kleine zitkamer naast de keuken. Verbaasd vroeg ik me af wie moeder nog meer verwachtte, want die kamer gebruikten we alleen voor belangrijke bezoekers, zoals dokter Arthur en de dominee. Ik ging op een stoel bij het raam zitten terwijl moeder theezette.

Moeder had de moeite genomen de kamer gezellig te maken, dat zag ik meteen. Haar lievelingsvaas, eentje van wit porselein waarop aan de voorkant tulpen waren geschilderd en die nog van haar eigen moeder was geweest, stond op het lage tafeltje met een bosje half verpieterde madeliefjes erin. Het kussen dat ze meestal dubbelgevouwen in haar rug deed wanneer ze aan het werk was, rustte nu, weer in model gebracht, tegen de rugleuning van de bank. Als een slinkse indringer lag het daar pontificaal op de bank, alsof het enkel en alleen ter decoratie diende.

De kamer was brandschoon – moeder was na de jaren dat ze als dienstmeisje had gewerkt erg veeleisend gebleven voor zichzelf –, maar kleiner en eenvoudiger dan ik me herinnerde. De gele muren die ooit zo vrolijk hadden geleken, waren verkleurd en leken naar binnen te hellen, alsof alleen de aftandse oude bank en de stoelen voorkwamen dat ze zouden instorten. De schilderijtjes aan de muren – zeegezichten die de bron waren geweest van veel van mijn kinderlijke fantasieën – hadden hun magie verloren. Ik zag nu dat ze in feite heel goedkoop en slecht ingelijst waren.

Moeder kwam binnen met de thee en ging tegenover me zitten. Ik keek toe toen ze inschonk. Er stonden maar twee kopjes op het blad. Er zou dus niemand anders komen. De kamer, de bloemen, het kussen – het was allemaal voor mij.

Ik pakte het kopje aan dat ze me aanreikte en zag dat er een scherfje af was. Dat zou meneer Hamilton nooit dulden. Op Riverton werden geen beschadigde kopjes gebruikt, zelfs niet in het bediendevertrek.

Moeder hield haar theekopje met beide handen vast en ik zag dat aan beide handen de vingers over elkaar heen gegroeid waren. Zo kon ze onmogelijk naaien. Ik vroeg me af hoe lang dit al zo was en hoe ze zich in leven hield. Ik stuurde haar iedere week een deel van mijn loon, maar dat kon nooit genoeg zijn. Behoedzaam sneed ik het onderwerp aan.

'Dat gaat je niets aan,' zei ze. 'Ik red me wel.'

'Maar moeder, waarom hebt u niets gezegd? Ik kan u best wat meer sturen. Ik heb toch niets om het aan uit te geven.'

Haar magere gezicht aarzelde tussen ontkenning en nederlaag. Uiteindelijk slaakte ze een zucht. 'Je bent een lieve meid, Grace, maar wat je me geeft, is genoeg. Het ongeluk van je moeder is jóúw probleem niet.'

'Natuurlijk wel, moeder.'

'Zorg jij er nu alleen maar voor dat je niet dezelfde fouten maakt als ik.'

Ik raapte al mijn moed bij elkaar en waagde het op zachte toon te vragen: 'Welke fouten, moeder?'

Ze wendde haar ogen af. Ik wachtte met kloppend hart, want ik zag dat ze op haar onderlip beet en vroeg me af of ik nu eindelijk te horen zou krijgen wat het grote geheim was dat al zo lang ik me kon herinneren tussen ons in stond…

'Poeh,' zei ze uiteindelijk en toen ze me weer aankeek, wist ik dat de deur naar dit onderwerp opnieuw was dichtgeslagen. Ze hief haar kin op en vroeg naar het huis en de familie, zoals ze altijd deed.

Wat had ik verwacht? Een onverwachte ontboezeming, die geheel in strijd zou zijn met haar karakter? De blootlegging van de oude wonden die mijn moeders verbittering zou verklaren en ons in staat zou stellen tot de intieme verstandhouding te komen die ons tot nu toe niet was gegund?

Misschien verwachtte ik dat inderdaad. Ik was jong, dat is mijn enige excuus.

Maar dit is een waar gebeurd verhaal, geen fictie, dus zal het je niet verbazen dat er geen ontboezeming kwam. Ik slikte mijn teleurstelling weg en vertelde haar over de sterfgevallen, waarbij ik niet kon verhinderen dat ik een te gewichtige stem opzette toen ik uitweidde over de recente rampen die de familie waren overkomen. Eerst de majoor – hoe meneer Hamilton met een strak gezicht het zwart omrande telegram in ontvangst had genomen, en dat Jemima's vingers zo hadden getrild dat ze het aanvankelijk niet had kunnen openen – en toen lord Ashbury, slechts een paar dagen erna.

Ze schudde traag haar hoofd, een gebaar dat extra liet uitkomen hoe lang en mager haar nek was, en zette haar kopje neer. 'Ik had al zoiets gehoord, maar wist niet hoeveel ervan ik moest toeschrijven aan roddelpraat. Je weet hoe snel praatjes de ronde doen in dit dorp.'

Ik knikte.

'Waar is lord Ashbury aan overleden?' vroeg ze.

'Meneer Hamilton zegt dat het een combinatie was van een hartaanval en de hitte.'

Moeder bleef knikken en beet op de binnenkant van haar wang. 'En wat zegt mevrouw Townsend?'

'Dat hij niet daaraan is gestorven, maar aan verdriet.' Ik liet mijn stem dalen en sprak op dezelfde eerbiedige toon als die mevrouw Townsend had gebruikt toen ze dat zei. 'Ze zei dat de dood van de majoor het hart van lord Ashbury heeft gebroken. Dat al zijn hoop en al zijn dromen samen met de majoor in de grond van Frankrijk zijn doodgebloed.'

Moeder glimlachte, maar het was geen blijde lach. Weer schudde ze traag haar hoofd en keek ze naar de muur met de schilderijtjes van de verre zee. 'Arme, arme Frederick,' zei ze. Dat verbaasde me, en aanvankelijk dacht ik dat ik haar verkeerd had verstaan, of dat ze zich vergiste, dat ze de verkeerde naam in de mond had genomen, want dit leek niet erg logisch. Arme lord Ashbury. Arme lady Ashbury. Arme Jemima. Maar Frederick?

'U hoeft zich over hem geen zorgen te maken,' zei ik. 'Hij erft waarschijnlijk het landgoed.'

'Geluk wordt niet alleen in rijkdom uitgedrukt, meisje.'

Ik vond het niet prettig wanneer moeder over geluk sprak. Uit haar mond werd het een holle frase. Moeder, met haar vermoeide ogen en lege huis, was wel de laatste die iets over geluk zou mogen zeggen. Ik voelde me op mijn plek gezet. Bestraft voor een fout die ik niet eens kon benoemen. 'Zeg dat maar tegen Fanny.'

Moeder fronste. Toen pas besefte ik dat die naam haar niets zei.

'O,' zei ik, om onverklaarbare reden helemaal opgemonterd. 'Ik was vergeten dat u haar niet kent. Ze is de protegee van lady Clementine en wil niets liever dan met meneer Frederick trouwen.'

Moeder keek me ongelovig aan. 'Trouwen? Frederick?'

Ik knikte. 'Fanny probeert nu al een heel jaar hem te strikken.'

'Hij heeft haar dus niet gevraagd?'

'Nee,' zei ik. 'Maar dat is alleen een kwestie van tijd.'

'Wie zegt dat? Mevrouw Townsend?'

Ik schudde mijn hoofd. 'Nancy.'

Moeder had zich enigszins hersteld en glimlachte flauwtjes. 'Dat heeft ze dan mis, die Nancy van jou. Frederick zal niet hertrouwen. Niet na Penelope.'

'Nancy vergist zich nooit.'

Moeder sloeg haar armen over elkaar. 'Ditmaal wel.'

Het irriteerde me dat ze zo zeker van haar zaak was. Alsof zij beter wist wat er op Riverton gebeurde dan ik. 'Zelfs mevrouw Townsend is het met haar eens,' zei ik. 'Ze zegt dat lady Violet het huwelijk zou goedkeuren en dat meneer Frederick zich weliswaar ogenschijnlijk niets aantrekt van wat zijn moeder zegt, maar dat hij nog nooit tegen haar wensen is ingegaan wanneer het erop aankomt.'

'Nee,' zei moeder, en haar glimlach flakkerde en doofde. 'Dat is zo.' Ze draaide zich om en keek door het open raam naar buiten, naar de grijze muur van het aangrenzende huis. 'Ik had alleen niet gedacht dat hij ooit zou hertrouwen.'

Alle overtuiging was uit haar toon verdwenen en ik voelde me ellendig. Ik schaamde me ervoor dat ik had geprobeerd haar terecht te wijzen. Moeder was erg gesteld geweest op Penelope, de moeder van Hannah en Emmeline. Dat moest wel. Waarom zou ze het anders zo erg vinden dat meneer Frederick een vervangster nam voor zijn overleden echtgenote? Waarom keek ze anders zo melancholiek toen ik volhield dat het waar was? Ik legde mijn hand op de hare. 'U hebt gelijk, moeder. Ik sprak voor mijn beurt. We weten nog helemaal niets zeker.'

Ze gaf geen antwoord.

Ik boog me naar voren. 'En niemand zal beweren dat meneer Frederick van Fanny houdt. Hij kijkt met meer liefde naar zijn rijzweepje dan naar haar.'

Mijn grapje was bedoeld om haar weer aan mijn kant te krijgen en ik was blij toen ze haar gezicht weer naar me toe draaide. En toen was ik heel verbaasd, want op dat moment, toen het licht van de namiddagzon haar wang streelde en groene vlekjes tevoorschijn toverde in haar bruine ogen, was moeder bijna mooi. Dat was een woord dat ik nooit met haar in verband zou hebben gebracht. Proper wel, maar niet mooi.

Ik dacht aan wat Hannah had gezegd over de foto van moeder en nam me heilig voor die zelf te bekijken. Ik wilde zien wat voor iemand ze geweest was. Het meisje dat Hannah mooi had genoemd en aan wie mevrouw Townsend met zo veel genegenheid terugdacht.

'Hij heeft altijd veel van paardrijden gehouden,' zei ze. Ze zette haar theekopje op de vensterbank, pakte toen tot mijn stomme verbazing mijn hand en streelde de eeltplekken op mijn handpalm. 'Vertel me eens over je nieuwe taken. Kijk toch eens, blijkbaar moet je hard werken.'

'Dat valt wel mee,' zei ik, getroffen door deze zeldzame uiting van liefde. 'Afstoffen en vegen en de was doen, daar valt niet veel over te vertellen, maar ik heb andere taken die ik erg leuk vind.'

'O ja?' Ze hield haar hoofd schuin.

'Nu Nancy zo vaak dienst moet doen op het station, doe ik veel werk boven.'

'En vind je dat leuk om te doen, meisje?' Haar stem klonk zacht. 'Ben je graag boven in dat grote huis?'

Ik knikte.

'Wat vind je daar zo leuk aan?'

Ronddwalen in de mooie kamers met de tere porseleinen beeldjes en de schilderijen en wandkleden. Luisteren naar Hannah en Emmeline die grapjes maken en elkaar plagen en over de toekomst dromen. Ik dacht terug aan wat moeder zojuist had gezegd en wist opeens waarmee ik haar een plezier kon doen. 'Ik voel me er gelukkig,' zei ik, en toen bekende ik iets wat ik nog niet eens voor mezelf had geformuleerd. 'Ik hoop ooit kamenier te worden.'

Ze keek naar me en trok haar wenkbrauwen tot een lichte frons. 'Een kamenier kan een heel goede toekomst hebben, lieve kind,' zei ze op een geladen toon. 'Maar geluk… geluk moet je dicht bij huis zoeken,' zei ze. 'Dat vind je niet in andermans tuin.'

Ik dacht na over moeders opmerkingen toen ik aan het einde van de middag terugkeerde naar Riverton. Ze had me weer op het hart gedrukt niet te vergeten wat mijn plaats was – de preek die ik al zo vaak had gekregen. Ze wilde dat ik goed zou onthouden dat ik geluk alleen kon vinden tussen de sintels van de open haard in het bediendevertrek, niet tussen de tere parels in het bou-

173

doir van een lady. Maar de Hartfords waren geen vreemdelingen. En het kon toch geen kwaad als ik me gelukkig voelde wanneer ik te midden van hen werkte, naar hun gesprekken luisterde en hun japonnen verzorgde?

Opeens drong het besef tot me door dat ze jaloers was. Ze benijdde me om mijn werk in het grote huis. Ze moest veel om Penelope, de moeder van de meisjes, hebben gegeven; daarom had ze zo onthutst gekeken toen ik zei dat meneer Frederick zou hertrouwen. En nu ik de plaats bezette die ooit de hare was geweest, werd ze steeds herinnerd aan de wereld die ze had moeten opgeven. Maar men had haar daar toch niet toe gedwongen? Hannah had gezegd dat lady Violet wel vaker echtparen met kinderen in dienst had gehad. En als moeder er jaloers op was dat ik haar plaats had ingenomen, waarom had ze dan gewild dat ik op Riverton ging solliciteren?

Ik schopte opstandig tegen een kluit aarde die door paardenhoeven was opgegooid. Het had geen zin. Ik zou er nooit in slagen het web van geheimen te ontwarren dat moeder tussen ons had geweven. En als ze geen uitleg wilde geven, als ze alleen cryptische preken gaf over ongeluk en dat je je plaats moest weten, hoe kon ik dan aan haar wensen voldoen?

Ik haalde diep adem. Het kon gewoon niet. Moeder had me geen andere keus gegeven dan mijn eigen weg te zoeken en dat zou ik dan ook doen. En als dat inhield dat ik moest proberen een hogere positie te verkrijgen binnen het huishouden, dan zou ik dat doen.

Aan het einde van de met bomen omzoomde oprit bleef ik eventjes staan om naar het huis te kijken. De zon was gedraaid en Riverton lag in de schaduw. Een grote, zwarte kever op de heuvel, ineengedoken tegen de hitte en het verdriet. En toch werd ik, toen ik daar stond, vervuld van een warm gevoel van zekerheid. Voor het eerst van mijn leven voelde ik me verankerd; ergens tussen het dorp en Riverton was ik het gevoel kwijtgeraakt dat ik zou wegwaaien als ik me niet stevig vasthield.

Ik ging het schemerige bediendevertrek binnen en liep door de donkere gang. Mijn voetstappen echoden op de koele stenen vloer. In de keuken heerste een doodse stilte. Er hing een geur van runderstoofpot, maar er was niemand te bekennen. Achter me, in de eetkamer, klonk het harde tikken van de klok. Ik keek om het hoekje van de deur. Ook in de eetkamer zat niemand. Op de tafel stond een eenzaam theekopje, maar degene die eruit had gedronken, was er niet. Ik zette mijn hoed af, hing hem aan een haak aan de muur en streek mijn rok glad. Toen ik zuchtte, golfde het geluid over de stille muren. Ik glimlachte zwakjes. Ik had het bediendevertrek nog nooit helemaal voor mezelf gehad.

Ik keek op de klok. Ik had nog een halfuur vrij en besloot een kopje thee te nemen. De thee bij moeder thuis had een bittere smaak achtergelaten.

De theepot op het aanrecht was nog warm onder de wollen theemuts. Ik had net een kopje gepakt toen Nancy kwam binnenstormen. Ze keek verbaasd toen ze me zag.

'De baby,' zei ze abrupt. 'Jemima heeft weeën.'

'Maar de baby zou toch pas in augustus komen?' zei ik.

'Blijkbaar weet hij dat niet,' zei ze, en ze gooide me een kleine, vierkante handdoek toe. 'Hier, breng deze handdoek en een kom lauw water naar boven. Ik kan geen van de anderen vinden en iemand moet de dokter waarschuwen.'

'Maar ik heb mijn uniform nog niet aan.'

'Ik denk niet dat moeder en kind dat erg zullen vinden,' zei Nancy, en ze verdween in de provisiekamer van meneer Hamilton, waar de telefoon was.

'Maar wat moet ik zeggen?' Die vraag stelde ik aan de lege kamer, aan mezelf, aan de handdoek in mijn hand. 'Wat moet ik doen?'

Nancy stak haar hoofd om de hoek van de deur. 'Dat weet ik ook niet, hoor. Bedenk zelf maar iets.' Ze wapperde met haar handen. 'Zeg maar dat alles in orde komt. Hopelijk is dat ook zo.'

Ik sloeg de handdoek over mijn schouder, vulde een kom met lauw water en liep ermee naar boven, zoals Nancy me had opgedragen. Mijn handen trilden een beetje en af en toe klotste er wat water over de rand, waardoor er donkerrode vlekken op de rode loper kwamen.

Toen ik bij Jemima's kamer aankwam, aarzelde ik. Achter de deur klonk een gedempt gekreun. Ik haalde diep adem, klopte aan en ging naar binnen.

Binnen was het donker, op een felle streep licht na die door een kier tussen de gordijnen naar binnen viel. In de gelige lichtbaan hingen stofdeeltjes, bijna roerloos. Het hemelbed was een schemerige massa in het midden van de kamer. Jemima lag heel stil en haalde hijgend adem.

Ik liep op mijn tenen naar het bed en zette de kom met water op het nachtkastje.

Jemima kreunde. Ik beet op mijn lip en wist niet wat ik moest doen. 'Stil maar,' zei ik zachtjes, zoals mijn moeder had gezegd toen ik rodehond had. 'Stil maar.'

Ze schokte, hapte drie keer naar adem en kneep haar ogen stijfdicht.

'Alles komt in orde,' zei ik. Ik legde de handdoek in de kom, wrong hem uit, vouwde hem in vieren en legde hem op haar voorhoofd.

'Jonathan...' zei ze. 'Jonathan...' Wat klonk zijn naam mooi op haar lippen.

Ik wist niet wat ik moest zeggen, dus zweeg ik maar.

Ze kreunde en jammerde, bewoog onrustig en gromde in haar kussen. Haar vingers tastten tevergeefs naar troost op de lege plek naast haar.

Toen bleef ze weer stil liggen en werd haar ademhaling rustiger.

Ik haalde de natte handdoek van haar voorhoofd. Hij was warm geworden van haar huid. Ik deed hem weer in de kom, wrong hem uit, vouwde hem op en legde hem weer op haar voorhoofd.

Haar ogen gingen open, knipperden en werden in het schemerdonker op mijn gezicht gericht. 'Hannah,' zei ze met een zucht. Ik was beduusd om de vergissing. En ook erg in mijn schik. Ik deed mijn mond al open om haar op haar fout te wijzen toen ze naar mijn hand tastte en die vastpakte. 'Ik ben zo blij dat jij het bent.' Ze kneep hard in mijn vingers. 'Ik ben bang,' fluisterde ze. 'Ik voel hem niet.'

'Dat geeft niets,' zei ik. 'De baby rust uit.'

Daar leek ze iets van te kalmeren. 'Ja,' zei ze. 'Dat is altijd zo, vlak voordat ze komen. Alleen… het is te vroeg.' Ze wendde haar gezicht af. Toen ze weer iets zei, klonk haar stem zo zacht dat ik moeite had haar te verstaan. 'Iedereen hoopt dat het een jongetje is, maar ik niet. Ik wil er niet nog eentje verliezen.'

'Dat zal niet gebeuren,' zei ik, en ik hoopte dat ik gelijk had.

'Er rust een vloek op mijn familie,' zei ze, met haar gezicht nog steeds afgewend. 'Mijn moeder zei het al, maar ik geloofde haar niet.'

Ze weet niet wat ze zegt, dacht ik. Ze gelooft in oudewijvenpraatjes omdat het verdriet haar te veel is geworden. 'Vloeken bestaan niet,' zei ik zachtjes.

Ze maakte een raar geluid, een kruising tussen een lach en een snik. 'Jawel. Het is dezelfde vloek die wijlen onze koningin van haar zoon heeft beroofd. De vloek van de bloederziekte.' Ze zweeg en wreef een poosje over haar buik. Toen draaide ze zich half naar me toe. Op fluistertoon ging ze door: 'Maar meisjes… Meisjes worden overgeslagen.'

De deur vloog open en Nancy kwam binnen. Achter haar stond een man van middelbare leeftijd met een permanent bezorgde uitdrukking op zijn gezicht, van wie ik aannam dat het de dokter was, al was het niet dokter Arthur uit het dorp. Kussens werden opgeschud, Jemima werd in positie gebracht en er werd een lamp ontstoken. Op een gegeven moment merkte ik dat Jemima mijn hand niet langer vasthield en toen werd ik opzijgeduwd en de kamer uit gestuurd.

De middag ging over in de avond, de schemering zette in, en ik wachtte en hoopte. De tijd kroop, ook al ontbrak het ons niet aan werk. We moesten het avondeten opdienen, slaapkamers gereedmaken voor de nacht, wasgoed verzamelen voor morgen… maar ik dacht de hele tijd aan Jemima.

Eindelijk, toen de laatste gloed van de zomerzon achter de hei in het westen was verdwenen, kwam Nancy met bonkende stappen de trap af, de kom en de handdoek in haar hand.

We hadden net gegeten en zaten nog aan tafel.

'En?' vroeg mevrouw Townsend, haar hand met een verfrommelde zakdoek tegen haar borst gedrukt.

Nancy zette de kom op het aanrecht en draaide zich naar ons om. Ze was niet in staat een glimlach te onderdrukken. 'De baby is om vier minuten voor halfnegen geboren. Klein maar gezond.'

Nerveus wachtte ik op de rest.

'Maar ik heb medelijden met Jemima,' zei Nancy terwijl ze haar wenkbrauwen optrok. 'Het is een meisje.'

Het was tien uur toen ik het dienblad uit Jemima's kamer ging ophalen. Ze was in slaap gevallen met de kleine Gytha, stevig ingepakt, in haar armen. Voordat ik de lamp op het nachtkastje uitdeed, keek ik naar het piepkleine meisje: een tuitmondje, donzig roodblond haar, oogjes stijfdicht. Geen erfgename, maar een baby die zou leven, groeien, liefhebben. Die op een goede dag misschien zelf kinderen zou krijgen.

Ik liep op mijn tenen de kamer uit, het dienblad in mijn hand. Mijn lamp was het enige licht in de donkere gang en mijn schaduw gleed met me mee over de rij portretten aan de muur. Terwijl de nieuwste telg lag te slapen achter de gesloten deur, hielden de andere Hartfords zwijgend de wacht, starend naar de muren van het huis waarvan ze ooit heer en meester waren.

Toen ik in de grote hal aankwam, zag ik onder de deur van de zitkamer een streep licht. Door alle toestanden had meneer Hamilton blijkbaar vergeten daar de lamp te doven. Ik was blij dat ik het zag. Niettegenstaande het feit dat ze een nieuw kleinkind had, zou lady Violet erg boos zijn als ze erachter kwam dat haar rouwrituelen niet strikt werden nagekomen.

Ik deed de deur open en bleef toen stokstijf staan.

In de kamer, in de stoel van zijn vader, zat meneer Frederick. De nieuwe lord Ashbury.

Hij had zijn lange benen over elkaar geslagen en steunde met zijn hoofd op zijn hand zodat ik zijn gezicht niet kon zien.

In zijn andere hand had hij de brief van David, herkenbaar aan de zwarte schets. De brief die Hannah bij de fontein had gelezen en waar Emmeline zo om had moeten lachen.

177

De hand van meneer Frederick trilde en eerst dacht ik dat ook hij lachte.

Toen hoorde ik een geluid dat ik nooit ben vergeten. Nooit zal vergeten. Een snik. Diep uit zijn binnenste, onhoudbaar, hol. Een snik van diepe spijt.

Een ogenblik bleef ik staan, niet in staat me te bewegen; toen stapte ik achteruit en trok ik de deur zachtjes dicht, om niet langer een geheime getuige te zijn van zijn verdriet.

Een klopje op de deur en ik ben terug. Het is 1999 en ik ben in mijn kamer op Heathview, heb de foto met onze ernstige, onwetende gezichten nog in mijn hand. De jonge actrice zit op de bruine stoel de punten van haar lange haar te bekijken. Hoe lang ben ik afwezig geweest? Ik kijk op de klok. Het is even na tienen. Is dat mogelijk? Is het mogelijk dat de muren van het geheugen zijn weggebroken, dat oude scènes en geesten tot leven zijn gekomen en er evengoed helemaal geen tijd is verstreken?

De deur gaat open en Ursula komt weer binnen met Sylvia vlak achter haar aan. Sylvia met drie theekopjes op een zilveren dienblad. Niet het lelijke plastic dienblad dat ze meestal gebruikt.

'Neem me niet kwalijk,' zegt Ursula en ze gaat weer op het voeteneinde van mijn bed zitten. 'Het was belangrijk, anders had ik het laten gaan.'

Ik begrijp niet wat ze bedoelt, tot ik de mobiele telefoon in haar hand zie.

Sylvia geeft me een kopje thee en loopt om mijn stoel heen om Keira een kopje aan te reiken.

'Ik hoop dat jullie alvast begonnen zijn,' zegt Ursula.

Keira glimlacht en haalt haar schouders op. 'We zijn eigenlijk al klaar.'

'Meen je dat?' zegt Ursula, en ze zet grote ogen op onder haar dikke pony. 'Heb ik het hele gesprek gemist? Ik had juist graag willen horen wat Grace zich allemaal herinnert.'

Sylvia legt haar hand op mijn voorhoofd. 'Je ziet wat pips. Gracie. Wil je een pijnstiller?'

'Nee hoor, nergens voor nodig,' zeg ik. Mijn stem klinkt schor.

Sylvia trekt haar wenkbrauwen op.

'Ik voel me best,' zeg ik, zo resoluut mogelijk.

Sylvia maakt een binnensmonds geluid en schudt haar hoofd. Ik weet dat ze haar handen van me af trekt. Tijdelijk. Zelf weten, zie ik haar denken. Ook al hou ik me groot, voor haar bestaat er geen enkele twijfel dat ik nog voordat mijn gasten op het parkeerterrein van Heathview zijn om een pijnstiller zal vragen. En daar heeft ze waarschijnlijk gelijk in.

Keira neemt een slokje groene thee en zet de kop en schotel dan op mijn kaptafel. 'Is hier ergens een wc?'

Ik voel Sylvia's doordringende blik. 'Sylvia,' zeg ik, 'zou je Keira even willen wijzen waar het toilet is?'

Sylvia kan haar opwinding nauwelijks bedwingen. 'Natuurlijk,' zegt ze. Ik kan haar niet zien, maar weet dat ze zich heel belangrijk voelt. 'Komt u maar mee, juffrouw Parker.'

Ursula glimlacht naar me wanneer de deur dichtgaat. 'Ik ben u erg dankbaar dat u bereid bent met Keira te praten,' zegt ze. 'Ze is de dochter van een vriend van een van de producenten, dus ben ik verplicht aandacht aan haar te besteden.' Ze kijkt naar de deur en zegt op zachte toon, haar woorden zorgvuldig kiezend: 'Het is een beste meid, alleen ontbreekt het haar aan tact.'

'Dat was me niet opgevallen.'

Ursula schiet in de lach. 'Dat is het probleem wanneer je ouders in de filmindustrie zitten,' zegt ze. 'De kinderen zien dat mensen hun ouders naar de ogen kijken omdat ze rijk, beroemd en aantrekkelijk zijn. Dan kun je het hun moeilijk kwalijk nemen dat ze zich net zo gaan voelen.'

'Het geeft niks, hoor.'

'Ja, maar toch…' zegt Ursula. 'Ik had erbij willen blijven. Als een soort chaperonne…'

'Als je niet ophoudt met je te verontschuldigen, ga ik nog denken dat je iets verkeerds hebt gedaan,' zeg ik. 'Je doet me denken aan mijn kleinzoon.' Ze kijkt beteuterd en ik zie een nieuwe emotie in haar donkere ogen. Een somberheid die me niet eerder was opgevallen. 'Heb je het probleem kunnen oplossen?' vraag ik. 'Waarover je werd gebeld?'

Ze zucht en knikt. 'Ja.'

Daarop volgt niets en ik blijf zwijgen in afwachting van de rest. Ik heb heel lang geleden al geleerd dat je vertrouwelijkheden het best kunt uitlokken door te zwijgen.

'Ik heb een zoon,' zegt ze. 'Finn.' De naam laat een blij-bedroefde glimlach achter rond haar mond. 'Hij is afgelopen zaterdag drie geworden.' Haar blik dwaalt weg van mijn gezicht en blijft rusten op de rand van haar theekopje, dat ze heen en weer draait tussen haar handen. 'Zijn vader… Hij en ik zijn nooit…' Ze tikt tweemaal met haar nagel tegen het kopje en kijkt me weer aan. 'Finn en ik hebben alleen elkaar. Daarnet belde mijn moeder. Zij past op Finn tot we klaar zijn met de film. Hij was gevallen.'

'Niets ernstigs, hoop ik?'

'Nee. Alleen een verstuikte pols. De dokter heeft er een rekverband om gedaan. Verder is alles in orde.' Ze glimlacht, maar er verschijnen tranen in haar ogen. 'Neem me niet kwalijk… o jee… waarom huil ik nou? Hij mankeert verder niets.'

'Je bent bezorgd,' zeg ik terwijl ik naar haar blijf kijken. 'En opgelucht.'

'Ja,' zegt ze, opeens heel jong en kwetsbaar. 'En schuldbewust.'

'Schuldbewust?'

'Ja,' zegt ze, maar ze gaat er niet op door. Ze haalt een papieren zakdoekje uit haar tas en droogt haar ogen. 'Ik vind het prettig om met u te praten. U doet me denken aan mijn oma.'

'Dat moet dan een aardige vrouw zijn.'

Ursula schiet in de lach. 'Dat is ze ook.' Ze snuit haar neus. 'Jeetje, dat ik u hier nu mee lastigval. Sorry.'

'Hou toch eens op met je steeds te verontschuldigen.'

Op de gang klinken voetstappen. Ursula kijkt naar de deur en snuit nogmaals haar neus. 'Laat me u dan in ieder geval bedanken. Dat we mochten komen. Dat u met Keira hebt gepraat. En naar mij hebt geluisterd.'

'Het was me een genoegen,' zeg ik, en ik besef tot mijn verbazing dat ik het meen. 'Ik krijg tegenwoordig niet veel bezoek.'

De deur gaat open. Ze staat op, bukt zich en geeft me een zoen. 'Ik kom binnenkort weer,' zegt ze en ze knijpt zachtjes in mijn pols.

En daar ben ik onnoemelijk blij om.

Filmscript
Definitieve versie, november 1998, p. 43-54

HET GEHEIM VAN DE ZUSTERS
Geschreven en geregisseerd door Ursula Ryan © 1998

Ondertitel: Bij Passchendaele, België. Oktober 1917

45 BINNENOPNAME. VERLATEN BOERDERIJ. AVOND
De avond valt en het regent. Drie jonge soldaten in vuile uniformen
schuilen in een half-kapotgeschoten Belgische boerderij. Ze zijn van
hun divisie gescheiden geraakt tijdens de overhaaste terugtrekking
van het front en hebben de hele dag gelopen. Ze zijn moe en gede-
moraliseerd. In de boerderij waar ze schuilen, zijn ze een maand geleden ook geweest, toen ze op weg waren naar het front. Het gezin,
de familie Duchesne, is gevlucht toen de vijandelijkheden het dorp
bereikten.

Eén enkele kaars flakkert op de kale houten vloer en werpt lange,
grillige schaduwen op de muren van de verlaten keuken. Overal zijn
nog sporen van het gezinsleven te zien: een koekenpan naast de
gootsteen, wasgoed aan een doorzakkend touw dat voor het fornuis
is gespannen, een houten stuk speelgoed.

Een van de soldaten, een Australische infanterist die FRED heet, zit
gehurkt bij het gat in de muur waar de deur was. Hij klemt zijn ge-

weer tegen zich aan. In de verte klinkt af en toe kanonvuur. Regen klettert op de modderige grond; de sloten zijn zo vol dat ze overstromen. Er komt een rat tevoorschijn en hij snuffelt aan een grote, donkere vlek op het uniform van de soldaat. Het is geronnen bloed, zwart en schimmelig.

In de keuken zit een officier op de grond, met zijn rug tegen een tafelpoot. DAVID HARTFORD heeft een brief in zijn hand: naar de kreukels en vlekken te oordelen heeft hij die al vele malen gelezen. Naast zijn gestrekte been ligt de magere hond die de hele dag met hen is meegelopen. De hond slaapt.

De derde man, ROBBIE HUNTER, komt een van de kamers uit met een grammofoon, dekens en een aantal stoffige grammofoonplaten. Hij legt de hele vracht op de keukentafel en begint de keukenkastjes te doorzoeken. Achter in de voorraadkast vindt hij iets. Hij draait zich om en we zoomen langzaam in. Hij is magerder dan voorheen. Zijn gezicht is getekend door levensmoeheid. Hij heeft wallen onder zijn ogen, en zijn krullen zitten vol klitten vanwege de lange mars en het vochtige weer. Er hangt een sigaret tussen zijn lippen.

DAVID (zonder zich om te draaien)
Iets gevonden?

ROBBIE
Brood – zo hard als steen, maar het ís brood.

DAVID
Verder nog iets? Iets te drinken?

ROBBIE (na een korte stilte)
Muziek. Ik heb muziek gevonden.

DAVID draait zich om, ziet de grammofoon. De uitdrukking op zijn gezicht is moeilijk te doorgronden: een combinatie van blijdschap en droefenis. Onze blik daalt vanaf zijn gezicht via zijn arm naar zijn handen. Van één hand zijn de vingers verbonden met een smerig, geïmproviseerd verband.

DAVID
Nou? Waar wacht je op?

ROBBIE legt een plaat op de draaischijf en de muziek zet krakend in.

MUZIEK: 'Claire de Lune' van Debussy.

ROBBIE loopt naar DAVID met de dekens en het brood. Hij loopt voorzichtig en laat zich behoedzaam op de grond zakken: hij heeft bij het instorten van de loopgraaf meer verwondingen opgelopen dan hij laat merken. DAVID heeft zijn ogen gesloten.

ROBBIE haalt een zakmes uit zijn plunjezak en begint aan de moeizame taak het oudbakken brood in stukken te snijden. Wanneer hij ermee klaar is, legt hij een brok naast DAVID op de vloer. Hij gooit een andere brok naar FRED. FRED probeert er hongerig in te bijten.

ROBBIE neemt een trek van zijn sigaret en houdt de hond een stukje brood voor. De hond snuffelt eraan, kijkt naar ROBBIE en draait zijn kop om. ROBBIE trekt zijn schoenen uit en stroopt zijn natte sokken af. Zijn voeten zijn modderig en zitten vol blaren.

Opeens barst kanonvuur los. DAVIDS ogen vliegen open. Door de deuropening zien we de lichtflitsen van de strijd aan de horizon. Het lawaai is oorverdovend. De harde knallen vormen een scherp contrast met de muziek van Debussy.

Onze blik keert terug naar het interieur van de boerderij, naar de gezichten van de drie mannen, hun wijdopen ogen, de weerschijn van de explosies op hun wangen.

Eindelijk zwijgen de kanonnen en sterft het rode licht weg. Hun gezichten bevinden zich weer in het schemerdonker. De plaat is afgelopen.

FRED (die nog in de richting van het slagveld kijkt)
Arme jongens.

DAVID
Die kruipen nu door niemandsland. Wie nog leeft. Om de lijken op te halen.

FRED (huiverend)
Je voelt je schuldig. Dat je er niet bent om te helpen. En aan de andere kant ben je er blij om.

ROBBIE staat op en loopt naar de deuropening.

ROBBIE
Ik neem de wacht wel over. Jij bent moe.

FRED
Niet meer dan jij. Jij hebt al dagen niet geslapen, niet sinds hij (wijzend op DAVID) je uit die loopgraaf heeft gesleurd. Ik snap nog steeds niet hoe je het er lev…

ROBBIE (snel)
Hou daar nou maar over op.

FRED (haalt zijn schouders op)
Zoals je wilt.

FRED staat op en gaat naast DAVID op de grond zitten. Hij spreidt een van de dekens uit over zijn benen, heeft zijn geweer nog steeds tegen zich aan gedrukt. DAVID haalt een spel kaarten uit zijn plunjezak.

DAVID
Nog een potje voordat je gaat slapen?

FRED
Daar zeg ik nooit nee tegen. Mooie afleiding.

DAVID geeft het spel kaarten aan FRED. Wijst op zijn verbonden hand.

DAVID
Jij mag delen.

FRED
Wil hij niet meedoen?

DAVID
Robbie houdt niet van kaarten. Hij wil niet met de schoppenaas blijven zitten.

FRED
Wat heeft hij tegen schoppenaas?'

DAVID (kalm)
Dodenkaart.

FRED begint te lachen. Het trauma van de afgelopen weken uit zich in iets wat grenst aan hysterie.

FRED
Is hij zo bijgelovig? Wat heeft hij tegen de dood? De hele wereld is dood. God is dood. Alleen die zak in de linkerhoek is nog over. En wij drieën.

ROBBIE zit in de deuropening en kijkt in de richting van het front. De hond is naar hem toe gekropen en naast hem gaan liggen.

ROBBIE (citeert voor zichzelf William Blake)
We horen bij de entourage van de duivel zonder het zelf te weten.

FRED (die hem hoort)
Dat weten we juist wel! Iedereen die in dit godvergeten land verkeert, weet dat de duivel de dienst uitmaakt.

Terwijl DAVID en FRED kaarten, steekt ROBBIE nog een sigaret op en haalt een notitieboekje en een pen uit zijn borstzak. Terwijl hij schrijft, zien we zijn herinneringen aan de strijd.

ROBBIE (alleen stem)
De wereld is gek geworden. Gruwelen alom. Mannen, vrouwen, kinderen worden dagelijks afgeslacht en achteloos achtergelaten. Of verbrand, zodat er niets overblijft. Geen haar, geen bot, niet eens de gesp van een riem... De beschaving is dood. Want hoe kan die nu nog bestaan?

Het geluid van snurken. ROBBIE houdt op met schrijven. De hond heeft zijn kop op ROBBIES been gelegd en slaapt. Zijn oogleden trillen af en toe omdat hij droomt.

We zien ROBBIES gezicht, verlicht door de kaars, terwijl hij naar de hond kijkt. Langzaam, behoedzaam, steekt ROBBIE zijn hand uit en legt die zachtjes op de flank van de hond. ROBBIES hand beeft. Hij glimlacht flauwtjes.

ROBBIE (alleen stem)
En toch, te midden van het afgrijzen, vindt de onschuld troost in de slaap.

BUITENOPNAME. VERLATEN BOERDERIJ – OCHTEND
Het is ochtend. Een waterig zonnetje breekt door de wolken heen. Regendruppels hangen nog aan de bomen, en de grond is bedekt met een dikke laag modder. De vogels zijn tevoorschijn gekomen en fluiten naar elkaar. De drie SOLDATEN staan voor de boerderij, plunjezakken over hun schouder.

DAVID heeft een kompas in de hand die niet verbonden is. Hij kijkt op en wijst in de richting van het kanonvuur van gisteravond.

DAVID
Dat is het oosten. Daar moet Passchendaele zijn.

ROBBIE knikt somber. Kijkt met toegeknepen ogen naar de horizon.

ROBBIE
Dan gaan we naar het oosten.

Ze gaan op weg. De hond haast zich achter hen aan.

Het volledige rapport

Volledig rapport inzake de tragische dood van kapitein David Hartford

Oktober 1917

Geachte lord Ashbury,

Aan mij de zware taak u het trieste nieuws te brengen dat uw zoon David is gesneuveld. Ik weet dat in situaties als deze woorden onmogelijk het verdriet en de pijn kunnen verlichten, maar aangezien uw zoon onder mijn rechtstreekse bevel stond en ik hem goed heb gekend en veel bewondering voor hem had, wil ik u hierbij persoonlijk mijn oprechte deelneming betuigen met uw verlies.

Gaarne wil ik u op de hoogte brengen van de omstandigheden waaronder uw zoon is gesneuveld, in de hoop dat de wetenschap dat hij heeft geleefd en is gestorven als een gentleman u en uw familieleden enige troost zal schenken. In de bewuste nacht voerde hij het bevel over een groep mannen tijdens een uiterst belangrijke verkenningstocht om de nauwkeurige positie van de vijand te bepalen.

De mannen die uw zoon vergezelden, hebben me verteld dat tussen drie en vier uur in deze nacht, de 12e oktober, toen ze op de terugweg waren van deze missie, plotsklaps het vuur op hen werd geopend. Tijdens de aanval werd kapitein David Hartford tot hun grote ontsteltenis getroffen. Hij was op slag dood, en onze enige troost is dat hij geen pijn heeft geleden.

Hij is bij het aanbreken van de dag begraven in het noordelijke deel van het dorp Passchendaele, een naam, lord Ashbury, die lang zal voortbestaan in de roemrijke historie van het Britse leger. Ik kan u vertellen dat we dankzij het voortreffelijke leiderschap van uw zoon tijdens zijn laatste missie erin zijn geslaagd een uiterst belangrijk doel te verwezenlijken.

Als ik iets voor u kan betekenen, verzoek ik u dringend mij daarvan op de hoogte te stellen.

Met de meeste hoogachting verblijf ik,

Luitenant-kolonel Lloyd Auden Thomas

De foto

Het is een prachtige ochtend in maart. De roze anjelieren onder mijn raam staan in bloei en vullen de kamer met hun zoete, bedwelmende geur. Wanneer ik op de vensterbank leun en op de tuin neerkijk, kan ik de buitenste bloemblaadjes zien, glanzend in de zon. Hierna zullen de perzikbomen gaan bloeien en daarna de jasmijn. Ieder jaar precies hetzelfde, en dat zal nog vele jaren zo blijven. Als ik er allang niet meer ben om ervan te genieten. Immer nieuw, immer hoopvol, altijd even ongekunsteld.

Ik heb zitten denken aan mijn moeder. Aan de foto in het album van lady Violet. Die heb ik uiteindelijk gezien. Een paar maanden nadat Hannah er iets over had gezegd op die zomerdag bij de fontein.

Het was september 1916. Meneer Frederick had het landgoed van zijn vader geërfd, lady Violet had (met een onberispelijk vertoon van etiquette, zei Nancy) Riverton verlaten en haar intrek genomen in het huis in Londen, en de zusjes Hartford waren voor onbepaalde tijd met haar meegestuurd om haar te helpen op orde te komen.

We waren met erg weinig personeel. Nancy was drukker dan ooit in het dorp en Alfred, naar wiens verlof ik zo had uitgekeken, mocht uiteindelijk niet naar huis. We begrepen het niet goed: hij was terug in het land, dat was een feit, en in zijn brieven verzekerde hij ons ervan dat hij niet gewond was, maar hij moest zijn verlof evengoed in een militair ziekenhuis doorbrengen. Zelfs meneer Hamilton wist niet wat hij daaruit moest concluderen. Hij dacht er lang over na, in zijn provisiekamer, met Alfreds brief in zijn hand. Uiteindelijk kwam hij tevoorschijn, wreef onder zijn bril in zijn ogen en sprak zijn oordeel uit: de enige verklaring was dat Alfred betrokken was bij een geheime missie waarover hij niets mocht zeggen. Het leek een redelijke suggestie, want waarom zou een man die niet gewond was anders in het ziekenhuis moeten blijven?

Daarmee was die zaak afgedaan. Er werd niet meer over gesproken en in de vroege herfst van 1916, toen de bladeren vielen en de grond al hard begon te worden in afwachting van de vorst, was ik op een dag helemaal alleen in de zitkamer van Riverton.

Ik had de open haard geveegd en opnieuw aangemaakt en was bijna klaar met afstoffen. Ik haalde de stofdoek over het blad van het schrijfbureau en langs de sierrand, en begon de handvatten van de laden op te wrijven om het koper te laten glanzen. Dit was een van mijn vaste taken, die ik om de andere dag deed, en ik zou niet kunnen zeggen waarom deze dag anders was dan alle andere. Waarom juist die ochtend mijn vingers stokten bij de linkerlade en weigerden verder te gaan met poetsen. Alsof ze zich eerder dan ikzelf bewust waren geworden van het plan dat al heel lang op de rand van mijn bewustzijn balanceerde.

Ik bleef onthutst zitten, niet in staat me te bewegen, en werd me scherp bewust van de geluiden rondom. De wind die loeide, de takken die tegen de ruiten sloegen. De klok op de schoorsteenmantel die doordringend tikte en de seconden aftelde. Mijn ademhaling, versneld vanwege de nerveuze spanning.

Met bevende vingers trok ik de la open. Langzaam, voorzichtig, het was alsof ik het mezelf zag doen. Toen de la half was geopend, kiepte hij een beetje, waardoor de inhoud naar voren schoof.

Ik bleef doodstil zitten. Keek om me heen om er zeker van te zijn dat ik nog steeds alleen was. Toen gluurde ik in de la.

Onder een pennenset en een paar handschoenen lag het album van lady Violet.

Het had geen zin om nu nog te twijfelen, de la was al open. Ik voelde mijn hart kloppen in mijn trommelvliezen toen ik het boek uit de la haalde en op de grond legde.

Snel bladerde ik erin – foto's, uitnodigingen, menu's, dagelijkse aantekeningen –, op zoek naar het jaar dat ik moest hebben. 1896, 1897, 1898…

Daar! De groepsfoto van 1899. De opstelling was vertrouwd, maar de afmetingen waren anders. Twee lange rijen ernstig kijkende bedienden achter de voorste rij van familieleden. Lord en lady Ashbury, de majoor in zijn uniform, meneer Frederick – allemaal een stuk jonger en veel minder aangeslagen –, Jemima en een onbekende vrouw van wie ik aannam dat het Penelope was, de echtgenote van meneer Frederick; beide vrouwen hadden een dikke buik. Een van die bobbels was Hannah, besefte ik; de andere was een jongetje dat later door zijn eigen bloed zou worden verraden. Aan het einde van de rij stond een eenzaam kind, naast Nanny Brown (die ook toen al oud was). Een kleine, blonde jongen: David. Vol leven en licht, zich heerlijk onbewust van wat de toekomst zou brengen.

Mijn blik dwaalde van zijn gezicht naar de rij bedienden achter hen. Meneer Hamilton, mevrouw Townsend, Dudley…

Mijn adem stokte. Ik keek in de ogen van een jong dienstmeisje. Er was geen twijfel mogelijk. Niet omdat ze op mijn moeder leek. Integendeel, ze leek op mij. Het haar en de ogen waren donkerder, maar de gelijkenis was onvoorstelbaar. Dezelfde lange hals, de spits toelopende kin met het kuiltje, de gewelfde wenkbrauwen die de indruk wekten dat ze voortdurend ergens over in dubio stond.

Wat me echter het meest verbaasde, veel meer dan dat we zo op elkaar leken, was dat moeder glimlachte. Nee, niet zichtbaar, je moest haar goed kennen om het te kunnen zien. Het was geen opgewekte of beleefde glimlach. Het was een nauwelijks merkbaar vertrekken van de spieren rond haar mond, wat makkelijk kon worden afgedaan als een speling van het licht, als je haar niet kende. Maar ik zag het. Moeder glimlachte in zichzelf. Ze glimlachte als iemand die een geheim koesterde…

Neem me niet kwalijk, Marcus, dat ik mezelf onderbrak, maar ik kreeg onverwachts bezoek. Ik zat hier op mijn gemak te genieten van de anjelieren en jou over mijn moeder te vertellen, toen er op de deur werd geklopt. Ik dacht dat het Sylvia was, met nieuwe verhalen over haar vriend of klachten over de andere bewoners, maar ze was het niet. Het was Ursula, de regisseuse. Ik heb haar naam al eens genoemd, nietwaar?

'Ik hoop dat ik niet stoor,' zei ze.

'Helemaal niet,' antwoordde ik, en ik legde de dictafoon weg.

'Ik blijf niet lang. Ik was in de buurt en ik wilde niet naar Londen teruggaan zonder even langs te komen.'

'Je bent op Riverton geweest.'

Ze knikte. 'We hebben een scène opgenomen in de tuin. Het licht was perfect.'

Ik vroeg haar naar de scène, benieuwd welk deel van hun verhaal vandaag was gereconstrueerd.

'Een scène over hofmakerij,' zei ze. 'Heel romantisch. Een van mijn favorieten, kan ik wel zeggen.' Ze bloosde en schudde haar hoofd, waardoor haar pony heen en weer zwaaide als een gordijn. 'Gek, hè? Ik heb de tekst zelf geschreven, ik ken de zinnen al sinds ze alleen nog maar zwart op wit stonden, ik heb ze honderd keer veranderd en herschreven, en toch was ik diep ontroerd toen ze vandaag hardop werden uitgesproken.'

'Je bent hopeloos romantisch,' zei ik.

'Klopt.' Ze hield haar hoofd schuin. 'Ergens is het belachelijk. Ik heb de echte Robbie Hunter helemaal niet gekend; ik heb mijn eigen versie van hem gecreëerd aan de hand van zijn gedichten en wat andere mensen over hem hebben geschreven, maar toch…' Ze zweeg en trok in zelfspot haar wenkbrauwen op. 'Ik vrees dat ik verliefd ben op een persoon uit mijn verbeelding.'

'En wat is jouw Robbie voor iemand?'

'Hij is hartstochtelijk. Creatief. Toegewijd.' Ze steunde peinzend met haar kin op haar hand. 'Maar wat ik in hem nog het meeste bewonder, is zijn hoop. Zijn broze hoop. Veel mensen zeggen dat hij een ontgoochelde dichter was, maar daar ben ik niet zo zeker van. Ik heb in elk van zijn gedichten wel iets positiefs gevonden. Hij wist steeds weer een lichtpuntje te vinden te midden van de afgrijselijke dingen die hij meemaakte.' Ze schudde haar hoofd en kneep meelevend haar ogen iets toe. 'Het moet ongelooflijk moeilijk zijn geweest. Een gevoelige jongeman die in zo'n hartverscheurend conflict verzeild was geraakt. Het is een wonder dat ze erin geslaagd zijn de draad van hun leven weer op te pakken. Weer lief te hebben.'

'Ooit heeft zo'n jongeman op die manier van mij gehouden,' zei ik. 'Hij ging in het leger en toen schreven we elkaar brieven. Vanwege die brieven besefte ik wat ik voor hem voelde. En hij voor mij.'

'Was hij veranderd toen hij terugkwam?'

'Ja,' zei ik zachtjes. 'Geen van hen kwam precies zo terug als hij was vertrokken.'

Op zachte toon vroeg ze: 'Wanneer hebt u hem verloren? Uw man?'

Het duurde een paar seconden voordat ik begreep wat ze bedoelde. 'Nee, nee,' zei ik, 'hij was niet mijn man. Alfred en ik zijn nooit getrouwd.'

'O, sorry, ik dacht…' Ze wees naar de trouwfoto op mijn kaptafel.

Ik schudde mijn hoofd. 'Dat is Alfred niet, dat is John, de vader van Ruth. Met hem ben ik wél getrouwd, al had ik dat beter niet kunnen doen.'

Ze trok vragend haar wenkbrauwen op.

'John kon goed walsen en was een uitmuntende minnaar, maar als echtgenoot deugde hij niet erg. Maar ik was ook niet geschikt voor het huwelijk. Ik was nooit van plan geweest te trouwen, zie je. Ik had mezelf er niet op voorbereid.'

Ursula stond op en pakte de foto van de kaptafel. Ze streek afwezig met haar duim over de bovenrand van het lijstje. 'Hij was een knappe man.'

'Ja,' zei ik. 'Daarin zat 'm de aantrekkingskracht.'

'Was hij ook archeoloog?'

'Nee. John was ambtenaar.'

'O.' Ze zette de foto weer neer. Draaide zich naar me om. 'Ik dacht dat u elkaar misschien had leren kennen via uw werk. Of op de universiteit.'

Ik schudde mijn hoofd. In 1938, toen John en ik elkaar leerden kennen, zou ik een dokter hebben laten komen als iemand had gezegd dat ik op een dag zou gaan studeren en archeologe zou worden. Ik werkte toen in een restaurant, het Lyons' Corner House aan de Strand, waar ik de godganse dag porties gebakken vis opdiende aan een eindeloze stroom bezoekers. Mevrouw Havers, de eigenaresse, vond het prachtig dat ze iemand had die in huishoudelijke dienst had gewerkt. Ze vertelde aan iedereen die het horen wilde dat niemand zo goed bestek kon poetsen als voormalige dienstmeisjes.

'John en ik hebben elkaar bij toeval leren kennen,' zei ik. 'In een dansclub.'

Met grote tegenzin had ik erin toegestemd mee te gaan met een meisje van mijn werk, een collega-serveerster. Patty Everidge – een naam die ik nooit ben vergeten. Vreemd. Ze betekende niets voor me. Ze was een collega die ik eigenlijk zo veel mogelijk meed, al was dat makkelijker gezegd dan gedaan. Ze was zo iemand die je nooit met rust liet. Een nieuwsgierig aagje. Wilde altijd het naadje van de kous weten. Moest zich overal mee bemoeien. Patty vond blijkbaar dat ik niet vaak genoeg uitging, omdat ik op maandagochtend nooit met de andere meisjes kakelde over wat we in het weekeinde hadden gedaan, en begon te zeuren dat ik mee moest naar een dancing. Ze liet me niet met rust tot ik ermee had ingestemd op vrijdagavond met haar naar Marshall's Club te gaan.

Ik zuchtte. 'Het meisje met wie ik zou gaan, kwam niet opdagen.'

'Maar John was er wel?' vroeg Ursula.

'Ja,' zei ik. Ik herinnerde me de rokerige zaal, de barkruk in de hoek, en hoe ik met een opgelaten gevoel de menigte had afgezocht naar Patty. Ze had later uitgebreid haar verontschuldigingen aangeboden, maar toen was het al te laat. Het kwaad was geschied. 'In plaats daarvan ontmoette ik John.'

'En u werd verliefd?'

'Ik werd zwanger.'

Ursula's mond vormde een O van begrip.

'Vier maanden nadat we elkaar hadden ontmoet, kwam ik erachter. Een maand later waren we getrouwd. Toen ging dat zo.' Ik ging verzitten, zodat het onderste deel van mijn rug op een kussen kwam te rusten. 'Gelukkig voor ons brak de oorlog uit en hoefden we de schijn niet zo heel lang op te houden.'

'Hij ging dus het leger in?'

'Wij allebei. John ging in dienst en ik ging in een veldhospitaal in Frankrijk werken.'

Ze keek verward. 'En Ruth dan?'

'Die werd geëvacueerd en kwam in huis bij een anglicaanse dominee en zijn vrouw, mensen op leeftijd. Ze heeft de hele oorlog bij hen gewoond.'

'Al die jaren?' zei Ursula gechoqueerd. 'Vond u dat niet vreselijk?'

'Och, tijdens mijn verlof ging ik er natuurlijk naartoe en ik ontving ook regelmatig brieven: met roddelpraatjes over het dorp en een hoop religieus geleuter en nogal negatieve beschrijvingen van de dorpskinderen.'

Ze schudde haar hoofd en fronste onthutst haar wenkbrauwen. 'Hoe hou je zoiets vol… vier jaar gescheiden leven van je kind.'

Ik wist niet goed wat ik daarop moest antwoorden, hoe ik het kon uitleggen. Hoe beken je aan iemand dat het moederschap je niet is aangeboren? Dat Ruth vanaf het eerste moment een volslagen vreemde voor me was geweest? Dat ik het liefdevolle gevoel van automatische verwantschap waarover boeken vol zijn geschreven en mythen gecreëerd, nooit had gekend?

Ik denk dat ik al mijn genegenheid al had verbruikt. Voor Hannah en de andere bewoners van Riverton. Met vreemden kon ik goed overweg; ik was in staat voor hen te zorgen, hen te troosten, zelfs hen op hun sterfbed te begeleiden. Maar ik had er moeite mee gehad daarna soortgelijke intieme relaties te ontwikkelen. Ik gaf de voorkeur aan oppervlakkige kennissen, was hopeloos onvoorbereid op de emotionele eisen van het ouderschap.

Ursula bespaarde me het antwoord. 'Nou ja, het was natuurlijk oorlog,' zei ze stemmig. 'Iedereen moest iets opofferen.' Ze pakte mijn hand en gaf er zachtjes een kneepje in.

Ik glimlachte en probeerde me niet al te schijnheilig te voelen. Vroeg me af wat ze zou denken als ze wist dat ik helemaal geen spijt had van mijn beslissing Ruth weg te sturen, maar juist blij was geweest dat ik had kunnen ontsnappen. Dat ik, na tien jaar saaie baantjes en nietszeggende relaties, waarin ik niet in staat was geweest de gebeurtenissen op Riverton van me af te zetten, in het oorlogsgebeuren mijn bestemming had gevonden.

'Dus u hebt pas na de oorlog besloten archeologe te worden?'

'Ja,' zei ik, met hese stem. 'Na de oorlog.'

'Waarom juist archeologie?'

Het antwoord op die vraag is zo ingewikkeld dat ik alleen maar kon antwoorden: 'Omdat ik het licht had gezien.'

Ze keek verrukt. 'Echt waar? Tijdens de oorlog?'

'Er kwamen zo veel mensen om. Er werd zo veel vernield. Op de een of andere manier werd daardoor alles duidelijker.'

'Ja,' zei ze. 'Daar kan ik me wel iets bij voorstellen.'

'Ik begon mezelf vragen te stellen over vergankelijkheid. Op een dag, dacht ik, zullen de mensen vergeten zijn dat dit allemaal is gebeurd: de oorlog, de slachtoffers, de verwoestingen. Niet nu, niet in de nabije toekomst, misschien pas over duizenden jaren, maar uiteindelijk zal het allemaal vervagen. Zal het zijn plaats innemen tussen de andere lagen die het verleden vormen. De wreedheden en gruwelen zullen worden vervangen door andere wreedheden en gruwelen.'

Ursula schudde haar hoofd. 'Dat kan ik me nauwelijks voorstellen.'

'Toch is het zo. De Punische Oorlogen en Carthago, de Peloponnesische Oorlog, de Slag bij Artemisium. Het zijn nu alleen nog maar hoofdstukken in de geschiedenisboeken.' Ik zweeg. Dergelijke felle taal putte me uit, benam me de adem. Ik ben er niet meer aan gewend zo veel achter elkaar te zeggen. Toen ik weer iets zei, klonk mijn stem ijl. 'Ik raakte geobsedeerd door het verlangen het verleden te ontdekken. Het verleden in de ogen te kijken.'

Ursula glimlachte. Haar donkere ogen flonkerden. 'Ik weet precies wat u bedoelt. Daarom maak ik historische films. U onthult het verleden en ik probeer het opnieuw tot leven te brengen.'

'Ja,' zei ik. Zo had ik het nog niet bekeken.

Ursula schudde haar hoofd. 'Ik heb bewondering voor u. U hebt zo veel van uw leven gemaakt.'

'Dat is slechts een illusie,' zei ik met een schouderophalen. 'Als je maar lang genoeg leeft, lijkt het vanzelf alsof je veel hebt gedaan.'

Ze lachte. 'Niet zo bescheiden. Het is vast niet makkelijk geweest. Een vrouw, een moeder, die in de jaren vijftig probeert een graad te halen. Werd u daarin gesteund door uw man?'

'Ik was toen weer alleen.'

Ze zette grote ogen op. 'Hoe hebt u dat dan klaargespeeld?'

'Lange tijd heb ik een soort deeltijdstudie gedaan. Ruth was overdag naar school en ik had een erg aardige buurvrouw, mevrouw Finbar, die bereid was 's avonds op te passen als ik moest werken.' Ik aarzelde. 'Ik heb gewoon geboft dat ik het studiegeld niet zelf hoefde te betalen.'

'Een beurs?'

'Zoiets. Ik had onverwacht wat geld ontvangen.'

'Uw man,' zei Ursula met een meelevende frons. 'Is hij in de oorlog gesneuveld?'

'Nee,' zei ik. 'Nee, dat niet. Maar ons huwelijk wel.'

Weer keek ze naar de trouwfoto.

'We zijn gescheiden toen hij terugkeerde naar Londen. Alles was toen veranderd. Iedereen had zo veel gezien en gedaan. Het leek zinloos om bij elkaar te blijven terwijl we eigenlijk niets om elkaar gaven. Hij is naar Amerika vertrokken en getrouwd met de zus van een soldaat die hij in Frankrijk had leren kennen. Arme man; hij is niet lang daarna omgekomen bij een auto-ongeluk.'

Ze schudde haar hoofd. 'Dat spijt me…'

'Nergens voor nodig. Het is al zo lang geleden. Ik kan me hem nauwelijks herinneren. Flarden van herinneringen, die meer op dromen lijken. Ruth is degene die hem mist. Ze heeft het me nooit vergeven.'

'Ze wilde dat u bij elkaar was gebleven.'

Ik knikte. Het feit dat ze nooit een vader heeft gehad, is een van de blijvende knelpunten van onze relatie.

Ursula zuchtte. 'Ik vraag me af of Finn er ooit zo over zal denken.'

'Jij en zijn vader…?'

Ze schudde haar hoofd. 'Het zou niks geworden zijn.' Ze zei het zo gedecideerd dat ik wist dat ik er niet op door hoefde te gaan. 'Finn en ik zijn op deze manier veel beter af.'

'Waar is hij vandaag?' vroeg ik. 'Finn?'

'Mijn moeder past op hem. Toen ik daarstraks belde, waren ze naar het park om een ijsje te kopen.' Ze draaide de wijzerplaat van haar horloge om haar pols naar boven om te kijken hoe laat het was. 'Lieve hemel! Ik had geen idee dat het al zo laat was. Ik moet maar eens gaan om haar van haar plichten te ontheffen.'

'Ik weet zeker dat ze het geen plicht vindt. Grootouders en kleinkinderen hebben een heel speciale relatie. Tussen hen is alles veel eenvoudiger.'

Is dat altijd zo? vraag ik me af. Volgens mij wel. Je eigen kind legt beslag op je hart en doet ermee wat hij wil, goed of kwaad, maar een kleinkind is iets heel anders. Tussen jou en je kleinkind ontbreken de ketenen van schuld en verantwoordelijkheden die de moederband zo moeilijk maken. Je hoeft alleen maar lief te hebben.

Toen jij werd geboren, Marcus, wist ik niet wat me overkwam. Wat waren die gevoelens een heerlijke verrassing. Delen van mijn wezen die al zo lang ongebruikt waren dat ik ze niet eens meer miste, werden plotseling wakker geschud. Ik was gek op je. Herkende je. Hield zo veel van je dat het bijna pijn deed.

Toen je opgroeide, werd je mijn kleine vriendje. Je drentelde achter me aan, eiste een eigen plek op in mijn studeerkamer en begon de kaarten en tekeningen te bestuderen die ik tijdens mijn reizen had verzameld. Vragen,

eindeloos veel vragen, die ik altijd bereid was te beantwoorden. Ik verbeeld
me zelfs dat je het gedeeltelijk aan mij te danken hebt dat je zo'n geweldige,
getalenteerde man bent geworden…

'Ik had ze toch in mijn tas gedaan,' zei Ursula, op zoek naar haar autosleutels, klaar om te vertrekken.

Ik kreeg plotseling zin om haar nog een poosje bij me te houden. 'Ik heb
een kleinzoon, weet je dat? Marcus. Hij schrijft detectiveromans.'

'Ja, ik weet het,' zei ze met een glimlach, en ze hield op met zoeken. 'Ik heb
zijn boeken gelezen.'

'O ja?' Dat deed me plezier, zoals altijd.

'Ja,' zei ze. 'Het zijn erg goede boeken.'

'Zal ik je een geheimpje vertellen?' zei ik.

Ze knikte gretig en boog zich naar me toe.

'Ik heb ze niet gelezen,' fluisterde ik. 'Ik heb er niet één uitgelezen.'

Ze schoot in de lach. 'Ik zal het aan niemand verklappen.'

'Ik ben heel trots op hem en ik heb het echt geprobeerd. Ik begin iedere
keer vol goede moed, maar ook al vind ik ze nog zo goed, ik moet het steeds
halverwege opgeven. Ik mag graag een goede detective lezen, zoals die van
Agatha Christie, maar ik vrees dat ik niet tegen al die bloederige beschrijvingen kan die tegenwoordig mode zijn.'

'Maar u hebt in een veldhospitaal gewerkt!'

'Ja, maar oorlog is iets heel anders dan moord.'

'Misschien zijn volgende boek…'

'Misschien,' zei ik, 'al heb ik geen idee wanneer dat uitkomt.'

'Schrijft hij momenteel dan niet?'

'Hij heeft een groot verlies geleden.'

'Zijn vrouw. Ik heb het gelezen,' zei Ursula. 'Dat spijt me erg. Een aneurysma, nietwaar?'

'Ja. Heel plotseling.'

Ursula knikte. 'Mijn vader is op precies dezelfde manier gestorven. Ik was
veertien en ik was toen op een schoolkamp.' Ze haalde diep adem. 'Ze hebben
het me pas verteld toen ik weer op school was.'

'Wat vreselijk,' zei ik hoofdschuddend.

'Ik had ruzie met hem gehad voordat ik was vertrokken. Om iets onnozels. Ik weet niet eens meer wat het was. Ik heb het autoportier dichtgegooid
en niet omgekeken.'

'Je was jong. Alle jonge mensen zijn zo.'

'Ik denk nog dagelijks aan hem.' Ze kneep haar ogen stijf dicht en deed ze toen weer open. Schudde de herinneringen van zich af. 'En Marcus? Hoe verwerkt hij het?'

'Het was een enorme klap,' zei ik. 'Hij maakt zichzelf verwijten.'

Ze knikte en keek niet verbaasd. Ze scheen alles af te weten van schuldgevoelens en wat daarmee gepaard gaat.

'Ik weet niet waar hij is,' zei ik.

Ursula keek me aan. 'Hoe bedoelt u?'

'Hij is verdwenen. Ruth en ik weten niet waar hij zit. Hij is al een paar maanden onvindbaar.'

Ze keek perplex. 'Maar… is hij wel in orde? Hebt u iets van hem gehoord?' Haar ogen probeerden te lezen wat er in de mijne stond. 'Een telefoontje? Een brief?'

'Ansichtkaarten,' zei ik. 'Hij heeft een paar ansichtkaarten gestuurd. Maar zonder adres. Ik vrees dat hij niet gevonden wil worden.'

'O, Grace,' zei ze, en ze keek me heel lief aan. 'Wat vind ik dat erg.'

'Ja, ik ook,' zei ik. En toen vertelde ik haar over de bandjes. En hoe dringend ik je wil vinden. Dat ik geen andere oplossing weet.

'Wat een goed idee,' zei ze enthousiast. 'Waar stuurt u ze naartoe?'

'Ik heb een adres in Californië. Van een vriend van hem, van jaren geleden. Ik stuur ze daarnaartoe, maar of hij ze krijgt…'

'Vast wel,' zei ze.

Het waren alleen maar woorden, goedbedoelde geruststellingen, maar ik wilde er evengoed nog meer horen. 'Denk je?' vroeg ik.

'Ja,' zei ze resoluut, vol jeugdig optimisme. 'Dat denk ik. En ik weet zeker dat hij terug zal komen. Hij heeft gewoon wat ruimte en tijd nodig, tot hij begrijpt dat het niet zijn schuld was. Dat hij er niets aan had kunnen doen.' Ze stond op en boog zich over mijn bed. Pakte mijn dictafoon en legde die op mijn schoot. 'Blijf tegen hem praten, Grace,' zei ze, en toen boog ze naar me toe en kuste mijn wang. 'Hij komt heus wel thuis. Wacht maar af.'

Ach, wat ben ik afgedwaald. Ik heb je dingen verteld die je al weet. Pure genotzucht van mijn kant, en daar heb ik eigenlijk helemaal geen tijd voor. De oorlog raasde over de velden van Vlaanderen, de majoor en lord Ashbury lagen nog maar net in hun graf, en er zouden nog twee lange jaren van slachtpartijen volgen. Zo veel dood en verderf. Jonge mannen uit alle hoeken van de wereld, samengebracht voor een bloederige dodenwals. De majoor, toen David…

Nee. Ik heb geen kracht en geen zin om die tijd nogmaals te doorleven. Ik volsta ermee te zeggen dat het is gebeurd. We keren terug naar Riverton. Januari 1919. De oorlog is voorbij en Hannah en Emmeline, die de afgelopen twee jaar bij lady Violet in Londen hebben gewoond, zijn zojuist gearriveerd om hier samen met hun vader te gaan wonen. Maar ze zijn veranderd; ze zijn gegroeid sinds we elkaar voor het laatst hebben gesproken. Hannah is achttien en staat op het punt haar debuut te maken in de society. Emmeline is veertien en staat aan de rand van de wereld van de volwassenen, waarvan ze dolgraag deel wil uitmaken. Het is afgelopen met de spelletjes van vroeger. Het is afgelopen met Het Spel, nu David dood is. (Regel Drie: er mogen maar drie deelnemers zijn. Niet meer en niet minder.)

Een van de eerste dingen die Hannah doet na hun terugkeer op Riverton, is de Chinese kist van zolder halen. Ik zie het haar doen, al weet ze dat niet. Ik bespied haar wanneer ze hem behoedzaam in een stoffen tas zet en daarmee naar het meer gaat.

Ik verschuil me op de plek waar het pad tussen de Icarusfontein en het meer versmalt en zie haar met de tas langs het meer naar het oude botenhuis lopen. Ze blijft een ogenblik staan en kijkt om zich heen. Ik duik nog dieper weg achter de struiken, opdat ze me niet zal zien.

Ze loopt naar de rand van de hellende oever, gaat er met haar rug naartoe staan en plaatst haar voeten zodanig dat de hak van haar ene schoen de neus van de andere raakt. Ze telt drie stappen in de richting van het meer en stopt.

Ze herhaalt dit driemaal, knielt dan op de grond, maakt de tas open en haalt er een kleine schop uit. (Die moet ze hebben meegenomen toen Dudley niet keek.)

Hannah graaft. In het begin is het moeilijk vanwege de kiezels waarmee de oever bedekt is, maar na een poosje bereikt ze de aarde eronder en is ze in staat steeds een wat grotere kluit weg te scheppen. Ze houdt pas op wanneer de berg aarde een halve meter hoog is.

Dan haalt ze de Chinese kist uit de tas en laat hem in het gat zakken. Ze maakt aanstalten het gat dicht te gooien, maar aarzelt. Ze tilt de kist weer uit het gat, maakt hem open en haalt er een van de minuscule boekjes uit. Ze doet het medaillon om haar nek open en stopt het boekje erin. Dan zet ze de kist weer in het gat en begint het dicht te gooien.

Ik laat haar in haar eentje achter aan de oever van het meer; meneer Hamilton zal het in de gaten krijgen als ik te lang wegblijf en gezien zijn humeur van de laatste tijd kan ik hem beter niet boos maken. De keuken van Riverton gonst van bedrijvigheid. Er worden voorbereidingen getroffen voor het eerste diner sinds de oorlog en meneer Hamilton heeft ons op het hart gedrukt dat de gasten van vanavond heel belangrijk zijn voor de toekomst van de Familie.

En dat waren ze ook. Alleen hadden we er geen idee van hóé belangrijk.

Bankiers

'Bankiers,' zei mevrouw Townsend veelbetekenend en ze keek daarbij beurtelings naar Nancy, meneer Hamilton en mij. Ze stond tegen de eikenhouten tafel geleund en gebruikte haar deegrol om de weerstand uit een weerbarstige klont kleverig deeg te persen. Toen ze stopte om haar voorhoofd af te vegen, bleef er een veeg bloem aan haar wenkbrauwen hangen. 'En nog Amerikanen ook,' voegde ze eraan toe, tegen niemand van ons in het bijzonder.

'Kom, kom, mevrouw Townsend,' zei meneer Hamilton, die bezig was te controleren of er vlekjes op de peper- en zoutvaatjes zaten. 'Het is waar dat mevrouw Luxton een van de Stevensons uit New York is, maar ik verzeker u dat meneer Luxton even Engels is als u en ik. Volgens *The Times* is hij afkomstig uit het noorden van het land.' Meneer Hamilton keek over zijn bril met halve glazen. 'Hij heeft zich op eigen kracht opgewerkt.'

Mevrouw Townsend snoof minachtend. 'Op eigen kracht? Dat hij met een vrouw uit een rijke familie is getrouwd, zal hem heus geen kwaad hebben gedaan.'

'Dat meneer Luxton met een rijke vrouw is getrouwd, is waar,' antwoordde meneer Hamilton zuinig, 'maar hij heeft het kapitaal eigenhandig vergroot. Het vak van bankier is bijzonder moeilijk: je moet precies weten aan wie je geld kunt lenen en aan wie niet. Ik zal niet beweren dat bankiers er vies van zijn een flinke portie van de winst voor zichzelf te houden, maar dat is in de zakenwereld overal zo.'

Mevrouw Townsend bleef pruttelen.

'Laten we nu maar gewoon hopen dat ze bereid zijn aan meneer te lenen wat hij nodig heeft,' zei Nancy. 'Iets meer geld zal deze huishouding goed van pas komen.'

Meneer Hamilton rechtte zijn rug en keek met strenge ogen naar mij, alsof ík die opmerking had gemaakt. Toen de oorlog maar voortduurde en Nancy steeds vaker buiten de deur had gewerkt, was ze veranderd. Haar taken op Riverton voerde ze nog altijd even efficiënt uit, maar wanneer we rond de eetkamertafel in het bediendevertrek zaten en over de situatie in de wereld praatten, aarzelde ze nu niet meer om haar mening te laten horen en had ze sneller kritiek op de gang van zaken. Ik, daarentegen, was nog niet bedorven door de buitenwereld, en als een herder die vond dat hij beter één schaap kon opgeven dan het risico nemen wegens onoplettendheid de hele kudde te moeten verliezen, had meneer Hamilton besloten mij met argusogen in de gaten te houden. 'Dit valt me van je tegen, Nancy,' zei hij, terwijl hij naar mij bleef kijken. 'Je weet best dat het niet aan ons is vraagtekens te zetten bij de zakelijke beslommeringen van meneer.'

'Neemt u me niet kwalijk, meneer Hamilton,' zei Nancy zonder enig berouw in haar stem. 'Ik weet alleen dat sinds meneer Frederick op Riverton is komen wonen, hij de ene na de andere kamer heeft laten sluiten. En wat te denken van het meubilair uit de westelijke vleugel dat is verkocht? Het mahoniehouten schrijfbureau, lady Ashbury's Deense hemelbed.' Ze kijkt over haar poetsdoek heen naar mij. 'Dudley zegt dat ook veel van de paarden verkocht worden.'

'Meneer is alleen maar behoudend,' zei meneer Hamilton, en nu keek hij naar Nancy om zijn woorden kracht bij te zetten. 'De westelijke kamers zijn afgesloten omdat Grace het in haar eentje niet allemaal aankon toen jij die baan bij de spoorwegen had en Alfred nog niet terug was. En wat de stal betreft, waarom zou meneer zo veel paarden moeten houden, nu hij al die mooie auto's heeft?'

Hij liet de vraag, nu hij eenmaal was gesteld, in de koele winterse lucht hangen. Hij zette zijn bril af, ademde op de glazen en begon ze met theatrale triomfantelijkheid op te poetsen.

'Bovendien,' zei hij, als afsluiting van het ritueel, toen zijn bril weer op zijn neus stond, 'worden de stallen omgebouwd tot een garage. De grootste in het land.'

Nancy keek onthutst. 'Maar,' zei ze, terwijl ze haar stem liet dalen, 'ik heb in het dorp gehoord…'

'Allemaal nonsens,' zei meneer Hamilton.

'Wat heb je gehoord?' vroeg mevrouw Townsend. Haar borst ging met iedere beweging van de deegrol op en neer. 'Iets over de fabriek van meneer?'

De schaduwen bij de trap bewogen en een slanke jonge vrouw verscheen in het licht.

'Juffrouw Starling…' hakkelde meneer Hamilton. 'Ik had u niet gezien. Komt u erbij, dan zal Grace een kopje thee voor u maken.' Hij keek naar mij, zijn mond een streep, als de sluiting van een knijpbeurs. 'Vooruit, Grace,' zei hij en hij wees naar het fornuis. 'Een kopje thee voor juffrouw Starling.'

Juffrouw Starling schraapte haar keel en kwam bij de trap vandaan. Ze liep behoedzaam naar de dichtstbijzijnde stoel, haar leren handtas onder haar met sproeten bezaaide arm geklemd.

Lucy Starling was de secretaresse van meneer Frederick. Hij had haar in dienst genomen voor de fabriek in Ipswich, maar sinds de oorlog was afgelopen en het gezin voorgoed op Riverton was komen wonen, kwam ze tweemaal per week vanuit het dorp naar ons om in de studeerkamer van meneer Frederick haar werk te doen. Het was een heel saaie vrouw. Ze had bruin haar dat ze wegstopte onder een preuts strooien hoedje, en ze droeg rokken in onooglijke tinten bruin en olijfgroen, met daarop altijd een eenvoudige witte bloes. Zelfs het enige sieraad dat ze droeg – een kleine, roomkleurige camee op haar kraag – leek aan te voelen dat het absoluut niet interessant was en helde terneergeslagen voorover, waardoor de eenvoudige zilveren speld ervan zichtbaar was.

Haar verloofde was gesneuveld bij Ypres Salient en ze droeg haar rouw, net als haar kleding, met een gelaten houding; haar verdriet zo lijdzaam dat het onmogelijk veel medeleven kon opwekken. Nancy, die van zulke dingen alles af wist, zei dat het erg jammer voor haar was dat ze de man had verloren die bereid was geweest met haar te trouwen. Het geluk lag nu eenmaal niet voor het oprapen, zeker niet op haar leeftijd, en omdat ze niet moeders mooiste was, zou ze nu waarschijnlijk een oude vrijster worden. Bovendien, had Nancy er fijntjes aan toegevoegd, mochten we wel goed opletten dat er boven geen dingen verdwenen, omdat juffrouw Starling nu niemand had die op haar oude dag voor haar zou zorgen.

Niet alleen Nancy koesterde verdenkingen jegens juffrouw Starling. De komst van de stille, bescheiden en in alle opzichten plichtsgetrouwe vrouw veroorzaakte beneden een opschudding die je je vandaag de dag onmogelijk kunt voorstellen.

Het was haar positie die zo veel onzekerheid opwekte. Het was niet correct, zei mevrouw Townsend, dat een jongedame uit een gewoon burgermilieu zich boven bepaalde vrijheden permitteerde, pontificaal in de studeerkamer van meneer mocht zitten en rondliep met een gezicht alsof ze hier thuishoorde. Hoewel het twijfelachtig was of buitenstaanders ooit zouden denken dat juffrouw Starling, met haar keurige, saaie knotje, haar zelfgemaakte kleren en haar aarzelende glimlach boven thuishoorde, begreep ik wel waarom de situatie mevrouw Townsend zo stoorde. De grenzen tussen boven en beneden waren vroeger heel duidelijk geweest, maar sinds juffrouw Starling was gearriveerd, begonnen allerlei zekerheden los te slaan van hun anker.

Een tijdlang was ze niet een van 'hen', maar ook niet een van 'ons'.

Die middag veroorzaakte haar aanwezigheid in het bediendevertrek een rode blos op de wangen van meneer Hamilton en een nerveuze trilling in zijn vingertoppen, die doelloos aan zijn revers frunnikten. De onduidelijkheid rond haar positie in het huis was vooral voor meneer Hamilton een groot probleem, omdat hij de arme, nietsvermoedende vrouw beschouwde als een rivaal. Als butler was hij de hoogste bediende, verantwoordelijk voor de dagelijkse gang van zaken in het huis, maar als privésecretaresse van meneer was zij op de hoogte van de duistere geheimen omtrent de zakelijke beslommeringen van de familie.

Meneer Hamilton haalde zijn gouden zakhorloge tevoorschijn om met overdreven gebaren te controleren of het gelijk liep met de klok aan de muur. Hij had het horloge gekregen van wijlen lord Ashbury en was daar onmetelijk trots op. Wanneer hij ernaar keek, werd hij altijd even stil en wanneer hij een probleem had, hielp het hem zijn gevoel van gezag terug te vinden. Hij wreef met zijn bleke duim over de wijzerplaat. 'Waar is Alfred?' vroeg hij toen.

'Die is de tafel aan het dekken, meneer Hamilton,' antwoordde ik, blij dat de veel te groot opgeblazen ballon van stilte was doorgeprikt.

'Nog steeds?' Meneer Hamilton klapte het horloge dicht nu hij een slachtoffer had gevonden op wie hij zijn frustratie kon afreageren. 'Het is al ruim een kwartier geleden dat ik hem naar boven heb gestuurd met de cognacglazen. Het is me toch wat met die jongen. Ik weet niet wat ze hem in het leger geleerd hebben, maar sinds hij is teruggekomen, is hij zeer onberekenbaar.'

Ik kromp ineen, alsof de kritiek aan míjn adres was gericht.

'Dat zie je veel bij de jongens die zijn teruggekomen,' zei Nancy. 'Sommigen van de soldaten die op het station aankomen, gedragen zich erg vreemd. Ze zijn…' Ze was de wijnglazen aan het opwrijven maar stopte nu om naar de juiste woorden te zoeken. '… nerveus en prikkelbaar.'

'Prikkelbaar?' Mevrouw Townsend schudde haar hoofd. 'Hij moet gewoon goed gevoed worden. Jij zou ook prikkelbaar zijn als je op legerrantsoenen had geleefd. Zeg nou zelf: conserven, met *rundvlees*?'

Juffrouw Starling schraapte haar keel en zei, met een stem die was doortrokken van behoedzame welsprekendheid: 'Ik meen dat dit verschijnsel shellshock wordt genoemd.' Ze keek schuchter om zich heen toen daarop een stilte viel. 'Dat heb ik gelezen. Veel van de mannen hebben er last van. Het heeft weinig zin Alfred hard aan te pakken.'

In de keuken zakte de theepot scheef in mijn hand. Zwarte theeblaadjes regenden neer op de eikenhouten tafel.

Mevrouw Townsend legde haar deegrol neer en stroopte haar met bloem bestoven mouwen op tot boven haar ellebogen. Ze had een hoogrode kleur gekregen. 'Nu moet u even goed naar me luisteren,' zei ze met de ondubbelzinnige toon van gezag die je alleen bij politiemannen en moeders hoort. 'Dergelijke praatjes sta ik niet toe in mijn keuken. Het enige wat Alfred nodig heeft om weer de oude te worden, zijn een paar stevige maaltijden.'

'Zo is dat, mevrouw Townsend,' zei ik, met een blik op juffrouw Starling. 'Alfred zal er snel weer bovenop komen wanneer hij een poosje van uw heerlijke maaltijden heeft kunnen genieten.'

'Ze halen het weliswaar niet bij wat ik vroeger op tafel zette, vanwege de onderzeeërs en de rantsoenen.' Mevrouw Townsend keek naar juffrouw Starling en haar stem trilde een beetje toen ze vervolgde: 'Maar ik weet precies waar onze Alfred van houdt.'

'Natuurlijk,' zei juffrouw Starling, en er werden nog meer sproetjes zichtbaar toen ze wit wegtrok. 'Ik bedoelde ook helemaal niet...' Haar mond bleef bewegen, zoekend naar woorden die ze niet kon vinden. Toen trokken haar lippen recht tot een flauwe glimlach. 'U kent Alfred natuurlijk het best.'

Mevrouw Townsend knikte kort en benadrukte dat feit met een nieuwe aanval op het taartdeeg. Daarna zakte de spanning gelukkig iets, al keek meneer Hamilton naar mij met een gezicht waarop zijn agitatie over de situatie nog duidelijk zichtbaar was. 'Maak eens wat voort,' zei hij vermoeid. 'En ga dan naar boven om de jongedames te helpen zich te kleden voor het diner. Maar blijf niet te lang weg. We moeten de kaarttafels nog klaarzetten en de bloemen schikken.'

Toen de oorlog voorbij was en meneer Frederick en de meisjes hun intrek namen op Riverton, hadden Hannah en Emmeline nieuwe slaapkamers gekozen in de oostelijke vleugel. Ze waren nu geen logees meer, maar bewoners, en het was dus niet meer dan terecht, zei Nancy, dat ze nieuwe kamers kregen waarmee dat werd bevestigd. Emmelines kamer had uitzicht op Eros en Psyche aan de voorkant van het huis. Hannah had de voorkeur gegeven aan de kleinere kamer met het uitzicht op de rozentuin en het meer. De twee slaapkamers hadden een gemeenschappelijke zitkamer die de rode kamer werd genoemd, al wist ik niet waarom, want de muren hadden de bleekblauwe kleur van eendeneieren en er hingen Liberty-gordijnen met een bloempatroon in blauw en roze.

De huidige bewoonsters hadden niets veranderd aan de kamer, die nog altijd het stempel droeg van degenen die hem lang geleden hadden ingericht.

Het interieur was gerieflijk: onder het ene raam stond een roze chaise longue en onder het andere een notenhouten schrijfbureau. Een fauteuil bezette een statige positie bij de deur naar de hal. Op een kleine mahoniehouten tafel stond, prachtig glanzend en pronkend met zijn nieuwigheid, een grammofoon. Het apparaat was zo modern dat het de rest van het behouden, ouderwetse interieur in verlegenheid leek te brengen.

Toen ik door de schemerige gang liep, vloeiden melancholieke klanken van een bekend liedje onder de gesloten deur door en vermengden zich met de kille, bedompte lucht die aan de plinten hing. *If you were the only girl in the world, And I were the only boy…*

Het was Emmelines huidige lievelingsplaat, die ze constant draaide sinds ze uit Londen waren gekomen. Ook beneden zongen we het nummer voortdurend. We hadden zelfs meneer Hamilton erop betrapt dat hij het zachtjes floot in zijn provisiekamer.

Ik klopte op de deur, ging naar binnen, liep over het tapijt dat ooit de trots van de kamer was geweest, en begon de berg zijden en satijnen kleren te sorteren waarmee de fauteuil was beladen.

Ik was blij dat ik iets te doen had, want hoewel ik verlangend had uitgekeken naar de dag waarop de meisjes zouden terugkeren, was de vertrouwelijke sfeer van toen ik hen voor het laatst had gezien verdwenen. Er had een stille ommekeer plaatsgevonden: de meisjes met de overgooiers en vlechten waren veranderd in jonge vrouwen, en ik ervoer tegenover hen een nieuw soort verlegenheid.

Er speelde nog iets anders mee, namelijk het onderliggende, zenuwslopende besef dat het trio was veranderd in een duo. Door Davids dood was de driehoek kapotgemaakt en lag de vroeger besloten ruimte nu wijd open. Twee punten zijn onbestendig: wanneer niets hen verankert, kunnen ze makkelijk afdrijven in tegenovergestelde richtingen. Als ze aan elkaar verbonden zijn met touw, zal dat uiteindelijk breken en zullen de punten steeds verder van elkaar raken; als ze aan elkaar verbonden zijn met elastiek, zullen ze steeds verder uit elkaar raken, tot de elastieken band tot het uiterste is gerekt, en dan worden ze met zo'n enorme snelheid naar elkaar toe getrokken dat een botsing onvermijdelijk is.

Hannah lag op de chaise longue met een boek in haar hand en een lichte frons tussen haar wenkbrauwen. Ze hield haar vrije hand tegen haar oor gedrukt in een vergeefse poging de krakerige muziek buiten te sluiten.

Ze las het nieuwste boek van James Joyce: *A Portrait of the Artist as a Young Man*. Ik zag het aan de rug, hoewel ik eigenlijk niet eens hoefde te kijken. Het hield haar in zijn ban sinds ze waren aangekomen.

Emmeline stond midden in de kamer voor een hoge spiegel die ze uit een van de slaapkamers had gehaald. Ze hield een japon tegen zich aan die ik nog niet eerder had gezien: roze tafzijde met ruches langs de zoom. Alweer een cadeautje van grootmama, nam ik aan, gekocht in de starre overtuiging dat vanwege het huidige tekort aan huwbare mannen alleen de allermooiste meisjes kans van slagen hadden.

Het laatste schijnsel van het winterzonnetje drong door de hoge ramen naar binnen, bleef bekoorlijk hangen om Emmelines lange lokken in goud te veranderen en vlijde zich vervolgens vermoeid in een reeks bleke ruiten rond haar voeten. Emmeline, aan wie dergelijke subtiliteiten verspild waren, draaide heen en weer, waarbij de roze zijde ruiste, en zong zachtjes met de plaat mee met een stem waarin haar eigen verlangen naar romantiek door-klonk. Toen de laatste noot samen met het bleke zonlicht in het niets oploste, bleef de plaat draaien en krassen onder de naald. Emmeline gooide de japon op de inmiddels lege fauteuil en huppelde de kamer door. Ze hief de naald op om hem opnieuw op de buitenste groef van de plaat te zetten.

Hannah keek op van haar boek. Haar lange haar was in Londen verdwenen, samen met de restanten van haar kinderjaren, en haar zachte, gouden lokken vielen nu in golven tot op haar schouderbladen. 'Niet nog een keer, Emmeline,' zei ze met een frons. 'Zet alsjeblieft een andere plaat op.'

'Maar dit is mijn lievelingsnummer.'

'Deze week,' zei Hannah.

Emmeline trok theatraal een pruilmondje. 'Wat denk je dat de arme Stephen ervan zou zeggen als hij wist dat je niet naar zijn plaat wilt luisteren? Het was een cadeau. Je zou ervan moeten genieten.'

'Jij geniet er al meer dan genoeg van,' zei Hannah. Toen zag ze mij. 'Vind je ook niet, Grace?'

Ik maakte een reverence en voelde een blos opkomen; ik wist helemaal niet wat ik daarop moest antwoorden en om eraan te ontkomen stak ik de gaslamp aan.

'Als ik een *amant* had als Stephen Hardcastle,' zei Emmeline dromerig, 'zou ik honderd keer per dag naar zijn plaat luisteren.'

'Stephen Hardcastle is geen amant,' zei Hannah, alsof ze het idee verafschuwde. 'We kennen hem al ons hele leven. Hij is een vriend. De peetzoon van lady Clem.'

'Peetzoon of geen peetzoon, hij kwam tijdens zijn verlof heus niet iedere dag naar Kensington Place omdat hij een macabere wens koesterde alles te horen te krijgen over lady Clems kwalen.'

Hannah zette haar stekels op. 'Ik zou het niet weten. Ze zijn erg op elkaar gesteld.'

'Ach, Hannah,' zei Emmeline. 'Voor iemand die zo veel leest, ben je soms enorm onnozel. Zelfs Fanny had het door.' Ze draaide aan de slinger van de grammofoon en liet de naald zakken om de muziek opnieuw te starten. Toen de sentimentele melodie inzette, draaide ze zich om en zei: 'Stephen hoopte dat je hem een *belofte* zou doen.'

Hannah vouwde de hoek van de bladzijde dubbel, vouwde hem weer terug en streek met haar vingers over de vouwlijn.

'Je weet wel,' zei Emmeline vurig. 'De belofte met hem te trouwen.'

Ik hield mijn adem in; ik hoorde nu pas dat Hannah een aanzoek had gehad.

'Ik ben niet achterlijk,' zei Hannah, haar blik gericht op de vouw waar haar vingers overheen bleven glijden. 'Ik weet heus wel wat hij wilde.'

'Waarom heb je dan…'

'Ik doe nooit beloften die ik niet kan waarmaken,' antwoordde Hannah snel.

'Wat ben je soms toch een saaie piet. Het kan toch geen kwaad als je om zijn grapjes lacht en hem lieve woordjes in je oor laat fluisteren? Je zat zelf de hele tijd te zeuren dat iedereen een bijdrage moest leveren aan de oorlogsinspanningen. Als je niet zo koppig was, had je hem mooie herinneringen kunnen meegeven op weg naar het front.'

Hannah legde een stoffen boekenlegger tussen de pagina's van haar boek en gooide het naast zich op de chaise longue. 'En wat had ik moeten doen wanneer hij terugkwam? Zeggen dat ik het niet echt meende?'

Emmelines zelfverzekerdheid wankelde, maar ze herstelde zich snel. 'Dat is het 'm nu juist,' zei ze. 'Stephen Hardcastle is niet teruggekomen.'

'Hij kan nog terugkomen.'

Nu haalde Emmeline haar schouders op. 'Alles is natuurlijk mogelijk, maar als hij nu nog terugkomt, heeft hij het vast te druk met God op zijn blote knieën te danken om zich te bekommeren om wat jij wel of niet hebt gezegd.'

Daarop bleef er een geladen stilte hangen. Het was alsof de kamer partij koos: de muren en gordijnen trokken zich terug in Hannahs hoek, terwijl de grammofoon zich slaafs achter Emmeline schaarde.

Emmeline trok haar lange, golvende paardenstaart over haar schouder naar voren en speelde met de punten. Ze pakte haar haarborstel van de vloer onder de spiegel en begon de staart met lange, gelijkmatige halen te borstelen. De haartjes van de borstel knisperden hoorbaar. Hannah keek een poosje naar haar met een gezicht dat een duistere uitdrukking had gekregen die ik niet kon ontcijferen – ergernis misschien, of ongeloof – en verdiepte zich toen weer in Joyce.

Ik pakte de roze zijden jurk van de stoel. 'Is dit de japon die u vanavond wilt dragen, juffrouw?' vroeg ik bedeesd.

Emmeline schrok zichtbaar. 'O! Ben jij er nog steeds? Ik schrik me dood!'

'Neem me niet kwalijk, juffrouw.' Ik voelde dat mijn wangen warm werden. Ik wierp een snelle blik op Hannah, die deed alsof ze niets had gehoord. 'Wilt u deze japon vanavond aan, juffrouw?'

'Ja.' Emmeline beet zachtjes op haar onderlip. 'Althans, dat denk ik wel.' Ze bekeek de japon, stak haar hand uit en betastte de ruches. 'Hannah, wat vind jij? De blauwe of de roze?'

'De blauwe.'

'Meen je dat?' Emmeline draaide zich verrast om naar Hannah. 'Ik dacht juist de roze.'

'Dan doe je die.'

'Je kijkt niet eens.'

Met tegenzin keek Hannah op. 'Een van beide. Maakt niet uit.' Een geërgerde zucht. 'Ze zijn allebei prima.'

Ook Emmeline slaakte een geïrriteerde zucht. 'Haal de blauwe eens voor me. Ik moet ze opnieuw bekijken.'

Ik maakte een reverence en verdween de hoek om naar de slaapkamer. Toen ik bij de kast was, hoorde ik Emmeline zeggen: 'Het is belangrijk, Hannah. Dit is mijn eerste echte diner en ik wil er elegant uitzien. Daar mag jij ook wel om denken. De Luxtons zijn Amerikanen.'

'Nou en?'

'Ze mogen niet de indruk krijgen dat we onbeschaafd zijn.'

'Het kan me niks schelen wat ze denken.'

'Dat zou je anders wél iets moeten kunnen schelen. Ze zijn erg belangrijk voor papa's *business*.' Emmeline ging opeens op veel zachtere toon door, zodat ik doodstil moest blijven staan, met de japonnen tegen me aan gedrukt, om te kunnen verstaan wat ze zei. 'Ik heb papa tegen grootmama horen zeggen…'

'Je bedoelt dat je voor luistervink hebt gespeeld,' zei Hannah. 'En grootmama maar denken dat ík me onbehoorlijk gedraag.'

'Zoals je wilt,' zei Emmeline, en aan haar toon hoorde ik dat ze onverschillig haar schouders optrok. 'Dan vertel ik het niet.'

'Alsof je zoiets vóór je kunt houden. Ik zie het aan je gezicht. Je zit te popelen om me te vertellen wat je hebt gehoord.'

Emmeline bleef nog even zwijgen, genietend van haar duistere geheim. 'Vooruit dan maar,' zei ze toen geestdriftig. 'Als je het per se wilt horen.' Ze schraapte gewichtig haar keel. 'Het begon ermee dat oma zei wat een ramp de oorlog was geweest voor onze familie. Dat de Duitsers de Ashbury's van hun toekomst hadden beroofd en dat grootpapa zich in zijn graf zou omdraaien als hij wist hoe de zaken ervoor stonden. Papa probeerde ertegen in te brengen dat het nu ook weer niet zó erg was, maar daar weigerde grootmama naar te luisteren. Ze zei dat ze oud genoeg was om de dingen op waarheid te beoordelen en vroeg hoe hij de situatie dán zou beschrijven, gezien het feit dat hij de laatste mannelijke telg is zonder erfgenamen die hem kunnen opvolgen. Grootmama zei dat het doodzonde was dat papa niet zo verstandig was geweest met Fanny te trouwen toen hij daar de kans voor had!

Toen werd papa nijdig en zei hij dat hij weliswaar zijn erfgenaam had verloren, maar dat hij nog altijd zijn fabriek had en dat grootmama zich niet zo veel zorgen moest maken, omdat hij alles zou regelen. Maar grootmama maakt zich wél zorgen. Ze zei dat de bank vragen begon te stellen.

Toen bleef papa een poosje stil en begon ík me zorgen te maken, omdat ik dacht dat hij was opgestaan en naar de deur kwam en mij daar zou zien. Ik lachte bijna hardop van opluchting toen hij weer iets zei en ik begreep dat hij nog steeds in zijn stoel zat.'

'En, wat zei hij?'

Emmeline ging door, op de bijna opgeluchte toon van een actrice die met succes het einde van een moeilijke monoloog had bereikt. 'Papa zei dat het tijdens de oorlog weliswaar slecht gesteld was geweest met de zaak, maar dat hij nu de vliegtuigbouw heeft opgegeven en weer auto's maakt. De verdomde bank – dat zei híj, niet ík – de *verdomde* bank zou zijn geld heus wel krijgen. Hij vertelde dat hij een man had ontmoet toen hij het Lagerhuis had toegesproken. Een financier. Die man, meneer Simion Luxton, heeft connecties in de zakenwereld én bij de overheid, zei papa.' Emmeline slaakte een triomfantelijke zucht nu ze haar monoloog foutloos had opgezegd. 'Dat was het min of meer. Papa klonk gegeneerd toen grootmama over de bank begon. Ik heb ter plekke besloten dat ik al het mogelijk zou doen om ervoor te zorgen dat we allemaal een goede indruk maken op meneer Luxton, zodat papa zijn fabriek niet zal kwijtraken.'

'Ik wist niet dat je er zo veel belangstelling voor had.'

'Natuurlijk heb ik dat!' zei Emmeline nuffig. 'En je hoeft niet boos op me te zijn omdat ik voor de verandering meer weet dan jij.'

Even bleef het stil en toen zei Hannah: 'En jouw plotselinge, hartstochtelijke toewijding aan papa's zaak heeft niets te maken met de zoon van die man, van wie een foto in de krant stond waar Fanny zo bij zat te kwijlen?'

'Theodore Luxton? Komt hij ook? Ik had geen idee,' zei Emmeline, maar er was een glimlach over haar gezicht gekropen.

'Je bent veel te jong. Hij is minstens dertig.'

'Ik ben bijna vijftien en iedereen zegt dat ik er ouder uitzie.'

Hannah trok een meewarig gezicht.

'Ik ben helemaal niet te jong om verliefd te zijn,' zei Emmeline. 'Julia was veertien.'

'En je weet hoe het met háár is afgelopen.'

'Dat was een misverstand. Als ze gewoon met Romeo had mogen trouwen, als die domme ouders van hen niet zo vervelend hadden gedaan, zouden ze vast en zeker nog lang en gelukkig hebben geleefd.' Ze zuchtte. 'Ik wil zó graag getrouwd zijn.'

'Een echtgenoot is niet iemand die alleen maar handig is als danspartner,' zei Hannah. 'Er zit veel meer aan vast.'

De muziek was afgelopen, maar de plaat bleef draaien onder de naald.

'Zoals?'

Tegen de koele stof van Emmelines jurken werden mijn wangen warm.

'Dingen tussen man en vrouw,' zei Hannah. 'Intimiteiten.'

'O,' zei Emmeline, bijna onhoorbaar. *Intimiteiten*. Arme Fanny.'

Er viel een stilte, waarin we alle drie dachten aan de Arme Fanny en wat die moest doorstaan. Pasgetrouwd en, op haar huwelijksreis, in de macht van een Vreemde Man.

Ik had zelf inmiddels ervaring opgedaan met dergelijke gruwelen. Een paar maanden geleden was Billy, de halfgare zoon van de visboer, in het dorp achter me aan gekomen en had hij me in een steeg klemgezet en met zijn onhandige vingers onder mijn rok gegraaid. In eerste instantie was ik verlamd geweest van schrik; toen herinnerde ik me het pakketje makreel in mijn boodschappentas en had ik hem daarmee een klap voor zijn kop gegeven. Hij had me losgelaten, maar evengoed al kans gezien met zijn vingers intieme delen van mijn lichaam aan te raken. De hele weg naar huis had ik er koude rillingen van gehad en het had dagen geduurd voordat ik mijn ogen kon sluiten zonder dat ik de ervaring opnieuw doorleefde en me afvroeg wat er zou zijn gebeurd als ik niet zo voortvarend was geweest.

'Hannah,' zei Emmeline, 'wat zijn intimiteiten eigenlijk precies?'

'Dat… eh… dat zijn manieren om je liefde te betuigen,' zei Hannah luchtig. 'Erg aangenaam, heb ik begrepen, met een man van wie je hartstochtelijk veel houdt, maar ronduit walgelijk met ieder ander.'

'Ja, maar wat is het precies? Wat dóé je dan?'

Weer een stilte.

'Jij weet het net zomin als ik,' zei Emmeline toen. 'Ik zie het aan je gezicht.'

'Ik weet het niet precies, nee…'

'Ik ga het aan Fanny vragen wanneer ze terug is,' zei Emmeline. 'Tegen die tijd weet ze het wel.'

Ik liet mijn vingertoppen langs de prachtige stoffen in Emmelines klerenkast glijden, op zoek naar de blauwe jurk, en vroeg me af of wat Hannah had gezegd waar was. Of de dingen die Billy me had willen opdringen aangenaam waren wanneer iemand anders ze met je deed. Ik dacht aan de tijden dat Alfred in het bediendevertrek heel dicht bij me had gestaan en aan het vreemde, maar niet onwelkome gevoel dat ik toen had gekregen…

'Ik zei trouwens niet dat ik onmíddellijk wil trouwen.' Dat was Emmeline weer. 'Ik bedoelde alleen dat Theodore Luxton erg knap is.'

'Erg rijk, bedoel je,' antwoordde Hannah.

'Dat komt op hetzelfde neer.'

'Je mag van geluk spreken dat je überhaupt aan het diner mag aanzitten,' zei Hannah. 'Dat mocht ik nooit toen ik veertien was.'

'Ik ben bijna vijftien.'

'Het komt natuurlijk omdat hij anders niet genoeg mensen heeft.'

'Ja. Ik bof dat Fanny met die saaie kerel is getrouwd en dat hij per se naar Italië op huwelijksreis wilde. Als ze thuis waren geweest, had ik hoogstwaarschijnlijk met Nanny Brown in de kinderkamer moeten eten.'

'Ik zit anders veel liever bij Nanny Brown dan bij papa's Amerikanen.'

'Doe niet zo mal,' antwoordde Emmeline.

'Ik zou net zo lief mijn boek lezen.'

'Leugenaarster,' zei Emmeline. 'Je hebt je ivoorkleurige satijnen jurk klaargehangen, de japon die je van Fanny niet mocht dragen toen we kennismaakten met haar saaie man. Je zou die niet dragen als je niet net zo naar het diner uitkeek als ik.'

Daarop bleef het weer stil.

'Ha!' zei Emmeline. 'Ik heb gelijk! Kijk maar, je probeert een glimlach te onderdrukken!'

'Goed, goed, ik kijk ernaar uit,' zei Hannah. 'Maar niet,' voegde ze er snel aan toe, 'omdat ik een goede indruk wil maken op een stelletje rijke Amerikanen die ik nog nooit van mijn leven heb gezien.'

'O nee?'

'Nee.'

De planken van de vloer kraakten toen een van de meisjes door de kamer liep en de grammofoonplaat, die nog steeds dronken ronddraaide, tot stilstand bracht.

'Wat dan?' vroeg Emmeline. 'Ga me niet vertellen dat je smachtend uitkijkt naar het rantsoenenmenu van mevrouw Townsend.'

Weer viel er een stilte, waarin ik roerloos bleef staan en afwachtend mijn oren spitste. Toen Hannah uiteindelijk het woord nam, klonk haar stem kalm, maar kon je de onderliggende opwinding horen. 'Vanavond,' zei ze, 'ga ik papa vragen of ik mag terugkeren naar Londen.'

Diep in de kast stokte mijn adem van schrik. Ze waren er nog maar net; dat Hannah binnenkort al weer zou vertrekken was ondenkbaar.

'Naar grootmama?' vroeg Emmeline.

'Nee. Ik wil op mezelf gaan wonen. In een flat.'

'Een flat? Waarom in 's hemelsnaam?'

'Niet lachen... Ik wil op een kantoor gaan werken.'

Emmeline lachte niet. 'Wat voor soort werk wil je daar dan doen?'

'Kantoorwerk. Typen, archiefwerk, steno.'

'Maar je kunt helemaal geen ste...' Emmeline stokte midden in het woord en slaakte toen een lijdzame zucht. 'Je kunt wél steno. Die vellen papier die ik laatst heb zien liggen, dat waren helemaal geen Egyptische hiëroglyfen...'

'Nee.'

'Je hebt steno geleerd. In het geniep.' Emmelines stem kreeg een verontwaardigde klank. 'Van juffrouw Prince?'

'Welnee. Je denkt toch niet dat juffrouw Prince me ooit iets nuttigs zou leren?'

'Waar dan?'

'Op de secretaresseschool in het dorp.'

'Wanneer?'

'Ik ben eeuwen geleden al begonnen, vlak nadat de oorlog was uitgebroken. Ik voelde me zo nutteloos en het leek een goede manier om iets bij te dragen aan de oorlogsinspanningen. Ik had gedacht dat ik werk zou kunnen vinden toen we bij grootmama gingen wonen – er zijn in Londen kantoren genoeg –, maar... het lukte niet. Toen ik me eindelijk lang genoeg van grootmama kon losmaken om te solliciteren, wilde niemand me hebben. Ze zeiden dat ik te jong was. Maar nu ik achttien ben, moet ik makkelijk een baan kunnen krijgen. Ik heb erg veel geoefend en ik ben heel snel.'

'Wie weet het nog meer?'

'Niemand. Jij bent de enige.'

Verborgen tussen de japonnen, terwijl Hannah nu enthousiast vertelde over haar verworven vaardigheden, had ik iets verloren. Het geheim dat ik zo lang had gekoesterd, was openbaar gemaakt. Ik voelde hoe het aan me ontsnapte, hoe het weggleed tussen de zijde en het satijn, tot het te midden van de stille stofdeeltjes op de donkere vloer van de kast terechtkwam en ik het niet meer kon zien.

'Nou?' zei Hannah. 'Vind je het niet spannend?'

Emmeline snoof. 'Ik vind het achterbaks. En dwaas. En dat zal papa ook zeggen. Dat je iets voor de oorlog wilde doen, is redelijk, maar dit... Dit is *belachelijk*, en je kunt het maar het best meteen uit je hoofd zetten. Papa vindt het nooit goed.'

'Daarom ga ik het hem tijdens het diner vertellen. Het is een ideale gelegenheid. Hij zal me wel toestemming móéten geven wanneer er andere mensen bij zijn. Vooral Amerikanen met hun moderne opvattingen.'

'Ik snap nog steeds niet waarom je het eigenlijk wilt.' Emmelines stem kreeg een recalcitrante klank.

'Waarom trek jij het je zo aan?'

'Omdat het... Omdat je...' Emmeline zocht een geschikte verdediging. 'Omdat je vanavond als gastvrouw moet optreden en ervoor moet zorgen dat alles goed verloopt, en je in plaats daarvan papa in verlegenheid gaat brengen, ruzie gaat uitlokken waar de Luxtons bij zijn.'

'Ik ga helemaal geen ruzie uitlokken.'

'Ja, dat ken ik. Dat zeg je altijd, maar je doet het toch. Waarom kun je niet...'

'Normaal doen?'

'Je bent niet goed wijs. Wie wil er nou op een kantoor werken?'

'Ik wil iets van de wereld zien. Ik wil reizen.'

'Naar Londen?'

'Dat is alleen maar een eerste stap,' zei Hannah. 'Ik wil onafhankelijk zijn. Ik wil interessante mensen ontmoeten.'

'Interessanter dan ik, bedoel je.'

'Niet zeuren,' zei Hannah. 'Ik bedoel andere mensen die intelligente ideeën hebben. Die dingen zeggen die ik nog niet eerder heb gehoord. Ik wil vrij zijn, Emme. Openstaan voor avonturen die me naar andere werelden voeren.'

Ik keek op de klok aan de muur van Emmelines kamer. Het was vier uur. Meneer Hamilton zou op het oorlogspad gaan als ik niet binnen korte tijd naar beneden ging, maar ik wilde nog meer horen, ik wilde weten wat voor avonturen Hannah precies op het oog had. Verscheurd tussen hen tweeën besloot ik een compromis te sluiten. Ik deed de kast dicht, hing de blauwe japon over mijn arm en bleef in de deuropening staan.

Emmeline zat nog steeds op de grond met de haarborstel in haar hand. 'Je kunt dan toch ook wel bij een van papa's kennissen gaan logeren? Dan zou ik ook mee kunnen gaan,' zei ze. 'Misschien naar de familie Rothermere in Edinburgh…'

'Ik kijk wel uit. Lady Rothermere zou me als een havik in de gaten houden. Of me opzadelen met die afgrijselijke dochters van haar.' Hannah trok minachtend haar neus op. 'Dat kan ik geen onafhankelijkheid noemen.'

'Ik noem op een kantoor werken ook geen onafhankelijkheid.'

'Misschien niet, maar ik moet ergens geld vandaan halen. Ik ga er niet om smeken en ik zou niet weten van wie ik het zou moeten lenen.'

'Van papa?'

'Je hebt gehoord wat grootmama zei. Sommige mensen hebben aan de oorlog geld verdiend, maar papa niet.'

'Ik blijf het een dom idee vinden,' zei Emmeline. 'Het… Het hoort niet. Papa vindt het nooit goed… en grootmama…' Emmeline haalde zo diep adem dat haar schouders naar voren zakten toen ze die weer uitblies. Toen ze weer iets zei, klonk haar stem jong en ijl. 'Ik wil niet dat je me in de steek laat.' Ze hield Hannahs blik vast. 'Eerst David en nu jij.'

De naam van hun broer had op Hannah het effect alsof ze een klap had gekregen. Het was geen geheim dat vooral zij heel erg om zijn dood had gerouwd. Ze waren nog in Londen geweest toen de gevreesde zwartomrande envelop was gearriveerd, maar in die dagen vonden nieuwtjes razendsnel hun weg naar alle bediendevertrekken in Engeland en waren we allemaal op de hoogte geweest van juffrouw Hannahs angstaanjagende moedeloosheid. We hadden ons vooral zorgen gemaakt om haar weigering te eten. Uiteindelijk had mevrouw Townsend de frambozengebakjes gemaakt waar Hannah van jongs af aan dol op was geweest, en die naar Londen gestuurd.

Of ze zich nu wel of niet bewust was van de uitwerking van Davids naam op haar zus, Emmeline zei: 'Wat moet ik in mijn eentje in dit grote huis?'

'Je bent hier niet alleen,' zei Hannah zachtjes. 'Papa is er toch om je gezelschap te houden?'

'Daar heb ik veel aan. Je weet best dat papa niet van me houdt.'

'Papa houdt wel van je, Emme,' zei Hannah met klem. 'Hij houdt van ons allemaal.'

Emmeline keek over haar schouder en ik drukte me plat tegen de deurpost. 'Maar hij mág me niet,' zei ze. 'Als mens. Niet zoals hij jou mag.'

Hannah deed haar mond open om daartegen te protesteren, maar Emmeline ging snel door.

'Je hoeft niet te doen alsof. Ik heb wel gezien hoe hij naar me kijkt wanneer hij denkt dat ik het niet in de gaten heb. Alsof hij verbaasd is, alsof hij er niet helemaal zeker van is wie ik ben.' Haar ogen werden dof, maar ze huilde niet. Haar stem daalde tot een fluistering. 'Het komt doordat hij me de schuld geeft van wat er met mama is gebeurd.'

'Dat is niet waar.' Hannahs wangen kregen een blos. 'Je mag zulke dingen niet zeggen. Niemand geeft jou de schuld van wat er met mama is gebeurd.'

'Papa wel.'

'Niet waar.

'Ik heb grootmama een keer tegen lady Clem horen zeggen dat papa nooit meer de oude is geworden na mama's dood.' Opeens ging Emmeline op een onverwacht ferme toon door: 'Ik wil niet dat je me in de steek laat.' Ze stond op, ging naast Hannah zitten en greep haar hand. Het was zo'n onverwacht gebaar dat Hannah er net zo beduusd van was als ik. 'Laat me alsjeblieft niet in de steek.' En toen begon ze te huilen.

Ze zaten met hun tweeën op de chaise longue, terwijl Emmeline huilde en haar woorden tussen hen in bleven hangen. Hannahs gezicht had de koppige trek die haar zo typeerde, maar behalve de sterke jukbeenderen en wilskrachtige mond zag ik nog iets anders: een nieuw aspect dat niet eenvoudigweg kon worden uitgelegd als het natuurlijke gevolg van het feit dat ze geen kind meer was...

Opeens wist ik wat het was: zij was nu de oudste en daarom rustte nu op haar schouders de meedogenloze verantwoordelijkheid die voor een dergelijke positie binnen de familie vereist was, of ze het wilde of niet.

Ze keek Emmeline aan en trok een opgewekt gezicht. 'Niet huilen,' zei ze, terwijl ze zachtjes op Emmelines hand klopte. 'Je wilt toch niet met rode ogen aan tafel verschijnen?'

Ik keek weer op de klok. Kwart over vier. Meneer Hamilton zou uit zijn vel springen. Niets aan te doen...

Ik liep de kamer in met de blauwe japon over mijn arm. 'Uw japon, juffrouw,' zei ik tegen Emmeline.

Ze gaf geen antwoord. Ik deed net alsof ik er geen erg in had dat haar wangen nat waren van haar tranen. Ik hield mijn blik op de japon gericht en streek een strook kant glad.

'Trek de roze jurk aan, Emme,' zei Hannah vriendelijk. 'Die staat je het mooist.'

Emmeline bleef met een somber gezicht zitten.

Ik keek Hannah vragend aan. Ze knikte. 'De roze.'

'En u, juffrouw?' vroeg ik.

Ze had de japon van ivoorkleurige satijn gekozen, zoals Emmeline al had voorspeld.

'Ben jij erbij vanavond, Grace?' vroeg Hannah toen ik de prachtige satijnen japon en het korset uit haar kast had gehaald.

'Dat denk ik niet, juffrouw,' zei ik. 'Alfred is terug uit het leger. Hij zal meneer Hamilton en Nancy helpen met serveren.'

'O,' zei Hannah. 'Ja.' Ze pakte haar boek, deed het open en weer dicht, en streek met haar vingers over de kaft. Toen ze weer iets zei, koos ze haar woorden zorgvuldig. 'Ik wilde je iets vragen, Grace. Hoe is het met Alfred?'

'Goed, juffrouw. Hij was verkouden toen hij terugkwam, maar mevrouw Townsend heeft hem citroensap met gerstewater laten drinken en nu is hij weer in orde.'

'Ze bedoelt niet of hij lichamelijk gezond is,' zei Emmeline onverwacht. 'Ze bedoelt hoe hij er geestelijk aan toe is.'

'Geestelijk, juffrouw?' Ik keek naar Hannah, die licht fronste naar Emmeline.

'Dat heb je zelf gezegd.' Emmeline richtte haar roodomrande ogen weer op mij. 'Toen hij gisteren de thee opdiende, gedroeg hij zich heel eigenaardig. Hij ging rond met een schaal gebakjes, zoals hij altijd doet, maar opeens bewoog hij de schaal heel raar heen en weer.' Ze lachte – een hol, onnatuurlijk geluid. 'Zijn hele arm schokte. Ik zat te wachten tot hij ermee zou ophouden, zodat ik een citroengebakje kon pakken, maar het leek wel alsof hij het niet kon laten ophouden. En wat ik al had gevreesd, gebeurde: hij kon de schaal niet meer recht houden en toen kwam de hele lading gebakjes op mijn mooiste jurk terecht. Eerst was ik boos – ik vond het heel dom van hem en het had mijn hele jurk kunnen bederven –, maar toen hij bleef staan met die rare uitdrukking op zijn gezicht, werd ik bang. Ik was er zeker van dat hij gek was geworden.' Ze haalde haar schouders op. 'Opeens was het weer over en hij ruimde de rommel op, maar het kwaad was al geschied. Hij heeft nóg geboft dat het míj overkwam. Papa zou niet zo coulant zijn geweest. En als er vanavond iets dergelijks gebeurt, zal hij woest zijn.' Ze keek me doordringend aan. Haar blauwe ogen stonden kil. 'Dat zal toch niet gebeuren, hè?'

'Ik heb geen idee, juffrouw.' Ik had helemaal niets over het incident gehoord. 'Ik bedoel, ik denk van niet, juffrouw. Ik denk dat Alfred nu weer in orde is.'

'Natuurlijk,' zei Hannah snel. 'Het was gewoon een ongelukje. Het is logisch dat het even duurt voordat je weer gewend bent wanneer je na zo lange tijd thuiskomt. En die schalen zien er erg zwaar uit, zeker wanneer mevrouw Townsend ze helemaal vol laadt. Volgens mij heeft ze zich voorgenomen ons allemaal vet te mesten.' Ze glimlachte, maar het was alsof de frons van daarnet nog te zien was op haar voorhoofd.

'Ja, juffrouw,' zei ik.

Hannah knikte. Daarmee was de zaak afgedaan. 'Laten we nu die japonnen maar eens aantrekken, zodat we de plichtsgetrouwe dochters kunnen uithangen voor papa's Amerikanen. Dan hebben we dat tenminste gehad.'

Het diner

Emmelines onthulling liet me niet los toen ik langzaam de gang door en de trap af liep. Hoe ik de zaak ook wendde of keerde, ik kwam iedere keer tot dezelfde conclusie: er was iets mis. Het was niets voor Alfred om zulke domme dingen te doen. Sinds ik op Riverton was komen werken, was het maar een paar keer voorgekomen dat hij een fout had gemaakt. Eén keer had hij, omdat hij haast had, het dienblad van de glazen gebruikt om de post naar boven te brengen. En één keer was hij op de bediendetrap gestruikeld, maar dat kwam doordat hij griep onder de leden had. Dit was iets heel anders. Een hele schaal met gebakjes uit zijn handen laten vallen? Ik kon het me amper voorstellen.

Toch was het hoogstwaarschijnlijk geen verzinsel, want welke reden zou Emmeline hebben om zoiets uit haar duim te zuigen? Nee, het moest echt gebeurd zijn en de reden moest zijn wat Hannah had gezegd: een ongelukje – hij was afgeleid door een schittering van de laagstaande zon op het raam, hij had kramp in zijn pols gekregen, het blad was een beetje glibberig geweest. Een ongelukje kon iederéén overkomen, vooral als je, zoals Hannah al had gezegd, er een paar jaar tussenuit was geweest en je routine had verloren.

Toch kon ik deze simpele verklaring niet accepteren, hoe graag ik het ook wilde. Want in een hoekje van mijn bewustzijn had zich al een hele reeks incidenten – nee, dat was iets te veel gezegd: een hele reeks observaties verzameld. Onschuldige vragen over zijn gezondheid die hij verkeerd had geïnterpreteerd, overdreven reacties op vermeende kritiek, een frons om dingen waarom hij normaal gesproken zou lachen. Kortom, alles wat hij deed had een ondergrond van verwarde frustratie.

Eerlijk gezegd had ik het al gemerkt op de avond dat hij was teruggekeerd. We hadden een feestje georganiseerd. Mevrouw Townsend had een extra lekkere maaltijd gemaakt en meneer Hamilton had toestemming gekregen een fles wijn te openen. We waren 's middags druk bezig geweest de tafel in het bediendevertrek feestelijk te dekken, hadden lacherig de decoraties een paar maal verplaatst tot we het erover eens waren dat alles naar Alfreds smaak zou zijn. We waren een beetje dronken van het vooruitzicht op de avond, vooral ik.

Toen het uur naderde waarop hij zou arriveren, probeerden we allemaal een zo nonchalant mogelijke houding aan te nemen. Verwachtingsvolle blikken kruisten elkaar terwijl we onze oren spitsten om ieder geluid van buiten op te vangen. Eindelijk, het knarsen van het grind, mannenstemmen, een autoportier dat werd dichtgeslagen. Voetstappen kwamen naderbij. Meneer Hamilton stond op, trok zijn jasje recht en ging bij de deur staan. Nog een ogenblik van gespannen stilte, terwijl we wachtten tot Alfred zou aankloppen. Toen zwaaide de deur open en dromden we om hem heen.

Er was niets dramatisch aan: Alfred begon niet te razen en te tieren, kromp ook niet ineen. Ik pakte zijn pet aan, maar hij bleef aarzelend op de drempel staan, alsof hij niet naar binnen durfde. Glimlachte stroef. Mevrouw Townsend sloeg haar armen om hem heen en sleepte hem over de drempel alsof hij een opgerold tapijt was. Ze leidde hem naar zijn stoel, de ereplaats rechts van meneer Hamilton, en toen begonnen we allemaal door elkaar te praten, te lachen, herinneringen op te halen aan alles wat er de afgelopen twee jaar was gebeurd. Iedereen behalve Alfred. Hij probeerde het wel, hoor. Hij knikte op de juiste momenten, gaf antwoord op vragen, slaagde er zelfs in nog een paar keer moeizaam te glimlachen. Maar het waren de reacties van een buitenstaander, van een van lady Violets Belgen, die zo hun best deden tegemoet te komen aan de mensen die hen per se in hun midden wilden opnemen.

Het viel niet alleen mij op. Ik zag minieme rimpels van bezorgdheid op meneer Hamiltons voorhoofd, zag hoe begrip langzaam zichtbaar werd op het gezicht van Nancy. Maar niemand zei er iets over, behalve op de dag dat de Luxtons kwamen dineren, de dag waarop juffrouw Starling haar ongewenste mening te berde bracht. Die eerste avond, en alle andere observaties die ik had gedaan sinds zijn terugkeer, werden doodgezwegen. We deden ons werk en volhardden in de stilzwijgende samenzwering om niet te zien dat er dingen waren veranderd. De wereld was veranderd en Alfred was veranderd.

'Grace!' Meneer Hamilton keek op toen ik onder aan de trap was aangekomen. 'Het is halfvijf en er is nog geen naamkaartje te bekennen op de eetkamertafel. Wat moeten de voorname gasten van meneer beginnen zonder naamkaartjes?'

Volgens mij zouden ze op eigen initiatief betere plaatsen kiezen dan de plaatsen die hun waren toegewezen, maar ik was Nancy niet, ik was de kunst om voor je eigen mening uit te komen nog niet meester, dus zei ik: 'Dat zou een probleem zijn, meneer Hamilton.'

'Inderdaad.' Hij gaf me een stapeltje naamkaartjes en een opgevouwen vel papier waarop de tafelschikking was uitgetekend. 'En, Grace,' zei hij toen ik me omdraaide om te gaan, 'als je Alfred ziet, vraag hem dan alsjeblieft of hij zo goed wil zijn naar beneden te komen. Hij is nog niet eens met de koffiepot begonnen.'

Bij gebrek aan een geschikte gastvrouw had Hannah, tot haar geamuseerde ergernis, de opdracht gekregen de tafelschikking te regelen. Ze had de namen haastig neergepend op een vel lijntjespapier, dat aan één kant kartelig was omdat ze het gewoon maar uit een cahier had gescheurd.

De naamkaartjes waren in alle eenvoud beschreven: zwart op wit met het wapen van de Ashbury's in reliëf in de linkerbovenhoek. Ze misten de flair van de kaartjes van douairière lady Ashbury, maar ze voldeden en pasten goed bij de naar verhouding eenvoudige couverts waaraan meneer Frederick de voorkeur gaf. Tot groot verdriet van meneer Hamilton had meneer Frederick ook al verkozen *en famille* te dineren (en niet in de formele stijl *à la Russe* waaraan we gewend waren) en zou hij de fazant zelf snijden. Mevrouw Townsend vond het een verschrikking, maar Nancy, nog maar net terug van haar baantje buiten de deur, was het eens met zijn keuze en merkte op dat het besluit van meneer er waarschijnlijk op gericht was tegemoet te komen aan de smaak van zijn Amerikaanse gasten.

Het was niet aan mij er iets over te zeggen, maar ik vond deze eenvoudige tafel mooier. Zonder de torenhoge pièces de milieu, afgeladen met bonbons en ingewikkeld opgestapeld fruit, bezat de tafel een eenvoudige finesse die me wel beviel: het heldere wit van het tafellaken, dat op de hoeken extra was gesteven, de glans van het zilveren bestek en de flonkering van de groepjes glazen.

Ik boog me naar voren. Een grote duimafdruk ontsierde de rand van meneer Fredericks champagneflûte. Ik ademde op de lelijke vlek en begon hem weg te poetsen met een punt van mijn schort.

Ik was zo geconcentreerd bezig dat ik schrok toen de deur openzwaaide.

'Alfred!' zei ik. 'Laat me niet zo schrikken. Ik liet bijna dit glas uit mijn handen vallen!'

'Je mag helemaal niet aan de glazen komen,' zei Alfred, en de bekende frons verscheen op zijn voorhoofd. 'Ik ga over de glazen.'

'Er zat een vingerafdruk op,' zei ik. 'En je weet hoe meneer Hamilton is. Zijn broek zou afzakken als hij het zag. En meneer Hamilton zonder broek is iets wat ik echt niet wil meemaken.'

Mijn poging er een grapje van te maken was bij voorbaat tot mislukken gedoemd. Ergens in de loopgraven van Frankrijk was Alfreds lach gestorven en hij kwam nooit meer verder dan een grimas. 'Ik was van plan ze zo dadelijk allemaal na te kijken.'

'Nou,' zei ik, 'dat hoeft dan niet meer.'

'Je hoeft dit niet te doen.' Hij sprak op afgemeten toon.

'Wat niet?'

'Kijken of ik alles wel goed doe, achter me aan lopen als een tweede schaduw.'

'Dat doe ik helemaal niet. Ik was bezig de naamkaartjes neer te zetten toen ik die vlek zag.'

'Zoals ik al zei: ik was van plan de glazen zo dadelijk na te kijken.'

'Goed,' zei ik zachtjes en ik zette het glas op z'n plek. 'Dan blijf ik er verder af.'

Alfred gaf met een brom blijk van zijn instemming en haalde een poetsdoek uit zijn zak.

Ik schikte nog wat aan de naamkaartjes, hoewel ze allemaal keurig recht stonden, en deed net alsof ik niet op hem lette.

Zijn schouders waren gekromd, de rechter iets opgetrokken, alsof hij me de rug wilde toekeren. Zijn houding zei duidelijk dat hij met rust gelaten wilde worden, maar mijn vervloekte goede bedoelingen lieten míj niet met rust. Zou ik hem niet kunnen helpen als ik hem aan het praten zou weten te krijgen en erachter kwam wat hem dwarszat? Ik was daarvoor beslist de aangewezen persoon, want ik had me de groeiende genegenheid die tijdens zijn afwezigheid tussen ons was opgebloeid niet verbeeld. Ik was er heel zeker van; hij had het in zijn brieven zelf geschreven. Ik schraapte mijn keel en zei op zachte toon: 'Ik weet wat er gisteren is gebeurd.'

Hij liet niet merken of hij het had gehoord en bleef aandachtig een van de glazen poetsen.

Iets harder: 'Ik weet wat er gisteren is gebeurd. In de zitkamer.'

Hij hield op met poetsen. Bleef roerloos staan. De grievende woorden hingen als een mistbank tussen ons in en ik werd getroffen door een overweldigende behoefte ze terug te nemen.

Zijn stem klonk griezelig kalm. 'De jonge juffrouw heeft dus uit de school geklapt.'

'Nee...'

'Ze zal zich wel slap gelachen hebben.'

'Helemaal niet,' zei ik snel. 'Dat moet je niet denken. Ze maakte zich zorgen om je.' Ik slikte en waagde het toen te zeggen: 'Ik maak me zorgen om je.'

Hij keek abrupt op, vanonder de lok haar die door het poetsen over zijn voorhoofd was gezakt. Rond zijn mond stonden nijdige lijntjes geëtst. 'Je maakt je zorgen om me?'

Ik schrok een beetje van de eigenaardige, koele toon waarop hij sprak, maar verkeerde in de ban van de onbedwingbare wens dat het weer goed zou komen tussen ons. 'Ik bedoel alleen dat het niets voor jou is om een dienblad uit je handen te laten glijden. En dat je er niets van hebt gezegd... Ik dacht dat je bang was dat meneer Hamilton erachter zou komen. Maar hij is vast niet boos op je, Alfred. Dat weet ik heel zeker. Iedereen maakt wel eens een fout.'

Hij keek me aan en heel even dacht ik dat hij zou gaan lachen. In plaats daarvan kreeg zijn gezicht een minachtende trek. 'Onnozel wicht,' zei hij. 'Denk je dat ik me druk maak over een paar gebakjes die op de grond zijn gevallen?'

'Alfred...'

'Denk je dat ik niet weet wat plicht is? Na waar ik ben geweest?'

'Ik zei niet...'

'Maar je denkt het wel. Ik weet best dat jullie allemaal naar me kijken, me in de gaten houden, wachten tot ik een fout maak. Nou, jullie kunnen ophouden met naar me te kijken en ophouden met je zorgen te maken. Er is niets mis met me, hoor je me? Niets!'

Mijn ogen brandden en zijn bittere toon veroorzaakte een prikkeling over mijn hele lichaam. Ik fluisterde: 'Ik wilde alleen maar helpen...'

'Helpen?' Hij lachte bitter. 'Waar haal je het idee vandaan dat je me kunt helpen?'

'Maar Alfred,' zei ik aarzelend, want ik begreep absoluut niet wat hij bedoelde. 'Jij en ik... We zijn... Je zei toch... in je brieven...'

'Dat geldt niet meer.'

'Maar Alfred...'

'Blijf bij me uit de buurt, Grace,' zei hij op kille toon, en hij richtte zijn aandacht weer op de glazen. 'Ik heb niet om je hulp gevraagd. Ik heb die niet nodig en ik wil die ook niet. Ga weg en laat me mijn werk doen.'

Mijn wangen gloeiden: van ontgoocheling, van de onaangename afloop van de confrontatie, maar vooral van gêne. Ik had me liefde ingebeeld waar die niet had bestaan. God, in mijn geheime dagdromen was ik zelfs gaan denken aan een toekomst voor Alfred en mij. Verkering, een huwelijk, wellicht een eigen gezin. Nu besefte ik dat ik me tijdens zijn aanwezigheid blijkbaar van alles had ingebeeld.

De rest van de namiddag bleef ik beneden. Ik weet niet of mevrouw Townsend verbaasd was dat ik opeens zo veel belangstelling toonde voor de finesses van het braden van fazanten, maar ze paste er wel voor op er iets over te zeggen. Ik braadde en ontbeende, hielp zelfs met het vullen. Ik probeerde angstvallig te voorkomen dat ik weer naar boven gestuurd zou worden, waar Alfred aan het werk was.

Mijn strategie werkte aardig, tot meneer Hamilton me een dienblad met cocktailglazen aanreikte.

'Maar meneer Hamilton,' zei ik verslagen, 'ik ben mevrouw Townsend aan het helpen met koken.'

Waarop hij antwoordde, met ogen die achter zijn brillenglazen vuur spuwden om mijn vermeende opstandigheid: 'En ik zeg dat je de cocktails moet gaan serveren.'

'Maar Alfred...'

'Alfred is bezig de laatste hand te leggen aan de eetkamer,' zei meneer Hamilton. 'Vooruit. Je mag meneer niet laten wachten.'

Het was een klein gezelschap – zes personen – maar toch leek het erg vol in de kamer. Vol van de luide stemmen en de hitte. Meneer Frederick wilde zo graag een goede indruk maken dat hij om extra verwarming had gevraagd en meneer Hamilton had overijverig maar liefst twee oliekachels gehuurd. Nu was een overheersend vrouwenparfum de broeikas volledig gaan beheersen en dreigde het de aanwezigen te bedwelmen.

De eerste die ik zag, was meneer Frederick, die er in zijn zwarte smoking bijna net zo knap uitzag als wijlen de majoor, al was hij magerder en minder houterig. Hij stond bij het mahoniehouten bureau te praten met een pafferige man met peper-en-zoutkleurig haar dat als een kransje rond zijn kale kruin lag.

De pafferige man wees naar een porseleinen vaas op het bureau. 'Ik heb er net zo een gezien bij Sotheby's,' zei hij. Hij sprak met de tongval van mensen uit het noorden van Engeland, maar vermengd met een ander accent. 'Deze lijkt er precies op.' Hij bekeek hem van dichtbij. 'Die is een lieve duit waard, ouwe jongen.'

Meneer Frederick antwoordde vrijblijvend: 'Ik zou het niet weten. Mijn overgrootvader heeft hem ooit meegebracht uit het Verre Oosten en sindsdien staat hij hier.'

'Hoor je dat, Estella?' riep Simion Luxton naar zijn vadsige vrouw, die tussen Emmeline en Hannah op de bank zat. 'Frederick zegt dat die vaas hier al generaties lang staat. Hij gebruikt hem als presse-papier.'

Estella Luxton glimlachte geduldig naar haar man en tussen hen voltrok zich een woordeloze communicatie die het resultaat was van een samenzijn van vele jaren. Een symbiotische relatie die lang nadat de hartstocht was gedoofd, zijn nut bleef hebben.

Toen ze haar plicht ten opzichte van haar man had vervuld, richtte Estella haar aandacht weer op Emmeline, in wie ze een verwante ziel had gevonden, gezien hun beider belangstelling voor de high society. Het gebrek aan hoofdhaar van meneer Luxton werd door Estella ruimschoots gecompenseerd. Haar loodgrijze haardos was opgestoken in een gladde, indrukwekkende chignon, die opmerkelijk Amerikaans was geconstrueerd. De stijl deed me denken aan een foto die meneer Hamilton beneden op het prikbord had gehangen, van een New Yorkse wolkenkrabber die in de steigers staat: ingewikkeld en indrukwekkend, zonder dat je het mooi kon noemen. Toen ze lachte om iets wat Emmeline zei, zag ik verbluft dat ze opvallend witte tanden had.

Ik liep achter de stoelen langs, zette het blad op het serveertafeltje bij het raam en maakte routineus een reverence. De jonge meneer Luxton zat in een fauteuil en luisterde met een half oor naar Emmeline en Estella, die op verrukte toon het komende societyseizoen bespraken.

Theodore – ofwel Teddy, zoals we hem zouden gaan noemen – was knap om te zien, zoals alle rijke jongemannen in die dagen: dankzij hun regelmatige gelaatstrekken en aangeboren zelfvertrouwen maakten ze de indruk gevat en charmant te zijn, en hadden ze een veelbetekenende fonkeling in hun ogen.

Hij had donker haar, bijna zo zwart als zijn Saville Row-smoking, en een gedistingeerde snor, waardoor hij eruitzag als een filmster. Als Douglas Fairbanks, dacht ik opeens, wat het bloed naar mijn wangen joeg. Hij had een openhartige glimlach en zijn tanden waren nog witter dan die van zijn moeder. Er zat in Amerika zeker iets bijzonders in het water, dacht ik, dat iedereen daar tanden had die nog witter waren dan de streng parels die Hannah over de gouden ketting van haar medaillon heen droeg.

Estella begon nu, met een metaalachtig accent dat ik voor het eerst hoorde, aan een gedetailleerde beschrijving van het laatste gala van lady Belmont. Teddy's blik dwaalde door de kamer en toen meneer Frederick merkte dat zijn gast zich zat te vervelen, knikte hij kort naar Hannah, die haar keel schraapte en met weinig enthousiasme vroeg: 'Hebt u een plezierige overtocht gehad?'

'Heel plezierig,' zei hij met zijn vlotte glimlach. 'Hoewel vader en moeder dat niet met me eens zijn. Ze hebben geen van beiden zeebenen en zijn daar-om zeeziek geweest vanaf het moment dat we New York verlieten tot we in Bristol aankwamen.'

Hannah nipte van haar cocktail en nam haar toevlucht tot een tweede on-derwerp voor beleefde conversatie. 'Hoe lang blijft u in Engeland?'

'Voor mij zal dit een kort bezoek zijn. Ik reis volgende week door naar Egypte.'

'Egypte?' herhaalde Hannah met grote ogen.

Teddy lachte. 'Ja, ik doe daar zaken.'

'Gaat u naar de piramiden?'

'Ditmaal niet, helaas. Ik blijf slechts een paar dagen in Cairo en reis dan naar Florence.'

'Een afgrijselijke stad,' zei Simion op luide toon vanuit de fauteuil waarin hij zat. 'Vol duiven en gigolo's. Geef mij het goeie, ouwe Engeland maar.'

Meneer Hamilton knikte discreet naar Simions glas, dat bijna leeg was, hoewel ik het zojuist nog had gevuld. Ik liep met mijn cocktailfles naar hem toe.

Ik voelde dat Simion naar me keek toen ik de fles boven zijn glas hield. 'Dit land,' zei hij, 'heeft zijn eigen unieke genoegens.' Zijn dikke arm raakte mijn dijbeen toen hij iets opzijleunde. 'En die heb ik nergens anders kunnen vin-den, hoe ik er ook naar heb gezocht.'

Ik moest mijn best doen om een neutrale uitdrukking op mijn gezicht te houden en niet te snel te schenken. Het leek een eeuwigheid te duren voordat het glas vol was en ik bij hem weg kon lopen. Toen ik achter de stoelen langs liep, zag ik Hannah fronsend kijken naar de plek waar ik had gestaan.

'Mijn man is dol op Engeland,' zei Estella overbodig.

'Jagen, schieten en golf,' zei Simion. 'Daarin zijn de Britten goed.' Hij nam een teug van zijn cocktail en leunde achterover in de leunstoel. 'Maar het al-lerfijnste vind ik de Engelse mentaliteit,' vervolgde hij. 'In Engeland heb je twee soorten mensen: degenen die zijn geboren om bevelen te geven' –zijn blik dwaalde door de kamer naar mij – 'en degenen die zijn geboren om ze op te volgen.'

Hannahs frons werd dieper.

'Dat houdt de boel goed draaiende,' ging Simion door. 'Van Amerika kun je dat helaas niet zeggen. Daar dromen zelfs de schoenpoetsers op de hoek van de straat ervan ooit een eigen bedrijf te hebben. Nergens word ik zo ner-veus van als wanneer de voltallige arbeidersbevolking van een land vol zit met onredelijke' – hij liet het weerzinwekkende woord een ogenblik door zijn mond rollen en spuugde het toen uit – '*ambities.*'

'Stel je voor,' zei Hannah, 'een werkman die meer van het leven verwacht dan de stank van andermans voeten.'

'Abominabel!' zei Simion, doof voor Hannahs ironie.

'Je zou denken dat ze beseften,' zei ze, terwijl haar stem een halve toon in volume steeg, 'dat alleen bevoorrechte groepen het recht hebben iets met ambities te doen.'

Meneer Frederick keek haar waarschuwend aan.

'Ze zouden ons inderdaad een hoop ellende besparen als ze dat beseften,' knikte Simion. 'Je hoeft maar naar de bolsjewieken te kijken om te begrijpen hoe gevaarlijk dergelijke lieden kunnen zijn wanneer ze proberen boven hun stand uit te komen.'

'Een man moet dus niet proberen vooruit te komen?' vroeg Hannah.

De jonge meneer Luxton, Teddy, bleef naar Hannah kijken. Onder zijn snor trilden zijn lippen in een flauwe glimlach. 'Vader is anders wel degelijk een voorstander van zelfverbetering, nietwaar, vader? Toen ik klein was, kreeg ik nooit iets anders te horen.'

'Mijn grootvader heeft zich met pure wilskracht uit de mijnen opgewerkt,' zei Simion. 'En moet je de familie Luxton nu zien.'

'Een bewonderenswaardige metamorfose,' zei Hannah met een glimlach. 'Alleen moet niet iedereen het willen, nietwaar, meneer Luxton?'

'Juist,' zei hij. 'Dat bedoel ik nou precies.'

Meneer Frederick, die zo snel mogelijk uit dit gevaarlijke vaarwater wilde komen, schraapte ongeduldig zijn keel en keek naar meneer Hamilton.

Meneer Hamilton knikte onmerkbaar en boog zich naar Hannah. 'U kunt aan tafel, juffrouw.' Hij keek naar mij en gaf me een teken dat ik weer naar beneden moest gaan.

'Goed,' zei Hannah, toen ik de kamer uit glipte. 'Zullen we dan maar?'

Op de groentesoep volgde de vis, op de vis de fazant en in alle opzichten verliep het diner naar wens. Nancy kwam af en toe naar beneden om verslag uit te brengen van de gang van zaken; hoewel mevrouw Townsend in hoog tempo doorwerkte, had ze altijd tijd om te horen hoe Hannah zich als gastvrouw van haar taak kweet. Haar hoofd ging op en neer toen Nancy vertelde dat juffrouw Hannah het heel aardig deed, ook al waren haar manieren niet zo charmant als die van haar grootmoeder.

'Natuurlijk niet,' zei mevrouw Townsend, met zweetdruppels langs haar haarlijn. 'Lady Violet was een geboren gastvrouw. Die zou niet eens een diner kunnen geven dat minder dan perfect was als ze het probéérde. Mettertijd zal Hannah het wel leren. Ze zal misschien nooit een *perfecte* gastvrouw worden, maar wel een goede. Het zit in hun bloed.'

'Daar hebt u vermoedelijk gelijk in, mevrouw Townsend,' zei Nancy.

'Natuurlijk heb ik daar gelijk in. Het komt heus wel goed met dat meiske, zolang ze zich niet laat meeslepen door… *moderne fratsen.*'

'Wat voor soort moderne fratsen?' vroeg ik.

'Ze is intelligent,' zei mevrouw Townsend met een zucht. 'En al die boeken brengen haar op ideeën.'

'Wat voor soort moderne fratsen?'

'Een huwelijk zal haar ervan genezen. Let op mijn woorden,' zei mevrouw Townsend tegen Nancy.

'Dat zal vast wel, mevrouw Townsend.'

'Wat voor moderne fratsen?' vroeg ik ongeduldig.

'Sommige jongedames weten gewoon niet wat goed voor hen is, tot ze een geschikte echtgenoot vinden,' zei mevrouw Townsend.

Ik kon het niet langer verdragen. 'Juffrouw Hannah gaat niet trouwen,' zei ik. 'Nooit. Ik heb het haar zelf horen zeggen. Ze gaat over de wereld reizen en avonturen beleven.'

Nancy's adem stokte en mevrouw Townsend staarde me aan. 'Waar heb je het over, dwaas kind?' zei mevrouw Townsend en ze drukte haar hand tegen mijn voorhoofd. 'Voel je je niet goed, dat je zulke onzin uitkraamt? Je lijkt Katie wel. Natuurlijk gaat juffrouw Hannah trouwen. Dat is de grootste wens van iedere debutante: snel een goede man vinden. Bovendien is het haar plicht nu die arme meneer David…'

'Nancy,' zei meneer Hamilton, die haastig de trap af kwam. 'Waar blijft de champagne?'

'Hier, meneer Hamilton,' hoorden we Katie zeggen. Ze kwam uit de koelkamer met een brede grijns op haar gezicht en de flessen onhandig onder haar armen geklemd. 'Iedereen had het zo druk met ruziemaken dat ik de champagne maar ben gaan halen.'

'Kom dan maar snel hier,' zei meneer Hamilton. 'De gasten van meneer hebben dorst.' Hij draaide zich om naar de keuken en zette een streng gezicht. 'Het is niets voor jou om je plichten te verzaken, Nancy.'

'Alstublieft, meneer Hamilton,' zei Katie.

'Ga jij maar vast naar boven, Nancy,' zei hij geërgerd. 'Nu ik hier eenmaal ben, kan ik de flessen net zo goed zelf meenemen.'

Na een nijdige blik op mij liep Nancy de trap op.

'Mevrouw Townsend toch,' zei meneer Hamilton. 'U moet Nancy niet aan de praat houden. U weet best dat we vanavond alle zeilen moeten bijzetten. Zou u me willen vertellen wat zo belangrijk was dat het onmiddellijk besproken moest worden?'

'Het was niets, meneer Hamilton,' zei mevrouw Townsend, met opzet niet naar mij kijkend. 'Geen ruzie, alleen een klein meningsverschil tussen Nancy, Grace en mij.'

'Ze hadden het over juffrouw Hannah,' zei Katie. 'Ik hoorde ze zeggen dat...'

'Zwijg, Katie,' zei meneer Hamilton.

'Maar...'

'Katie!' zei mevrouw Townsend. 'Zo is het wel genoeg! En zet alsjeblieft die flessen neer, zodat meneer Hamilton ze naar boven kan brengen voor meneer.'

Katie zette de flessen op de keukentafel.

Meneer Hamilton werd daardoor opeens aan zijn eigen taken herinnerd. Hij liet zijn vragen voor wat ze waren en begon een van de flessen te openen. Ondanks zijn expertise liet de koppige kurk pas los toen hij het allerminst verwachtte en...

Plop!

De kurk schoot uit de fles, deed een lamp in honderd stukjes uiteenspatten en kwam neer in mevrouw Townsends pan met karamelsaus. De vrijgekomen champagne spoot bruisend over meneer Hamiltons gezicht en haar.

'Katie! Achterlijk kind dat je bent!' riep mevrouw Townsend uit. 'Je hebt de flessen geschud!'

'Het spijt me, mevrouw Townsend,' zei Katie, maar zoals altijd op penibele momenten begon ze te giechelen. 'Ik wilde ze alleen maar snel brengen, omdat meneer Hamilton dat zei.'

'Haastige spoed is zelden goed, Katie,' zei meneer Hamilton, maar vanwege de over zijn gezicht druipende champagne verloor zijn vermaning alle kracht.

'Kom maar even hier, meneer Hamilton.' Mevrouw Townsend tilde een hoek van haar schort op om zijn natte neus te drogen. 'Dan zal ik u afdrogen.'

'Mevrouw Townsend,' giechelde Katie, 'u smeert allemaal bloem op zijn gezicht!'

'Katie!' baste meneer Hamilton, terwijl hij over zijn gezicht wreef met een zakdoek die hij te midden van alle verwarring opeens ergens vandaan had gehaald. 'Je bent een domme meid. In al die jaren dat je hier hebt gewerkt, heb je geen greintje gezond verstand gekregen. Ik vraag me wel eens af waarom we je eigenlijk houden...'

Ik hoorde Alfred voordat ik hem zag.

Boven meneer Hamiltons boze commentaar, mevrouw Townsends sussende woorden en Katies gesputter uit, hoorde ik hem amechtig ademhalen.

Hij vertelde me later dat hij naar beneden was gekomen om te zien waar meneer Hamilton bleef, en nu stond hij onder aan de trap, stil en bleek, als een marmeren beeld van zichzelf, of een geest...

Toen ik hem in de ogen keek, werd de betovering verbroken. Hij draaide zich abrupt om en liep weg door de gang. Zijn voetstappen echoden toen hij via de achterdeur naar buiten liep en in de duisternis verdween.

We keken hem zwijgend na. Meneer Hamilton maakte een schokkerige beweging, alsof hij achter hem aan zou gaan, maar zoals altijd woog zijn plicht het zwaarst. Hij wreef nog een laatste keer met zijn zakdoek over zijn gezicht en keek weer naar ons, zijn lippen op elkaar geklemd tot een bleke streep van plichtsgetrouwe overgave.

'Grace,' zei hij, toen ik op het punt stond achter Alfred aan te gaan, 'doe je beste schort voor. Ik heb je boven nodig.'

In de eetzaal nam ik mijn plaats in tussen de chiffonnière en de Louis XIV-stoel. Tegen de muur aan de overkant trok Nancy haar wenkbrauwen op. Ik kon haar onmogelijk laten weten wat er beneden was voorgevallen, en wist ook niet zeker hoe ik het zou moeten uitleggen, dus haalde ik heel licht mijn schouders op en keek ik van haar weg. Ik vroeg me af waar Alfred was en of hij ooit weer zichzelf zou worden.

De fazant was al opgediend en in de kamer weerklonk het beschaafde getik van bestek op kostbaar porselein.

'Ik moet zeggen,' zei Estella, 'dat dit' – een korte pauze – 'verrukkelijk was.' Ik keek naar haar profiel, zag hoe haar kaken bewogen alsof ze ieder woord tussen haar kiezen nam en alle kracht en vitaliteit eruit kauwde alvorens ze via haar brede, vuurrode lippen naar buiten te persen. Ik herinner me haar lippen in het bijzonder, omdat zij als enige in het gezelschap make-up droeg. Tot Emmelines grote verdriet had meneer Frederick strenge opvattingen over make-up en over vrouwen die er gebruik van maakten.

Estella had al etende een dal gemaakt tussen de bergjes fazant op haar bord en legde nu haar mes en vork neer. Op het witte linnen servet kuste ze kersenvlekken die ik later zou moeten verwijderen, en toen glimlachte ze naar meneer Frederick. 'En het valt vast niet mee, gezien de schaarste.'

Nancy trok haar wenkbrauwen op. Dat een gast een opmerking maakte over de maaltijd, was iets ongehoords. Dergelijk gedrag grensde aan onbeschoftheid, omdat het maar al te makkelijk kon worden uitgelegd als een uiting van verbazing. We zouden enorm op onze woorden moeten passen wanneer we verslag uitbrachten aan mevrouw Townsend.

Meneer Frederick, die net zo verbluft was als wij, begon aan een moeizame lofzang op mevrouw Townsends ongeëvenaarde bekwaamheid als rantsoenenkokkin, en Estella maakte van de gelegenheid gebruik om de kamer eens goed op te nemen. Eerst bleef haar blik rusten op de gipsen sierranden die de muren en het plafond met elkaar verbonden, daarna daalde hij af naar de fries van de lambrisering en uiteindelijk bleef hij rusten op het wapenschild van de Ashbury's boven de deur. Al die tijd ging haar tong ritmisch op en neer onder haar wang in een hardnekkige poging een lastig stukje voedsel tussen haar glanzende tanden vandaan te krijgen.

Beleefd gekeuvel over huishoudelijke zaken was niets voor meneer Frederick, en zijn uiteenzetting veranderde na het moeizame begin in een eenzaam eiland te midden van de conversatie, waarvan ontsnapping onmogelijk leek. Hij begon te hakkelen en keek vertwijfeld de tafel rond, maar Estella, Simion, Teddy en Emmeline richtten discreet hun aandacht op andere dingen. Uiteindelijk vond hij een bondgenoot in Hannah. Hun blikken kruisten elkaar en toen zijn onsamenhangende beschrijving van mevrouw Townsends boterloze koekjes zijn kracht verloor, schraapte ze haar keel.

'U zei iets over een dochter, mevrouw Luxton,' zei Hannah. 'Is ze niet met u meegekomen?'

'Nee,' zei Estella snel, haar aandacht nu weer bij haar tafelgenoten. 'Nee, die is niet meegekomen.'

Simion keek op van zijn fazant en bromde: 'Deborah gaat al geruime tijd niet meer met ons mee,' zei hij. 'Ze heeft verplichtingen. Vanwege haar werk,' voegde hij er onheilspellend aan toe.

Hannah kreeg opeens weer oprechte belangstelling voor het gesprek. 'Wat voor werk doet ze?'

'Iets met bladen.' Simion slikte een hap fazant door. 'Het fijne weet ik er niet van.'

'Deborah schrijft artikelen voor de modepagina van *Women's Style*,' zei Estella. 'Een maandelijkse column.'

'Belachelijk...' Er ging een schokje door Simion heen toen hij een hik inslikte voordat die een boertje kon worden. 'Gedoe over schoenen en japonnen en andere verkwistingen.'

'Kom, kom, vader,' zei Teddy met een trage glimlach. 'Deb heeft veel succes met haar column. Ze heeft veel invloed op de manier waarop de rijke dames in New York zich kleden.'

'Poeh! Je mag van geluk spreken dat jouw dochters je zulke dingen niet aandoen, Frederick.' Simion schoof zijn met jus besmeurde bord van zich af. 'Een baan! Britse meisjes zijn gelukkig een stuk verstandiger.'

Dit was Hannahs kans, en dat wist ze heel goed. Ik hield mijn adem in en vroeg me af of haar verlangen naar avontuur het zou winnen. Ik hoopte van niet. Ik hoopte dat ze aan Emmelines smeekbede gehoor had gegeven en hier op Riverton zou blijven. Nu Alfred was zoals hij was, zou ik het vreselijk vinden als ook Hannah zou verdwijnen.

Zij en Emmeline wisselden een blik en voordat Hannah de kans kreeg haar mond open te doen, zei Emmeline snel, op de heldere, muzikale conversatietoon die aan alle jongedames van haar stand werd bijgebracht: 'Dat zou ík in ieder geval nooit doen. Uit werken gaan is niet erg respectabel, nietwaar, papa?'

'Ik zou nog liever mijn hart uit mijn lijf rukken dan te moeten aanzien dat mijn dochters gaan werken,' zei meneer Frederick achteloos.

Hannah klemde haar lippen op elkaar.

'Het was ook bijna mijn einde,' zei Simion. Hij keek naar Emmeline. 'Ik wou dat mijn Deborah net zo verstandig was als jij.'

Emmeline glimlachte, waardoor haar gezicht straalde met een vroegrijpe schoonheid waarvoor ik me bijna geneerde.

'Simion nou toch,' zei Estella sussend, 'je weet best dat Deborah die baan niet zou hebben aangenomen als jij haar geen toestemming had gegeven.' Ze glimlachte een beetje te nadrukkelijk naar het gezelschap. 'Hij kan gewoon geen nee tegen haar zeggen.'

Simion bromde iets, maar sprak haar niet tegen.

'Moeder heeft gelijk, vader,' zei Teddy. 'Een baantje aannemen is erg in de mode bij de jetset van New York. Deborah is nog jong, en vrijgezel. Op den duur zal ze heus wel trouwen en een gezin stichten.'

'Voor mij gaat correct gedrag boven intelligentie,' zei Simion. 'Maar in de moderne maatschappij ligt dat anders. Iedereen wil voor intelligent worden aangezien. Het komt allemaal door de oorlog.' Hij stak zijn duimen onder de strakke tailleband van zijn broek, wat de anderen niet konden zien, maar ik wel, en gaf zijn buik wat broodnodige ruimte. 'Mijn enige troost is dat ze er een aardige duit mee verdient.' Zijn gezicht klaarde op toen hij met die opmerking bij zijn favoriete gespreksonderwerp was teruggekeerd. 'Zeg eens,

Frederick: wat vind je van de straffen die ze dat arme Duitsland willen opleggen?'

Toen het gesprek weer voortkabbelde, keek Emmeline vanuit haar ooghoek naar Hannah. Hannah hield haar hoofd opgeheven en volgde met haar ogen het gesprek, haar gezicht volkomen kalm, en ik had geen idee of ze van plan was geweest het te vragen of niet. Misschien was ze vanwege Emmelines smeekbede van gedachten veranderd. Misschien had ik het me verbeeld dat er een lichte rilling door haar heen was getrokken toen ze de kans voorbij zag gaan.

'Ik heb eigenlijk wel een beetje medelijden met de Duitsers,' zei Simion. 'Dat volk wekt zonder meer bewondering op. Bijzonder goede arbeiders zijn het, vind je ook niet, Frederick?'

'In mijn fabriek werken geen Duitsers,' zei Frederick.

'Da's dan niet slim van je. Ik ken geen ander volk dat zo vlijtig is. Gevoel voor humor hebben ze niet, maar hun werk doen ze heel nauwgezet.'

'Ik ben heel tevreden met mijn Britten.'

'Je vaderlandslievendheid is bewonderenswaardig, Frederick, maar die mag niet ten koste van je zaak gaan.'

'Mijn zoon is gedood door een Duitse kogel,' zei meneer Frederick. Zijn handen rustten licht op de rand van de tafel, maar met de vingers stijf gestrekt.

De opmerking was een vacuüm waarin alle gemoedelijkheid werd weggezogen. Meneer Hamilton ving mijn blik op en gaf Nancy en mij een teken voor een afleidingsmanoeuvre te zorgen door de borden van het hoofdgerecht weg te nemen. We waren daar voor de helft mee klaar toen Teddy zijn keel schraapte en zei: 'Onze oprechte condoleances, lord Ashbury. We hebben het nieuws over uw zoon gehoord. Over David. Bij White's zeiden ze dat hij een goede man was.'

'Jongen.'

'Pardon?'

'Mijn zoon was een jongen.'

'Ja,' corrigeerde Teddy zichzelf. 'Een goede jongen.'

Estella stak haar mollige hand uit over de tafel en liet hem rusten op de pols van meneer Frederick. 'Ik snap niet hoe je je zo goed kunt houden, Frederick. Ik kan me niet voorstellen wat ik zou doen als ik mijn Teddy zou verliezen. Ik dank God iedere dag dat Teddy het besluit heeft genomen thuis zijn bijdrage aan de oorlog te leveren. Samen met zijn vrienden in de politiek.'

Ze wierp een hulpeloze blik op haar man, die zo fatsoenlijk was een gege-

233

neerd gezicht te trekken. 'We zijn jullie veel verschuldigd,' zei hij. 'Jongemannen als jouw David hebben het grootst mogelijke offer gebracht. Nu is het onze taak te laten zien dat ze niet voor niets zijn gesneuveld. Door goede zaken te doen en dit prachtige land zijn rechtmatige status terug te geven.'

Meneer Fredericks bleke ogen richtten zich op Simion en ik zag een eerste flikkering van afkeer: 'Juist.'

Ik zette de borden in de etenslift en trok aan het touw om de lift te laten zakken. Daarbij boog ik me naar voren in het gat en luisterde scherp, benieuwd of ik Alfreds stem zou horen te midden van de geluiden in de diepte. Ik hoopte dat hij was teruggekeerd van de plek waar hij naartoe was gevlucht. Door de liftschacht kwam het gedempte gekletter van het serviesgoed naar boven, samen met het gebabbel van Katie en de stem van mevrouw Townsend, die haar een standje gaf. Even later kwamen de touwen na een korte ruk weer in beweging en kwam de lift naar boven, beladen met fruit, blanc-manger en de karamelsaus, zonder kurk.

'In de zakenwereld van vandaag,' zei Simion, terwijl hij gezaghebbend zijn rug rechtte, 'draait alles om de voordelen van schaalvergroting. Hoe meer je produceert, hoe meer je kúnt produceren.'

Meneer Frederick knikte. 'Ik heb goede arbeiders. Stuk voor stuk prima mannen. Als we er nog meer opleiden…'

'Zonde van je tijd. En zonde van je geld.' Simion sloeg zo heftig met zijn open hand op de tafel dat ik ervan schrok en bijna de karamelsaus morste die ik in zijn dessertkom aan het lepelen was. 'Motoriseren! Dáárin ligt de toekomst.'

'Lopendebandwerk?'

Simion knipoogde. 'Geef trage personen meer snelheid, en rem degenen die snel gaan wat af.'

'Ik verkoop niet genoeg auto's om aan lopendebandwerk te kunnen beginnen,' zei meneer Frederick. 'Er zijn niet veel mensen in Groot-Brittannië die zich mijn auto's kunnen permitteren.'

'Dat bedoel ik juist,' zei Simion. Geestdrift en alcohol gaven zijn gezicht een rode kleur. 'Door lopendebandwerk kun je de prijs van je product verlagen. En er meer van verkopen.'

'Lopendebandwerk zal de prijs van de onderdelen niet verlagen,' antwoordde meneer Frederick.

'Koop dan andere onderdelen.'

'Ik gebruik de beste kwaliteit.'

Meneer Luxton barstte in lachen uit en even leek het erop alsof hij erin zou stikken. 'Ik mag jou wel, Frederick,' zei hij uiteindelijk. 'Je bent een idealist. Een *perfectionist*.' Dat laatste zei hij met de voldoening van een buitenlander die op het juiste moment een weinig gebruikt woord uit zijn geheugen had weten op te diepen. 'Maar Frederick…' Hij zette zijn ellebogen op de tafel en leunde, nu weer met een serieus gezicht, naar voren, terwijl hij met zijn dikke wijsvinger naar zijn gastheer wees, 'wil je auto's maken of geld verdienen?'

Meneer Frederick knipperde met zijn ogen. 'Ik weet niet zeker of ik…'

'Ik geloof dat mijn vader bedoelt dat u de keuze hebt,' mengde Teddy zich met weloverwogen woorden in het gesprek. Hij had de dialoog tot dan toe met ingehouden belangstelling gevolgd en zei nu, op een bijna verontschuldigende toon: 'Er zijn twee markten voor uw automobielen. Die van de weinige gelukkigen die zich het beste van het beste kunnen veroorloven…'

'En de groeiende groep van de middenklasse,' viel Simion hem in de rede. 'Het is jouw fabriek en jouw besluit, maar als bankier' – hij leunde achterover, maakte een knoop van zijn smokingjasje los en slaakte een opgeluchte zucht – 'zou ik wel weten op wie ik zou mikken.'

'Op de middenklasse,' zei meneer Frederick met een lichte frons, alsof hij zich nu pas realiseerde dat die groep bestond, en niet alleen binnen de doctrines van sociale theorie.

'De gewone burgers,' zei Simion. 'Een nog niet aangeboorde bron, en een razendsnel groeiende groep. Als we geen manier weten te vinden om door hen rijk te worden, zullen zij door óns rijk worden.' Hij schudde zijn hoofd. 'Alsof de arbeiders ons niet al genoeg problemen bezorgen.'

Frederick fronste onzeker.

'Vakbonden,' zei Simion met een sneer. 'Moordenaars van de zakenwereld. Ze zullen niet rusten tot ze alle productieprocessen in handen hebben en mannen als jij buitenspel hebben gezet.'

'Vader beschrijft het zeer beeldend,' zei Teddy met een bedeesde glimlach.

'Ik noem de dingen gewoon bij de naam,' zei Simion.

'En jij?' vroeg Frederick aan Teddy. 'Vind jij de vakbonden geen dreiging?'

'Ik denk dat je ze tegemoet kunt komen.'

'Onzin.' Simion spoelde zijn mond met een slok dessertwijn en slikte die toen door. 'Teddy neigt politiek gezien naar links,' zei hij neerbuigend.

'Vader, ik ben een Tory, hoor.'

'Met eigenaardige opvattingen.'

'Ik zeg alleen maar dat we naar alle partijen moeten luisteren.'

'Hij leert het nog wel,' zei Simion, en hij keek hoofdschuddend naar meneer Frederick. 'Wanneer hij in zijn hand is gebeten door degenen die hij te eten geeft.'

Hij zette zijn glas neer en hervatte zijn uiteenzetting. 'Volgens mij weet je zelf niet hoe kwetsbaar je bent, Frederick. Er kunnen altijd onvoorziene dingen gebeuren. Ik sprak Ford laatst nog, Henry Ford...' Hij onderbrak zichzelf, om morele of oratorische redenen, dat was niet duidelijk, en gebaarde naar mij dat ik hem een asbak moest brengen. 'Laat ik volstaan met te zeggen dat je er in het huidige economische klimaat verstandig aan doet je business in winstgevende banen te leiden. En snel.' Zijn ogen schitterden. 'Als het hier dezelfde kant op gaat als in Rusland – en bepaalde dingen wijzen daarop – zal alleen een gezonde winstmarge je op goede voet houden met je bankier. Hoe vriendelijk die ook mag zijn, de cijfertjes moeten altijd zwart blijven.' Hij nam een sigaar uit het zilveren kistje dat hem door meneer Hamilton werd gepresenteerd. 'En je moet ervoor zorgen dat je jezelf goed beschermt. Jezelf en je lieftallige dochters. Als jij niet voor hen kan zorgen, wie zal het dan doen?' Hij glimlachte naar Hannah en Emmeline, en voegde er nog aan toe, alsof hij er nu pas aan dacht: 'Om nog maar te zwijgen over dit prachtige huis. Hoe lang zei je dat je familie hier al woont?'

'Dat heb ik niet gezegd,' zei meneer Frederick, en hij slaagde erin de zweem van twijfel die in zijn stem doorklonk, snel weer weg te nemen. 'Driehonderd jaar.'

'Wat geweldig,' mengde Estella zich nu weer in het gesprek, alsof dit haar teken was om weer op het toneel te komen. 'Ik ben dól op de geschiedenis van Engeland. Al die oude families zijn zo intrigerend. Het is een favoriet tijdverdrijf van me, om over jullie te lezen.'

Simion zuchtte ongeduldig; hij wilde over zaken blijven praten.

Estella wist na zo veel jaren huwelijk precies wat haar te doen stond. 'Zouden jullie het heel erg vinden als de dames zich terugtrokken in de zitkamer?' vroeg ze. 'Dan kunnen jullie verder praten over zaken,' zei ze, 'en kunnen de jongedames me alles vertellen over de geschiedenis van de Ashbury's.'

Hannah plooide haar gezicht tot een uitdrukking van beleefde instemming, maar ik zag hoe ongedurig ze was. Ze stond hevig in tweestrijd. Ze wilde het liefst blijven om hier meer over te horen, maar wist dat ze als gastvrouw verplicht was naar de zitkamer te gaan en daar op de mannen te wachten.

'Ja,' zei ze, 'natuurlijk. Hoewel ik vrees dat we u niet veel méér kunnen vertellen dan al in *Debrett* staat.'

De mannen kwamen beleefd overeind. Simion reikte Hannah zijn hand, en meneer Frederick assisteerde Estella. Simion bekeek Hannahs jeugdige figuur en was niet in staat zijn platvloerse goedkeuring te verbergen. Met vochtige lippen kuste hij de rug van haar hand. Het strekte haar tot eer dat ze niets van haar afkeer liet merken. Ze liep achter Estella en Emmeline aan en toen ze bij de deur was, keek ze opzij en zag ze mij staan. Haar volwassen houding verdween onmiddellijk toen ze haar tong uitstak en haar ogen ten hemel sloeg voordat ze de kamer uit liep.

Toen de mannen weer gingen zitten en hun zakelijke gesprek hervatten, kwam meneer Hamilton naast me staan.

'Je mag gaan, Grace,' fluisterde hij. 'Nancy en ik doen de rest wel.' Hij keek me aan. 'Ga Alfred maar zoeken. Het geeft geen pas als een van de gasten van meneer straks uit het raam kijkt en een bediende als een dwaas ziet rondlopen.'

Op het stenen platform boven aan de trap aan de achterkant van het huis tuurde ik in de duisternis. De maan wierp een wit licht over het landgoed, kleurde het gras zilver en gaf de klimrozen in het prieel het aanzien van skeletten. De rozenstruiken die er overdag zo prachtig uitzagen, leken 's nachts op een ongeregeld stel knokige oude vrouwtjes.

Na een poosje onderscheidde ik op de stenen trap in de verte een donkere vorm die onmogelijk deel kon uitmaken van de vegetatie in de tuin.

Ik vermande me en liep de nacht in.

Bij iedere stap leek de wind kouder en geniepiger te worden.

Toen ik bij de stenen trap was aangekomen, bleef ik een ogenblik naast Alfred staan, maar hij liet niet merken dat hij zich bewust was van mijn aanwezigheid.

'Meneer Hamilton heeft me gestuurd,' zei ik behoedzaam. 'Je hoeft niet te denken dat ik je schaduw.'

Er kwam geen antwoord.

'En je hoeft me ook niet te negeren. Als je niet binnen wilt komen, zeg je het maar; dan ga ik.'

Hij bleef naar de hoge bomen van het Lange Pad staren.

'Alfred!' Mijn stem trilde van de kou.

'Jullie denken allemaal dat ik dezelfde Alfred ben die naar Frankrijk is gegaan,' zei hij zachtjes. 'De mensen herkennen me, dus moet ik er min of meer hetzelfde uitzien, maar ik ben een heel andere man, Gracie.'

Ik keek beduusd. Ik had een nieuwe aanval verwacht, boze snauwen dat ik hem met rust moest laten. Zijn stem daalde tot een fluistering en ik moest naast hem hurken om te kunnen verstaan wat hij zei. Zijn onderlip trilde, maar ik wist niet of dat van de kou was of om een andere reden. 'Ik zie ze, Grace. Overdag valt het wel mee, maar 's nachts, dan zie ik ze en hoor ik ze. In de zitkamer, de keuken, de straten van het dorp. Ze roepen mijn naam. Maar wanneer ik me omdraai... zijn ze er niet... Ze zijn allemaal...'

Ik ging zitten. De vriesnacht had de grijze treden van de trap in ijs veranderd en dwars door mijn rok en ondergoed heen raakten mijn benen verdoofd.

'Het is zo koud,' zei ik. 'Kom binnen, dan maak ik een kopje warme chocolademelk voor je.'

Hij reageerde er niet op en bleef voor zich uit staren naar de duisternis.

'Alfred?' Mijn vingertoppen streken over zijn hand en met een impulsief gebaar spreidde ik mijn vingers over de zijne.

'Niet doen.' Hij kromp ineen alsof ik hem had aangevallen en ik sloeg mijn handen op mijn schoot strak ineen. Mijn koude wangen brandden alsof iemand me in mijn gezicht had geslagen.

'Niet doen,' fluisterde hij.

Hij deed zijn ogen dicht, en ik keek naar zijn gezicht en vroeg me af wat hij zag met zijn zwartgeblakerde oogballen, wat de reden was waarom ze zo snel heen en weer gingen onder zijn door de maan gebleekte oogleden.

Toen draaide hij zich naar me toe en hield ik geschrokken mijn adem in. Het moest een zinsbegoocheling zijn, vanwege de duisternis, maar ogen zoals de zijne had ik nog nooit eerder gezien: diepe, donkere gaten die leeg leken. Hij staarde naar me met die ogen die niets zagen, alsof hij ergens naar zocht. Een antwoord op een vraag die hij niet had gesteld. Hij sprak op zachte toon. 'Ik dacht dat wanneer ik eenmaal terug zou zijn...' Zijn zin bleef onafgemaakt in de nacht hangen. 'Ik wilde je zo graag zien... De dokters zeiden dat als ik er maar voor zorgde dat ik voortdurend iets te doen had...' Er klonk een verstikt geluid in zijn keel. Een klikje.

Het pantser van zijn gezicht brak, verkreukelde als een papieren zak, en hij begon te huilen. Zijn handen vlogen naar zijn gezicht in een futiele poging zijn tranen te verbergen. 'Nee, o nee... Kijk niet... Alsjeblieft, Gracie, alsjeblieft...' Hij snikte het uit achter zijn handen. 'Ik ben zo'n lafaard...'

'Je bent geen lafaard,' zei ik met klem.

'Waarom kan ik het niet uit mijn hoofd krijgen? Ik wil alleen maar dat het weggaat.' Hij sloeg met zijn handpalmen tegen zijn slapen, met een kracht waar ik van schrok.

'Alfred! Hou op.' Ik probeerde zijn handen te grijpen, maar hij weigerde ze bij zijn hoofd vandaan te halen. Ik wachtte, zag zijn lichaam schokken, vervloekte mijn onmacht. Eindelijk leek hij een beetje tot rust te komen. 'Vertel me wat je ziet,' zei ik.

Hij draaide zich naar me toe, maar zei niets, en op dat moment begreep ik hoe hij me zag: de gapende kloof tussen zijn ervaringen en de mijne. En toen wist ik dat hij me nooit zou vertellen wat hij zag. Ik begreep dat bepaalde beelden, bepaalde geluiden nooit met een ander gedeeld konden worden en dat je er ook nooit van afkwam. Dat ze in je hoofd zouden blijven verschijnen tot ze, stukje bij beetje, steeds dieper zouden wegzakken in de plooien van je geheugen en dan tijdelijk vergeten konden worden.

Dus vroeg ik het niet weer. Ik legde mijn hand op zijn wang, de wang die het verst van me weg was, en trok zijn hoofd zachtjes naar me toe, tot het op mijn schouder rustte. Ik hield me heel stil, terwijl hij naast me over zijn hele lichaam beefde.

En zo bleven we samen zitten, daar op de trap.

Een geschikte echtgenoot

Hannah en Teddy traden op de eerste zaterdag van mei van het jaar 1919 in het huwelijk. Het was een mooie plechtigheid, die werd voltrokken in de kleine kerk van Riverton. De Luxtons hadden de voorkeur gegeven aan Londen, waar meer van de belangrijke mensen die ze kenden erbij hadden kunnen zijn, maar meneer Frederick wilde het per se zo en hij had de afgelopen maanden al zo veel te lijden gehad dat niemand het in zijn hoofd haalde tegen zijn wensen in te gaan. Zo gebeurde het dus dat Hannah in het huwelijk trad in de kleine kerk in het dal, waar ook haar grootouders en ouders waren getrouwd.

Het regende – veel kinderen, zei mevrouw Townsend; schreiende aanbidders, fluisterde Nancy – en de trouwfoto's werden ontsierd door zwarte paraplu's. Later, toen Hannah en Teddy in het herenhuis aan Grosvenor Square woonden, kwam een van de foto's op het schrijfbureau in de ochtendkamer te staan. Met hun zessen op een rij: Hannah en Teddy in het midden, Simion en Estella stralend aan de ene kant, meneer Frederick en Emmeline met nietszeggende gezichten aan de andere kant.

Je bent verbaasd. Hoe kwam dit zo opeens? Hannah was immers fel tegen het huwelijk gekant, had zo veel andere ambities. En Teddy: evenwichtig, vriendelijk, maar beslist geen man die een jonge vrouw als Hannah hartstochtelijk het hof zou maken…

Toch was het helemaal niet ingewikkeld. Dat zijn zulke dingen zelden. Het was een simpel geval van bepaalde sterren die op de juiste plek stonden en andere sterren die zachtjes op hun plek werden geduwd.

Op de ochtend na het diner vertrokken de Luxtons naar Londen. Ze hadden zakelijke besprekingen en we dachten allemaal – voor zover we er al over nadachten – dat we hen nooit meer zouden zien.

Onze aandacht, zie je, was al gericht op de volgende belangrijke gebeurtenis. Gedurende de daaropvolgende week streek er op Riverton een zwerm onverzettelijke matrones neer, die de belangrijke taak hadden Hannahs intrede in de society in goede banen te leiden. Januari was de maand waarin op landgoederen in het hele land debutantenbals werden gehouden, en het was een vreselijke afgang als je te lang wachtte en daardoor gedwongen werd jouw bal op dezelfde datum te houden als een ander, mogelijk groter bal. Daarom was op Riverton de datum, 20 januari, lang van tevoren gekozen en waren de uitnodigingen bijtijds verstuurd.

Op een ochtend begin januari serveerde ik thee aan lady Clementine en douairière lady Ashbury, die in de zitkamer naast elkaar op de bank zaten met hun agenda's geopend op hun schoot.

'Vijftig is een mooi aantal,' zei lady Violet. 'Niets is zo erg als een te lege balzaal.'

'Behalve een te volle balzaal,' zei lady Clementine met afschuw. 'Niet dat dát een probleem is, vandaag de dag.'

Lady Violet nam haar gastenlijst nog eens door en tuitte misnoegd haar lippen. 'Lieve hemel,' zei ze, 'hoe moet het nu met deze schaarste?'

'Mevrouw Townsend zal zich niet van de wijs laten brengen,' zei lady Clementine. 'Die weet overal een mouw aan te passen.'

'Ik bedoel niet de voedselschaarste, Clem, maar de schaarste aan mannen. Hoe kunnen we aan meer mannen komen?'

Lady Clementine boog zich opzij, bekeek de lijst en schudde geërgerd haar hoofd. 'Het is een schande. Een grote schande. En bijzonder lastig. De kiem van Engelands toekomst ligt te rotten in Franse velden, terwijl de jongedames hier op een droogje zitten en amper partners hebben om mee te dansen. Het is een complot. Een *Duits* complot.' Ze zette grote ogen op om haar eigen woorden. 'Om te voorkomen dat de elite van Engeland zich verder zal voortplanten!'

'Maar ken je niet nog wat meer mensen die we kunnen uitnodigen, Clem? Je bent een goede koppelaarster aan het worden.'

'Ik heb gewoon geluk gehad dat ik die sukkel voor Fanny heb gevonden,' zei lady Clementine. Ze streek over haar bepoederde onderkinnen. 'Doodzonde dat Frederick nooit belangstelling voor haar heeft getoond. Dan was alles een stuk eenvoudiger geweest. In plaats daarvan heb ik er een van de bodem van de pot moeten schrapen.'

'Mijn kleindochter krijgt geen man die van de bodem van de pot geschraapt moet worden,' zei lady Violet. 'De toekomst van mijn familie hangt ervan af.' Ze slaakte een vermoeide zucht, die overging in een hoestbui, die haar magere lichaam deed schokken.

'Hannah zal meer succes hebben dan de arme, simpele Fanny,' stelde lady

Clementine haar gerust. 'In tegenstelling tot mijn protegee is je kleindochter gezegend met intellect, schoonheid en charme.'

'Al is ze niet van plan daarvan gebruik te maken,' zei lady Violet. 'Frederick heeft zijn kinderen verwend. Ze hebben veel te veel vrijheid gekregen en een te soepele opvoeding. Vooral Hannah. Dat meisje zit vol malle ideeën over onafhankelijkheid.'

'Onafhankelijkheid…' herhaalde lady Clementine vol walging.

'Ze heeft absoluut geen haast om een echtgenoot te vinden. Dat heeft ze me zelf verteld toen ze in Londen was.'

'O ja?'

'Ze keek me recht in de ogen en zei, zo beleefd dat je er dol van zou worden, dat ze het helemaal niet erg zou vinden als het te veel moeite was een debutantenbal voor haar te organiseren.'

'De brutaliteit!'

'Ze zei dat een bal aan haar verspild zou zijn, aangezien ze niet van plan is zich in de society te mengen, ook niet wanneer ze meerderjarig is. Ze zei dat ze de society…' Lady Violet sloot haar ogen. 'Ze zei dat ze de society saai en zinloos vindt.'

Lady Clementine hapte naar adem. 'Dat meen je niet!'

'Jawel.'

'Maar wat wil ze dan? Bij haar vader op Riverton blijven tot ze een oude vrijster is?'

Dat er ook andere mogelijkheden waren, was iets wat doodgewoon niet in hen opkwam. Lady Violet schudde haar hoofd en haar hele houding verslapte van droefenis.

Lady Clementine zag dat haar vriendin snel opgebeurd moest worden. Ze rechtte haar rug en klopte zachtjes op Violets hand. 'Kop op,' zei ze. 'Je kleindochter is nog jong, mijn beste Violet. Ze heeft ruimschoots de tijd om van gedachten te veranderen.' Ze hield haar hoofd schuin. 'Ik meen me te herinneren dat jij op die leeftijd ook een beetje rebels was, maar je bent het ontgroeid, en dat zal met Hannah ook gebeuren.'

'Dat zal wel moeten,' zei lady Violet somber.

Lady Clementine bespeurde een ondertoon van wanhoop. 'Er is toch geen specifieke reden waarom je haar zo snel wilt laten trouwen…?' Ze kneep haar ogen iets toe. 'Of wel?'

Lady Violet zuchtte.

'Wat is er?' vroeg lady Clementine nieuwsgierig.

'Frederick. En zijn ellendige automobielen. Ik heb deze week een brief ontvangen van de bank. Hij is te laat met zijn afbetalingen.'

'Is dit de eerste keer dat jij hierover iets te horen krijgt?' informeerde lady Clementine gretig. 'Dat is me toch wat!'

'Ik vermoed dat hij het me niet durfde te vertellen,' zei lady Violet. 'Hij weet hoe ik erover denk. Hij heeft ons aller toekomst met een hypotheek belast voor zijn fabriek. Hij heeft het landgoed in Yorkshire al moeten verkopen om de successierechten op zijn erfenis te kunnen betalen.'

Lady Clementine klakte zachtjes met haar tong.

'Had hij in plaats daarvan die fabriek maar verkocht. Hij heeft er vaak genoeg de gelegenheid voor gehad.'

'Recentelijk?'

'Nee, jammer genoeg niet.' Lady Violet zuchtte. 'Frederick is een geweldige zoon, maar geen zakenman. Ik heb begrepen dat al zijn hoop nu is gevestigd op het verkrijgen van een lening van een of ander syndicaat waar meneer Luxton bij betrokken is.' Ze schudde haar hoofd. 'Hij raakt van het ene probleem in het andere, Clem. En hij staat helemaal niet stil bij de verplichtingen van zijn maatschappelijke positie.' Ze zette haar vingertoppen tegen haar slapen en zuchtte nogmaals. 'Al kan ik hem dat niet kwalijk nemen. Die positie had de zijne helemaal niet moeten zijn.' Daarop volgde de bekende verzuchting: 'Was Jonathan er nog maar.'

'Kom, kom,' zei lady Clem. 'Het zal Frederick vast wel lukken. Auto's raken steeds meer in de mode. Jan en alleman heeft er tegenwoordig een. Weet je dat ik laatst bijna ben overreden toen ik bij Kensington Place de straat overstak?'

'Clem! Ben je gewond geraakt?'

'Ditmaal niet,' zei lady Clementine luchtig. 'Maar de volgende keer kan het wel eens slechter aflopen.' Ze trok één wenkbrauw op. 'Een afgrijselijke dood, neem dat maar van mij aan. Ik heb een lang gesprek gevoerd met dokter Carmichael over het soort verwondingen dat je in zulke gevallen kunt oplopen.'

'Vreselijk,' zei lady Violet, afwezig haar hoofd schuddend. Ze zuchtte. 'Ik zou niet zo over Hannah inzitten als Frederick opnieuw zou trouwen.'

'Is daar kans op?' vroeg lady Clementine.

'Nee. Zoals je weet heeft hij geen enkele interesse getoond in een nieuwe vrouw. Als je het mij vraagt, heeft hij ook voor zijn eerste vrouw nooit voldoende belangstelling aan den dag gelegd. Hij was te veel bezig met...' Ze wierp een blik op mij. Ik zette met nogal wat omhaal de theemuts recht. 'Met die andere onwelvoeglijke zaak.' Ze schudde haar hoofd en klemde haar lippen op elkaar. 'Nee. Er komen geen zonen meer en het heeft geen zin erop te blijven hopen.'

'Dus hangt alles af van Hannah.' Lady Clementine nam een slokje thee.

'Ja.' Lady Violet slaakte een geïrriteerde zucht en streek haar limoenkleurige zijden rok glad. 'Neem me niet kwalijk, Clem. Ik ben verkouden. Ook daarom ben ik in zo'n neerslachtige bui.' Ze schudde haar hoofd. 'En ik slaag er maar niet in het onheilspellende gevoel van me af te zetten dat me de laatste tijd achtervolgt. Ik ben niet bijgelovig, dat weet je, maar ik heb het eigenaardige gevoel…' Ze keek naar lady Clementine. 'Niet lachen, maar ik heb een eigenaardig gevoel dat er groot onheil dreigt.'

'O ja?' Lady Clementine genoot van dit soort dingen.

'Het is niet iets specifieks. Alleen maar een gevoel.' Ze trok haar sjaal wat strakker om haar schouders en het viel me opeens op hoe broos ze was geworden. 'Desalniettemin zal ik niet werkeloos toekijken hoe mijn familie uiteenvalt. Ik zal ervoor zorgen dat Hannah zich verlooft, met een goede partij, al is het het laatste wat ik doe. Het liefst nog voordat ik Jemima vergezel op haar reis naar Amerika.'

'New York. Ik was vergeten dat je gaat. Aardig van Jemima's broer dat hij hen in huis neemt.

'Ja,' zei lady Violet. 'Maar ik zal hen missen. De kleine Gytha lijkt zo op Jonathan.'

'Ik heb nooit veel opgehad met baby's,' zei lady Clementine met een vies gezicht. 'Ze jengelen en spugen me te veel.' Haar drie onderkinnen trilden toen ze rilde. Ze streek de pagina's van haar agenda glad en tikte met haar pen op de blanco bladzijde. 'Hoeveel tijd hebben we? Om een geschikte man te zoeken?'

'Een maand. We vertrekken op 4 februari.'

Lady Clementine noteerde de datum op de blanco pagina; toen ging ze abrupt rechtop zitten. 'O…! O, Violet, ik heb een idee,' zei ze. 'Je zegt dat Hannah vastbesloten is onafhankelijk te worden?'

Het woord bracht een trilling teweeg in lady Violets oogleden. 'Ja.'

'Als iemand nu eens een vertrouwelijk praatje met haar maakte… en haar liet zien dat het huwelijk een manier kan zijn om onafhankelijkheid te krijgen…?'

'Ze is net zo koppig als haar vader,' antwoordde lady Violet. 'Ik vrees dat ze niet zal luisteren.'

'Niet naar jou of mij, maar ik ken iemand naar wie ze misschien wél zal luisteren.' Ze tuitte haar lippen. 'Ja… met goede begeleiding moet zelfs zíj in staat zijn dit te doen.'

Een paar dagen later was Fanny, terwijl haar echtgenoot een rondleiding kreeg door meneer Fredericks garage, bij Hannah en Emmeline in de rode kamer. Emmeline, opgewonden over het aanstaande bal, had haar overgehaald danspassen met haar te oefenen. De grammofoon liet een wals horen en het tweetal zwierde lachend en elkaar plagend door de kamer. Ik had moeite hen te ontwijken terwijl ik stof afnam en de kamer op orde bracht.

Hannah zat aan het schrijfbureau in haar schrift te pennen zonder acht te slaan op de vrolijkheid achter haar. Na het diner met de Luxtons, toen duidelijk was geworden dat haar droom om een baan te gaan zoeken geheel afhankelijk was van haar vaders toestemming, die ze nooit zou krijgen, had ze zich in zichzelf teruggetrokken. Om haar heen was men opgewonden begonnen met de voorbereidingen voor het bal, maar zelf stond ze er helemaal buiten.

Nadat ze een week had zitten broeden, had ze het over een andere boeg gegooid. Ze was weer op haar steno gaan oefenen, schreef in razend tempo hele hoofdstukken over uit welk boek ze ook toevallig voorhanden had, al bedekte ze haar werk nog steeds snel wanneer iemand te dichtbij kwam en het zou kunnen zien. Deze perioden van intensief werken – te intensief om lang te kunnen volhouden – werden steevast gevolgd door een apathische inzinking. Dan gooide ze haar pen neer, duwde boek en schrift met een zucht van zich af en bleef roerloos zitten, wachtend tot het etenstijd was, of tot er een brief werd bezorgd, of tot het tijd was om zich om te kleden.

Maar wanneer ze zo zat te niksen, zat haar geest uiteraard niet stil en maakte ze de indruk druk bezig te zijn met het zoeken naar een oplossing voor haar problemen. Ze verlangde naar onafhankelijkheid en avontuur, maar ze was een gevangene – een comfortabele, goed verzorgde gevangene, maar niettemin een gevangene. Voor onafhankelijkheid had je geld nodig. Haar vader had geen geld om haar te geven en ze zou geen toestemming krijgen een baan te zoeken.

Waarom sloeg ze zijn wensen niet in de wind? Waarom liep ze niet van huis weg, sloot ze zich niet aan bij een rondtrekkend circus? Heel eenvoudig omdat er regels bestonden over dergelijke zaken en je je aan die regels diende te houden. Tien jaar later, zelfs twee jaar later, zou alles veranderd zijn. Tegen die tijd waren de tradities bezweken onder het gewicht van dansende voeten. Maar nu zat ze nog vast. Ze zat, als Andersens nachtegaal, opgesloten in haar gouden kooi, te lusteloos om te zingen. Gevangen in een troebele poel van verveling, tot een nieuwe vlaag van koortsachtige activiteit zich van haar meester zou maken.

Die ochtend, in de rode kamer, was ze in de ban van zo'n vlaag. Ze zat aan het schrijfbureau, met haar rug naar Fanny en Emmeline, de *Encyclopaedia Britannica* in steno over te schrijven. Ze was zo geconcentreerd bezig dat ze niet eens met haar ogen knipperde toen Fanny gilde: 'Au! Kijk een beetje uit!'

Fanny hinkte naar de leunstoel terwijl Emmeline zich lachend op de chaise longue liet vallen, trok haar schoen uit en boog zich naar voren om haar kousenvoet te bekijken. 'Dat wordt een dikke teen,' zei ze verongelijkt.

Emmeline bleef lachen.

'Nu kan ik op het bal geen van mijn mooie schoenen aan!'

Iedere opmerking deed Emmeline alleen maar nog harder schateren.

'Nou zeg,' zei Fanny verontwaardigd. 'Jíj hebt op mijn teen getrapt. Je kunt op z'n minst je verontschuldigingen aanbieden.'

Emmeline probeerde haar lach in te houden. 'Het… spijt me,' zei ze. Ze beet op haar lip toen er een nieuwe lachbui dreigde. 'Maar ik kan het toch ook niet helpen dat je voeten me constant in de weg zitten? Ze zijn ook zo groot…' Ze hikte van het lachen.

'Meneer Collier van Harrods,' zei Fanny met een kin die trilde van verontwaardiging, 'zegt anders dat ik mooie voeten heb.'

'Dat zal best. Hij rekent voor jouw schoenen vast twee keer zo veel als voor die van andere vrouwen.'

'Ellendige, ondankbare…'

'Sorry, Fanny,' zei Emmeline, die eindelijk tot bedaren kwam. 'Het was maar een grapje. Natuurlijk heb ik er spijt van dat ik op je teen heb getrapt.'

Fanny snoof.

'Laten we de wals nog een keer oefenen. Ik beloof dat ik ditmaal beter mijn best zal doen.'

'Dank je feestelijk,' zei Fanny mokkend. 'Ik moet mijn arme teen wat rust gunnen. Het zou me niets verbazen als blijkt dat hij gebroken is.'

'Zo erg zal het toch niet zijn? Ik heb er niet heel hard op getrapt. Laat eens kijken.'

Fanny trok haar been onder de bank, zodat haar voet uit Emmelines gezichtsveld verdween. 'Ik vind dat je al meer dan genoeg hebt gedaan.'

Emmeline trommelde met haar vingers op de armleuning van de stoel. 'Maar hoe moet ik mijn danspassen dán oefenen?'

'Doe maar geen moeite; oudoom Bernard is half blind, dus die heeft nergens erg in, en achterneef Jeremy zal zo druk bezig zijn je te vervelen met eindeloze oorlogsverhalen dat het ook hem niks zal kunnen schelen.'

'Denk maar niet dat ik met de oudooms ga dansen,' zei Emmeline.

'Ik vrees dat je weinig keus zult hebben,' zei Fanny.

Emmeline trok vol zelfvertrouwen één wenkbrauw op. 'Dat denk jíj.'

'Hoezo?' vroeg Fanny en ze fronste haar wenkbrauwen. 'Wat bedoel je?'

Emmeline grijnsde breed. 'Grootmama heeft papa overgehaald de Luxtons uit te nodigen.'

'Komt Theodore Luxton op het bal?' Fanny kreeg er een kleur van.

'Ja! Vind je dat niet opwindend?' Emmeline greep Fanny's handen. 'Papa vond het niet gepast om zakenrelaties uit te nodigen voor Hannahs bal, maar grootmama stond erop.'

'Goh,' zei Fanny, blozend van de consternatie. 'Dat is inderdaad opwindend. Eindelijk wat interessante personen in het gezelschap.' Ze giechelde en legde haar hand eerst op haar ene warme wang en toen op de andere. 'Theodore Luxton. Stel je voor!'

'Snap je nu waarom ik moet leren dansen?'

'Daar had je aan moeten denken voordat je mijn voet vermorzelde.'

Emmeline fronste. 'Ik wou dat we van papa op les hadden gemogen bij Vacani. Niemand zal met me willen dansen als ik de juiste passen niet ken.'

Fanny's lippen vertrokken tot iets wat voor een glimlach moest doorgaan. 'Je kunt inderdaad niet erg goed dansen, Emmeline,' zei ze, 'maar je hoeft je geen zorgen te maken. Op het bal zal het je niet aan danspartners ontbreken.'

'Nee?' zei Emmeline, met de gemaakte ongekunsteldheid van iemand die gewend is complimentjes te krijgen.

Fanny masseerde haar pijnlijke teen. 'Alle aanwezige mannen zijn verplicht de dochters van de gastheer ten dans te vragen. Zelfs als die dochters lomperiken zijn.'

Emmeline keek beteuterd.

Aangemoedigd door deze kleine overwinning ging Fanny door. 'Ik herinner me mijn debutantenbal als de dag van gisteren,' zei ze met een mijmerende nostalgie alsof ze een vrouw van middelbare leeftijd was.

'Voor een sierlijke, charmante jongedame als jij,' zei Emmeline, terwijl ze een gezicht trok, 'stonden alle knappe jongemannen natuurlijk in de rij.'

'Was het maar waar. Ik heb nog nooit zo veel oude mannen gezien die zo snel mogelijk op mijn tenen wilden trappen, zodat ze gauw terug konden naar hun vrouw om lekker in te dutten. Wat een teleurstelling. Alle geschikte mannen hadden het druk met oorlog voeren. Het was een geluk dat Godfrey vanwege zijn bronchitis niet naar het front hoefde, anders zouden we elkaar nooit ontmoet hebben.'

'Was het liefde op het eerste gezicht?'

Fanny trok haar neus op. 'Integendeel! Godfrey werd niet lekker en heeft het grootste deel van de avond op het toilet gezeten. We hebben maar één keer gedanst, voor zover ik me kan herinneren. Het was de quadrille; hij werd bij iedere draai een tikkeltje groener en halverwege de dans holde hij zomaar weg en kwam hij niet meer terug. Ik was woedend dat hij me zomaar liet staan. Ik schaamde me dood. Daarna heb ik hem maanden niet gezien en toen heeft het nog een jaar geduurd voordat we zijn getrouwd.' Ze zuchtte en schudde haar hoofd. 'Het langste jaar van mijn leven.'

'Waarom?'

Fanny trok een nadenkend gezicht. 'Ik had gedacht dat mijn leven na mijn debutantenbal heel anders zou zijn.'

'Was dat dan niet zo?' vroeg Emmeline.

'Jawel, maar niet zoals ik het me had voorgesteld. Het was afgrijselijk. Officieel was ik volwassen, maar ik kon nog steeds nergens naartoe gaan en niets doen zonder dat lady Clementine of een andere vervelende oude vrouw zich ermee bemoeide. En ik was nog wel zo gelukkig toen Godfrey me het aanzoek deed. Mijn liefste wens was in vervulling gegaan.'

Emmeline, die er moeite mee had zich Godfrey Vickers – de dikke, kalende, ziekelijke Godfrey – voor te stellen als de vervulling van iemands liefste wens, trok haar neus op. 'Echt?'

Fanny keek nadrukkelijk naar Hannahs rug. 'De mensen gedragen zich heel anders wanneer je getrouwd bent. Zodra ik word voorgesteld als "mevrouw Vickers", weten de mensen dat ik geen onnozel kind ben, maar een getrouwde vrouw die in staat is er een volwassen mening op na te houden.'

Hannah bleef, ogenschijnlijk onaangedaan, vlijtig aan haar steno werken.

'Heb ik je al verteld over mijn huwelijksreis?' vroeg Fanny, nu weer aan Emmeline.

'Al honderd keer, ja.'

Fanny trok zich niets van haar woorden aan. 'Florence is de meest romantische buitenlandse stad die ik ken.'

'Het is de enige buitenlandse stad die je kent.'

'Iedere avond, na het diner, maakten Godfrey en ik een wandeling langs de Arno. In een schattig winkeltje op de Ponte Vecchio heeft hij een prachtige halsketting voor me gekocht. Ik voelde me een heel ander mens in Italië. Getransformeerd. Op een dag hebben we het Forte di Belvedere beklommen en over heel Toscane uitgekeken. Het was zo mooi dat ik er bijna van moest huilen. En de kunstgalerieën! Er was zo veel te zien! Godfrey heeft me beloofd dat we er nog een keer naartoe gaan, zodra het kan.' Haar blik ging naar het schrijfbureau, waar Hannah ijverig bleef schrijven. 'En de mensen die je ontmoet wanneer je op reis bent – zulke fascinerende personen. Op de boot er-naartoe reisde een man die op weg was naar Cairo. Je raadt nooit wat hij daar ging doen. Naar verborgen schatten graven! Ik kon mijn oren niet geloven toen hij ons dat vertelde. Blijkbaar werden de mensen in de Oudheid samen met hun juwelen begraven. Geen idee waarom. Het lijkt mij doodzonde. Dr. Humphreys zei dat het te maken had met hun religie. Hij heeft ons fascine-rende verhalen verteld en ons zelfs uitgenodigd bij de opgraving te komen kijken als we toevallig in de buurt waren!' Hannah hield op met schrijven. Fanny onderdrukte een glimlach van voldoening. 'Godfrey was een tikkeltje achterdochtig – hij dacht dat die man ons voor het lapje hield –, maar ik vond hem reuze interessant.'

'Was hij knap om te zien?' vroeg Emmeline.

'Ja, heel knap!' dweepte Fanny. 'Hij…' Ze zweeg toen ze zich haar taak her-innerde en keerde terug naar het script. 'Ik heb tijdens de twee maanden dat ik getrouwd ben meer opwindende dingen meegemaakt dan in mijn hele le-ven.' Ze keek vanonder haar wimpers naar Hannah en speelde haar troef-kaart uit. 'Het is gek. Voordat ik getrouwd was, dacht ik dat je je eigen ik hele-maal zou kwijtraken wanneer je eenmaal een echtgenoot hebt. Nu heb ik gemerkt dat het tegendeel waar is. Ik heb me nog nooit zo… zelfstandig ge-voeld. Iedereen vindt het opeens heel normaal dat je van alles zelf doet. Nie-mand zegt er iets van als ik besluit een eindje te gaan wandelen. Sterker nog: je hebt kans dat ze mij zullen vragen voor jou en Hannah als chaperonne op te treden tot jullie zelf getrouwd zijn.' Ze zette een hautain gezicht. 'Jullie zouden boffen als jullie mij zouden krijgen en niet worden opgezadeld met een of andere saaie oude tante.'

Emmeline trok haar wenkbrauwen op, maar dat zag Fanny niet. Ze hield Hannah in de gaten, die nu haar pen naast haar boek had neergelegd.

Fanny's ogen glansden van tevredenheid. 'Nou,' zei ze, terwijl ze voorzich-tig haar gewonde teen in haar schoen stak. 'Hoezeer ik ook van jullie vrolijke gezelschap heb genoten, ik ga nu maar weer eens. Mijn echtgenoot is vast al terug van zijn rondleiding en ik verlang naar een gesprek met andere *volwas-senen*.'

Ze glimlachte liefjes en liep met opgeheven hoofd de kamer uit, al verloor haar houding aan waardigheid doordat ze vanwege haar geblesseerde teen een beetje hinkte.

Emmeline zette een andere plaat op en walste de kamer door, maar Han-nah bleef aan het bureau zitten, met haar rug naar haar zus. Ze had haar vin-gers ineengestrengeld en haar handen tot een bruggetje gevormd, waarop haar kin rustte. Zo staarde ze uit het raam naar de oneindige velden, en toen ik de friezen achter haar afstofte, kon ik aan de vage weerspiegeling van haar gezicht in het raam zien dat ze diep in gedachten verzonken was.

In de loop van de daaropvolgende week arriveerden de gasten. Traditiegetrouw namen ze vanaf het begin van hun verblijf deel aan de activiteiten waar hun gastheer voor had gezorgd. Sommigen verkenden te voet of te paard de omgeving, anderen speelden bridge in de bibliotheek, en de sportievelingen hielden zich in het gymnastieklokaal bezig met schermen.

Na de enorme inspanningen van de organisatie ging lady Violets gezondheid opeens hard achteruit en moest ze het bed houden. Lady Clementine zocht noodgedwongen elders naar gezelschap. Aangetrokken door de glanzende, flitsende floretten parkeerde ze haar omvangrijke gestalte in een leren fauteuil om naar het schermen te kijken. Toen ik daar 's middags de thee serveerde was ze in een knus tête-à-tête gewikkeld met Simion Luxton.

'Uw zoon schermt niet onaardig,' zei lady Clementine, en ze wees naar een van de gemaskerde schermers. 'Voor een Amerikaan.'

'Hij mag dan wel praten als een Amerikaan, lady Clementine, maar ik verzeker u dat hij door en door Engels is.'

'Meent u dat?'

'Hij schermt als een Engelsman,' zei Simion luidruchtig. 'Bedrieglijk simpel. Dezelfde stijl die hem bij de komende verkiezingen van een plaats in het Lagerhuis zal verzekeren.'

'Ik heb over zijn kandidatuur gehoord,' zei lady Clementine. 'U zult wel tevreden zijn.'

Simion keek nog verwaander dan anders. 'Er wacht mijn zoon een mooie toekomst.'

'Hij vertegenwoordigt inderdaad vrijwel alles wat wij conservatieven van een parlementariër verlangen. Tijdens mijn recente lunch met de Conservative Women hebben we het nog gehad over het gebrek aan goede, standvastige mannen om figuren als Lloyd George aan te pakken.' Haar keurende blik ging weer naar Teddy. 'Uw zoon zou daar wel eens de aangewezen persoon voor kunnen zijn, en ik zal hem met alle plezier steunen als ik hem geschikt acht.' Ze nam een slokje thee. 'Het enige probleempje is natuurlijk zijn echtgenote.'

'Dat is geen probleem,' zei Simion achteloos. 'Teddy is niet getrouwd.'

'Dat bedoel ik juist, meneer Luxton.'

Simion fronste zijn wenkbrauwen.

'Sommigen van de andere dames zijn minder liberaal dan ik,' zei lady Clementine. 'Ze beschouwen dat als een teken van een zwak karakter. Het gezinsleven is voor ons erg belangrijk. Wanneer een man een bepaalde leeftijd heeft bereikt en nog altijd niet getrouwd is, gaan mensen zich dingen afvragen.'

'Hij heeft gewoon de juiste vrouw nog niet ontmoet.'

'Natuurlijk, meneer Luxton. Dat weten u en ik, maar de andere dames... Die kijken naar uw zoon en zien een knappe jongeman die veel te bieden heeft, en evengoed nog steeds geen echtgenote heeft. Men kan het hun niet kwalijk nemen dat ze zich afvragen hoe dat komt. Dat ze zich afvragen of hij misschien geen belangstelling heeft voor het vrouwelijke geslacht.' Ze trok veelbetekenend haar wenkbrauwen op.

Simions wangen werden rood. 'Mijn zoon is niet... Geen enkele Luxton is er ooit van beschuldigd een...'

'Natuurlijk niet, meneer Luxton,' zei lady Clementine minzaam, 'en ikzelf ben die mening ook niet toegedaan. Ik geef alleen door wat sommigen van onze dames denken. Ze willen er graag zeker van zijn dat een man een echte man is. Geen estheet.' Ze glimlachte zuinig en zette haar bril recht. 'Hoe dan ook, het is geen onoverkomelijk probleem en er is nog tijd genoeg. Hij is nog jong. Vijfentwintig, meen ik?'

'Eenendertig,' zei Simion.

'O,' zei ze. 'Niet zo jong dus. Maar goed.' Lady Clementine wist precies wanneer ze er het zwijgen toe moest doen. Ze richtte haar aandacht weer op het schermen.

'U kunt gerust zijn, lady Clementine. Er is niets mis met Teddy,' zei Simion. 'Hij is zeer geliefd bij de dames. Wanneer hij eenmaal zover is, zal hij uit vele jongedames kunnen kiezen.'

'Daar ben ik blij om, meneer Luxton.' Lady Clementine bleef naar het schermen kijken. Ze nam een slokje thee. 'Ik hoop alleen voor hem dat het nu niet lang meer zal duren. En dat hij het juiste *soort* meisje kiest.'

Simion trok vragend zijn wenkbrauwen op.

'Wij Engelsen zijn erg nationalistisch van aard. Er is veel wat in het voordeel van uw zoon spreekt, maar sommige mensen, vooral binnen de Conservatieve Partij, zullen hem wat *nieuw* vinden. Ik hoop echt dat wanneer hij een vrouw kiest, ze méér in het huwelijk zal inbrengen dan alleen haar eigen kuise persoontje.'

'Wat kan nog belangrijker zijn dan de kuisheid van een bruid, lady Clementine?'

'Haar naam, haar familie, haar afkomst.' Lady Clementine zag dat Teddy's tegenstander een punt scoorde en de wedstrijd won. 'In de Nieuwe Wereld let men daar niet meer op, maar hier in Engeland zijn die dingen heel belangrijk.'

'Samen met het zuivere karakter van het meisje, uiteraard,' zei Simion.

'Uiteraard.'

'En haar kuisheid.'

'Natuurlijk,' zei lady Clementine, minder overtuigd.

'Geen moderne vrouw voor mijn zoon, lady Clementine,' zei Simion, die langs zijn lippen likte. 'Wij Luxtons vinden het prettig wanneer onze vrouwen weten wie de baas is.'

'Ik begrijp het, meneer Luxton,' zei lady Clementine.

Simion applaudisseerde voor de schermers. 'Het probleem is waar je zo'n meisje moet zoeken.'

Lady Clementine bleef naar de schermbaan kijken. 'Is het u ook wel eens opgevallen dat dingen waar je naar zoekt soms vlak bij huis te vinden zijn?'

'Inderdaad, lady Clementine,' zei Simion en hij glimlachte met zijn lippen op elkaar. 'Inderdaad.'

Ik hoefde niet te helpen tijdens het diner en zag Teddy en zijn vader de rest van de vrijdag niet meer. Nancy vertelde dat ze laat op de vrijdagavond boven, in de gang, in een diep gesprek gewikkeld waren geweest, maar ik weet niet waar dat over ging. Op zaterdagochtend, toen ik de zitkamer binnenging om te kijken of het haardvuur goed brandde, zag Teddy er even opgewekt uit als altijd. Hij zat in de fauteuil de krant te lezen en probeerde een glimlach te bedwingen om lady Clementine, die zich beklaagde over de bloemstukken. Die waren net afgeleverd door Braintree en opgemaakt met rozen, terwijl lady Clementine dahlia's had besteld. Ze was niet blij.

'Jij daar,' zei ze tegen mij, terwijl ze een roos heen en weer bewoog. 'Ga juffrouw Hartford halen. Die zal hierover moeten oordelen.'

'Ik geloof dat juffrouw Hartford van plan is vanochtend te gaan rijden, lady Clementine,' zei ik.

'Dat kan me niets schelen. Al is ze van plan de Grand National te gaan rijden. Ze móét deze bloemstukken bekijken.'

En zo, terwijl de andere jongedames in bed van hun ontbijt genoten, uitkijkend naar de grote avond, werd Hannah in de zitkamer ontboden. Ik had haar een halfuur eerder geholpen haar rijkostuum aan te trekken en nu zag ze eruit als een in het nauw gedreven vos die een weg zocht om te ontsnappen. Terwijl lady Clementine haar gal spuwde, stond Hannah, die er geen flauw idee van had of dahlia's geschikter waren dan rozen, alleen maar te knikken en wierp ze af en toe een verlangende blik op de scheepsklok.

'Wat moeten we hier nu mee?' vroeg lady Clementine tot besluit van haar tirade. 'Het is te laat om een nieuwe bestelling te plaatsen.'

Hannah zoog haar lippen naar binnen en knipperde een paar keer met haar ogen om naar het heden terug te keren. 'Dan zullen we het hiermee moeten doen,' zei ze met gespeelde doortastendheid.

'Kun je daar wel mee leven?'

Hannah deed alsof ze zich er met de grootste moeite bij neerlegde. 'Als het niet anders kan…' Ze laste een subtiele pauze van een paar seconden in en zei toen opgewekt: 'Als dat alles…'

'Kom even mee naar boven,' viel lady Clementine haar in de rede. 'Dan zal ik je laten zien hoe afgrijselijk ze in de balzaal staan. Je gelooft je ogen niet…'

Je zág Hannah verwelken toen lady Clementine bleef afgeven op de rozen. Het idee dat ze nóg een tirade over de bloemstukken zou moeten aanhoren nam alle glans uit haar ogen weg.

In de fauteuil schraapte Teddy zijn keel, vouwde de krant op en legde hem op het tafeltje naast hem. 'Het is een prachtige winterdag,' zei hij tegen niemand in het bijzonder. 'Ik heb zin om een eindje te gaan rijden. Ik wil wel iets meer van het landgoed zien.'

Lady Clementine stokte midden in een zin en het licht van duivelse plannen leek in haar ogen te ontbranden. 'Een eindje rijden,' zei ze, er naadloos op inhakend. 'Wat een goed idee, meneer Luxton. Vind je dat geen goed idee, Hannah?'

Hannah keek verrast op en zag dat Teddy samenzweerderig naar haar glimlachte. 'Als u soms met mij mee wilt gaan?'

Voordat ze daar antwoord op kon geven, zei lady Clementine: 'Ja… uitstekend idee. We zullen graag met u meegaan, meneer Luxton. Als u het niet vervelend vindt, natuurlijk.'

'Ik vind juist dat ik van geluk mag spreken dat ik maar liefst twee lieftallige gidsen krijg.'

Lady Clementine wendde zich met nerveuze verwachting in haar ogen tot mij. 'Jij daar, laat mevrouw Townsend wat versnaperingen klaarmaken.' Ze draaide zich weer om naar Teddy en zei met een strakke glimlach: 'Ik ben dol op paardrijden.'

Ze vormden een vreemd groepje toen ze op weg gingen naar de stallen, en een nog vreemder groepje, zei Dudley, toen ze eenmaal allemaal te paard zaten. Hij had zich slap gelachen, zei hij, toen hij hen had zien wegrijden naar het open land in het westen, lady Clementine op meneer Fredericks oude merrie, die een achterste had dat nog breder was dan dat van haar berijdster.

Ze bleven twee uur weg en toen ze terugkeerden voor de lunch, was Teddy drijfnat, Hannah opvallend stil en zag lady Clementine eruit als een kat die een muis had opgevreten. Wat er tijdens de rit was gebeurd, hoorde ik van Hannah zelf, maar pas vele maanden later.

Eerst staken ze de weide ten westen van de stallen over en daarna volgden ze de rivier, stapvoets rijdend langs de rij indrukwekkende beuken op de met riet begroeide oever. De velden aan weerskanten van het water droegen hun winterse kleed en er was geen spoor te bekennen van de herten die er 's zomers graasden.

Ze reden enige tijd in stilte: Hannah voorop, Teddy vlak achter haar, lady Clementine als hekkensluiter. Winterse twijgen knapten onder de paardenhoeven en de koude rivier kabbelde voort, op weg naar zijn uitmonding in de Theems.

Na een poosje ging Teddy naast Hannah rijden en zei op opgewekte toon: 'Mijn verblijf hier is me een waar genoegen, juffrouw Hartford. Mag ik u danken voor de uitnodiging?'

Hannah, die juist zo had genoten van de stilte, antwoordde: 'Dan moet u bij mijn grootmoeder zijn, meneer Luxton, want ik heb er niets mee te maken gehad.'

'O...' zei Teddy. 'Dan zal ik háár bedanken.'

Hannah kreeg een beetje medelijden met Teddy, die zich per slot van rekening alleen maar beleefd gedroeg, en vroeg: 'Wat doet u voor de kost, meneer Luxton?'

Hij antwoordde prompt, misschien van opluchting: 'Ik ben verzamelaar.'

'Wat verzamelt u?'

'Mooie voorwerpen.'

'Ik dacht dat u wellicht hetzelfde werk deed als uw vader.'

Teddy blies een beukenblad weg dat op zijn schouder was neergedwarreld. 'Mijn vader en ik zijn niet dezelfde mening toegedaan wat zakendoen betreft, juffrouw Hartford,' zei hij. 'Hij hecht weinig waarde aan dingen die niet rechtstreeks te maken hebben met het vergroten van kapitaal.'

'En u, meneer Luxton?'

'Ik zoek een ander soort rijkdom. Rijkdom in de vorm van nieuwe ervaringen. De eeuw is nog jong, net als ik. Er is zo veel te zien en te doen dat het jammer zou zijn je leven te laten dicteren door zaken.'

Hannah nam hem aandachtig op. 'Papa zegt dat u de politiek in wilt. Zal dat geen belemmering zijn voor uw plannen?'

Hij schudde zijn hoofd. 'De politiek is een reden te meer om mijn gezichtsveld te verruimen. De beste leiders zijn degenen die een ruim perspectief hebben.'

Ze reden een poosje door, helemaal tot aan de laatste weide, waarbij ze af en toe stopten om de trage merrie de gelegenheid te geven weer aan te sluiten. Toen ze bij een oud marmeren prieel aankwamen, was zowel lady Clementine als de merrie erg blij dat ze hun vermoeide ledematen een poosje rust konden geven. Teddy hielp lady Clementine naar binnen, waar Hannah mevrouw Townsends picknickmand uitpakte.

Toen de hete thee uit de thermosfles op was en ze de plakken vruchtencake hadden verorberd, zei Hannah: 'Ik loop eventjes tot aan de brug.'

'Welke brug?' vroeg Teddy.

'Daar bij de bomen,' zei Hannah, terwijl ze opstond, 'waar het meer smal wordt en uitloopt in de rivier.'

'Vindt u het goed dat ik met u meeloop?' vroeg Teddy.

'Natuurlijk,' antwoordde Hannah, al vond ze het helemaal niet leuk.

Lady Clementine aarzelde tussen haar plichten als chaperonne en haar plichten ten opzichte van haar pijnlijke billen en zei uiteindelijk: 'Ik blijf hier om op de paarden te passen. Blijf niet te lang weg, anders ga ik me zorgen maken. Er schuilen vele gevaren in de bossen.'

Hannah glimlachte flauwtjes naar Teddy en wandelde weg in de richting van de brug. Teddy liep achter haar aan, haalde haar in en bleef op een beleefde afstand naast haar lopen.

'Mijn verontschuldigingen, meneer Luxton, voor het feit dat lady Clementine u heeft gedwongen vanochtend ons gezelschap te moeten verdragen.'

'Ik ben er juist blij mee,' antwoordde Teddy. Hij wierp een blik op haar. 'Vooral met úw gezelschap.'

Hannah bleef voor zich uit kijken. 'Vroeger,' zei ze snel, 'ging ik vaak met mijn broer en zus aan de rand van het meer spelen. In het botenhuis en op de brug.' Ze wierp een zijdelingse blik op hem. 'Het is een toverbrug, ziet u.'

'Een toverbrug?' Teddy trok zijn wenkbrauwen op.

'U zult het zo dadelijk zelf wel zien,' zei Hannah.

'En wat voor spel speelde u op die toverbrug?'

'We moesten er om beurten overheen rennen.' Ze keek naar hem. 'Dat klinkt heel eenvoudig, maar het is geen gewone toverbrug. Hij wordt beheerst door een bijzonder valse, wraakzuchtige waterduivel.'

'Aha,' zei Teddy glimlachend.

'Meestal bereikten we zonder kleerscheuren de overkant, maar soms maakte een van ons hem wakker.'

'En dan?'

'Dan volgde een duel op leven en dood.' Ze glimlachte naar hem. 'Uiteraard legde hij altijd het loodje. We konden alle drie uitstekend zwaardvechten. Gelukkig was hij onsterfelijk, anders zou het spel gauw afgelopen zijn geweest.'

Ze volgden een bocht in het pad en toen zagen ze de gammele brug, die over een smal deel van de rivier lag. Hoewel het de hele maand al vrij koud was, was het water nog niet bevroren.

'Dat is hem,' zei Hannah ademloos.

De brug werd al vrij lang niet meer gebruikt, sinds dichter bij het dorp een grotere brug was gebouwd, waar ook auto's overheen konden. Er zat bijna geen verf meer op en grote delen waren bedekt met mos. De zacht glooiende oevers van de rivier waren met riet begroeid en 's zomers bloeiden er wilde bloemen aan de waterkant.

'Ik ben benieuwd of de waterduivel vandaag zijn kop zal opsteken,' zei Teddy.

Hannah glimlachte. 'Maakt u zich geen zorgen. Als dat gebeurt, reken ik wel met hem af.'

'Hebt u vaak de strijd met hem aangebonden?'

'Heel vaak. En ik won altijd,' zei Hannah. 'We speelden hier geregeld, al vochten we niet altijd met de waterduivel. Soms schreven we brieven. Daar maakten we dan bootjes van, die we op het water zetten,' zei Hannah.

'Waarom?'

'Opdat ze onze wensen naar Londen zouden brengen.'

'Ik snap het.' Teddy glimlachte. 'Aan wie schreef u?'

Hannah plette met haar voet het gras. 'U vindt het vast mal.'

'Denkt u?'

Ze keek naar hem op met een ingehouden lach. 'Ik schreef altijd aan Jane Digby.'

Teddy fronste.

'U weet wel,' zei Hannah. 'Lady Jane, die naar Arabië trok op ontdekkingsreis.'

'Ah,' zei Teddy, bij wie het begon te dagen. 'De beruchte wereldreizigster. Wat schreef u haar dan?'

'Of ze me hier weg kon halen. Ik bood haar mijn diensten aan als toegewijde slaaf, als ze bereid was me mee te nemen op haar volgende avontuur.'

'Maar dat moet al enige jaren geleden zijn geweest. Toen was ze toch al…?'

'Dood, ja. Allang. Maar dat wist ik niet.' Hannah keek opzij naar hem. 'Als ze nog in leven was geweest, was het vast gelukt.'

'Natuurlijk,' zei hij volkomen serieus. 'Dan zou ze onmiddellijk hierheen zijn gekomen om u mee te nemen naar Arabië.'

'Vermomd als bedoeïenensjeik, stelde ik me altijd voor.'

'Uw vader zou er niets op tegen gehad hebben.'

Hannah schoot in de lach. 'Ik denk juist van wel. Ik weet het zelfs zeker.'

Teddy trok zijn wenkbrauwen op. 'Hoezo?'

'Een van de boerenknechten heeft ooit zo'n brief gevonden en naar mijn vader gebracht. De jongen kon zelf niet lezen, maar ik had het familiewapen erop getekend en hij dacht dat het iets belangrijks was. Ik denk dat hij zelfs een beloning verwachtte.'

'Ik neem aan dat hij die niet heeft gekregen?'

'Nee. Papa was woedend. Ik weet nog steeds niet of hij zo kwaad was omdat ik mee wilde gaan met een vrouw die zo'n schandelijk leven leidde, of omdat ik het lef had gehad een dergelijke brief te schrijven. Ik denk dat hij vooral bang was dat grootmama erachter zou komen. Die heeft me altijd een onbezonnen kind gevonden.'

'Wat de een onbezonnen noemt,' zei Teddy, 'noemt een ander geestkrachtig.' Hij keek haar met een ernstig gezicht aan. Met een peinzende blik, vond Hannah, al had ze geen idee waar hij over peinsde. Ze voelde dat ze een kleur kreeg en wendde zich af. Haar vingers zochten verstrooiing tussen de lange, dunne stengels van het riet op de oever van de rivier. Ze trok er een uit de schacht en holde, in een plotseling onbedwingbare uitbarsting van energie, de brug op. Ze gooide de stengel over de leuning in het kolkende water en holde naar de andere leuning om hem tevoorschijn te zien komen.

'Neem mijn wensen mee naar Londen,' riep ze de stengel na toen hij om de bocht verdween.

'Wat hebt u gewenst?' vroeg Teddy.

Ze glimlachte naar hem en boog zich over de leuning, en op dat moment sloeg het lot toe. Het slotje van haar medaillon, verzwakt door dagelijks gebruik, liet los. De ketting gleed langs haar blanke hals en viel naar beneden. Hannah voelde het verdwijnen van het gewicht maar besefte te laat wat er gebeurde. Voordat ze iets kon doen, zag ze haar medaillon onder water verdwijnen.

Ze slaakte een kreet, holde de brug af en stormde dwars door het riet naar de rand van het water.

'Wat is er?' vroeg Teddy verbijsterd.

'Mijn medaillon,' zei Hannah. 'Het is gevallen…' Ze begon haar schoenveters los te maken. 'Mijn broer…'

'Hebt u gezien waar het is gevallen?'

'In het midden van de rivier,' zei Hannah. Ze liep angstvallig over het glibberige mos naar de waterrand. De zoom van haar rok werd meteen zwaar van de modder.

'Wacht,' zei Teddy. Hij pakte zijn jasje, gooide het op de oever en trok zijn laarzen uit. Hoewel de rivier op dit punt vrij smal was, was het water diep, zodat hij er al snel tot zijn dijen in stond.

Inmiddels had lady Clementine nog eens over haar plichten nagedacht. Ze was overeind gekomen en voorzichtig over de oneffen grond naar de brug gelopen om te kijken waar haar jonge metgezellen bleven. Ze bereikte hen precies op het moment dat Teddy in het water dook.

'Wat gebeurt er?' riep ze. 'Wat doen jullie? Het is veel te koud om te gaan zwemmen.' Er lag een angstige klank in haar stem. 'Jullie worden nog doodziek.'

Hannah, doof van paniek, gaf geen antwoord. Ze holde de brug weer op en tuurde naar het water in de hoop de glans van het medaillon te zien, zodat ze Teddy de plek kon aanwijzen.

Keer op keer dook hij onder terwijl zij ingespannen naar het water tuurde. Net toen ze de hoop bijna had opgegeven, kwam hij weer tevoorschijn met het medaillon in zijn vuist.

Het was een heldendaad. En helemaal niets voor Teddy, die eerder voorzichtig dan dapper van aard was, ondanks al zijn goede bedoelingen. Door de jaren heen kreeg het verhaal van hun verloving, dat bij iedere gelegenheid opnieuw werd aangehaald, een mystieke sfeer, zelfs in Teddy's eigen ogen. Alsof hij, net als zijn verrukte publiek, amper in staat was te geloven dat het echt was gebeurd. Maar het was gebeurd. En hij had het gedaan voor iemand op wie het, uitgerekend op dit tijdstip, een doorslaggevend effect had.

Toen ze het me vertelde, zei Hannah dat toen hij drijfnat en rillend van de kou voor haar had gestaan, met haar medaillon in zijn grote vuist geklemd, ze zich opeens sterk bewust was geworden van zijn lichaam: zijn natte huid, de manier waarop zijn overhemd aan zijn armen plakte, zijn donkere ogen die haar triomfantelijk aankeken. Ze had dergelijke gevoelens nog nooit eerder ervaren. Dat kon ook niet, want wie zou ze in haar opgewekt moeten hebben? Ze wilde niets liever dan dat hij haar in zijn armen zou sluiten en haar net zo stevig zou vasthouden als haar medaillon.

Uiteraard deed hij dat niet, maar glimlachte alleen trots en overhandigde haar het medaillon. Ze pakte het dankbaar aan en wendde zich af toen hij aan het onaangename karweitje begon droge kleren over de natte heen aan te trekken.

Maar het zaad was toen al gezaaid.

Het bal en wat erop volgde

Hannahs bal verliep vlekkeloos. De musici en champagne arriveerden keurig op tijd en Dudley bracht alle planten uit de broeikas naar binnen ter aanvulling op de onbevredigende bloemstukken. De haardvuren aan beide uiteinden van de balzaal werden flink opgestookt om de belofte van winterse warmte waar te maken.

De balzaal baadde in flonkerend licht. Kristallen kroonluchters glinsterden, de zwart-witte vloertegels blonken, de aanwezigen straalden. In het midden van de zaal bevonden zich vijfentwintig giechelende jongedames, schuchter in hun tere japonnen en witte kalfsleren handschoenen, trots op de familiejuwelen die ze mochten dragen. Emmeline vormde het middelpunt van de belangstelling. Met haar vijftien jaren was ze jonger dan de meeste aanwezigen, maar lady Clementine had haar speciale toestemming gegeven het bal bij te wonen, op voorwaarde dat ze niet de aandacht van alle huwbare mannen voor zichzelf zou opeisen en daarmee de kansen van de andere meisjes zou bederven. Een legertje in bontstola's gehulde chaperonnes zat langs de dansvloer op vergulde stoelen, elk met een kruik onder hun plaid. De veteranen onder hen waren te herkennen aan de boeken en breiwerkjes die ze – heel verstandig – hadden meegebracht om de lange uren door te komen.

De mannen vormden een nogal bonte verzameling, een soort thuisfront van brave zielen die welgemoed hun plicht vervulden. De weinigen die met recht als jong bestempeld konden worden, waren een stel rossige broers uit Wales, gemobiliseerd door lady Violets achterneef, en de vroeg-kale zoon van een plaatselijke lord, wiens voorkeur, zoals al snel duidelijk werd, niet uitging naar de leden van het vrouwelijke geslacht. Te midden van deze stuntelige groep provinciale adel zag Teddy, met zijn zwarte haar, filmsterrensnor en Amerikaanse rokkostuum, er ongelooflijk mondain uit.

Toen de geur van de knisperende haardvuren de zaal begon te vullen en de Ierse deuntjes plaatsmaakten voor een Weense wals, kwamen de oudere mannen meteen in actie en zwierden ze met de jonge meisjes door de zaal.

Sommigen deden dat sierlijk, anderen geestdriftig, de meesten sierlijk noch geestdriftig. Aangezien lady Violet met hoge koorts het bed moest houden, had lady Clementine de mantel van hoofdchaperonne aangetrokken en keek ze scherp toe toen een jongeman met puistige wangen op Hannah afsnelde om haar ten dans te vragen.

Teddy, die eveneens naar haar op weg was geweest, richtte zijn helderwitte glimlach op Emmeline, die met een stralend gezicht accepteerde. Lady Clementines afkeurende frons negerend maakte ze een reverence, waarbij ze met trillende oogleden haar blik neersloeg; toen keek ze hem met veel te grote ogen aan en richtte ze zich tot haar volle lengte op. Dansen kon ze niet, maar het lesgeld dat meneer Frederick had uitgegeven aan privélessen in reverences, was in ieder geval goed besteed. Toen ze begonnen te walsen zag ik dat ze te weinig afstand van hem bewaarde, ademloos naar hem luisterde en overdreven kirrend lachte wanneer hij iets grappigs zei.

De avond wervelde voort en met iedere dans werd het warmer in de zaal. De vage geur van transpiratie verdween in de rook van een te jong blok hout, en tegen de tijd dat mevrouw Townsend me naar boven stuurde met kommen soep, begonnen de elegante kapsels in te zakken en hadden alle wangen een blos. Je kon niet anders zeggen dan dat de genodigden zich uitstekend amuseerden, met uitzondering van Fanny's echtgenoot, wie het feestgedruis te veel was geworden. Hij was met migraine naar bed gegaan.

Toen Nancy me verzocht tegen Dudley te gaan zeggen dat we meer hout nodig hadden, was ik blij dat ik even kon ontsnappen aan de misselijkmakende hitte van de balzaal. In de gang en op de trap stonden groepjes meisjes te giechelen en te fluisteren met hun kom soep in hun hand. Ik verliet het huis via de achterdeur en was halverwege het tuinpad toen ik in de duisternis een eenzame gedaante zag staan.

Het was Hannah. Ze stond zo stil als een standbeeld en keek op naar de hemel. Haar naakte schouders, bleek en tenger in het maanlicht, waren niet te onderscheiden van het witte, glanzende satijn van haar japon en de zachte zijde van haar losjes omgeslagen sjaal. Haar blonde haar, dat in dit licht bijna zilver leek, lag als een kroon rond haar hoofd en een paar ontsnapte krulletjes sierden haar nek. Haar handen, gestoken in kalfsleren handschoenen, hingen roerloos naar beneden.

Zou ze het niet koud hebben, midden in de winternacht met alleen een zijden stola die nauwelijks warmte kon bieden? Ze had een jas nodig, of op z'n minst een kom soep. Ik besloot die allebei voor haar te halen, maar voordat ik me kon verroeren, kwam er een andere gedaante uit de duisternis naar voren. Eerst dacht ik dat het meneer Frederick was, maar toen de man uit de schaduwen tevoorschijn kwam, herkende ik Teddy. Hij benaderde haar van achteren en zei iets wat ik niet kon verstaan. Ze draaide zich om. Maanlicht streelde haar gezicht, gleed over haar van elkaar wijkende lippen.

Ze huiverde en ik dacht dat Teddy zijn jasje zou uittrekken en het om haar schouders leggen, zoals de helden deden in de romantische boeken waar Emmeline van hield. Hij deed dat niet, maar zei nog iets, iets wat voor haar reden was opnieuw op te kijken naar de hemel. Hij stak langzaam zijn hand uit naar de hare, die langs haar zijde hing, en ze verstijfde licht toen zijn vingers de hare raakten. Hij draaide haar hand om, keek naar haar bleke onderarm en hief die toen langzaam op naar zijn mond, waarbij hij zijn hoofd boog tot zijn lippen de koele streep huid tussen haar handschoenen en haar stola raakten.

Ze keek naar zijn donkere hoofd toen het zich boog voor de kus, maar trok haar arm niet terug. Ik zag haar borst op en neer gaan toen haar adem versnelde.

Ik huiverde opeens en vroeg me af of zijn lippen warm waren, en of zijn snor prikte.

Na een paar seconden richtte hij zich op en keek haar aan, terwijl hij haar hand bleef vasthouden. Hij zei iets waar ze met een knikje op reageerde.

Toen liep hij weg.

Ze keek hem na. Pas toen hij was verdwenen, bewoog ze haar vrije hand om de andere te strelen.

In de kleine uurtjes, toen het bal officieel voorbij was, hielp ik Hannah zich gereed te maken om naar bed te aan. Emmeline sliep al, dromend van zijde, satijn en wervelende dansparen, maar Hannah zat zwijgend voor de kaptafel toen ik knoop voor knoop haar handschoenen losmaakte. Vanwege haar lichaamstemperatuur zaten ze niet strak meer en kon ik ze met mijn vingers openmaken, in plaats van met het speciale instrument dat ik nodig had gehad om ze haar aan te trekken. Toen ik bij de parels aan haar pols was aangekomen, trok ze haar hand terug en zei: 'Ik wil je iets vertellen, Grace.'

'Ja, juffrouw?'

'Ik heb het aan niemand anders verteld.' Ze aarzelde, keek naar de gesloten deur en liet haar stem dalen. 'Je moet me beloven dat je het aan niemand zult verklappen. Niet aan Nancy, niet aan Alfred, aan niemand.'

'Ik kan goed geheimen bewaren, juffrouw.'

'Dat weet ik. Ik heb je al eerder geheimen toevertrouwd.' Ze haalde diep adem. 'Meneer Luxton heeft me ten huwelijk gevraagd.' Ze keek me onzeker aan. 'Hij zegt dat hij verliefd op me is.'

Ik wist niet goed wat ik daarop moest antwoorden. Verbazing voorwenden zou onoprecht zijn. Ik pakte haar hand weer. Ditmaal verzette ze zich niet en ging ik door met mijn taak. 'Dat is fijn, juffrouw.'

'Ja,' zei ze, op de binnenkant van haar wang bijtend. 'Dat is het zeker.'

Haar ogen zochten de mijne en ik had heel sterk het gevoel dat ik op de proef was gesteld en tekort was geschoten. Ik wendde mijn blik af, stroopte de eerste handschoen als een afgedankte tweede huid van haar hand en begon aan de andere. Zwijgend keek ze naar mijn vingers. Een zenuw trilde onder de huid van haar pols. 'Ik heb hem mijn antwoord nog niet gegeven.'

Ze bleef naar me kijken, afwachtend, maar ik kon haar niet in de ogen kijken. 'Ja, juffrouw,' zei ik.

Ze keek zichzelf aan in de spiegel toen ik de tweede handschoen uittrok.

'Hij zegt dat hij van me houdt. Is dat niet verbazingwekkend?'

Ik gaf geen antwoord. Dat verwachtte ze ook niet. Ze zei dat ik mocht gaan, dat ze me verder niet nodig had.

Toen ik vertrok, zat ze nog steeds voor de spiegel en bekeek ze haar gezicht alsof ze zichzelf voor het eerst zag; alsof ze haar gelaatstrekken wilde onthouden, uit angst dat die de volgende keer dat ze zou kijken veranderd zouden zijn.

Terwijl Hannah voor haar kaptafel zat te mijmeren over deze vreemde en onverwachte gebeurtenis, verwerkte meneer Frederick beneden in zijn werkkamer een schok van een geheel andere aard. Met vertoon van een adembenemend gebrek aan timing had Simion Luxton hem de genadeslag gegeven. (De raderen van de zakenwereld konden moeilijk worden stopgezet omdat een aantal jongedames haar debuut wilde maken, of wel soms?)

Toen in de balzaal het feest nog in volle gang was geweest, had hij meneer Frederick officieel meegedeeld dat het syndicaat had besloten geen nieuwe financiering te verlenen voor zijn noodlijdende fabriek. Ze vonden het geen aanvaardbaar risico. Gelukkig was het terrein veel waard, stelde Simion hem gerust, en hij zou er snel genoeg een goed bod op krijgen als hij inderdaad zou besluiten zichzelf een hoop gêne te besparen door niet te wachten tot de bank de hypotheek zou executeren. (Het toeval wilde dat hij iemand in Amerika kende die een dergelijk terrein zocht om een kopie van Versailles te bouwen. Een aardigheidje voor zijn nieuwe echtgenote.)

Het was de persoonlijke bediende van Simion die, na één cognacje te veel in het bediendevertrek, het nieuws aan ons doorvertelde, maar hoe verrast en bezorgd we ook waren, we hadden geen andere keus dan gewoon onze plichten te vervullen. We hadden een huis vol gasten die midden in de winter van heinde en verre waren gekomen en van hun verblijf wilden genieten. Dus deden we ons werk, serveerden thee, maakten bedden op en zorgden voor maaltijden.

Meneer Frederick daarentegen had absoluut geen zin te doen alsof er niets aan de hand was. Terwijl zijn gasten het ervan namen, zijn voedsel aten, zijn boeken lazen en van zijn gastvrijheid gebruikmaakten, zonderde hij zich af in zijn werkkamer. Pas toen de laatste auto was weggereden, kwam hij tevoorschijn en begon aan de zwerftochten die tot aan zijn dood zijn gewoonte zouden worden: zwijgend, als een geest, terwijl de spiertjes van zijn gezicht straktrokken van alle berekeningen en scenario's die hem kwelden.

Lord Gifford kwam regelmatig naar het huis en juffrouw Starling werd uit het dorp opgetrommeld om officiële brieven op te zoeken in de dossiers. Dag in dag uit was haar aanwezigheid vereist in meneer Fredericks werkkamer, waaruit ze pas na een paar uur tevoorschijn kwam, in haar sobere kleding, met een vermoeid gezicht, om beneden samen met ons te lunchen. Het feit dat ze geen woord losliet over wat er achter de gesloten deur allemaal gebeurde, wekte bij ons zowel bewondering als ergernis op.

Lady Violet, die nog steeds ziek te bed lag, kreeg niets over de problemen te horen. De dokter zei dat hij niets meer voor haar kon doen, en dat we bij haar uit de buurt moesten blijven als ons leven ons lief was. Want het was geen normale verkoudheid die haar al die tijd al kwelde, maar een bijzonder geniepige griep, waarvan men zei dat hij helemaal uit Spanje kwam. Het was een wrede straf van God, mompelde de dokter, dat miljoenen brave mensen die vier oorlogsjaren hadden overleefd aan de vooravond van de vrede alsnog geveld werden.

Nu haar vriendin er zo slecht aan toe was, werd lady Clementines ziekelijke hang naar rampspoed en dood enigszins getemperd, maar ook haar angst. Ze sloeg de waarschuwing van de arts in de wind, ging in een leunstoel bij lady Violets bed zitten en babbelde opgewekt over het leven buiten de warme, verduisterde slaapkamer. Ze vertelde wat een succes het bal was geweest en wat een afgrijselijke jurk lady Pamela Wroth had gedragen, en daarna vertrouwde ze lady Violet toe dat ze reden had om aan te nemen dat Hannah zich binnenkort zou verloven met meneer Theodore Luxton, erfgenaam van een miljoenenkapitaal.

Of lady Clementine daar inderdaad iets over wist of dat ze haar vriendin alleen maar hoop wilde geven toen die daar hard aan toe was, is niet duidelijk, maar ze bleek in de toekomst te kunnen kijken. De dag daarop werd de verloving bekendgemaakt en toen lady Violet aan de Spaanse griep bezweek, vlijde ze zich als een tevreden mens in de armen van de dood.

Anderen verwerkten het nieuws minder goed. Vanaf het moment dat de verloving bekend was gemaakt en voorbereidingen voor dansavonden het veld moesten ruimen voor bruiloftsplannen, liep Emmeline met een gezicht als een oorwurm door het huis. Dat ze jaloers was, was duidelijk. Ik wist alleen niet precies op wie.

Op een ochtend in februari, toen ik Hannah hielp de trouwjapon van haar moeder tevoorschijn te halen, verscheen Emmeline in de deuropening van de linnenkamer. Zwijgend ging ze naast Hannah staan en keek toe toen we het witte vloeipapier wegnamen en de satijnen trouwjapon tevoorschijn kwam.

'Wat een ouderwets ding,' zei Emmeline. 'Die zou ik nooit aantrekken.'

'Dan is het maar goed dat jíj niet gaat trouwen,' zei Hannah, met een zijdelingse glimlach naar mij.

Emmeline snoof.

'Kijk eens, Grace,' zei Hannah, 'volgens mij is dat de sluier, daar achter in de kast.' Ze boog zich naar de grote cederhouten kast. 'Zie je hem, helemaal achterin?'

'Ja, juffrouw,' zei ik en ik haalde hem eruit.

Hannah pakte de ene kant vast en samen ontrolden we hem. 'Echt iets voor moeder om zo'n lange, zware sluier te kiezen.'

Hij was prachtig: van schitterend Brussels kant met kleine zaadpareltjes langs de randen. Ik hield hem omhoog om hem beter te kunnen bekijken.

'Als je zonder erover te struikelen het altaar weet te bereiken, mag dat een wonder heten,' zei Emmeline. 'En je ziet natuurlijk geen bal vanwege al die parels.'

'Het zal best lukken,' zei Hannah. Ze stak haar hand uit en kneep zachtjes in Emmelines pols. 'Met jou als mijn bruidsmeisje.'

Dat neutraliseerde het venijn in Emmelines opmerkingen. Ze zuchtte. 'Ik wou dat je het niet ging doen. Alles wordt nu anders.'

'Dat weet ik,' zei Hannah. 'Nu kun je de hele dag naar platen luisteren die je mooi vindt zonder dat iemand er iets van zegt.'

'Dat is niet grappig,' pruilde Emmeline. 'Je hebt beloofd dat je niet weg zou gaan.'

Ik plaatste de sluier op Hannahs hoofd, ervoor oppassend niet aan haar haar te trekken.

'Ik heb gezegd dat ik geen baan zou nemen, en dat heb ik ook niet gedaan,' zei Hannah. 'Ik heb niet gezegd dat ik niet zou gaan trouwen.'

'Wel waar.'

'Wanneer dan?'

'Altijd, je hebt altijd gezegd dat je nooit zou gaan trouwen.'

'Dat was toen.'

'Hoe bedoel je?'

Hannah gaf geen antwoord. 'Emme,' zei ze, 'zou je mijn medaillon even willen vasthouden? Ik ben bang dat het kant aan het slotje blijft hangen.'

Emmeline maakte het kettinkje los. 'Waarom Teddy?' vroeg ze. 'Waarom moet je per se met Teddy trouwen?'

'Ik móét niet met Teddy trouwen, ik wíl met Teddy trouwen.'

'Je houdt niet van hem,' zei Emmeline.

De aarzeling was licht, het antwoord luchtig. 'Wel waar.'

'Zoals Romeo en Julia?'

'Nee, maar…'

'Dan moet je niet met hem trouwen. Dan moet je hem overlaten aan iemand die wél zo van hem houdt.'

'Niemand is zo romantisch als Romeo en Julia,' zei Hannah. 'Het zijn verzonnen figuren.'

Emmeline streek met haar vinger over het geëtste oppervlak van het medaillon. 'Ik ben zo romantisch,' zei ze.

'Dan heb ik medelijden met je,' zei Hannah op nonchalante toon. 'Je weet hoe het met hen is afgelopen!'

Ik ging voor haar staan om de hoofdband van de sluier recht te zetten. 'Hij staat heel mooi, juffrouw,' zei ik.

'David zou het er niet mee eens zijn,' zei Emmeline opeens. Ze liet het medaillon slingeren als een pendule. 'Volgens mij zou hij Teddy helemaal niet gemogen hebben.'

Hannah verstijfde toen ze de naam van haar broer hoorde. 'Doe niet zo kinderachtig, Emmeline.' Ze probeerde het medaillon te pakken, maar greep mis. 'En doe niet zo wild met dat ding; zo dadelijk gaat het kapot.'

'Je loopt in feite van huis weg.' Er lag nu een scherpe klank in Emmelines stem.

'Niet waar.'

'Dat zou David ook zeggen. Hij zou zeggen dat je me in de steek liet.'

Hannah antwoordde op heel zachte toon: 'Daarover zou juist hij geen recht van spreken hebben.' Omdat ik heel dicht bij haar stond om het kant voor haar gezicht te schikken, zag ik dat haar ogen dof werden.

Emmeline zei verder niets en liet mokkend het medaillon heen en weer slingeren.

Er bleef een gespannen stilte hangen. Ik schikte de randen van de sluier, zag een klein gaatje dat gerepareerd moest worden.

'Je hebt gelijk,' zei Hannah toen. 'Ik loop in feite van huis weg. En dat doe jij binnenkort ook, zodra je de kans krijgt. Wanneer ik over het landgoed loop, heb ik soms het gevoel dat er wortels uit mijn voeten in de grond schieten om me hier te houden. Als ik niet maak dat ik wegkom, is mijn leven voorbij en ben ik niets anders meer dan een naam op een grafsteen.' Dit waren voor Hannahs doen erg sombere gedachten, die me eigenlijk nu pas duidelijk maakten hoe ongelukkig ze was. 'Teddy is mijn kans,' ging ze door, 'om iets van de wereld te zien, te reizen, interessante mensen te ontmoeten.'

Tranen blonken in Emmelines ogen. 'Zie je nou wel dat je niet van hem houdt?'

'Maar ik mag hem graag, en ik zal van hem gaan houden.'

'Je *mag hem graag*?'

'Dat is genoeg,' zei Hannah, 'voor mij. Ik ben niet zoals jij, Emme. Ik heb er moeite mee vriendelijk te doen tegen mensen die ik niet interessant vind. Ik vind de meeste mensen in onze kringen saai. Als ik niet ga trouwen, blijven er maar twee dingen voor me over: een eeuwigheid aan eenzame dagen in papa's huis, of een eindeloze opeenvolging van saaie feestjes met saaie chaperonnes tot ik oud genoeg ben om zelf chaperonne te worden. Je hebt gehoord wat Fanny zei…'

'Fanny heeft een grote duim.'

'In dit geval niet.' Hannah hield voet bij stuk. 'Mijn huwelijk zal het begin zijn van mijn avontuur.'

Emmeline had haar ogen neergeslagen en liet nog steeds Hannahs medaillon zwengelen. Nu begon ze het open te peuteren.

Hannah stak haar hand ernaar uit op het moment dat de inhoud eruit tuimelde. We bevroren alle drie toen het minuscule boekje met de zelfgestikte rug en de verbleekte kaft op de vloer belandde. *Oorlog met de jakobieten.*

De stilte hield aan. Toen sprak Emmeline. Fluisterend. 'Je zei dat ze niet meer bestonden.'

Ze smeet het medaillon op de vloer, stormde de kamer uit en gooide de deur achter zich dicht. Hannah, met haar moeders bruidssluier nog op haar hoofd, raapte het op. Ze pakte het kleine boekje, draaide het om en streek het glad. Vervolgens legde ze het weer in het medaillon en drukte dat zorgvuldig

267

dicht. Maar het medaillon wilde niet sluiten. Het slotje was stuk.

'Ik ben klaar met het passen van de sluier,' zei ze. 'Breng hem maar naar de luchtkast, Grace.'

Emmeline was niet de enige Hartford voor wie de verloving geen genoegen was. Terwijl de voorbereidingen voor het huwelijk in gang werden gezet en het hele huishouden druk was met kleding, decoraties en gerechten, was Frederick erg stil en zat hij de hele tijd in zijn eentje in zijn werkkamer, met permanent een blik van grote bezorgdheid op zijn gezicht. Hij leek ook te vermageren. Het verlies van zijn fabriek en de dood van zijn moeder eisten hun tol. Evenals Hannahs besluit in het huwelijk te treden met Teddy.

Op de avond vóór de bruiloft, toen ik naar Hannahs kamer was gegaan om het dienblad van haar avondeten op te halen, kwam hij bij haar. Hij ging op de stoel voor haar kaptafel zitten, stond meteen weer op, liep naar het raam en keek uit over het gazon. Hannah lag in bed, in een gesteven witte nachtpon, haar zijdeachtige haar uitgespreid over haar schouders. Ze keek naar haar vader en trok een bezorgd gezicht toen zijn knokige gestalte en gekromde schouders haar opvielen, en dat zijn haar binnen een paar maanden was veranderd van goud in zilver.

'Het zal me niets verbazen als het morgen regent,' zei hij na een lange stilte, terwijl hij uit het raam bleef kijken.

'Ik hou van regen.'

Meneer Frederick reageerde daar niet op.

Ik had alle spullen op het blad gezet. 'Was er verder nog iets van uw dienst, juffrouw?'

Ze was vergeten dat ik er was en draaide nu haar hoofd naar me toe. 'Nee, dank je, Grace.' Plotseling stak ze haar hand uit en pakte de mijne vast. 'Ik zal je missen, Grace, wanneer ik hier niet meer ben.'

'Dank u, juffrouw.' Ik maakte een reverence, met gloeiende wangen van de emoties. 'Ik u ook.' Ik maakte een reverence naar meneer Fredericks rug. 'Goedenavond, m'lord.'

Hij leek het niet te horen.

Ik vroeg me af waarom hij naar Hannahs kamer was gekomen, wat hij haar op de vooravond van haar huwelijk nog te zeggen had; het moest iets zijn wat hij niet aan het diner of later in de zitkamer had kunnen zeggen. Ik verliet de kamer, trok de deur achter me dicht en toen, moet ik tot mijn schaamte bekennen, zette ik het dienblad op de grond en drukte ik mijn oor tegen de deur.

Lange tijd hoorde ik niets en ik werd al bang dat de deuren te dik waren, en dat meneer Frederick te zacht praatte. Toen hoorde ik hem zijn keel schrapen.

Op zachte toon zei hij: 'Van Emmeline had ik verwacht dat ik haar zou kwijtraken zodra ze meerderjarig zou zijn, maar jij?'

'U raakt me niet kwijt, papa.'

'Jawel,' zei hij, opeens veel luider. 'David, mijn fabriek, en nu jij. Alles wat me lief…' Hij stopte abrupt en toen hij verderging, klonk zijn stem zo verstikt dat hij bijna niet uit zijn woorden kwam. 'Ik weet dat ik er zelf gedeeltelijk de hand in heb gehad.'

'Hoe bedoelt u?'

Even bleef het stil. De springveren van het bed piepten en toen meneer Frederick weer iets zei, klonk zijn stem vanuit een andere hoek en begreep ik dat hij op het voeteneinde van Hannahs bed was gaan zitten. 'Ik wil het niet hebben,' zei hij snel. *Piep.* Hij was weer gaan staan. 'Het idee dat je bij die mensen gaat horen. De mensen die me mijn fabriek hebben afgenomen…'

'Papa, er waren geen andere kopers. De mensen die Simion heeft gevonden, hebben er een redelijk bedrag voor betaald. Stelt u zich eens voor hoe vernederend het zou zijn geweest als de bank de hypotheek had geëxecuteerd. Dat hebben ze u in ieder geval bespaard.'

'Bespaard? Ze hebben me bestolen! Ze hadden me kunnen helpen. Dan had ik nu mijn fabriek nog gehad. En nu sluit jij je bij hen aan. Je hebt geen idee hoe kwaad… Nee, er komt niets van in. Ik had mijn gezag eerder moeten laten gelden, voordat de zaak zo uit de hand liep.'

'Papa…'

'Ik heb David niet bijtijds tegengehouden, maar ik ben niet van plan nogmaals een dergelijke fout te maken.'

'Papa…'

'Ik sta het niet toe.'

'Papa,' zei Hannah, en in haar stem lag een kracht die ik nooit eerder had gehoord, 'ik heb mijn besluit genomen.'

'Je kunt nog van gedachten veranderen,' baste hij.

'Nee.'

De angst sloeg me om het hart. Meneer Fredericks stemmingen waren legendarisch. Hij had ieder contact met David geweigerd nadat die het had gewaagd achter zijn rug iets te doen wat hem was verboden. Wat zou hij doen nu Hannah lijnrecht tegen hem in ging?

Zijn stem beefde, hij was witheet van woede. 'Je verzet je tegen de wensen van je vader?'

'Alleen wanneer ik vind dat mijn vader ongelijk heeft.'

'Je bent een koppige dwaas.'

'Ik ben precies zoals u.'

'Ja, jammer genoeg wel,' zei hij. 'Je wilskracht is voor mij altijd reden geweest om clement te zijn, maar dit kan ik niet toestaan.'

'Het is niet iets waar u over kunt beslissen, papa.'

'Je bent mijn kind en je hebt me te gehoorzamen.' Hij zweeg even en toen hij weer verderging was er onverhoeds een ondertoon van wanhoop in zijn stem geslopen. 'Ik verbied je met hem te trouwen.'

'Papa…'

'Als je het toch doet' – hij sprak steeds luider, – 'ben je hier niet welkom meer.'

Aan de andere kant van de deur verstijfde ik van schrik. Ik begreep hoe meneer Frederick zich voelde, en wilde net als hij liever dat Hannah op Riverton bleef, maar ik wist ook dat hij er met dreigementen nooit in zou slagen haar van gedachten te laten veranderen.

Toen ze weer het woord nam, klonk haar stem ijzig vastberaden. 'Welterusten, papa.'

'Je bent een dwaas,' zei hij op de verbijsterde toon van een man die nog niet kan geloven dat de strijd voorbij is en dat hij heeft verloren. 'Een dwaas en koppig kind.'

Zijn voetstappen kwamen naderbij en ik bukte me snel om het dienblad op te pakken. Ik liep net bij de deur vandaan toen Hannah zei: 'Ik neem mijn dienstmeisje mee wanneer ik ga.' Mijn hart maakte een sprongetje toen ze erop liet volgen: 'Nancy kan voor Emmeline zorgen.'

Ik was zo verrast en zo blij dat ik amper hoorde dat meneer Frederick antwoordde: 'Je doet maar.' Hij trok de deur met zo'n woeste ruk open dat ik bijna het dienblad liet vallen en met grote stappen naar de trap liep. 'Hier heb ik haar toch niet nodig.'

Waarom is Hannah met Teddy getrouwd? Niet omdat ze van hem hield, maar omdat ze bereid was van hem te houden. Ze was jong en onervaren – waar moest ze haar gevoelens mee vergelijken?

Hoe het ook zat, buitenstaanders vonden het een geslaagde keuze. Simion en Estella waren in hun nopjes, evenals het voltallige personeel. Zelfs ik was blij, nu ik met hen zou meegaan. Want hadden lady Violet en lady Clementine niet gelijk? Niettegenstaande haar jeugdige weerstand, zou Hannah uiteindelijk met iemand trouwen en Teddy was lang geen slechte partij.

270

Het huwelijk werd voltrokken op een regenachtige zaterdag in mei 1919 en een week later vertrokken we naar Londen. Hannah en Teddy in de voorste auto, ik in de tweede met Teddy's butler en Hannahs koffers.

Meneer Frederick stond op het bordes, stram en bleek. Vanaf mijn plek, onzichtbaar in de tweede auto, was ik in staat, voor de allereerste keer, zijn gezicht eens goed te bekijken. Het was een erg knap, aristocratisch gezicht, al had zijn verdriet het uitdrukkingloos gemaakt.

Links van hem stond de rij bedienden, in rangorde. Zelfs Nanny Brown was uit de zitkamer opgeduikeld en stond naast meneer Hamilton, slechts half zo lang als hij, tranen plengend in een witte zakdoek.

Emmeline ontbrak. Ze had geweigerd hen uit te wuiven, maar vlak voordat we wegreden, zag ik haar. Haar bleke gezicht, omlijst door een van de ruitjes van de kinderkamer. Of misschien verbeeldde ik het me. Misschien was het gezichtsbedrog. Misschien was het de geest van een van de kleine jongens die voor eeuwig in de kinderkamer verbleven.

Ik had al van iedereen afscheid genomen. Van de bedienden, van Alfred. Sinds die avond op de trap in de tuin waren we aarzelend begonnen iets van onze relatie te herstellen, maar we gingen behoedzaam te werk. Alfred behandelde me met een beleefde omzichtigheid die bijna net zo veel afstand schiep als zijn irritatie. Niettemin zei ik dat ik zou schrijven en ontfutselde ik hem de toezegging terug te schrijven.

Bij moeder was ik in het weekeinde voor de bruiloft op bezoek gegaan. Ze had me een pakketje met spulletjes gegeven: een sjaal die ze jaren geleden had gebreid en een potje met naalden en garen, opdat ik mijn naaiwerk niet zou verwaarlozen. Toen ik haar bedankte, haalde ze haar schouders op en zei dat ze er zelf niets meer aan had; ze kon ze niet meer gebruiken nu haar vingers helemaal krom en zo goed als onbruikbaar waren. Tijdens dat laatste bezoek stelde ze me vragen over de bruiloft, meneer Fredericks fabriek en het overlijden van lady Violet. Het verbaasde me dat de dood van haar voormalige werkgeefster haar zo weinig deed. Het was me inmiddels wel duidelijk dat moeder echt van haar baan in het grote huis had gehouden, maar toen ik haar vertelde over de laatste dagen van Lady Violet, kwamen er geen condoleances en geen lang gekoesterde herinneringen over haar lippen. Ze knikte alleen maar traag en liet haar gezicht ontspannen tot een uitdrukking van opmerkelijke kalmte.

Het kwam echter niet in me op er naar te vragen, vol als ik was van mijn vertrek naar Londen.

Doffe trommelslagen in de verte. Hoor jij ze ook, of alleen ik?

Je hebt veel geduld getoond en nu hoef je niet lang meer te wachten. Want Robbie Hunter zal opnieuw zijn intrede doen in Hannahs wereld. Dat wist je al, want hij heeft een rol in dit stuk. Dit is geen sprookje en ook geen romance. De bruiloft is niet het happy end van dit verhaal. Het is slechts een nieuw begin, de inleiding van een nieuw hoofdstuk.

Ergens in het grijze Londen wordt Robbie Hunter wakker, schudt zijn nachtmerries van zich af en haalt een pakje uit zijn zak. Een pakje dat hij in zijn binnenzak heeft gedragen sinds de laatste dagen van de oorlog, samen met de belofte aan een stervende vriend om het veilig en wel af te leveren.

DEEL 3

The Times
6 juni 1919

De huizenmarkt
De woning van lord Sutherland

De voornaamste transactie deze week was de particuliere verkoop, via H.H. Mabbett and Edge, volgens het korte bericht in *The Times* gisteren, van Haberdeen House, het ouderlijk huis van lord Sutherland. Het huis, Grosvenor Square 17, is verkocht aan de bankier S. Luxton, en zal worden bewoond door meneer T. Luxton en zijn kersverse echtgenote, de hooggeboren Hannah Hartford, oudste dochter van lord Ashbury.

Meneer T. Luxton en de hooggeboren H. Hartford zijn in mei in het huwelijk getreden op Riverton Manor, het landgoed van de vader van de bruid, en zijn momenteel op huwelijksreis in Frankrijk. Ze zullen hun intrek nemen in Haberdeen House, dat voortaan Luxton House zal heten, wanneer ze volgende maand terugkeren naar Engeland.

Meneer Luxton is de Tory-kandidaat voor de zetel van het district Marsden in Oost-Londen. Over de zetel zal worden beslist via de tweejaarlijkse verkiezingen die in november worden gehouden.

Vlinders vangen

Ze hebben ons in een minibus naar de lentebazaar gebracht. We zijn met ons achten: zes bewoners, Sylvia en een verpleegster van wie ik me de naam niet kan herinneren, een jong meisje met een lange, dunne vlecht waarvan de punt haar ceintuur raakt. Ze denken dat een dagje uit ons goed zal doen, al snap ik niet waar het goed voor is om onze gerieflijke omgeving te verruilen voor een modderig terrein met kraampjes waar koek, speelgoed en zeep worden verkocht. Ik was net zo lief thuisgebleven, ver van deze drukte.

Er is een podium gebouwd achter het gemeentehuis, net zoals ieder jaar, met rijen plastic stoeltjes voor de toeschouwers. De andere bewoners en het meisje met de vlecht zitten op de voorste rij te kijken naar een man die genummerde pingpongballen uit een metalen emmer haalt, maar ik zit liever hier op het metalen bankje bij het gedenkteken. Ik voel me vreemd vandaag. Het zal wel door de warmte komen. Toen ik wakker werd, was mijn kussen vochtig en ik probeer al de hele ochtend tevergeefs van een eigenaardig wazig gevoel af te komen. Mijn gedachten scheren langs. Ze komen in volle vaart aanzetten, volledig geformuleerd, maar voordat ik ze kan vastgrijpen, schieten ze al weer weg. Het lijkt een beetje op vlinders vangen. Het is vervelend en het irriteert me.

Een kopje thee zou me goeddoen.

Waar is Sylvia eigenlijk? Heeft ze me verteld waar ze naartoe ging? Ze was er net nog, zou een sigaretje opsteken en me weer van alles vertellen over haar vriend en hun plannen om te gaan samenwonen. Vroeger zou ik intieme relaties tussen mensen die niet met elkaar getrouwd zijn onwelvoeglijk hebben gevonden, maar de tijd heeft de eigenschap je oordeel over veel dingen te doen veranderen.

De blote huid op de wreef van mijn voeten brandt in de zon. Ik zou mijn voeten naar de schaduw moeten trekken, maar een onweerstaanbaar gevoel van masochistische verveling doet me besluiten ze te laten staan waar ze staan. Dan zal Sylvia straks, wanneer ze de rode plekken ziet, goed beseffen hoe lang ze me alleen heeft gelaten.

Vanaf mijn plek kan ik de begraafplaats zien. De oostkant ervan, met de rij populieren waarvan de jonge blaadjes trillen door de belofte van een bries. Achter de populieren, aan de overkant van het heuveltje, staan de grafstenen. Onder andere die van mijn moeder.

Het is lang geleden dat we haar hebben begraven. Een winterse dag in 1922, toen de bodem keihard bevroren was en mijn rokken door de ijskoude wind tegen mijn benen werden geblazen, en een gedaante, een man, op de heuvel stond, amper herkenbaar. Ze heeft haar geheimen met zich meegenomen, de koude, harde grond in, maar ik ben er uiteindelijk toch achter gekomen. Ik weet veel over geheimen; mijn hele leven draait om geheimen. Misschien hoopte ik dat hoe meer ik er verzamelde, hoe beter ik erin zou slagen mijn eigen geheimen te verbergen.

Ik heb het warm. Het is veel te warm voor april. Het zal wel aan het broeikaseffect liggen. Het broeikaseffect, het smelten van het poolijs, het gat in de ozonlaag, het genetisch gemanipuleerde voedsel – allemaal kwalen van de jaren negentig. De wereld is een vijandige plek geworden. Zelfs het regenwater is tegenwoordig niet meer te vertrouwen.

Door dat regenwater wordt het oorlogsmonument aangevreten. Eén kant van het stenen gezicht van de soldaat is zwaar geschonden, de wang pokdalig, de neus opgevreten door de tijd. Als fruit dat te lang in een greppel heeft gelegen waar knaagdieren zich er te goed aan hebben gedaan.

Hij weet alles van plicht. Ondanks zijn verwondingen staat hij in de houding op de cenotaaf, al tachtig jaar, uitkijkend over de velden rond de stad. Zijn holle blik is gericht op Bridge Street en het parkeerterrein van het nieuwe winkelcentrum, een land voor helden. Hij is bijna net zo oud als ik. Zou hij ook net zo moe zijn?

Hij en zijn zuil zitten onder het mos; microscopische plantjes groeien in de geëtste namen van de doden. David staat erbij, bovenaan, bij de andere officieren; ook de zoon van Rufus Smith de voddenboer, die in België is gestikt toen een loopgraaf instortte. Verder naar beneden staat Raymond Jones, de marskramer uit de tijd dat ik klein was. Zijn zoontjes zijn nu mannen. Oude mannen, al zijn ze jonger dan ik. Het is ook mogelijk dat ze al dood zijn.

Geen wonder dat hij aan het verbrokkelen is. Het is voor één man ook wel erg veel gevraagd om het gewicht van talloze tragedies te torsen, een eeuwige vertegenwoordiger te zijn van talloze echo's van de dood.

Maar hij is niet alleen. In iedere stad in Engeland staat een soldaat als hij. Ze zijn de littekens van ons land; in 1919 spreidden kloeke korsten zich uit over het land, tekenen van onze vastbeslotenheid om te genezen. Zo belachelijk veel vertrouwen hadden we in de Volkenbond, in de mogelijkheid een geciviliseerde wereld te worden. Tegenover zulke vastberaden hoop hadden de poëten der desillusie geen kans. Voor iedere T.S. Eliot, voor iedere R.S. Hunter waren er vijftig intelligente jonge mannen die Tennysons dromen over een 'parlement der volkeren', een 'wereldfederatie' omhelsden.

Dat duurde niet lang. Dat kon ook niet. Desillusie was onvermijdelijk; op de jaren twintig volgde de depressie van de jaren dertig en daarna kwam er weer een oorlog. En na die oorlog was alles anders. Uit de paddenstoelwolk van de Tweede Wereldoorlog rezen geen triomfantelijke, uitdagende, hoopvolle gedenktekens op. Hoop stierf in de gaskamers in Polen. Alweer een generatie gesneuvelde jongens werd naar huis gebracht en een nieuwe reeks namen werd gebeiteld in de voetstukken van de bestaande beelden – zonen onder hun vaders. En iedereen leefde met het ontmoedigende besef dat er in de toekomst opnieuw jonge mannen zouden sneuvelen.

Oorlogen maken de geschiedenis bedrieglijk eenvoudig. Ze geven ons duidelijke keerpunten, eenvoudige scheidslijnen: voor en na, winnaar en verliezer, goed en kwaad. In werkelijkheid is de geschiedenis, het verleden, niet zo. Het is niet plat, niet rechtlijnig. Het heeft geen omtrek. Het is zo ongrijpbaar als vloeistof, zo oneindig en ondoorgrondelijk als het heelal. En geschiedenis is veranderlijk: net wanneer je denkt een patroon, een verschuiving in het perspectief te zien, wordt er een alternatieve versie geopperd, komt er een vergeten herinnering boven.

Ik heb geprobeerd me vast te houden aan de keerpunten in het verhaal van Hannah en Teddy. Alle gedachten leiden dezer dagen naar Hannah. Terugblikkend lijkt het duidelijk: bepaalde gebeurtenissen in het eerste jaar van hun huwelijk legden het fundament voor wat later zou gebeuren. Ik zag dat op het moment zelf niet. Keerpunten zijn erg slinks. Ze glijden ongemerkt voorbij, zonder bijzondere kentekenen. Je laat bepaalde kansen lopen en trekt onbewust catastrofes aan. Keerpunten worden later pas herkend, door geschiedschrijvers die proberen orde te scheppen in een leven vol ineengestrengelde momenten.

Ik vraag me af hoe hun huwelijk in de film zal worden uitgebeeld. Waardoor zijn ze volgens het script van Ursula ongelukkig geworden? Door de komst van Deborah uit New York? Het feit dat Teddy de verkiezingen verloor? Het uitblijven van een erfgenaam? Heeft ze ingezien dat de voortekenen al tijdens de huwelijksreis merkbaar werden – de toekomstige scheuren die zelfs in het diffuse licht van Parijs zichtbaar waren, als foutjes in de ragfijne stoffen van de jaren twintig: de prachtige, luchtige stoffen, zo teer dat ze niet op een lang leven hoefden te hopen?

In de zomer van 1919 koesterde Parijs zich in het warme optimisme van de Vredesbesprekingen van Versailles. 's Avonds hielp ik Hannah zich uit te kleden, ontdeed ik haar van de zoveelste glanzende japon in lichtgroen, roze of wit (Teddy was een man die zowel zijn cognac als zijn vrouwen graag puur had), terwijl ze me vertelde over wat ze die dag hadden gedaan, waar ze waren geweest. Ze beklommen de Eiffeltoren, slenterden over de Champs Elysées, dineerden in beroemde restaurants, maar er was iets heel anders, iets wat tegelijkertijd meer en minder dan dit alles was, wat juist het meeste tot Hannahs verbeelding sprak.

'De schetsen, Grace,' zei ze op een avond toen ik haar hielp met uitkleden. 'Wie had ooit kunnen denken dat ik zo van schetsen houd?'

Schetsen, kunstvoorwerpen, mensen, geuren. Ze hunkerde naar nieuwe ervaringen. Ze had vele jaren in te halen, jaren waarvan ze vond dat ze verkwist waren, waarin ze slechts had bestaan en gewacht tot haar leven zou beginnen. Er waren zo veel mensen om mee te praten: rijke mensen die ze ontmoetten in restaurants, politici die bezig waren de vredesovereenkomst vorm te geven, muzikanten op de hoeken van de straten.

Teddy was niet blind voor haar reacties, haar neiging te overdrijven, haar snel ontvlammende enthousiasme, maar hij schreef haar geestdrift toe aan haar jeugdige leeftijd. Het was een fase, even bekoorlijk als verbijsterend, die ze op den duur zou ontgroeien. Niet dat hij dat wenste, toen niet; in dat stadium was hij er nog van gecharmeerd. Hij beloofde haar dat ze het jaar daarop naar Italië zouden gaan, om Pompeii, het Uffizi en het Colosseum te zien. Er was weinig wat hij niet bereid was haar te beloven. Want ze was een spiegel waarin hij zichzelf niet meer zag als de zoon van zijn vader – standvastig, conventioneel, saai –, maar als de echtgenoot van een lieftallige, onvoorspelbare vrouw.

Hannah zei nooit veel over Teddy. Hij was een aanhangsel, een accessoire dat het avontuur dat ze beleefde mogelijk maakte. Ze mocht hem graag, daar ging het niet om. Ze vond hem soms amusant (al was dat vaak wanneer hij helemaal niet probeerde leuk te zijn), en vriendelijk en lang geen onaangenaam gezelschap. Zijn interesses waren niet zo gevarieerd als de hare, en hij was minder intelligent dan zijzelf, maar ze leerde zijn ego te strelen wanneer dat gewenst was en elders intellectuele prikkelingen te zoeken. Wat maakte het uit dat ze niet verliefd was? Ze wist niet eens dat er iets ontbrak. Wie had liefde nodig wanneer er zo veel andere dingen waren om van te genieten?

Op een ochtend, tegen het einde van de huwelijksreis, werd Teddy wakker met migraine. Hij zou nog meer van die aanvallen krijgen in de tijd dat ik hem kende; hij kreeg ze niet vaak, maar wanneer het gebeurde, leed hij erg. Ze waren de nasleep van een kinderziekte en wanneer zo'n aanval hem trof, kon hij niets anders doen dan volkomen stil liggen in een donkere kamer en kleine hoeveelheden water drinken. De eerste keer schrok Hannah ervan; ze was tot dan toe beschermd geweest tegen de onaangename aspecten van ziekte.

Ze bood halfslachtig aan bij hem te komen zitten, maar Teddy was een verstandige man die niet gewend was troost te putten uit het ongemak van anderen. Hij zei dat ze niets voor hem kon doen en dat het zonde zou zijn als ze niet van haar laatste dagen in Parijs zou genieten.

Ik moest mee als chaperonne; Teddy vond het ongepast dat een dame in haar eentje over straat ging, zelfs als ze getrouwd was. Hannah had geen zin in winkelen en was het binnen zitten zat. Ze wilde zwerven, haar eigen Parijs ontdekken. We gingen naar buiten en begonnen te lopen. Ze maakte geen gebruik van een plattegrond, maar sloeg lukraak straten in die haar interesseerden.

'Kom, Grace,' zei ze iedere keer. 'Ik ben benieuwd wat hier is.'

Uiteindelijk kwamen we bij een steeg die donkerder en smaller was dan alle andere waar we doorheen waren gelopen. Een smal pad tussen twee rijen gebouwen die naar elkaar toe leunden zodat de daken elkaar raakten en de voetgangers insloten. Muziek kwam door de steeg in de richting van het plein zweven, samen met een vaag bekende geur van iets eetbaars, of misschien van iets wat dood was. En er was beweging. Mensen. Stemmen. Hannah bleef op de hoek staan, nam een besluit en liep de steeg in. Ik had geen andere keus dan haar te volgen.

Het was een artiestenwijk. Dat weet ik nu. Ik heb de jaren zestig meegemaakt, ben in Haight-Ashbury en Carnaby Street geweest, en ken de slordige bohemienachtige manier van kleden die een expressie heet te zijn van artistieke armoede. Maar toen was dat nog iets nieuws. Ik was in mijn leven nooit verder gekomen dan Saffron, en daar had de armoede niets artistieks. We liepen langzaam door de steeg, langs stalletjes en open deuren, lakens die waren opgehangen om aparte ruimten te creëren, rokende stokjes die een benauwde geur verspreidden. Een kind met grote ogen, de kleur van gesmolten goud, staarde uitdrukkingloos tussen luiken naar buiten.

Op rode, met gouddraad versierde kussens zat een man die klarinet speelde, hoewel ik de naam van het instrument toen nog niet kende, de naam van de lange, zwarte pijp met de glanzende ringen en kleppen. In gedachten noemde ik het een serpent. Er kwam muziek uit toen de man met zijn vingers op de kleppen en gaten drukte: muziek die ik niet kon plaatsen, die me een licht onbehaaglijk gevoel gaf, die intieme dingen, gevaarlijke dingen leek uit te beelden. Het was jazz, zoals zou blijken, en ik zou die voor het einde van het decennium nog heel vaak horen.

Er stonden tafeltjes in de steeg, waaraan mannen zaten te lezen, te praten en te kibbelen. Ze dronken koffie en mysterieuze gekleurde drankjes – sterkedrank, nam ik aan – uit vreemde flessen. Ze keken op toen we langskwamen – geïnteresseerd of ongeïnteresseerd, het was moeilijk te zeggen. Ik probeerde hun blik te ontwijken, probeerde Hannah zwijgend te dwingen van gedachten te veranderen, zich om te draaien zodat we konden terugkeren naar het licht en de veiligheid. Maar terwijl mijn neusgaten gevuld werden met onaangename, vreemde rook en mijn oren met onaangename muziek, leek Hannah te zweven. Haar aandacht was geconcentreerd op heel andere dingen. Aan de muren van de steeg hingen prenten, maar het waren geen schilderijen zoals op Riverton. Deze waren van houtskool. Menselijke gezichten, ledematen, ogen, naar ons starend vanaf de stenen muren.

Hannah bleef bij een van de schetsen staan. Het was een groot schilderij en het was het enige waarop een volledig mens was afgebeeld: een vrouw die op een stoel zat. Geen fauteuil of chaise longue, maar een eenvoudige, houten stoel met dikke poten. Haar knieën waren gespreid en ze keek recht voor zich uit. Ze was naakt en ze was zwart, glanzend in houtskool. Grote ogen, scherpe jukbeenderen, licht geopende lippen. Haar haar was tot een knot achter haar hoofd gebonden. Als van een stamkoningin.

Ik vond de tekening choquerend en verwachtte van Hannah dat ze net zo zou reageren, maar zij dacht er heel anders over. Ze stak haar hand uit en raakte hem aan, streelde de lijn van de wang. Ze hield haar hoofd schuin.

Opeens stond er een man naast haar. 'U vindt mooi?' zei hij. Hij had een zwaar accent en nog zwaardere oogleden. De manier waarop hij naar Hannah keek, stond me niet aan. Hij wist dat ze geld had. Hij zag het aan haar kleding.

Hannah knipperde met haar ogen, alsof ze ontwaakte uit een droom. 'Ja,' zei ze zachtjes.

'U wilt kopen misschien?'

Hannah klemde haar lippen op elkaar en ik wist wat ze dacht. Dat Teddy, niettegenstaande dat hij beweerde een kunstliefhebber te zijn, hier niets van zou moeten hebben. En daar had ze gelijk in. De vrouw, de schets, had iets gevaarlijks. Iets ontwrichtends. En toch wilde Hannah hem hebben. Het herinnerde haar aan het verleden. Aan Het Spel. Nefertiti. De rol die ze had gespeeld met het ongebreidelde enthousiasme van de jeugd. Ze knikte. En óf ze hem wilde!

Angstige voorgevoelens prikkelden onder mijn huid. Het gezicht van de man bleef uitdrukkingloos. Hij riep iemand. Toen er geen antwoord kwam, wenkte hij Hannah met zich mee. Ze leken mijn aanwezigheid te zijn vergeten, maar ik bleef dicht bij haar toen ze achter hem aan liep naar een kleine, rode deur. Hij duwde de deur open. We kwamen uit in een atelier, nauwelijks meer dan een donker hol in de muur. De muren waren verschoten groen, behang dat in flarden naar beneden hing. De vloer – voor zover ik die kon zien onder de honderden losse, met houtskool bekraste vellen papier – was van steen. In de hoek lag een matras dat was bedekt met verschoten kussens en een lappendeken; eromheen lagen een heleboel lege likeurflessen.

In het atelier zat de vrouw van het schilderij. Tot mijn afgrijzen was ze naakt. Ze keek naar ons met een belangstelling die snel doofde, en ze zei niets. Ze stond op – ze was langer dan wij, langer dan de man – en liep naar de tafel. Iets in haar manier van doen, een ongedwongenheid, een onachtzaamheid voor het feit dat we naar haar keken, haar borsten konden zien, waarvan de ene groter was dan de andere, joeg me angst aan. Deze mensen waren niet zoals wij. Zoals ik. Ze stak een sigaret op en rookte terwijl we wachtten. Ik wendde mijn blik af. Hannah niet.

'Madame wil je portret kopen,' zei de man in moeizaam Engels.

De zwarte vrouw staarde naar Hannah en zei toen iets in een taal die ik niet kende. Geen Frans. Iets veel exotischers.

De man lachte en zei tegen Hannah: 'Het is niet te koop.' Toen stak hij zijn hand uit en pakte haar bij haar kin. Alarmbellen rinkelden in mijn oren. Zelfs Hannah kromp ineen toen hij haar stevig vasthield, haar hoofd heen en weer bewoog en haar toen liet gaan. 'Alleen ruil.'

'Ruil?' zei Hannah.

'Uw eigen portret,' zei de man met zijn zware accent. Hij haalde zijn schouders op. 'U neemt haar mee, uw portret blijft hier.'

Het idee! Een schilderij van Hannah – de Heer mocht weten in hoeverre ontkleed – dat in deze smerige Franse steeg zou komen te hangen, waar iedereen het zou kunnen zien! Het was ondenkbaar.

'We moeten gaan, mevrouw,' zei ik op een zo vastberaden toon dat ik er zelf verbaasd over was. 'Meneer Luxton. Hij verwacht ons.'

Mijn toon verraste Hannah blijkbaar ook, want tot mijn opluchting knikte ze. 'Ja. Je hebt gelijk, Grace.'

Ze liep met me mee naar de deur, maar toen ik wachtte om haar voor te laten gaan, draaide ze zich om naar de houtskoolman. 'Morgen,' zei ze zwakjes. 'Ik kom morgen terug.'

We zeiden niets tegen elkaar toen we terugliepen naar de auto. Hannah liep snel, met een strak gezicht. De hele nacht lag ik wakker, ongerust en bang, me afvragend hoe ik haar kon tegenhouden, want ik wist dat ik haar móést tegenhouden. De schets had iets wat me stoorde: de uitdrukking op Hannahs gezicht toen ze ernaar had gekeken. Een smeulende sintel die opnieuw was gaan branden.

Die nacht kregen de straatgeluiden een dreiging die ze niet eerder hadden gehad. Buitenlandse stemmen, buitenlandse muziek, een vrouw die lachte in een naburig appartement. Ik verlangde naar onze terugkeer naar Engeland, naar een plek waar de regels duidelijk waren en iedereen zijn plaats kende. Het bestond uiteraard niet, dat Engeland, maar de nacht benadrukt nu eenmaal extremen.

Het lot wilde dat alles de volgende ochtend vanzelf op z'n pootjes terechtkwam. Toen ik naar Hannah ging om haar te helpen met aankleden, was Teddy al wakker en zat hij in de leunstoel. Hij had nog wel hoofdpijn, zei hij, maar wat voor echtgenoot zou hij zijn als hij zijn mooie vrouw aan haar lot overliet op de laatste dag van hun huwelijksreis? Hij stelde voor te gaan winkelen. 'Het is onze laatste dag. Ik zou graag willen dat je wat dingen uitkoos om mee te nemen als souvenir. Iets wat je altijd aan Parijs zal herinneren.'

Toen ze terugkwamen, zag ik dat de schets niet tot de spullen behoorde die Hannah me liet inpakken om mee te nemen naar Engeland. Ik weet niet of Teddy had geweigerd en zij zich erbij had neergelegd, of dat ze zo verstandig was geweest het niet eens te vragen, maar ik was er blij om. In plaats daarvan had Teddy een bontstola voor haar gekocht: mink, met broze pootjes en doffe, zwarte ogen.

En zo keerden we terug naar Engeland.

Ik heb dorst. Er zit weer iemand naast me, maar het is niet Sylvia. Het is een vrouw, hoogzwanger, met tassen vol gebreide poppen en zelfgemaakte jam aan haar voeten. Haar gezicht glimt en is vochtig, haar make-up is een dikke centimeter naar beneden gezakt sinds ze hem heeft aangebracht. Zwarte halvemanen rusten op haar wangen. Ze kijkt naar me, zit vermoedelijk al een tijdje naar me te kijken.

Ik knik; dat lijkt van me verwacht te worden. Ik overweeg haar te verzoeken iets te drinken voor me te halen, maar zie daar snel van af. Zij lijkt er nog slechter aan toe te zijn dan ik.

'Mooie dag,' zegt ze uiteindelijk. 'Erg zonnig en warm.' Ik zie zweetdruppels onder haar haarlijn. En een donkere streep waar de stof van haar jurk onder haar zware borsten aan haar plakt.

'Ja, heel mooi,' zeg ik. 'Wel erg warm.'

Ze glimlacht vermoeid en kijkt de andere kant op.

We kwamen in Londen aan op 19 juli 1919, de dag van de herdenkingsmars. De chauffeur loodste ons tussen auto's, omnibussen en paardenkoetsen door. Op de stoepen stonden mensen rijen dik te zwaaien met vlaggetjes en serpentines. De inkt was nog niet eens opgedroogd op het vredesverdrag, op de straffen die zouden leiden tot de bitterheid en splitsing die verantwoordelijk waren voor de volgende wereldoorlog, maar daar wisten de mensen thuis niets van. Ze waren alleen maar blij dat de zuidenwind niet langer het geluid van kanonvuur aanvoerde over het Kanaal. Dat er geen jongens meer zouden sterven door kogels van andere jongens op de velden van Frankrijk.

Ik werd met de koffers afgezet bij het herenhuis, waarna de auto doorreed. Simion en Estella verwachtten het jonge paar op de thee. Hannah was liever meteen naar huis gegaan, maar Teddy had voet bij stuk gehouden. Hij had in zichzelf geglimlacht. Hij voerde iets in zijn schild.

Een butler kwam de voordeur uit, pakte in iedere hand een koffer en verdween ermee naar binnen. Hannahs kleinere reistas liet hij bij mij achter. Ik was verbaasd. Ik had geen andere bedienden verwacht, nog niet, en vroeg me af wie deze man in dienst had genomen.

Ik bleef staan en snoof de geuren van het plein op. Benzinedampen, vermengd met de weeë geur van warme paardenpoep. Ik reikhalsde om alle zes verdiepingen van het prachtige huis in me op te nemen. Het was van bruine bakstenen met witte zuilen aan weerskanten van de ingang, en stond in een rij identieke huizen. Een van de witte zuilen droeg het zwarte nummer: 17. Grosvenor Square 17. Mijn nieuwe thuis, waar ik een echte kamenier zou zijn.

De bediende-ingang was een trap die parallel liep aan de straat, van de stoep naar de kelder, met aan de zijgang een zwarte gietijzeren leuning. Ik pakte Hannahs tas en liep de trap af.

De deur was gesloten maar gedempte, boze stemmen drongen erdoorheen naar buiten. Door het kelderraam zag ik de rug van een meisje wier houding ('vrijpostig' zou mevrouw Townsend zeggen), samen met de bos springerige stroblonde krullen die onder haar mutsje uit kwam, de indruk wekte dat ze jong was. Ze stond te ruziën met een kleine, dikke man wiens nek verdween onder een rode vlek van verontwaardiging.

Ze benadrukte een laatste, triomfantelijke uitroep door een tas over haar schouder te slingeren en met grote stappen naar de deur te lopen. Voordat ik me kon verroeren, duwde ze de deur open en keek me recht in mijn onthutste gezicht: vertrokken reflecties in een lachspiegel. Het meisje herstelde zich als eerste: een bulderende lach waarmee ze speeksel in mijn hals sproeide. 'En ik dacht dat dienstmeisjes schaars waren!' zei ze. 'Veel succes. Denk maar niet dat ík nog langer voor een minimumloon andermans troep ga opruimen!'

Ze drong zich langs me heen en sjouwde haar koffer de trap op. Boven bleef ze staan en riep: 'Vaarwel, Izzy Batterfield. Bonjour, mademoiselle Isabella!' En met een laatste klaterende lach en een theatrale zwiep van haar rok liep ze weg. Voordat ik kon reageren, kon uitleggen dat ik kamenier was, geen dienstmeisje.

Ik klopte op de deur, die op een kier was blijven staan. Er kwam geen antwoord, dus ging ik maar naar binnen. In het huis hing de onmiskenbare geur van bijenwas (al was het niet Stubbins & Co.) en aardappelen, maar ook nog van iets anders, iets ongrijpbaars; het was niet onaangenaam, maar het maakte alles anders dan ik gewend was.

De man zat aan de tafel, een magere vrouw stond achter hem met haar handen op zijn schouders, vervormde handen, waarvan de huid rond de nagels rood en ruw was. Ze keken eendrachtig naar me op. De vrouw had een grote, zwarte moedervlek onder haar linkeroog.

'Goedemiddag,' zei ik. 'Ik…'

'Wat is er zo goed aan?' vroeg de man. 'Ik ben zojuist mijn derde dienstmeisje kwijtgeraakt in evenzoveel weken, en over twee uur wordt hier een feest gegeven, en jij zegt dat het een goede middag is?'

'Rustig nu maar,' zei de vrouw. Ze tuitte haar lippen. 'Het was een brutaal nest, die Izzy. Ze denkt dat ze waarzegster kan worden. Laat me niet lachen. Als zij waarzegster is, ben ik de koningin. Ze zal nog door een ontevreden klant vermoord worden!'

De manier waarop ze het zei, met een wreed lachje dat rond haar lippen speelde en met een klank van stiekem genoegen in haar stem, deed me huiveren. Ik had het liefst rechtsomkeert gemaakt, maar dacht aan de goede raad van meneer Hamilton, dat de eerste indruk die je maakt doorslaggevend is voor je verdere loopbaan, dus schraapte ik mijn keel en zei zo kordaat mogelijk: 'Ik ben Grace Reeves.'

Ze keken allebei even verward.

'De kamenier van mevrouw.'

De vrouw richtte zich op tot haar volle lengte, kneep haar ogen half toe en zei: 'Mevrouw heeft niets gezegd over een nieuwe kamenier.'

Ik schrok. 'O nee?' hakkelde ik, ondanks mijn goede voornemens. 'Ik… Ik weet anders heel zeker dat ze vanuit Parijs instructies heeft gestuurd. Ik heb de brief zelf op de bus gedaan.'

'Parijs?' Ze keken elkaar aan.

Toen leek meneer Boyle zich iets te herinneren. Hij knikte een paar keer snel en schudde de handen van de vrouw van zijn schouders.

'Natuurlijk,' zei hij. 'We wisten dat u zou komen. Ik ben meneer Boyle, de butler hier op nummer 17, en dit is mevrouw Tibbit.'

Ik knikte, nog steeds verward. 'Aangenaam kennis te maken.' Ze bleven me zo aanstaren dat ik me ging afvragen of ze soms niet helemaal goed bij hun hoofd waren. 'Ik ben nogal moe van de reis,' zei ik, duidelijk articulerend. 'Misschien zou u zo vriendelijk willen zijn een dienstmeisje te roepen dat me naar mijn kamer kan brengen?'

Mevrouw Tibbit snoof zo fel dat de huid rond haar moedervlek trilde en toen straktrok. 'Er zijn geen dienstmeisjes,' zei ze. 'Op het moment. Mevrouw… dat wil zeggen, mevrouw *Estella* Luxton, heeft geen meisje kunnen vinden dat bereid is te blijven.'

'Ja,' zei meneer Boyle, met lippen zo wit als zijn gezicht. 'En ze geven vanavond een feestje. We zullen alle zeilen moeten bijzetten. Juffrouw Deborah wenst niets minder dan perfectie.'

Juffrouw Deborah? Wie was juffrouw Deborah? Ik fronste. 'Míjn mevrouw, de *nieuwe* mevrouw Luxton, heeft niets over een feestje gezegd.'

'Nee,' zei mevrouw Tibbit, 'dat kan ook niet. Het is een verrassing, om meneer en mevrouw Luxton te verwelkomen na hun huwelijksreis. Juffrouw Deborah en haar moeder zijn er weken druk mee geweest.'

Het feest was in volle gang tegen de tijd dat de auto met Teddy en Hannah arriveerde. Meneer Boyle had mij verzocht de deur voor hen open te doen en hen naar de balzaal te brengen. Dat was normaal gesproken het werk van de butler, zei hij, maar juffrouw Deborah had hem iets opgedragen waarvoor zijn aanwezigheid elders vereist was.

Ik deed de deur open en ze kwamen binnen, Teddy stralend, Hannah vermoeid, zoals te verwachten na een bezoek bij Simion en Estella. 'Ik snak naar een kop thee,' zei ze.

'Zo dadelijk, lieveling,' zei Teddy. Hij overhandigde me zijn jas en gaf Hannah een kus op haar wang. Ze kromp licht ineen, zoals altijd. 'Ik heb eerst een verrassing,' zei hij. Hij lachte en liep handenwrijvend weg. Hannah keek hem na en hief toen haar blik op naar de hal: naar de pasgeschilderde gele muren, de lelijke moderne kroonluchter boven de trap, de potten met palmbomen die doorbogen onder strengen feestverlichting. 'Grace,' zei ze terwijl ze één wenkbrauw optrok, 'wat is er in vredesnaam aan de hand?'

Ik haalde verontschuldigend mijn schouders op en wilde het net aan haar vertellen toen Teddy weer tevoorschijn kwam en haar bij haar arm nam. 'Kom maar mee, lieveling,' zei hij. Hij liep met haar in de richting van de balzaal.

De deur ging open en Hannah zette grote ogen op toen ze zag dat het vertrek gevuld was met mensen die ze niet kende. Opeens ging er fel licht branden en toen mijn blik naar de ontstoken kroonluchter ging, voelde ik dat er achter me iemand op de trap stond. Er klonken verraste kreetjes. Halverwege de trap stond een ranke vrouw met donker haar dat rond haar strakke, magere gezicht krulde. Het was geen mooi, maar wel een opvallend gezicht; het bezat een illusie van schoonheid die ik zou leren herkennen als het kenmerk van chronisch chique vrouwen. Ze was lang en mager, en stond erbij met een houding die ik nog nooit eerder had gezien: naar voren gebogen, zodat het leek alsof haar zijden japon ieder moment van haar schouders kon zakken en over haar gekromde ruggengraat kon wegglijden. Het was een meesterlijke, ogenschijnlijk moeiteloze houding, nonchalant en geraffineerd. Over haar arm droeg ze een voorwerp van bont, dat ik aanvankelijk aanzag voor een mof, tot het kefte en ik zag dat het een kleine, wollige hond was, zo wit als mevrouw Townsends beste schort.

Ik kende de vrouw niet, maar begreep meteen wie ze was. Ze bleef een ogenblik staan voordat ze de laatste treden afdaalde en door de hal schreed, waarbij de genodigden uiteenweken alsof hun dat was geleerd door een choreograaf.

'Deb!' zei Teddy toen ze vlak bij hem was, en een brede glimlach maakte kuiltjes in zijn wangen. Hij pakte haar handen en boog zich naar haar toe om een kus te drukken op de wang die ze hem voorhield.

De vrouw boetseerde haar mond tot een glimlach. 'Welkom thuis, Tiddles.' Haar woorden klonken nonchalant, haar Amerikaanse accent was vlak en hard. Ze had een manier van praten die intonatie schuwde. Alles vervlakte, waardoor buitengewone dingen gewoon leken, en omgekeerd. 'Wat een fantastisch huis! En ik heb de mooiste jongedames van Londen bij elkaar gehaald om je te helpen je hier thuis te voelen.' Ze wees met haar lange vingers naar een chic geklede vrouw die haar over Hannahs schouder heen aankeek.

'Hoe vind je deze verrassing, lieveling?' vroeg Teddy aan Hannah. 'Moeder en ik hebben het samen bedacht en onze Deb doet niets liever dan feestjes organiseren.'

'"Verrassing,"' zei Hannah, terwijl haar blik vluchtig de mijne vond, 'is nog erg zacht uitgedrukt.'

Deborah glimlachte op de wolfachtige manier die haar eigen was en legde haar hand op Hannahs pols. Een lange, bleke hand die de indruk wekte van afgekoelde was te zijn. 'Eindelijk ontmoeten we elkaar,' zei ze. 'Ik weet zeker dat we het uitstekend met elkaar zullen kunnen vinden.'

Het jaar 1920 ging niet goed van start; Teddy had de verkiezingen verloren. Het was niet zijn schuld, het lag aan de timing. Ze hadden de situatie verkeerd ingeschat en onjuist aangepakt. Het was de schuld van de arbeidersklasse en hun smerige krantjes. Smerige campagnes tegen de werkgevers. Het volk was opstandig vanwege de oorlog; het verwachtte te veel. Ze zouden net zo worden als de Ieren, als ze niet oppasten, of als de Russen. Maar het maakte niet uit. Hij zou een nieuwe kans krijgen; ze zouden een betrouwbaarder district voor hem zoeken. Volgend jaar om deze tijd, beloofde Simion, zou Teddy, als hij de malle ideeën liet varen waar conservatieve kiezers van in de war raakten, in het Lagerhuis zitten.

Estella vond dat Hannah een baby moest krijgen. Het zou goed zijn voor Teddy. Goed voor zijn kansen bij de kiezers, als hij de vader van een gezin was. Ze waren man en vrouw, zei ze herhaaldelijk, en in ieder huwelijk verwachtte de man vroeg of laat dat er een erfgenaam zou komen.

Teddy ging voor zijn vader werken. Iedereen vond dat de beste oplossing. Toen hij de verkiezingen had verloren, had hij eruitgezien als iemand die een trauma, een shock, had overleefd. Hij had er precies zo uitgezien als Alfred in de dagen vlak na de oorlog.

Mannen als Teddy waren er niet aan gewend het onderspit te delven, maar Luxtons gingen nooit bij de pakken neerzitten; Teddy's ouders brachten steeds meer tijd door op nummer 17, waar Simion voortdurend met verhalen kwam over zijn eigen vader en dat de klim naar de top niet geschikt was voor zwakke personen en mislukkelingen. De voorgenomen reis van Teddy en Hannah naar Italië werd uitgesteld; het zou er niet goed uitzien als Teddy het land ontvluchtte, zei Simion. Wie de indruk wekt succes te hebben, kweekt succes. Pompeii liep niet weg.

Inmiddels deed ik mijn best gewend te raken aan het leven in Londen. Mijn nieuwe taken had ik snel onder de knie. Meneer Hamilton had me talloze instructies gegeven voordat ik Riverton had verlaten – van de alledaagse verantwoordelijkheden inzake het op orde houden van Hannahs garderobe, tot het bewaken van haar goede reputatie – en op deze gebieden had ik voldoende zelfvertrouwen. Wat het huishouden betrof, was echter niets me duidelijk. Ik dobberde eenzaam op een zee waar alles vreemd was, want alhoewel mevrouw Tibbit en meneer Boyle niet echt oneerlijk waren, waren ze ook niet helemaal eerlijk. Ze leken volkomen bij elkaar te horen en intens te genieten van elkaars gezelschap, met uitsluiting van alle anderen. Bovendien leek mevrouw Tibbit veel genoegen te beleven aan de misère van anderen, en wanneer niemand er ellendig aan toe was, schrok ze er niet voor terug een nietsvermoedend slachtoffer het leven zuur te maken. Ik leerde snel dat ik me op nummer 17 alleen staande kon houden als ik me met niemand inliet en mezelf indekte.

Op een druilerige ochtend zag ik Hannah in haar eentje in de zitkamer voor het raam staan. Teddy en Simion waren zojuist vertrokken naar hun kantoor in de City en zij keek naar de straat. Auto's, fietsen, mensen kwamen langs, allemaal op weg ergens naartoe.

'Wilt u een kopje thee, mevrouw?' vroeg ik.

Geen antwoord.

'Of zal ik de chauffeur verzoeken de auto voor te rijden?'

Ik liep naar haar toe en zag dat ze me helemaal niet hoorde. Ze verkeerde in het gezelschap van haar eigen gedachten en ik kon wel raden wat die waren. Ze verveelde zich. Ze keek precies zoals vroeger op Riverton wanneer ze met de Chinese kist in haar handen voor het raam van de kinderkamer stond te wachten tot David zou komen, zodat ze Het Spel konden spelen.

Ik schraapte mijn keel. Ze keek op. Toen ze me zag, klaarde haar gezicht een beetje op. 'Hallo, Grace,' zei ze.

Ik herhaalde mijn vraag of ze thee wilde, en waar.

'In de huiskamer,' zei ze. 'Maar mevrouw Tibbit hoeft er geen cakejes bij te doen. Ik heb geen trek. Ergens past het ook niet om in je eentje te eten.'

'En daarna, mevrouw?' vroeg ik. 'Zal ik de auto laten voorrijden?'

Hannah trok een gezicht. 'Als ik nog één keer een rondje door het park moet rijden, word ik stapelgek. Ik snap niet hoe andere vrouwen dat volhouden. Hebben ze echt niets beters te doen dan iedere dag hetzelfde ritje te maken?'

'Wilt u soms iets borduren, mevrouw?' Ik wist best dat ze dat niet wilde. Hannah had nooit aanleg gehad voor werk met naald en draad. Daarvoor was een geduld nodig dat haar temperament vreemd was.

'Ik ga lezen, Grace,' zei ze. 'Ik heb een boek bij me.' Ze liet me haar beduimelde exemplaar van *Jane Eyre* zien.

'Alweer, mevrouw?'

Ze schokschouderde, glimlachte. 'Alweer.'

Ik weet niet waarom dat me zo veel zorgen baarde. Het deed een waarschuwend belletje rinkelen, maar ik wist niet wat ik ermee moest.

Teddy werkte hard en Hannah deed haar best. Ze woonde zijn feestjes bij, babbelde over koetjes en kalfjes met de vrouwen van zakenrelaties en de moeders van politici. De mannen hadden het altijd over dezelfde onderwerpen: geld, zaken, en de dreiging die uitging van de lagere bevolkingsgroepen. Net als alle mannen van zijn slag koesterde Simion veel achterdocht jegens degenen die hij 'de bohème' noemde. En ondanks zijn goede voornemens maakte Teddy aanstalten in zijn voetsporen te treden.

Hannah zou veel liever met de mannen over politiek praten. Soms, wanneer zij en Teddy zich 's avonds gereedmaakten om naar bed te gaan in hun aangrenzende slaapkamersuites en ik Hannahs haar borstelde, vroeg ze hem wat die of die had gezegd over het feit dat in Ierland de staat van beleg was afgekondigd. Dan keek Teddy licht geamuseerd naar haar en zei hij dat ze haar mooie hoofdje daarmee niet hoefde te vermoeien. Dat was zíjn taak.

'Maar ik wil het weten,' zei Hannah dan. 'Het interesseert me.'

Dan schudde Teddy zijn hoofd. 'Politiek is een spel voor mannen.'

'Laat me meedoen,' zei Hannah.

'Je doet al mee,' antwoordde hij. 'We zijn een team, jij en ik. Het is jouw taak voor de echtgenotes te zorgen.'

'Maar dat is zo saai. Het zijn zulke saaie mensen. Ik wil praten over belangrijke dingen. Ik snap niet waarom dat niet kan.'

'Ach, lieveling,' zei Teddy dan eenvoudig. 'Omdat het tegen de regels is. Ik heb die niet bedacht, maar ik moet me er wel aan houden.' Vervolgens glimlachte hij en stompte hij zachtjes tegen haar schouders. 'En het valt toch wel mee? In ieder geval heb je moeder om je te helpen, en Deb. Zij is een fidele meid, of niet soms?'

Hannah had geen andere keus dan dat te beamen. Het was waar: Deborah stond altijd klaar om te helpen. En dat zou ook zo blijven, nu ze had besloten niet terug te keren naar New York. Een Londens tijdschrift had gevraagd of ze artikelen wilde schrijven over de mode in de societykringen, een aanbod dat ze uiteraard niet had kunnen weigeren. Een hele nieuwe stad vol dames om aan te kleden en hun haar wil op te leggen! Ze zou bij Hannah en Teddy blijven wonen tot ze zelf een geschikt appartement had gevonden. En daar was helemaal geen haast bij, had Estella gezegd. Nummer 17 was een groot huis met meer dan genoeg slaapkamers, vooral zolang er geen kinderen waren.

In november van dat jaar kwam Emmeline naar Londen ter ere van haar zestiende verjaardag. Het was haar eerste bezoek sinds Hannah en Teddy waren getrouwd, en Hannah had ernaar uitgekeken. Ze had de hele ochtend in de huiskamer zitten wachten, was iedere keer dat er buiten een auto afremde naar het raam gesneld, en teleurgesteld weer op de bank gaan zitten wanneer het vals alarm bleek te zijn.

Uiteindelijk was ze zo moedeloos geworden dat ze haar alsnog misliep. Ze besefte pas dat Emmeline was gearriveerd toen Boyle op de deur klopte en haar aankondigde.

'Juffrouw Emmeline voor u, mevrouw.'

Hannah slaakte een kreet en sprong overeind toen Boyle Emmeline binnenliet. 'Eindelijk!' zei ze, haar zuster stevig omhelzend. 'Ik dacht dat je nooit zou komen.' Ze deed een stap achteruit en zei tegen mij: 'Kijk eens, Grace, is ze niet mooi?'

Emmeline glimlachte flauwtjes en trok toen snel een gemelijk pruilmondje. Desondanks, of misschien juist wel daardoor, was ze heel mooi. Ze was langer en slanker geworden, en haar gezicht had nieuwe vormen gekregen die de aandacht naar haar volle lippen en grote, ronde ogen trokken. Ze had zich de houding van vermoeide minachting aangemeten die typerend was voor haar leeftijd en het tijdperk waarin ze leefde.

'Kom, ga zitten,' zei Hannah, en ze troonde Emmeline mee naar de bank. 'Ik zal om thee bellen.'

Emmeline viel nonchalant neer op de bank, maar toen Hannah zich omdraaide, trok ze snel haar rok recht. Ze droeg een eenvoudige jurk van vorig jaar. Iemand had geprobeerd hem een moderner, vlotter model te geven, maar je kon duidelijk zien wat de oorspronkelijke snit was geweest. Toen Hannah zich weer naar haar omdraaide, nadat ze om thee had gebeld, bleef Emmeline snel van haar rok af en keek ze met een uiterst onverschillige blik de kamer rond.

Hannah lachte. 'Dit is de laatste mode. Elsie de Wolfe heeft alles uitgekozen. Vreselijk, hè?'

Emmeline trok haar wenkbrauwen op en knikte traag.

Hannah ging naast haar op de bank zitten. 'Ik vind het ontzettend gezellig dat je er bent,' zei ze. 'Je mag zelf zeggen wat je deze week allemaal wilt doen. We kunnen naar Gunter's voor thee met notencake, of naar een toneelvoorstelling.'

Emmeline haalde haar schouders op, maar haar vingers, zag ik, frunnikten weer aan haar rok.

'We kunnen naar het museum,' zei Hannah. 'Of gaan winkelen bij Selfridge's...' Ze aarzelde. Emmeline knikte flauwtjes. Hannah lachte onzeker en zei: 'Moet je mij nu eens horen,' zei ze. 'Je bent er nog maar net en ik stippel de hele week al voor je uit. Ik laat je niet eens zelf aan het woord. Ik heb je niet eens gevraagd hoe het met je is.'

Emmeline keek naar Hannah. 'Mooie jurk heb je aan,' zei ze uiteindelijk, en toen klemde ze haar lippen op elkaar alsof ze een voornemen had geschonden.

Hannah haalde op haar beurt haar schouders op. 'O, ik heb een hele kast vol met zulke japonnen,' zei ze. 'Teddy brengt ze voor me mee uit het buitenland. Hij denkt dat een nieuwe jurk een goede compensatie is voor het feit dat ik niet mee mocht op reis. Waarom gaat een vrouw naar het buitenland? Om jurken te kopen. Dus heb ik een hele kast vol, terwijl ik nooit ergens...' Ze hield zich nog net op tijd in en onderdrukte een glimlach. 'Veel te veel japonnen voor één persoon.' Ze bekeek Emmeline bedaard. 'Wil je ze soms zien, kijken of er iets voor je bij zit? Je zou me er een groot plezier mee doen, want dan krijg ik tenminste wat ruimte in de kast.'

Emmeline keek snel op, niet in staat haar opwinding te verbergen. 'Dat wil ik wel, ja. Als je daarmee geholpen bent.'

Hannah liet Emmeline tien japonnen uit Parijs aan haar bagage toevoegen en ik kreeg opdracht de veranderingen aan de kleren die ze had meegebracht op een betere manier uit te voeren. Ik kreeg opeens sterke heimwee naar Riverton toen ik Nancy's slordige steken lostornde. Ik hoopte dat ze mijn herstelwerk niet zou opvatten als een belediging.

Daarna verbeterde de relatie tussen de zusjes. Emmelines verveelde houding verdween en tegen het einde van de week was alles min of meer zoals vroeger. Ze hadden hun ontspannen vriendschap van vroeger hervonden en waren allebei blij met de terugkeer van de status-quo. Ook voor mij was het een opluchting: Hannah was de laatste tijd veel te somber geweest. Ik hoopte dat ze ook na Emmelines bezoek in zo'n goed humeur zou blijven.

Op Emmelines laatste dag zaten Hannah en zij op de bank in de huiska-mer te wachten op de auto van Riverton. Deborah, die op het punt stond naar een redactievergadering te gaan, zat aan het schrijfbureau en schreef met haar rug naar hen toe haastig een condoleancebriefje aan een vriendin.

Emmeline zakte lui onderuit en slaakte een smachtende zucht. 'Ik zou ie-dere dag wel een stuk notencake van Gunter's willen.'

'Tot die wespentaille van je begint te verdwijnen,' zei Deborah, die haar krasserige pen snel over het schrijfpapier haalde. 'Ieder pondje gaat door het mondje, weet je nog wel?'

Emmeline fladderde met haar oogleden naar Hannah, die met moeite een lach onderdrukte.

'Weet je zeker dat je niet wilt dat ik blijf?' zei Emmeline. 'Het is echt geen moeite.'

'Ik denk niet dat papa het goed zal vinden.'

'Poeh,' zei Emmeline, 'dat kan hem toch niets schelen.' Ze hield haar hoofd schuin. 'Ik kan makkelijk in de jassenkast wonen, weet je. Je zou er niet eens erg in hebben dat ik er ben.'

Hannah deed alsof ze erover nadacht.

'Je verveelt je vast dood zonder mij,' zei Emmeline.

'Dat klopt ja,' antwoordde Hannah kwijnend. 'Hoe moet ik de dagen in 's hemelsnaam doorkomen?'

Emmeline lachte en gooide een kussen naar haar.

Hannah ving het op en streek de franje glad. Met haar ogen op het kussen gericht vroeg ze: 'Over papa gesproken, Emmeline... Is hij...? Hoe is het met hem?'

Ik wist dat Hannah erg veel moeite had met de breuk tussen haar en haar vader. Meer dan eens had ik het begin van een brief aangetroffen op haar schrijfbureautje, maar ze had er nooit een op de bus gedaan.

'Gewoon,' zei Emmeline met een schouderophalen. 'Hij is nog net zoals altijd.'

'Ah,' zei Hannah verdrietig. 'Mooi. Ik heb niets van hem gehoord.'

'Nee,' zei Emmeline met een geeuw. 'Maar je weet hoe hij is wanneer hij eenmaal een besluit heeft genomen.'

'Ja,' zei Hannah. 'Ik dacht alleen...' Haar stem stierf weg en eventjes bleef er een stilte hangen. Hoewel Deborah met haar rug naar hen toe zat, zag ik dat ze haar oren spitste, tuk op een roddel. Hannah had het blijkbaar ook in de gaten, want ze rechtte haar rug en ging op een gemaakt opgewekte toon over op een ander onderwerp. 'Ik weet niet of ik het je al heb verteld, Emmeline, maar ik zit erover te denken te gaan werken wanneer je weer naar huis bent.'

'Te gaan werken?' zei Emmeline. 'In een kledingzaak?'

Nu lachte Deborah. Ze plakte de envelop dicht en draaide zich op haar stoel om. De lach bestierf op haar lippen toen ze Hannahs gezicht zag. 'Meen je het?'

'Hannah meent altijd wat ze zegt,' zei Emmeline.

'Toen we laatst in Oxford Street waren,' vertelde Hannah aan Emmeline, 'en jij bij de kapper was, zag ik bij een kleine uitgeverij, Blaxland, een bordje achter het raam. Ze waren op zoek naar redacteurs.' Ze trok haar schouders op. 'Ik hou van lezen, ik heb belangstelling voor politiek, mijn grammatica en spelling steken ruim boven het gemiddelde uit...'

'Doe niet zo raar,' zei Deborah, die haar brief aan mij gaf. 'Zorg ervoor dat dit vandaag nog op de bus gaat.' Ze ging door tegen Hannah: 'Die nemen jou nooit.'

'Dat hebben ze al gedaan,' zei Hannah. 'Ik heb ter plekke gesolliciteerd. De eigenaar zei dat hij dringend om iemand verlegen zit.'

Deborah haalde diep adem en trok haar lippen tot een smalend glimlachje. 'Maar je snapt zelf toch wel dat hiervan geen sprake kan zijn?'

'Waarom kan er geen sprake van zijn?' vroeg Emmeline, zogenaamd serieus.

'Omdat het niet is zoals het hoort,' antwoordde Deborah.

'En daarom kan er geen sprake van zijn?' zei Emmeline. Ze begon te lachen. 'Waarvan kan dan wél sprake zijn?'

Deborah snoof zo krachtig dat haar neusgaten zich sloten. 'Blaxland?' zei ze ijzig tegen Hannah. 'Is dat niet de uitgeverij van die smerige rode pamfletten die soldaten op straathoeken uitdelen?' Ze kneep haar ogen tot spleetjes. 'Mijn broer zou een hartverzakking krijgen.'

'Welnee,' zei Hannah. 'Teddy heeft vaak genoeg zijn medeleven met de werklozen kenbaar gemaakt.'

Deborahs ogen lichtten op: een roofdier dat zich vluchtig verbaasde over zijn prooi. 'Dat heb je verkeerd begrepen, lieve kind,' zei ze. 'Tiddles weet heel goed dat hij zijn toekomstige kiezers niet tegen zich in het harnas moet jagen. Bovendien...' Ze ging triomfantelijk voor de spiegel boven de open haard staan en stak een hoedenpen in haar hoed. '... medeleven of geen medeleven, ik denk niet dat hij het leuk zal vinden wanneer hij hoort dat jij voor de mensen gaat werken die de smerige artikelen hebben geschreven waardoor hij de verkiezingen heeft verloren.'

294

Hannah keek verslagen. Dat had ze zich niet gerealiseerd. Ze keek naar Emmeline, die meelevend haar schouders ophaalde. Deborah, die hun reacties in de spiegel bekeek, onderdrukte een grijns en draaide zich met een teleurgesteld tonggeklak om naar Hannah. 'Dat zou wel érg trouweloos van je zijn.'

Hannah blies langzaam haar adem uit.

Deborah schudde haar hoofd. 'Het wordt zijn dood wanneer hij erachter komt.'

'Vertel het hem dan niet,' zei Hannah.

'Je kent me. Ik ben de discretie zelve,' zei ze, 'maar je vergeet de honderden andere mensen die geen scrupules hebben. Die zullen het maar al te graag doorgeven wanneer ze jouw naam, zíjn naam, op die propaganda zien staan.'

'Ik zal zeggen dat ik van de baan moet afzien,' zei Hannah zachtjes. Ze legde het kussen weg. 'Maar ik ga wel naar iets anders zoeken. Iets geschikts.'

'Lieve kind,' zei Deborah lachend, 'vergeet dat nu maar. Voor jou is geen enkele baan geschikt. Zeg nu zelf: het geeft toch geen pas dat Teddy's echtgenote uit werken gaat? Wat zouden de mensen er wel niet van zeggen?'

'Jij werkt,' zei Emmeline, terwijl ze insinuerend haar ogen half sloot.

'O, maar dat is iets heel anders,' zei Deborah vlot. 'Ik heb mijn Teddy nog niet gevonden. Voor de juiste man geef ik onmiddellijk alles op.'

'Ik moet iets doen,' zei Hannah. 'Ik kan hier niet de hele dag zitten niksen en alleen maar afwachten of er soms iemand op bezoek komt.'

'Natuurlijk niet,' zei Deborah. Ze griste haar tas van het schrijfbureau. 'Niemand vindt het leuk om niets om handen te hebben.' Ze trok haar wenkbrauwen op. 'Hoewel ik zou denken dat je hier genoeg te doen hebt en helemaal niet hoeft te zitten niksen. Een huishouden draait niet op eigen kracht, weet je.'

'Nee,' zei Hannah. 'En ik wil daar graag meer aan doen...'

'Je kunt je het best beperken tot de dingen waar je goed in bent,' zei Deborah, terwijl ze naar de deur schreed. 'Dat vind ik tenminste.' Ze zweeg, deed de deur open en draaide zich om. Langzaam vertrok haar gezicht tot een glimlach. 'Ik heb het!' zei ze. 'Dat ik daar niet eerder aan heb gedacht!' Ze tuitte haar lippen. 'Ik zal het er met moeder over hebben. Je kunt je aansluiten bij haar Conservative Ladies. Die zoeken vrijwilligsters voor het komende galadiner. Je kunt helpen naamkaartjes te schrijven en decoraties te schilderen – je artistieke talenten ontplooien.'

Hannah en Emmeline wisselden een blik toen Boyle in de deuropening verscheen.

'De auto voor juffrouw Emmeline staat voor,' zei hij. 'Zal ik een taxi voor u bellen, juffrouw Deborah?'

'Doe geen moeite, Boyle,' zei Deborah gedecideerd. 'Ik kan wel wat frisse lucht gebruiken.'

Boyle knikte en liep weg om toezicht te houden op het inladen van Emmelines bagage.

'Wat een geniaal idee!' zei Deborah, met een brede glimlach naar Hannah. 'Wat zal Teddy daar blij mee zijn, dat jij en moeder meer tijd samen gaan doorbrengen!' Ze boog haar hoofd en ging op zachte toon door: 'En dan hoeft hij helemaal niets te weten over dat andere malle idee.'

De val door het konijnenhol

Ik ga niet langer op Sylvia zitten wachten. Ik heb er genoeg van. Ik kan zelf wel een kopje thee halen. Uit de luidsprekers op het podium komt luide, blikkerige, schreeuwerige muziek en een groepje van zes jonge meisjes is aan het dansen. Ze zijn gekleed in zwarte en rode lycra – het lijken wel badpakken – en zwarte laarzen die tot hun knieën reiken. De laarzen hebben hoge hakken en ik vraag me af hoe ze daarop kunnen dansen, tot ik me de dansende paren uit mijn jeugd herinner. Het Hammersmith Palladion, de Original Dixieland Jazz Band, Emmeline die de charleston danst.

Ik klem mijn vingers rond de armleuningen zodat ik mijn ellebogen tegen me aan kan drukken en duw mezelf overeind, me vastklampend aan de leuningen. Ik wankel, breng mijn gewicht over op mijn wandelstok, wacht tot het landschap weer stilstaat. Die ellendige hitte ook. Ik prik behoedzaam met mijn stok in de grond. Vanwege de recente regen is de grond zacht en ik wil er niet in wegzakken. Ik maak gebruik van de afdrukken die de voeten van andere mensen hebben achtergelaten. Het gaat langzaam, maar het lukt…

'Laat uw toekomst voorspellen… Laat u de hand lezen…'

Ik kan waarzegsters niet uitstaan. Een van hen heeft ooit gezegd dat ik een korte levenslijn had, en het onbestemde onheilsgevoel dat ik eraan overhield, raakte ik pas kwijt toen ik dik in de zestig was.

Voetje voor voetje schrijd ik voort, zonder opzij te kijken. Ik heb me verzoend met mijn toekomst. Het is het verleden dat me dwarszit.

Hannah had haar sessie met de waarzegster begin 1921. Het was op een woensdag; Hannahs 'thuisdagen' waren altijd op woensdag. Deborah had een afspraak met lady Lucy Duff-Gordon in de Savoy Grill, en Teddy was samen met zijn vader naar kantoor. Teddy was zijn getraumatiseerde aanblik tegen die tijd helemaal kwijt; hij zag eruit als iemand die een vreemde droom had gehad en bij het ontwaken had gemerkt dat hij nog steeds zichzelf was. Het was hem erg meegevallen, had hij op een avond tijdens het diner tegen

Hannah gezegd, hoeveel facetten de wereld van het bankierswezen had. Niet alleen op het gebied van het vergaren van kapitaal, had hij nader uitgelegd, maar vooral ook wat het aanmoedigen van persoonlijke culturele interesses betrof. Binnenkort, beloofde hij, wanneer de tijd er rijp voor was, zou hij zijn vader vragen of hij een stichting in het leven mocht roepen voor steun aan jonge schilders. Of beeldhouwers. Of andere kunstenaars. Hannah zei dat ze dat een heel goed plan vond en richtte haar aandacht weer op haar bord, terwijl hij vertelde over een nieuwe klant, de eigenaar van een fabriek. Ze was allang gewend aan de gapende kloof tussen Teddy's voornemens en zijn daden.

Een reeks modieus geklede vrouwen had de afgelopen vijf minuten nummer 17 verlaten, en ik begon de theekopjes op te ruimen. (We waren zojuist ons vijfde dienstmeisje kwijtgeraakt en hadden nog geen vervangster gevonden.) Alleen Hannah, Fanny en lady Clementine zaten nog op de banken een laatste kopje thee te drinken. Hannah tikte zachtjes, afwezig, met haar lepeltje op haar schoteltje. Ze wilde hen weg hebben, al wist ik nog niet waarom.

'Lieve kind,' zei lady Clementine terwijl ze over de rand van haar theekopje naar Hannah keek, 'je moet echt eens aan kinderen gaan denken.' Ze wisselde een blik met Fanny, die trots ging verzitten met haar omvangrijke gestalte. Ze was in verwachting van haar tweede. 'Kinderen zijn goed voor een huwelijk. Nietwaar, Fanny?'

Fanny knikte, maar kon geen antwoord geven omdat ze haar mond vol had met gebak.

'Wanneer een vrouw al enige tijd getrouwd is en nog steeds geen kinderen heeft,' zei lady Clementine streng, 'beginnen de mensen te praten.'

'Dat neem ik onmiddellijk van u aan,' zei Hannah. 'Maar er valt echt niets te roddelen.' Ze zei het zo luchtig dat ik huiverde. Je moest heel kien zijn om de zweem van onvrede onder het laagje vernis te kunnen bespeuren. De bittere ruzies die voortvloeiden uit het feit dat Hannah er niet in slaagde zwanger te worden.

Lady Clementine wisselde nog een blik met Fanny, die haar wenkbrauwen optrok. 'Er is toch niets mis, beneden?'

Eerst dacht ik dat ze onze problemen met de dienstmeisjes bedoelde. Ik begreep het pas toen Fanny haar cake doorslikte en er haastig aan toevoegde: 'Daar zijn artsen voor, weet je. Vrouwenartsen.'

Wat moest Hannah daar nu op zeggen? Ze kon natuurlijk zeggen dat ze zich met hun eigen zaken moesten bemoeien, en ooit zou ze dat ook gedaan hebben, maar de tijd had de scherpe kantjes van haar karakter weggeslepen.

Dus zei ze niets. Ze glimlachte alleen en wenste zwijgend dat ze snel zouden vertrekken.

Toen ze weg waren, liet ze zich achterovervallen op de bank. 'Eindelijk,' zei ze. 'Ik dacht dat ze nooit weg zouden gaan.' Ze keek toe toen ik de laatste kopjes op het blad zette. 'Het spijt me dat jij dit moet doen, Grace.'

'Het geeft niets, mevrouw,' antwoordde ik. 'En het is maar tijdelijk.'

'Ja, maar evengoed,' zei Hannah. 'Je bent kamenier. Ik zal Boyle zeggen dat hij zo snel mogelijk iemand moet zoeken.'

Ik legde de lepeltjes bij elkaar.

Hannah keek nog steeds naar me. 'Kun je een geheim bewaren, Grace?'

'Dat weet u best, mevrouw.'

Ze haalde iets tevoorschijn uit de band van haar rok, een opgevouwen stuk papier, en streek het glad. 'Dit zag ik staan op de achterpagina van een van Boyles kranten.' Ze reikte het me aan.

Waarzegster, stond er. *Bekende spiritist. Communicatie met de doden. Toekomstvoorspelling.*

Ik gaf het haar meteen terug en veegde mijn handen af aan mijn schort. Ik had beneden over zulke dingen horen praten. Het was een nieuwe rage, het gevolg van de massale rouw. In die dagen wilden alle mensen een woord van troost horen van dierbaren die ze hadden verloren.

'Ik heb vanmiddag een afspraak,' zei Hannah.

Ik wist niet wat ik daarop moest zeggen. Ik wou dat ze het me niet had verteld. Ik blies langzaam mijn adem uit. 'Als ik zo vrij mag zijn, mevrouw, ik heb niet veel op met seances en dergelijke dingen.'

'Gut, Grace,' zei Hannah verbaasd, 'ik dacht dat juist jij hiervoor wel openstond. Sir Artur Conan Doyle gelooft er ook in. Hij communiceert regelmatig met zijn zoon Kingsley. Hij houdt zelfs seances bij hem thuis.'

Ze kon niet weten dat ik niet langer Sherlock Holmes' grootste fan was, dat ik in Londen Agatha Christie had ontdekt.

'Daar gaat het niet om, mevrouw,' zei ik snel. 'Het is niet zo dat ik er niet in geloof.'

'Nee?'

'Nee, mevrouw. Ik geloof er wel degelijk in. Dat is het probleem. Het is niet natuurlijk. De doden. Het is gevaarlijk om je daarmee in te laten.'

Ze trok haar wenkbrauwen op en dacht hierover na. 'Gevaarlijk…'

Het was de verkeerde aanpak. Door iets over gevaar te zeggen, maakte ik het vooruitzicht juist aantrekkelijker.

'Ik ga wel met u mee, mevrouw,' zei ik.

Dat had ze niet verwacht, en ze wist niet zeker of ze zich geërgerd of geroerd moest voelen. Uiteindelijk was ze zowel geërgerd als geroerd. 'Nee,' zei ze ferm. 'Dat is nergens voor nodig. Ik kan heus wel zelf gaan.' Toen kreeg haar stem een zachtere klank. 'Je hebt op woensdagmiddag toch vrij? Dan heb je vast leuke plannetjes gemaakt. Iets veel leukers dan met mij meegaan.'

Ik gaf daar geen antwoord op. De plannen die ik had gemaakt, waren geheim. Na vele brieven over en weer had Alfred eindelijk voorgesteld me in Londen te komen opzoeken. Ik was nu al enkele maanden weg van Riverton en was een stuk eenzamer dan ik had verwacht. Ondanks de vele lessen van meneer Hamilton was ik erachter gekomen dat de positie van kamenier problemen met zich meebracht die ik niet had voorzien, vooral omdat Hannah niet zo gelukkig was als je van een jonge bruid mocht verwachten. En omdat mevrouw Tibbit zo van stoken hield, liet niemand van het personeel zijn of haar verdediging ooit voldoende verslappen om camaraderie mogelijk te maken. Ik had me nog nooit eerder geïsoleerd gevoeld, en alhoewel ik ervoor oppaste geen verkeerde sentimenten toe te schrijven aan Alfreds bedoelingen (zoals ik al eens eerder had gedaan), verlangde ik ernaar hem te zien.

Niettemin ging ik die middag achter Hannah aan. Ik had met Alfred pas tegen het eind van de middag afgesproken. Als ik snel was, kon ik me ervan verzekeren dat ze goed en wel arriveerde en ook gezond en wel weer vertrok. Ik had genoeg verhalen over spiritisten gehoord om te weten dat ik hier verstandig aan deed. Een nicht van mevrouw Tibbit was bezeten geraakt, had ze verteld, en meneer Boyle kende een man die zijn vrouw had verloren toen ze in de val was gelokt en haar keel was doorgesneden.

Daar kwam ook nog bij dat ik weliswaar niet precies wist wat ik van spiritisten moest denken, maar dat ik wel degelijk wist welk soort mensen door hen werd aangetrokken: alleen mensen die in het heden ongelukkig zijn willen weten hoe de toekomst eruitziet.

Er hing een dichte mist: grijs en klam. Ik volgde Hannah door Aldwych als een detective die een misdadiger schaduwt. Ik paste goed op om geen moment te ver achter te raken en keek uit dat ze niet te lang in een mistbank verdween. Op de hoek van een straat speelde een man in een regenjas op een mondorgel 'Keep the Home Fires Burning'. Je zag ze overal, die ontwortelde soldaten, in iedere steeg, onder iedere brug, voor ieder station. Hannah grabbelde in haar tas naar een munt en liet die in het bekertje vallen alvorens haar weg te vervolgen.

We sloegen Kean Street in en daar bleef Hannah staan voor een elegante edwardiaanse villa. Het huis zag er keurig uit, maar zoals moeder altijd zei: schijn bedriegt. Ik zag dat ze de advertentie nog een keer bekeek en toen op de genummerde deurbel drukte. De deur ging meteen open en zonder om te kijken verdween ze in het huis.

Ik bleef op straat staan en vroeg me af naar welke verdieping ze werd geleid. De derde, schatte ik, te oordelen naar het schijnsel van de lamp dat de ruches aan de dichtgetrokken gordijnen geel kleurde. Ik ging zitten wachten in de buurt van een man met één been die blikken aapjes verkocht die langs een stuk touw klommen en daalden.

Ik wachtte meer dan een uur. Tegen de tijd dat ze weer tevoorschijn kwam, had het koude beton van de trap waarop ik was gaan zitten mijn benen verdoofd en ik slaagde er niet in snel genoeg op te staan. Ik dook ineen en bad dat ze me niet zou zien. Ze zag me niet; ze keek helemaal niet. Ze bleef verdwaasd boven aan de trap staan. Ze keek wezenloos, verschrikt zelfs, en leek als aan de grond genageld. Mijn eerste gedachte was dat de spiritist haar had betoverd: een zakhorloge voor haar heen en weer had laten slingeren en haar had gehypnotiseerd, zoals je wel op foto's zag. Mijn slapende voet begon te prikken, waardoor ik niet naar haar toe kon snellen. Ik wilde net haar naam roepen toen ze diep ademhaalde, haar hoofd schudde en snel wegliep richting huis.

Ik was laat voor mijn afspraak met Alfred op die mistige avond. Niet erg laat, maar hij zag er bezorgd uit voordat hij me zag, en gekwetst toen hij me ontwaarde.

'Grace.' We begroetten elkaar stuntelig. Hij stak zijn hand uit om de mijne te pakken en ik deed net precies hetzelfde. Het gevolg was dat onze polsen tegen elkaar stootten en hij per ongeluk mijn elleboog vastpakte. Ik glimlachte nerveus, trok mijn hand terug en stopte hem onder mijn sjaal. 'Het spijt me dat ik laat ben, Alfred,' zei ik. 'Ik moest een boodschap doen voor mevrouw.'

'Weet ze niet dat je op woensdagmiddag vrij hebt?' zei Alfred. Hij was langer dan ik me herinnerde en zijn gezicht had meer lijntjes gekregen, maar ik vond het nog steeds heel prettig om naar te kijken.

'Ja, maar…'

'Je had moeten zeggen dat ze de pot op kon met haar boodschap.'

Zijn wrevel verbaasde me niet. Alfred raakte steeds gefrustreerder over ons soort werk. In de brieven die hij me vanaf Riverton stuurde, had de afstand tussen ons iets blootgelegd wat ik niet eerder had gezien: er liep een rode draad van ontevredenheid door zijn beschrijvingen van het dagelijkse leven. En de laatste tijd waren zijn vragen over Londen en zijn verhalen over Riverton doorspekt met citaten uit boeken die hij had gelezen over de klassenverschillen, de arbeiders en de vakbonden.

'Je bent geen slaaf,' zei hij. 'Je had kunnen weigeren.'

'Dat weet ik. Ik dacht niet dat het… Ik had er iets langer voor nodig dan ik dacht.'

'Nou ja,' zei hij, en zijn gezicht kreeg een zachte trek, waardoor hij opeens weer de oude Alfred werd. 'Jij kunt er niets aan doen, natuurlijk. Laten we er het beste van maken voordat we terug moeten naar de tredmolen, goed? Zullen we ergens een hapje gaan eten voordat we naar de film gaan?'

Ik was dol van geluk toen we zij aan zij op stap gingen. Ik voelde me erg volwassen en vond het zelfs een beetje gedurfd dat ik de stad in ging met een man als Alfred. Opeens wenste ik dat hij mijn arm door de zijne zou trekken. Dat mensen die ons zagen, zouden denken dat we een getrouwd stel waren.

'Ik ben bij je moeder langs geweest,' zei hij, mijn gedachten onderbrekend. 'Zoals je me had gevraagd.'

'O, Alfred,' zei ik. 'Dank je wel. Het gaat niet al te slecht met haar, hoop ik?'

'Niet al te slecht, Grace.' Hij aarzelde en wendde zijn ogen af. 'Maar ook niet al te goed, vrees ik. Ze hoest erg. En ze heeft veel last van haar rug, zegt ze.' Hij stak zijn handen in zijn zakken. 'Artritis, toch?'

Ik knikte. 'Het begon heel plotseling, toen ik nog klein was. En het is snel erger geworden. Vooral 's winters heeft ze het moeilijk.'

'Een tante van mij had hetzelfde. Die werd oud voor haar tijd.' Hij schudde zijn hoofd. 'Jammer, zoiets.'

We wandelden een poosje zwijgend door. 'Alfred,' zei ik toen, 'heeft moeder… Denk je dat het haar aan iets ontbreekt? Heeft ze wel voldoende kolen en zo?'

'Ja, hoor,' zei hij. 'Maak je geen zorgen. Ze heeft een flinke berg kolen.' Hij boog zich opzij en gaf me een duwtje tegen mijn schouder. 'En mevrouw Townsend stuurt af en toe een pakketje met lekkers.'

'Wat is dat toch een schat,' zei ik met tranen van dankbaarheid in mijn ogen. 'En jij ook, Alfred, dat je bij haar langs bent gegaan. Ik weet dat ze dat zeer op prijs stelt, ook al zegt ze het niet.'

Hij haalde zijn schouders op en zei eenvoudig: 'Ik doe het niet om je moeders dankbaarheid, Gracie. Ik doe het voor jou.'

Mijn wangen kregen een kleur van plezier. Ik bracht mijn gehandschoende hand naar mijn gezicht en drukte hem zachtjes tegen mijn wang, alsof ik de warmte ermee wilde absorberen. 'En hoe is het met iedereen?' vroeg ik bedeesd. 'Hoe is het op Riverton? Maakt iedereen het goed?'

Een korte stilte, tot hij mijn gedachtesprong kon volgen. 'Redelijk,' zei hij. 'Beneden in ieder geval. Boven is een heel ander verhaal.'

'Meneer Frederick?' Ik had al uit Nancy's laatste brief begrepen dat het niet goed ging met hem.

Alfred schudde zijn hoofd. 'Die is nog veel somberder geworden sinds jij weg bent. Hij had blijkbaar een zwak voor je.' Hij stootte me aan en ik glimlachte onwillekeurig.

'Hij mist Hannah,' zei ik.

'Dat geeft hij anders niet toe.'

'Ze vindt het zelf net zo erg als hij.' Ik vertelde hem over de onafgemaakte brieven die ik had gevonden. De ene poging na de andere, verworpen zonder ooit te zijn verzonden.

Hij floot en schudde zijn hoofd. 'En ze zeggen dat we van onze meesters moeten leren. Als je het mij vraagt, kunnen zij nog wel het een en ander van óns leren.'

Ik liep verder en dacht na over meneer Fredericks sombere stemming. 'Denk je dat als Hannah en hij het zouden bijleggen…'

Alfred haalde zijn schouders op. 'Eerlijk gezegd weet ik niet of het wel zo eenvoudig is. Hij mist Hannah, dat is waar, geen twijfel mogelijk, maar dat is het niet alleen.'

Ik keek hem aan.

'Hij mist zijn auto's ook. Het is net alsof hij niet weet wat hij met zichzelf aan moet nu hij zijn fabriek niet meer heeft. Hij zwerft de hele dag over het landgoed. Hij neemt altijd zijn geweer mee en zegt dat hij op zoek is naar stropers. Dudley zegt dat hij spoken ziet, dat er helemaal geen stropers zijn, maar hij doet het evengoed.' Hij tuurde de mist in. 'Ik snap dat wel. Een man moet het gevoel hebben dat hij van nut is.'

'Heeft hij niets aan Emmeline?'

Hij haalde zijn schouders op. 'Die wordt flink eigenwijs, als je het mij vraagt. Ze doet min of meer wat ze zelf wil nu meneer is zoals hij is. Hij lijkt er helemaal geen erg in te hebben wat ze allemaal doet. Het grootste deel van de tijd heeft hij niet eens in de gaten dat ze er is.' Hij schopte tegen een steentje en keek het na toen het een paar keer opsprong en in de goot terechtkwam. 'Nee, Riverton is niet meer hetzelfde sinds jij er niet meer bent.'

Ik liep na te genieten van die opmerking toen hij 'O ja,' zei en zijn hand in zijn zak stak. 'Over Riverton gesproken, je mag drie keer raden wie ik daarnet zag. Toen ik op je stond te wachten.'

'Wie dan?'

'Juffrouw Starling. Lucy Starling. De secretaresse die voor meneer Frederick heeft gewerkt.'

Een steek van jaloezie – omdat haar voornaam zo makkelijk over zijn lippen kwam. Lucy. Een glibberige, mysterieuze naam die ruiste als zijde. 'Juffrouw Starling? Hier in Londen?'

'Ze vertelde dat ze hier nu woont. Ze heeft een flat in Hartley Street, hier vlakbij.'

'Maar wat doet ze hier?'

'Ze heeft een baan. Toen de fabriek van meneer Frederick werd opgeheven, moest ze een andere baan zoeken en hier in Londen zijn banen genoeg.' Hij gaf me een velletje papier. Wit, warm, één hoekje omgebogen door de voering van zijn broekzak. 'Ik heb haar adres opgeschreven en gezegd dat ik het aan jou zou geven.' Hij keek naar me en glimlachte op een manier die mij weer deed blozen. 'Ik vind het een rustgevend idee,' zei hij, 'dat je in Londen tenminste één kennis hebt.'

Ik kan bijna niet meer. Mijn gedachten zwemmen alle kanten op. Naar me toe, van me af, op de getijden van de historie.

Het wijkgebouw. Misschien is Sylvia daar. Ik kan er in ieder geval een kop thee krijgen. De organisatrices hebben daar vast wel voor gezorgd, in het keukentje, waar ze cake en koekjes verkopen en bekertjes waterige thee met stokjes in plaats van lepeltjes. Ik schuifel voetje voor voetje naar de korte betonnen trap. Langzaam maar zeker.

Ik til mijn voet op – niet hoog genoeg – stoot mijn enkel hard tegen de rand van de tree. Iemand grijpt mijn arm wanneer ik dreig te vallen. Een jongeman met een donkere huidskleur, groen haar en een ring door beide neusgaten.

'Gaat het?' vraagt hij. Hij heeft een zachte, vriendelijke stem.

Ik kan mijn ogen niet afwenden van zijn neusring, kan de woorden niet vinden.

'U ziet erg bleek. Bent u hier in uw eentje? Kan ik iemand voor u roepen?'

'Eindelijk!' Het is een vrouw. Iemand die ik ken. 'Waar zat u toch? Ik heb u overal gezocht.' Ze klakt met haar tong, zet haar vuisten in haar zij, hoger dan haar taille, zodat ze eruitziet alsof ze vlezige vleugels heeft. 'Wat was u in 's hemelsnaam van plan?'

'Ik zag haar opeens,' zegt groenhaar. 'Ze viel bijna toen ze de trap op wilde.'

'Stouterd!' zegt Sylvia. 'Ik kan u ook geen minuut alleen laten! U bezorgt me nog een keer een hartaanval. Wat wilde u hier?'

Ik begin haar dat te vertellen, maar doe er dan het zwijgen toe. Besef dat ik het me niet kan herinneren. Ik heb heel sterk het gevoel dat ik ergens naar op zoek was, dat ik iets wilde.

'Kom,' zegt ze, en met beide handen op mijn schouders leidt ze me weg van het wijkcentrum. 'Anthony wil graag met u kennismaken.'

De tent is groot en wit, en één flap is opengeslagen, zodat je naar binnen kunt. Boven de ingang hangt een doek waarop met verf is gespoten: SAFFRON GREEN HISTORICAL SOCIETY. Sylvia manoeuvreert me naar binnen. Daar is het warm en het ruikt er naar gemaaid gras. Aan het bovenste deel van het frame is een neonlamp opgehangen, die zachtjes zoemt en een bloedeloos licht over de plastic tafels en stoelen werpt.

'Dat is hem,' fluistert Sylvia, en ze wijst naar een man die me juist vanwege zijn alledaagse uiterlijk bekend voorkomt. Bruin haar, doorschoten met grijs, bijpassende snor, rozige wangen. Hij is druk in gesprek met een moederlijke, conservatief geklede vrouw. Sylvia buigt zich naar me toe. 'Heb ik u niet gezegd dat hij een lieverd is?'

Ik heb het warm en mijn voeten doen pijn. Ik voel me verward. Uit het niets komt een onweerstaanbare drang om te drammen. 'Ik wil thee.'

Sylvia kijkt naar me, verbergt snel haar verbazing. 'Geen probleem. Ik zal het voor u halen, en ik heb ook een verrassing voor u. Ga maar lekker zitten.' Ze brengt me haastig naar een stoel bij een met jute bekleed bord dat is behangen met foto's, en verdwijnt.

Fotografie is een wrede, ironische vorm van kunst. Gevangen momenten worden naar de toekomst gesleept, momenten die je in het verleden had moeten laten verdampen, die alleen in herinneringen zouden moeten voortleven, in de nevel van de gebeurtenissen die erop waren gevolgd. Foto's dwingen ons mensen te zien zoals ze waren voordat hun toekomst zijn tol eiste, voordat ze wisten hoe het zou aflopen.

Aanvankelijk zijn ze een schuimlaag van witte gezichten en japonnen in een bruinzwarte zee, maar herkenning brengt sommigen scherp in beeld, terwijl anderen naar de achtergrond verdwijnen. De eerste is van het zomerhuis dat Teddy had ontworpen en laten bouwen, toen ze er in 1924 gingen wonen. De foto is dat jaar genomen, te oordelen naar de mensen op de voorgrond. Teddy staat bij de nog niet voltooide trap, tegen een van de witte marmeren zuilen van de ingang geleund. Er ligt een picknickkleed op het glooiende grasveld. Hannah en Emmeline zitten zij aan zij op het kleed. Allebei met een afwezige blik in hun ogen. Deborah staat helemaal vooraan op de foto, haar lange lichaam modieus scheefgezakt, haar donkere haar half over één oog. Ze heeft een sigaret in haar hand. De rook op de foto ziet eruit als nevel. Als ik niet beter wist, had ik gedacht dat er nog een vijfde persoon op de foto stond, verborgen achter de nevel. Dat is natuurlijk niet zo. Er zijn geen foto's van Robbie op Riverton. Hij is er maar twee keer geweest.

Op de tweede foto staan geen mensen. Het is er een van Riverton – althans, van wat ervan over was na de brand die het vlak voor de Tweede Wereldoorlog verwoestte. De linkervleugel is volledig verdwenen, alsof er een gigantische bulldozer vanuit de hemel was neergedaald en de kinderkamer, eetzaal, zitkamer en slaapkamers van de familie had weggeschoven. De rest van het huis is geblakerd. Ze zeggen dat het weken heeft gesmeuld, dat de geur van de as nog maanden in het dorp heeft gehangen. Ik zou het niet weten. Tegen die tijd was er een nieuwe oorlog in aantocht, Ruth was geboren en ik stond op het punt een heel nieuw leven te beginnen.

De derde foto probeer ik te negeren, om hem geen plaats te hoeven geven in mijn geschiedenis. Ik herken de mensen moeiteloos, en het feit dat ze gekleed zijn voor een feest. In die tijd werden er voortdurend feestjes gegeven en de mensen poseerden om de haverklap feestelijk aangekleed voor een foto. De mensen op deze foto konden op weg zijn naar een willekeurig bal. Maar dat is niet zo. Ik weet waar ze zijn en ik weet wat er gaat gebeuren. Ik herinner me nog precies welke kleren ze droegen. Ik herinner me het bloed, het patroon dat het had gemaakt op haar lichte japon, alsof iemand vanaf grote hoogte een pot rode inkt had laten vallen. Het lukte me niet het volledig te verwijderen, maar dat maakte uiteindelijk niets uit. Ik had de japon moeten weggooien. Ze heeft er nooit meer naar gekeken en zou hem nooit meer hebben aangetrokken.

Op deze foto weten ze het nog niet; ze glimlachen. Hannah en Emmeline en Teddy. Ze kijken glimlachend in de lens. Het is Ervoor. Ik kijk naar Hannahs gezicht, zoek naar een aanwijzing, een vermoeden omtrent het naderende noodlot. Ik zie uiteraard niets. Integendeel, in haar ogen staat eerder verwachting te lezen. Of misschien verbeeld ik me dat, omdat ik weet dat ze die voelde.

Er staat iemand achter me. Een vrouw. Ze buigt zich over mijn schouder en kijkt naar dezelfde foto.

'Schitterend, hè?' zegt ze. 'Die malle jurken die ze toen droegen. Een heel andere wereld.'

Alleen ik zie de schaduw op hun gezichten. De wetenschap van wat hun te wachten staat spreidt zich kil uit over mijn huid. Nee, het is geen wetenschap die ik voel; ik verlies vocht op de plek waar ik me heb gestoten; kleverige vloeistof sijpelt naar mijn schoen.

Iemand tikt op mijn schouder. 'Dr. Bradley?' Een man buigt zich naar me toe, brengt zijn lachende gezicht vlak bij het mijne. Hij pakt mijn hand. 'Aangenaam kennis te maken. Sylvia heeft me veel over u verteld. Het is me een waar genoegen u te ontmoeten.'

Wie is deze man, die zo hard en zo langzaam praat? Die mijn hand zo heftig op en neer zwengelt? Wat heeft Sylvia hem over mij verteld? En waarom?

'… ben ik leraar Engels, maar geschiedenis is mijn hobby. Ik mag mezelf een deskundige op het gebied van de plaatselijke geschiedenis noemen.'

Sylvia verschijnt in de opening van de tent met een schuimplastic bekertje in haar hand. 'Alstublieft.'

Thee. Precies wat ik graag wilde. Ik neem een slokje. De thee is lauw; ze kunnen me geen hete vloeistoffen meer toevertrouwen. Ik ben te vaak zomaar ingedommeld.

Sylvia gaat op een stoel zitten. 'Heeft Anthony u verteld over de getuigenissen?' Ze knippert met haar ogen naar de man; de mascara aan haar wimpers is geklonterd. 'Heb je haar verteld over de getuigenissen?'

'Daar ben ik nog niet aan toegekomen,' zegt hij.

'Anthony is bezig verhalen van de bewoners van Saffron Green over de geschiedenis van het dorp op video op te nemen. Hij doet dat voor de Historical Society. Ze kijkt naar me, breed lachend. 'Hij heeft er zelfs subsidie voor gekregen. Daarnet heeft hij mevrouw Baker opgenomen.'

Ze legt het allemaal uit, met hulp van hem; losse woorden springen naar voren uit de massa: mondelinge geschiedenis, cultureel belang, tijdcapsule van het millennium, mensen van een eeuw…

Vroeger hielden mensen hun verhalen voor zich. Het kwam niet eens in hen op dat andere mensen ze interessant zouden vinden. Nu schrijft iedereen zijn memoires, wedijvert men om de akeligste jeugd, de wreedste vader. Vier jaar geleden kwam er een student van een nabijgelegen technische school naar Heathview om vragen te stellen, een serieuze jongeman met acne, die de gewoonte had onder het luisteren aan zijn nagelriemen te pulken. Hij had een bandrecordertje meegebracht met een microfoon, en een grote envelop waaruit hij een met de hand geschreven vragenlijst haalde. Hij ging van de ene kamer naar de andere en vroeg of de mensen bereid waren zijn vragen te beantwoorden. Een heleboel mensen wilden maar al te graag hun verhaal aan hem kwijt. Mavis Buddling trakteerde hem zelfs op verhalen over een heldhaftige echtgenoot waarvan ik weet dat ze die nooit heeft gehad.

Eigenlijk zou ik hier blij mee moeten zijn. In mijn tweede leven, nadat alles op Riverton was afgelopen, na de Tweede Wereldoorlog, heb ik een groot deel van mijn tijd besteed aan het ontdekken van de verhalen van andere mensen. Bewijzen zoeken, naakte botten blootleggen. Het zou veel makkelijker zijn als iedereen een volledig overzicht van zijn persoonlijke geschiedenis bij zich droeg. Maar het enige wat ik voor me zie, zijn miljoenen bandjes van bejaarden die zaniken over de prijs van de eieren dertig jaar geleden. Liggen die bandjes ergens in een magazijn, een grote ondergrondse bunker, met planken tot aan het plafond, rijen bandjes, tussen muren waartegen onbeduidende herinneringen echoën waar niemand tijd voor heeft?

Er is maar één persoon die mijn verhaal hoeft te horen. Eén persoon voor wie ik het vastleg. Ik hoop dat het de moeite waard zal blijken te zijn. Dat Ursula gelijk heeft: dat Marcus zal luisteren en het zal begrijpen. Dat mijn eigen schuldgevoelens en het verhaal over hoe die zijn ontstaan, hem vrijheid zullen schenken.

Het licht is fel. Ik voel me als een vogel in een oven. Heet, geplukt en bekeken. Ik had hier nooit in moeten toestemmen. Heb ik hierin toegestemd?

'Kunt u iets zeggen, zodat we het geluid kunnen testen?' Anthony zit gebukt achter een zwart voorwerp. Een videocamera, neem ik aan.

'Wat moet ik dan zeggen?' Een stem die niet de mijne is.

'Nog een keer.'

'Het spijt me, maar ik weet echt niet wat ik moet zeggen.'

'Goed zo.' Anthony komt achter de camera vandaan. 'Zo is het goed.'

Ik ruik het tentdoek, bakkend in de middagzon.

'Ik wil zo graag met u praten,' zegt hij en hij lacht me toe. 'Sylvia zegt dat u vroeger op Riverton hebt gewerkt.'

'Dat klopt.'

'U hoeft zich niet naar de microfoon te buigen. Hij kan uw stemgeluid makkelijk opvangen.'

Ik had me helemaal niet gerealiseerd dat ik me vooroverboog en leun, met het gevoel op de vingers getikt te zijn, wat achterover tegen de stoelleuning.

'U hebt op Riverton gewerkt.' Het is een verklaring waarop geen antwoord nodig is, maar toch voel ik behoefte het te bevestigen, te specificeren.

'Ik ben er in 1914 begonnen als dienstmeisje.'

Hij kijkt gegeneerd, maar ik weet niet om wie, om zichzelf of om mij. 'Ja, nou…' Hij gaat snel verder. 'U hebt toch ook voor Theodore Luxton gewerkt?' Hij spreekt de naam enigszins beschroomd uit, alsof hij door Teddy's geest op te roepen besmet kan worden met diens schande.

'Ja.'

'Uitstekend! Zag u hem vaak?'

Hij bedoelt of ik veel hoorde, of ik hem kan vertellen wat er achter gesloten deuren gaande was. Ik vrees dat ik hem moet teleurstellen. 'Niet vaak. Ik
was de kamenier van zijn vrouw.'

'Dan moet u vrij veel contact hebben gehad met Theodore.'

'Nee, helemaal niet.'

'Maar ik heb gelezen dat er in het bediendevertrek altijd flink werd gerod-
deld. U moet hebben geweten wat er aan de hand was.'

'Nee.' Veel werd later bekend. Ik las het, net zoals iedereen, in de krant.
Reisjes naar Duitsland, besprekingen met Hitler. Ik heb de ergste beschuldi-
gingen nooit geloofd. Ze hadden zich aan niets anders schuldig gemaakt dan
aan bewondering voor de manier waarop Hitler de arbeidersklassen wist op
te zwepen, zijn talent om industrieën in het leven te roepen. Dat dit gebeurde via een soort slavenarbeid, deed niet ter zake. Weinig mensen wisten dat
toen. De geschiedenis had nog niet uitgewezen dat hij waanzinnig was.

'De ontmoeting met de Duitse ambassadeur in 1936?'

'Toen werkte ik niet meer op Riverton. Ik was ongeveer tien jaar eerder al
vertrokken.'

Hij zwijgt; hij is teleurgesteld, zoals ik al had voorzien. Zijn vragensalvo
wordt abrupt afgekapt. Maar zijn opwinding keert terug, zij het in mindere
mate. '1926?'

'1925.'

'Dan was u daar toen die man, die dichter, hoe heet hij ook alweer, zichzelf
van het leven beroofde.'

Ik heb het heel warm van het licht. Ik ben moe. Mijn hart trilt een beetje.
Of iets in mijn hart trilt, een ader die zo dun is geworden dat er een stukje van
is losgeraakt dat nu klappert in de stroom van mijn bloed.

'Ja,' hoor ik mezelf zeggen.

Een kleine troost. 'Goed. Kunnen we daar dan over praten?'

Ik kan mijn hart nu horen. Het klopt moeizaam.

'Grace?'

'Ze ziet heel bleek.'

Ik ben erg licht in mijn hoofd. En verschrikkelijk moe.

'Dr. Bradley?'

'Grace? Grace!'

Een suizen als van wind in een tunnel, een nijdige wind die een zomerstorm achter zich aan sleept, op me afkomt, steeds sneller. Het is mijn verleden en het komt me halen. Het is overal, in mijn oren, achter mijn ogen, het drukt op mijn ribben…

'Laat een dokter komen, een ambulance!'

Ontspanning. Desintegratie. Miljoenen scherfjes vallen door een tijdtunnel.

'Grace? Maakt u zich geen zorgen. Het komt wel goed, Grace, hoort u me?'

Paardenhoeven op de keien, automobielen met vreemde namen, bezorgers op fietsen, kindermeisjes achter wandelwagens, springtouwen, hinkelen, Greta Garbo, de Original Dixieland Jazz Band, Bee Jackson, de charleston, Chanel 5, *The Mysterious Affair at Styles*, F. Scott Fitzgerald…

'Grace!'

Mijn naam?

'Grace?'

Sylvia? Hannah?

'Ze zakte zomaar in elkaar. Ze zat hier en…'

'Achteruit, mevrouw. Dan kunnen we haar meenemen.' Een nieuwe stem.

Het dichtslaan van een portier.

Een sirene.

Beweging.

'Grace… ik ben het, Sylvia. Hou vol! Ik ben bij u… ik breng u naar huis… hou vol…'

Volhouden? Wat moet ik volhouden? Ik zie een brief in mijn hand. Ja, natuurlijk. Ik moet Hannah de brief brengen. De straat is glad en de winterse sneeuw begint te vallen.

Dieptepunten

Het is een koude winter en ik ben aan het rennen. Ik voel mijn bloed, dik en warm in mijn aderen, kloppend onder mijn verkleumde gezicht. De ijskoude lucht trekt mijn huid strak over mijn jukbeenderen, alsof hij tot een kleinere maat is gekrompen, alsof hij wordt uitgerekt op een droogrek. Op de pijnbank, zou Nancy zeggen.

Ik houd de brief stevig in mijn hand geklemd. Het is een kleine envelop, met een vlek op de plek waar de duim van degene die hem heeft geschreven de nog natte inkt heeft uitgesmeerd. Het nieuws is heet van de naald.

De brief is van een detective. Een echte detective met een kantoor in Surrey Street, een secretaresse bij de deur en een typemachine op zijn bureau. Ik ben gestuurd om de brief persoonlijk af te halen, want hij bevat – in het gunstige geval – informatie die te sensationeel is om te worden verstuurd via de Royal Mail of de telefoon. De brief bevat, naar we hopen, informatie over de verblijfplaats van Emmeline, die is verdwenen. Het dreigt een schandaal te worden en ik ben een van de weinigen die ervan weten.

Het telefoontje uit Riverton kwam drie dagen geleden. Emmeline logeerde dat weekeinde bij vrienden van de familie op een landgoed in Oxfordshire. Ze is ertussenuit geknepen toen de anderen naar de kerk waren. Er was een auto voor haar gekomen. Het was gepland. Men fluistert dat het om een man gaat.

Ik ben blij met de brief – ik weet hoe belangrijk het is dat Emmeline gevonden wordt –, maar ik ben opgewonden om nog een andere reden: ik heb vanavond een afspraakje met Alfred. Ons eerste afspraakje sinds die mistige avond vele maanden geleden, toen hij me het adres van Lucy Starling heeft gegeven, toen hij heeft gezegd dat hij om me gaf en me laat op de avond heeft thuisgebracht. We hebben elkaar sindsdien met toenemende regelmaat (en groeiende genegenheid) geschreven en nu krijgen we elkaar eindelijk weer te zien. Een echt, officieel afspraakje. Alfred komt naar Londen. Hij heeft gespaard en twee kaartjes gekocht voor *Princess Ida*. Het is een toneelstuk. Mijn eerste. Ik zie de aanplakbiljetten van de voorstellingen altijd wanneer ik door

311

de Haymarket loop om boodschappen te doen voor Hannah, en tijdens mijn vrije middagen, maar ik ben nog nooit naar een toneelvoorstelling geweest.

Het is mijn geheim. Ik zeg er niets over tegen Hannah – die heeft al genoeg aan haar hoofd – en ook niet tegen de rest van het personeel van nummer 17. De onvriendelijke sfeer die door mevrouw Tibbit voortdurend wordt gekweekt, leidt ertoe dat iedereen eraan gewend is geraakt elkaar om de meest onbenullige redenen te sarren en de draak met elkaar te steken. Een keer, toen mevrouw Tibbit zag dat ik een brief zat te lezen (gelukkig van mevrouw Townsend en niet van Alfred!), wilde ze die per se zien. Ze zei dat het haar plicht was zich ervan te verzekeren dat de jongste bedienden (jongste bedienden!) zich niet onbehoorlijk gedroegen en zich niet inlieten met onbetamelijke lieden. Dat zou meneer niet dulden.

In dat opzicht heeft ze gelijk. Teddy is de laatste tijd streng geworden voor zijn personeel. Hij heeft problemen op zijn werk en alhoewel hij geen opvliegend karakter heeft, kan zelfs de goedaardigste man uit zijn slof schieten wanneer hij tot het uiterste wordt getergd. Hij maakt zich de laatste tijd druk om bacteriën en hygiëne en heeft aan het personeel flesjes mondwater uitgedeeld die we verplicht zijn te gebruiken; het is een van de eigenaardigheden die hij heeft overgenomen van zijn vader.

Dit is ook de reden waarom de rest van het personeel niets te horen mag krijgen over Emmeline. Een van hen zou het geheid doorvertellen, om punten te scoren als de brenger van het nieuws.

Wanneer ik aankom bij nummer 17, ga ik via de bediendetrap naar binnen en loop snel door, in de hoop aan mevrouw Tibbits aandacht te ontsnappen.

Hannah zit op haar slaapkamer op me te wachten. Ze ziet bleek; ze ziet al zo bleek sinds ze vorige week het telefoontje kreeg van meneer Hamilton. Ik overhandig haar de envelop, die ze onmiddellijk openscheurt. Haar ogen vliegen over de regels. Ze blaast haar adem uit. 'Ze is terecht,' zegt ze zonder op te kijken. 'Godzijdank. Ze maakt het goed.'

Ze leest verder, haalt diep adem, schudt haar hoofd. 'O, Emmeline,' zegt ze zachtjes. 'Emmeline.'

Ze leest de laatste regels, laat de brief zakken en kijkt naar me op. Ze klemt haar lippen op elkaar en knikt. 'We moeten haar onmiddellijk gaan halen, voordat het te laat is.' Ze stopt de brief terug in de envelop. Ze doet het geagiteerd, propt het papier er slordig in. Zo is ze de laatste tijd, sinds ze bij de spiritist is geweest: nerveus en verstrooid.

'Nu meteen, mevrouw?'

'Onmiddellijk. Er zijn al drie dagen verstreken.'

'Zal ik tegen de chauffeur zeggen dat hij de auto moet voorrijden?'

'Nee,' zegt Hannah snel. 'Nee. Ik wil het risico niet nemen dat ze erachter komen.' Ze bedoelt Teddy en zijn familie. 'Ik rijd zelf wel.'

'Mevrouw?'

'Kijk niet zo verbaasd, Grace. Mijn vader heeft een autofabriek gehad. Het is helemaal niet moeilijk.'

'Zal ik uw handschoenen en sjaal gaan halen, mevrouw?'

Ze knikt. 'En die van jezelf.'

'Die van mezelf, mevrouw?'

'Je gaat toch mee?' zegt Hannah en ze kijkt me met wijdopen ogen aan. 'Samen hebben we meer kans haar te redden.'

Samen. Een van de mooiste woorden die er bestaan. Natuurlijk ga ik met haar mee. Ze heeft mijn hulp nodig. Ik ben vast wel op tijd terug voor Alfred.

Hij is filmmaker, een Fransman, twee keer zo oud als zij. Het ergste is dat hij al getrouwd is. Hannah vertelt me dit onderweg. We gaan naar zijn filmstudio in het noorden van Londen. Volgens de detective bevindt Emmeline zich daar.

Wanneer we bij het adres aankomen, brengt Hannah de auto tot stilstand en blijven we samen nog even zitten terwijl we door de raampjes naar buiten kijken. Het is een deel van Londen waar we geen van beiden ooit zijn geweest. De huizen zijn laag en smal, gemaakt van donkere baksteen. Er zitten mensen op straat – gokkers, zal later blijken. Teddy's glanzende Rolls-Royce valt erg op. Hannah pakt de brief van de detective en controleert het adres. Ze kijkt me aan, trekt haar wenkbrauwen op, knikt.

Het is een gewoon huis. Hannah klopt op de deur. Een vrouw doet open. Ze heeft blond haar waar krulspelden in zitten en is gekleed in een zijden omslagjurk, roomwit van kleur, maar groezelig.

'Goedemorgen,' zegt Hannah. 'Mijn naam is Hannah Luxton. Mevrouw Luxton.'

De vrouw gaat op haar andere been staan en een knie wordt zichtbaar in de split van de omslagjurk. Ze bekijkt Hannah geïnteresseerd. 'Da's fijn voor je,' zegt ze met een accent dat lijkt op dat van Deborahs Texaanse vriend. 'Kom je voor de auditie?'

Hannah kijkt verward. 'Ik kom voor mijn zus. Emmeline Hartford.'

De vrouw fronst.

'Iets kleiner dan ik,' zegt Hannah, 'blond haar, blauwe ogen.' Ze haalt een foto uit haar tas en geeft die aan de vrouw.

'O,' zegt de vrouw en ze geeft de foto terug. 'Je bedoelt Baby.'

Hannah slaakt een zucht van verlichting. 'Is ze er? Maakt ze het goed?'

'Tuurlijk,' zegt de vrouw.

'Godzijdank,' zegt Hannah. 'Breng me naar haar toe.'

'Sorry, schatje. Dat kan niet. Ze zit midden in een opname.'

'Opname?'

'Voor de film. Philippe wordt niet graag gestoord tijdens het filmen.' De vrouw gaat op haar andere been staan en haar linkerknie neemt de plaats in van de rechter in het split van de japon. Ze houdt haar hoofd schuin. 'Willen jullie soms binnen wachten?'

Hannah kijkt naar mij. Ik haal hulpeloos mijn schouders op en we volgen de vrouw naar binnen.

Ze gaat ons voor de hal door en de trap op naar een kleine kamer met een onopgemaakt tweepersoonsbed. De gordijnen zijn dicht, waardoor er geen daglicht binnenkomt. In plaats daarvan branden er drie lampen, elk met een rode zijden doek over de kap.

Tegen een van de muren staat een stoel en op de stoel staat een koffer die we herkennen als die van Emmeline. Op een van de twee nachtkastjes ligt een pijpenset.

'O, Emmeline...' zegt Hannah, en daarna kan ze geen woord meer uitbrengen.

'Wilt u een glaasje water, mevrouw?' vraag ik.

Ze knikt, automatisch. 'Ja...'

Ik heb niet veel zin om terug te gaan naar beneden en daar de keuken te zoeken. De vrouw die ons heeft binnengelaten, is verdwenen, en ik weet niet wie of wat zich achter de gesloten deuren ophoudt. Verderop in de gang ontdek ik een kleine badkamer. Het wastafelblad ligt vol haarborstels, oogpotloden, poederdoosjes en valse wimpers. De enige beker die ik zie, is een dikke mok met een reeks smerige concentrische ringen aan de binnenkant. Ik probeer hem schoon te wassen, maar de vlekken zijn te hardnekkig. Ik keer met lege handen naar Hannah terug. 'Het spijt me, mevrouw...'

Ze kijkt naar me. Haalt diep adem. 'Grace,' zegt ze, 'ik wil je niet aan het schrikken maken, maar ik geloof dat Emmeline samenwoont met een man.'

'Ja, mevrouw,' zeg ik en ik probeer mijn afgrijzen te verbergen om haar niet nog meer van streek te maken. 'Daar lijkt het inderdaad op.'

De deur wordt opengegooid. We draaien ons met een ruk om. Emmeline staat op de drempel. Ik kijk volslagen verbijsterd naar haar. Haar blonde haar is gekruld en hoog opgestoken, met sierlijke krullen langs haar oren; lange, zwarte wimpers maken haar ogen onwaarschijnlijk groot. Haar lippen zijn helderrood gestift en ze is gekleed in een zijden peignoir, net als de vrouw beneden. Heel volwassen allemaal, maar toch ziet ze er nog jonger uit dan ze is. Dat komt door de uitdrukking op haar gezicht, besef ik. De gekunsteldheid van de volwassenen ontbreekt: ze was oprecht geschrokken toen ze ons zag en is niet in staat dat te verbergen. 'Wat doen jullie hier?' vraagt ze.

'Godzijdank,' zegt Hannah. Ze slaakt een zucht van verlichting en loopt snel op Emmeline af.

'Wat doen jullie hier?' zegt Emmeline nogmaals. Ze heeft inmiddels haar houding hervonden: geloken oogleden nemen de plaats in van de verbaasde grote ogen en haar lippen vormen zich tot een pruilmondje.

'We komen je halen,' zegt Hannah. 'Kleed je maar snel aan, dan kunnen we gaan.'

Emmeline schrijdt naar de kaptafel en gaat op het krukje zitten. Ze probeert een sigaret uit een verkreukeld pakje te schudden, tuit haar lippen wanneer de sigaret blijft steken, steekt dan op. Nadat ze een sliert rook heeft uitgeblazen, zegt ze: 'Ik ga nergens naartoe en jij kunt me niet dwingen.'

Hannah grijpt haar arm en trekt haar overeind. 'Je gaat mee. We gaan naar huis.'

'Dít is nu mijn huis,' zegt Emmeline en ze trekt haar arm los. 'Ik ben actrice. Ik word een filmster. Philippe zegt dat ik ervoor in de wieg ben gelegd.'

'Dat zal best,' zegt Hannah grimmig. 'Grace, pak Emmelines spullen in. Ik help haar wel met aankleden.'

Hannah trekt aan Emmelines gewaad en we slaken allebei een ingehouden kreet. Eronder draagt ze een negligé en het is doorzichtig. Roze tepels zijn zichtbaar onder de dunne zwarte stof. 'Emmeline!' zegt Hannah, terwijl ik me snel afwend naar de koffer. 'Wat voor soort film ben je aan het maken?'

'Een romantische film,' zegt Emmeline, terwijl ze de peignoir dichttrekt en een trek neemt van de sigaret.

Hannah slaat haar hand voor haar mond en kijkt naar mij met opengesperde, blauwe ogen waarin een mengeling van afgrijzen, bezorgdheid en woede te zien is. Het is nog veel erger dan we ons hadden voorgesteld. We kunnen geen van beiden een woord uitbrengen. Ik houd een van Emmelines japonnen omhoog. Hannah geeft hem aan Emmeline. 'Kleed je aan,' weet ze met moeite uit te brengen. 'En schiet een beetje op.'

We horen geluiden, zware voetstappen op de trap, en opeens staat er een man in de deuropening, een kleine, donkere man met een snor, een gedrongen postuur en een air van lome verwaandheid. Hij doet me denken aan een verzadigde hagedis die lui in de zon ligt te bakken. Hij draagt een driedelig kostuum met een gemarmerd vest in goud en brons, dat de vergane glorie van het huis weerspiegelt. Uit de sigaar tussen zijn paarse lippen kringelt grijze rook omhoog.

'Philippe,' zegt Emmeline triomfantelijk en ze rukt zich los van Hannah.

'Wat is 'ier aan de 'and?' vraagt hij met een zwaar Frans accent. De sigaar lijkt hem niet te hinderen bij het spreken. 'Wat doet u?' zegt hij tegen Hannah, terwijl hij snel naar Emmeline loopt en met een bezitterig gebaar zijn hand op haar arm legt.

'Ik neem haar mee naar huis,' zegt Hannah.

'En wie,' zegt Philippe, terwijl hij zijn blik over Hannah laat glijden, 'bent u?'

'Haar zus.'

Dit lijkt hem te bevallen. Hij gaat op het voeteneinde van het bed zitten en trekt Emmeline naast zich neer zonder zijn ogen van Hannah af te wenden. 'Waarom zo'n 'aast?' zegt hij met een glimlach rond de sigaar. 'Miskien wil grote zus met Baby meedoen in film?'

Hannah haalt diep adem en slaagt erin haar houding te bewaren. 'Natuurlijk niet. We vertrekken allebei. Nu meteen.'

'Ik niet,' zegt Emmeline.

Philippe haalt op een typisch Franse manier zijn schouders op. 'Ze wil niet mee.'

'Ze heeft niks te willen,' zegt Hannah. Ze kijkt naar mij. 'Heb je alles ingepakt, Grace?'

'Bijna, mevrouw.'

Nu pas ontwaart Philippe mij. 'Een derde zus?' Hij trekt keurend zijn wenkbrauwen op en ik krimp ineen onder deze ongewenste aandacht; ik voel me alsof ik naakt ben.

Emmeline lacht. 'Philippe, doe niet zo mal. Dat is alleen maar Hannahs kamenier, Grace.'

Hoewel ik me gevleid voel door wat hij dacht, ben ik blij wanneer Emmeline aan zijn mouw trekt en hij zijn blik van me afwendt.

'Vertel het haar maar,' zegt Emmeline tegen Philippe. 'Vertel haar over ons.' Ze glimlacht naar Hannah met de onomwonden geestdrift van een zeventienjarige. 'We gaan er samen vandoor, we gaan trouwen.'

'En wat zegt uw echtgenote daarvan, monsieur?' vraagt Hannah.

'Hij heeft geen echtgenote,' zegt Emmeline. 'Nog niet.'

'Schaamt u zich niet, monsieur?' zegt Hannah met trillende stem. 'Mijn zus is pas zeventien.'

Alsof er een springveer in zit, schiet Philippes arm weg van Emmelines schouders.

'Zeventien is oud genoeg om verliefd te zijn,' zegt Emmeline. 'We gaan trouwen wanneer ik achttien ben, nietwaar, Philly?'

Philippe glimlacht benepen, hij wrijft met zijn handpalmen over zijn broekspijpen en staat op.

'Nietwaar?' zegt Emmeline, op iets luidere toon. 'Zoals we hebben afgesproken? Zeg het dan!'

Hannah gooit de jurk op Emmelines schoot. 'Ja, monsieur, zeg het maar?'

Een van de lampen flakkert en gaat uit. Philippe schokschoudert, de sigaar bengelt aan zijn onderlip. 'Ik, eh… ik…'

'Hou op, Hannah,' zegt Emmeline met trillende stem. 'Je maakt alles kapot.'

'Ik neem mijn zus mee naar huis,' zegt Hannah. 'En als u dit nog onaangenamer maakt dan het al is, zal mijn echtgenoot ervoor zorgen dat u geen enkele film meer zult maken. Hij heeft vrienden bij de politie en de regering. Ik weet zeker dat die graag willen weten wat voor soort films u maakt.'

Daarna is Philippe erg behulpzaam; hij haalt spulletjes van Emmeline uit de badkamer en stopt ze in haar koffer, al doet hij dat niet zo zorgvuldig als ik graag zou willen. Hij draagt haar koffers naar de auto, en terwijl Emmeline huilt en tegen hem zegt dat ze van hem houdt en hem smeekt tegen Hannah te zeggen dat ze gaan trouwen, geeft hij haar geen antwoord. Uiteindelijk kijkt hij naar Hannah, geschrokken van wat Emmeline allemaal zegt en zich angstig afvragend wat voor soort problemen Hannahs echtgenoot precies kan veroorzaken, en zegt: 'Ik weet niet waar ze het over heeft. Ze is gek. Ze zei dat ze eenentwintig is.'

De hele weg naar huis huilt Emmeline hete, boze tranen. Volgens mij hoort ze geen woord van Hannahs preek over verantwoordelijk gedrag, reputatie en dat weglopen geen oplossing is.

'Hij houdt van me,' is het enige wat ze zegt wanneer Hannah uitgepraat is. Tranen stromen over haar wangen en haar ogen zijn rood. 'We gaan trouwen.'

Hannah zucht. 'Hou op, Emmeline. Hou alsjeblieft op.'

'We zijn verliefd. Philippe komt me heus wel halen.'

'Dat betwijfel ik,' zegt Hannah.

'Waarom heb je alles voor me bedorven?'

'Bedorven?' zegt Hannah. 'Ik heb je gered. Je boft dat we er net op tijd bij waren, voordat je in nog grotere problemen verzeild raakte. Hij is al getrouwd. Hij heeft je iets voorgelogen, zodat hij zijn smerige films kan maken.'

Emmeline staart met trillende onderlip naar Hannah. 'Je kunt het gewoon niet uitstaan dat ik gelukkig ben,' zegt ze, 'dat ik verliefd ben. Dat mij iets fijns overkomt. Dat iemand het meest van míj houdt.'

Hannah geeft geen antwoord. We zijn terug bij nummer 17 en de chauffeur komt naar buiten om de auto te parkeren.

Emmeline slaat haar armen over elkaar en snuft. 'Nou, je bent erin geslaagd deze film te verpesten, maar ik word evengoed actrice. Philippe wacht op me. En de andere films zullen mooi wél worden uitgebracht.'

'Zijn er dan nog meer?' Hannah kijkt in het achteruitkijkspiegeltje naar mij en ik weet wat ze denkt. Ze zal het aan Teddy moeten vertellen. Alleen hij is in staat ervoor te zorgen dat de films nooit worden vertoond.

Wanneer Hannah en Emmeline het huis binnengaan, hol ik de bediendetrap af. Ik heb geen polshorloge, maar vermoed dat het al tegen vijven loopt. De toneelvoorstelling begint om halfzes. Ik duw de deur open, maar het is mevrouw Tibbit die op me zit te wachten, niet Alfred.

'Alfred?' zeg ik, buiten adem.

'Aardige jongen,' zegt ze, en een sluwe glimlach doet haar moedervlek bewegen. 'Jammer dat hij al zo gauw weer weg moest.'

Mijn hart slaat een slag over en ik kijk op de klok. 'Hoe laat is hij weggegaan?'

'O, een tijdje geleden alweer,' zegt ze, en ze loopt naar de keuken. 'Hij heeft hier een poosje gezeten, terwijl de ene minuut na de andere verstreek, tot ik hem uit zijn lijden heb verlost.'

'Uit zijn lijden verlost?'

'Ik heb gezegd dat hij zijn tijd zat te verkwisten. Dat je weg was voor een van je geheime missies voor mevrouw en dat ik geen idee had wanneer je terug zou komen.'

Ik ben weer aan het rennen. Door Regent Street naar Piccadilly. Als ik snel ben, haal ik hem misschien nog in. Onderweg vervloek ik die bemoeizuchtige heks van een mevrouw Tibbit. Waarom heeft ze tegen Alfred gezegd dat ik niet terug zou komen? En hoe durft ze het hem te vertellen dat ik op mijn vrije dag iets voor Hannah aan het doen was! Het is alsof ze precies weet hoe ze me op de pijnlijkste manier kan treffen. Ik ken Alfred goed genoeg om te weten wat hij denkt. Zijn brieven zijn de laatste tijd steeds meer doorweven met boze zinnen over de 'feodale uitbuiting van slaven en lijfeigenen', oproepen om 'de slapende reus van het proletariaat te wekken'. Hij is al zo gefrustreerd doordat ik mijn baan niet zie als uitbuiting. 'Juffrouw Hannah heeft me nodig', schrijf ik hem iedere keer opnieuw, en 'ik hou van het werk: hoe kun je dat dan beschouwen als exploitatie?'

Waar Regent Street uitkomt op Piccadilly worden het lawaai en de drukte nog erger. De klokken van Saqui & Lawrence staan op halfzes – het einde van de werkdag – en het plein zit verstopt met verkeer en voetgangers. Deftige heren en zakenmensen, dames en loopjongens, allemaal proberen ze het plein veilig en wel over te steken. Ik pers me tussen een autobus en een stilstaande taxi door, word bijna aangereden door een paard dat een met juten balen beladen kar trekt.

Ik hol verder door Haymarket, spring over een schuinstaande wandelstok, wat de woede opwekt van de eigenaar, een man met een monocle. Ik blijf dicht bij de huizen omdat de stoep daar iets minder druk is, tot ik buiten adem het Koninklijk Theater bereik. Ik blijf tegen de stenen muur geleund staan, pal onder het aanplakbiljet, en kijk zoekend naar de lachende, fronsende, pratende, knikkende gezichten, wachtend tot mijn oog op zijn geliefde trekken zal vallen. Een magere heer en een nog magerder dame haasten zich de trap van het theater op. Hij laat twee kaartjes zien en ze gaan naar binnen. In de verte slaat een klok – de Big Ben? – kwart voor zes. Zou Alfred alsnog komen? Is hij van gedachten veranderd? Of ben ik te laat en zit hij al in de zaal?

Ik wacht tot ik de Big Ben het hele uur hoor slaan, en voor alle zekerheid ook nog kwart over. Na het stel chic geklede windhonden is niemand het theater binnengegaan en niemand is naar buiten gekomen. Ik zit nu op de trap. Ik ben weer op adem en ik heb me bij de situatie neergelegd. Alfred krijg ik vanavond niet te zien.

Wanneer een straatveger het waagt verlekkerd naar me te grijnzen, weet ik dat het tijd is om op te stappen. Ik trek mijn sjaal strak rond mijn schouders, zet mijn hoed recht en keer terug naar nummer 17. Ik zal Alfred schrijven. Uitleggen wat er is gebeurd. Over Hannah en mevrouw Tibbit; misschien vertel ik hem zelfs de hele waarheid, over Emmeline en Philippe en het schandaal dat hopelijk is voorkomen. Ondanks al zijn praatjes over uitbuiting en feodale maatschappijen, zal Alfred dat toch wel begrijpen?

Hannah heeft Teddy over Emmelines films verteld en hij is woedend. Het had op geen slechter tijdstip kunnen gebeuren, zegt hij: zijn vader en hij staan op het punt een fusie aan te gaan met Briggs Bank. Ze zullen een van de grootste banksyndicaten van Londen worden, van de hele wereld. Als er iets uitlekt over dit schandaal, wordt dat zijn einde, en het einde van hen allemaal.

Hannah knikt en biedt nogmaals haar verontschuldigingen aan: ze herinnert Teddy eraan dat Emmeline nog jong, naïef en goedgelovig is, dat ze dit zal ontgroeien.

Teddy gromt. Hij gromt veel dezer dagen. Hij kamt met zijn vingers door zijn donkere haar, dat grijs begint te worden. Emmeline heeft geen goede opvoeding gehad, zegt hij; dat is het probleem. Wezens die in de wildernis opgroeien, worden vanzelf wild.

Hannah herinnert hem eraan dat Emmeline op dezelfde plek is opgegroeid als zijzelf, maar Teddy trekt alleen een wenkbrauw op.

Hij briest. Hij heeft geen tijd om er verder over te praten; hij moet naar de club. Hij laat Hannah het adres van de filmmaker opschrijven en zegt dat ze voortaan niets voor hem mag achterhouden. Man en vrouw mogen geen geheimen voor elkaar hebben.

De volgende ochtend, wanneer ik bezig ben Hannahs kaptafel op orde te brengen, zie ik een briefje met mijn naam erop. Ze heeft het voor me achtergelaten, moet het daar hebben neergelegd nadat ik haar had geholpen met aankleden. Ik vouw het met trillende vingers open. Waarom? Ze trillen niet van angst of schrik, of om een van de andere emoties waardoor mensen gaan beven, maar van verwachting, opwinding, en omdat ik zoiets nooit had verwacht.

Ik maak het briefje open, maar het is niet in het Engels geschreven. Het bestaat uit een reeks slingertjes, lijntjes en puntjes, zorgvuldig op de regels genoteerd. Het is steno, besef ik wanneer ik ernaar staar. Ik herken het uit de boeken die ik jaren geleden op Riverton heb gevonden, toen ik Hannahs kamer schoonmaakte. Ze heeft een briefje voor me achtergelaten in onze geheime taal, een taal die ik niet kan lezen.

Ik houd het briefje de hele dag bij me terwijl ik opruim en verstelwerk en andere klusjes doe, maar alhoewel ik erin slaag mijn werk te verrichten, ben ik niet in staat me erop te concentreren. In gedachten ben ik voortdurend bij het briefje; ik vraag me af wat erin staat en hoe ik daarachter kan komen. Ik ga op zoek naar boeken die me kunnen helpen het te ontcijferen – heeft Hannah ze meegebracht uit Riverton? –, maar kan er geen een vinden.

Een paar dagen later buigt Hannah zich naar me toe wanneer ik de theeboel opruim en vraagt zachtjes: 'Heb je mijn briefje gevonden?'

Ik zeg ja en voel mijn maag kriebelen wanneer ze glimlacht en eraan toevoegt: 'Ons geheim.' Haar eerste glimlach in zeer lange tijd.

Nu weet ik dat het iets belangrijk is, een geheim, en dat ik de enige ben die ze vertrouwt. Ik moet ofwel met de waarheid voor den dag komen, ofwel een manier zoeken om erachter te komen wat erin staat. Ik kies uiteraard voor de tweede optie. Het is voor het eerst in mijn leven dat iemand me een brief heeft geschreven in code.

Dagen later kom ik op een idee. Ik haal *The Return of Sherlock Holmes* onder mijn bed vandaan en laat het boek openvallen op een gemarkeerde plek. Mijn speciale geheime bergplaats, tussen twee van mijn favoriete verhalen. Verscholen tussen Alfreds brieven ligt een klein velletje papier dat ik nu al een jaar bewaar. Het is een geluk dat ik het nog heb; ik heb het niet bewaard vanwege het adres, maar omdat híj het heeft geschreven. In het begin haalde ik het steeds tevoorschijn om ernaar te kijken, eraan te ruiken, de dag te herleven waarop hij het me had gegeven, maar dat heb ik nu al maanden niet meer gedaan, sinds hij me met regelmaat liefdevolle brieven schrijft. Nu haal ik het uit de geheime bergplaats: het adres van Lucy Starling.

Ik ben nog nooit bij haar thuis geweest, heb er nooit aanleiding voor gehad. Ik heb het druk met mijn werk en besteed mijn weinige vrije tijd aan lezen en brieven schrijven aan Alfred. En er is nog iets anders wat me ervan heeft weerhouden contact met haar op te nemen: de vonk van jaloezie, bespottelijk maar niettemin krachtig, die ontbrandde toen Alfred die avond in de mist haar voornaam zo nonchalant uitsprak.

Wanneer ik bij het adres aankom, word ik verscheurd door twijfels. Doe ik hier goed aan? Woont ze hier nog? Had ik mijn andere, mooiere jurk moeten aantrekken? Ik druk op de bel. Een oude vrouw doet open. Ik ben opgelucht en teleurgesteld.

'Neemt u me niet kwalijk,' zeg ik, 'ik ben op zoek naar iemand anders.'

'Ja?' zegt de oude vrouw.

'Een oude vriendin.'

'Naam?'

'Juffrouw Starling,' zeg ik, ook al gaat het haar niets aan. 'Lucy Starling.'

Ik knik beleefd en draai me al om om weg te gaan wanneer ze een beetje neerbuigend zegt: 'Eerste etage. Tweede deur links.'

Ze blijkt de hospita te zijn en kijkt me na wanneer ik de trap met de rode loper bestijg. Ik kan haar niet meer zien, maar voel haar ogen in mijn rug. Of misschien ook niet; misschien heb ik te veel spannende boeken gelezen.

Behoedzaam loop ik de gang door. Het is er donker. Het enige raam, boven het trapgat, is groezelig van het straatvuil. Tweede deur links. Ik klop aan. Achter de deur hoor ik zachte geluiden. Ze is dus thuis. Ik haal diep adem.

De deur gaat open. Ze is het. Precies zoals ik me haar herinner.

Ze kijkt naar me. 'Ja?' Knippert met haar ogen. 'Ken ik u?'

De hospita kijkt nog steeds. Ze is de trap een stukje op gelopen om me in zicht te houden. Ik werp een snelle blik op haar en kijk dan weer naar juffrouw Starling.

'Mijn naam is Grace. Grace Reeves. We kennen elkaar van Riverton.'

Haar gezicht klaart op. 'Grace. Natuurlijk. Wat leuk om je weer eens te zien.' De beschaafde stem van de middenklasse waarmee ze apart stond van het personeel van Riverton. Ze glimlacht, doet een stapje opzij en nodigt me met een gebaar uit binnen te komen.

Ik had niet zo ver vooruitgedacht. Het idee om bij haar op bezoek te gaan was heel plotseling in me opgekomen.

Juffrouw Starling staat in de kleine woonkamer en wacht tot ik ga zitten, zodat zij dat ook kan doen.

Ze vraagt of ik een kopje thee blief en het lijkt onbeleefd om te weigeren. Wanneer ze verdwijnt, naar een kitchenette neem ik aan, laat ik mijn blik bijna steels door de kamer gaan. Er is hier meer licht dan op de gang, zie ik, en de ramen zijn brandschoon, net als de rest van de flat. Ze heeft het beste gemaakt van haar omstandigheden.

Ze keert terug met een dienblad. Theepot, suikerpot, twee kopjes.

'Wat een aangename verrassing,' zegt ze. Ze is te beleefd om de vraag te stellen die in haar ogen te zien is.

'Ik ben gekomen om u iets te vragen,' zeg ik.

Ze knikt. 'Zeg het maar.'

'Kent u steno?'

'Natuurlijk,' zegt ze met een lichte frons. 'De methode van Pitman en de methode van Gregg.'

Dit is de laatste gelegenheid om er alsnog van af te zien, om weg te gaan. Ik kan zeggen dat ik me heb vergist, mijn theekopje neerzetten en de deur uit lopen. De trap af hollen, naar de straat, en nooit meer terugkomen. Maar dan zal ik het nooit weten. En ik moet het weten. 'Zou u iets voor me willen lezen?' hoor ik mezelf zeggen. 'En me willen vertellen wat er staat?'

'Natuurlijk.'

Ik geef haar het briefje, hou mijn adem in en hoop dat ik het juiste besluit heb genomen.

Haar lichte ogen gaan over de regels, een voor een, voor mijn gevoel tergend langzaam. Dan schraapt ze haar keel. 'Er staat: *Dank je voor je hulp met die onfortuinlijke toestand inzake de film. Zonder jou had ik het niet aangekund. T. was erg boos... zoals je je wel kunt voorstellen. Ik heb hem niet alles verteld, vooral niet over ons bezoek aan dat afschuwelijke huis. Hij is heel streng wat geheimen betreft. Ik weet dat ik op je kan rekenen, mijn getrouwe Grace, die meer als een zus voor me is dan een kamenier.'* Ze kijkt naar me op. 'Zegt dit je iets?'

Ik knik, niet in staat een woord uit te brengen. Meer een zus. Een zus. Ik bevind me opeens op twee plaatsen tegelijk: hier in Lucy Starlings bescheiden woonkamer, en ver weg en lang geleden in de kinderkamer op Riverton, waar ik bij de boekenplanken zit en smachtend naar de twee meisjes kijk, de meisjes met hetzelfde haar en dezelfde strikken. Dezelfde geheimen.

Juffrouw Starling geeft me het briefje terug maar zegt verder niets over de inhoud. Ik besef opeens dat die heel goed vragen kan opwekken vanwege de woorden over de onfortuinlijke toestand en het bewaren van geheimen.

'Het hoort bij een spel,' zeg ik snel, en ik vervolg op tragere toon, genietend van het bedrog: 'Een spel dat we soms spelen.'

'Wat leuk,' zegt juffrouw Starling met een onbewogen glimlach. Ze is secretaresse en is eraan gewend vertrouwelijke informatie te vernemen en te vergeten.

We drinken thee en babbelen over Londen en over vroeger op Riverton. Ik hoor tot mijn verbazing dat juffrouw Starling altijd zenuwachtig was wanneer ze beneden moest komen. Dat ze meneer Hamilton strenger vond dan meneer Frederick. We lachen samen wanneer ik haar vertel dat wij net zo bang waren als zij.

'Voor mij?' zegt ze en ze droogt haar ooghoeken met een zakdoek. 'Het idee!'

Wanneer ik opsta om te vertrekken, vraagt ze of ik haar nog een keer zal komen opzoeken en ik antwoord dat ik dat zal doen. Ik meen het ook. Ik snap niet waarom ik het niet eerder heb gedaan: ze is aardig en we kennen allebei verder niemand in Londen. Ze loopt met me naar de deur, waar we afscheid nemen.

Wanneer ik me omdraai om te vertrekken, zie ik iets op haar leestafel. Ik buig me voorover om te zien of ik me niet vergis.

Een theaterprogramma.

Ik zou er niets achter hebben gezocht, als de naam me niet was opgevallen. '*Princess Ida?*' zeg ik.

'Ja.' Ze kijkt nu zelf ook naar de tafel. 'Ik ben vorige week naar een voorstelling ervan geweest.'

'O ja?'

'Het was erg mooi,' zegt ze. 'Je moet er echt naartoe gaan als je de kans krijgt.'

'Ja,' zeg ik. 'Dat was ik al van plan.'

'Nu ik erover nadenk,' zegt ze, 'is het een eigenaardig toeval dat je juist vandaag bent gekomen.'

'Een toeval?' Een kilte spreidt zich uit onder mijn huid.

'Je raadt nooit met wie ik naar de voorstelling ben geweest.'

Ik vrees dat ik het al weet.

'Alfred Steeple. Kun je je die nog herinneren? Van Riverton?'

'Ja,' schijn ik te antwoorden.

'Het was heel onverwachts. Hij had een extra kaartje. Iemand had op het laatste moment afgezegd. Hij zei dat hij eigenlijk al had besloten in zijn eentje te gaan, maar zich opeens had herinnerd dat ik in Londen woon. We zijn elkaar meer dan een jaar geleden een keer tegengekomen en hij had mijn adres onthouden. Dus zijn we samen gegaan; anders zou het zonde zijn geweest van het kaartje, duur als ze zijn.'

Verbeeld ik me de roze gloed die zich uitspreidt over haar bleke wangen met sproeten, waardoor ze er opeens onbeholpen en bakvisachtig uitziet, ondanks het feit dat ze zeker tien jaar ouder is dan ik?

Op de een of andere manier slaag ik erin haar ten afscheid toe te knikken wanneer ze de deur achter me dichtdoet. In de verte klinkt een claxon.

Alfred, mijn Alfred, is met een andere vrouw naar het theater gegaan. Heeft met háár gelachen, is met háár uit eten gegaan, heeft háár thuisgebracht.

Ik loop de trap af.

Terwijl ik naar hem op zoek was, de straten afzocht, was hij hier en vroeg hij juffrouw Starling of ze met hem mee wilde. Gaf hij haar het kaartje dat voor mij was bedoeld.

Ik blijf staan en leun tegen de muur. Sluit mijn ogen en bal mijn vuisten. Ik raak het beeld niet kwijt: zij tweeën, arm in arm, glimlachend terugkijkend op de voorstelling. Zoals Alfred en ik zouden hebben gedaan. Het is onverdraaglijk.

Een geluid dichtbij. Ik doe mijn ogen open. De hospita staat onder aan de trap, met haar knoestige hand op de leuning, de ogen achter haar brillenglazen strak op mij gericht. Op haar onvriendelijke gezicht ligt een uitdrukking

324

van onverklaarbare tevredenheid. Logisch dat hij haar heeft gevraagd, zegt haar gezicht, wat moet hij met iemand als jij wanneer hij iemand als Lucy Starling kan krijgen? Je bent naast je schoenen gaan lopen, je hebt te hoog gegrepen. Je had naar je moeder moeten luisteren en moeten onthouden wat je plaats is.

Ik heb veel zin om haar op haar geniepige gezicht te slaan.

Ik loop snel de rest van de trap af, langs de oude vrouw heen, de straat op.

En ik zweer dat ik nooit meer een woord zal wisselen met juffrouw Lucy Starling.

Hannah en Teddy hebben ruzie om de oorlog. Het lijkt wel alsof iedereen in Londen de laatste tijd ruzie heeft om de oorlog. Er is nu vrij veel tijd verstreken en alhoewel het verdriet nog niet is gezakt en ook nooit zal verdwijnen, stelt afstand de mensen in staat bepaalde dingen kritisch te bekijken.

Hannah is bezig klaprozen te maken van rood crêpepapier en zwart ijzergaren en ik help haar daarbij. Maar mijn gedachten zijn niet bij het werk. De gedachten aan Alfred en Lucy Starling laten me niet los. Ik ben verward en boos, maar vooral gekwetst dat hij zijn attenties zo makkelijk op een ander heeft kunnen richten. Ik heb hem een brief geschreven, waarop ik nog geen antwoord heb ontvangen. Intussen voel ik me eigenaardig leeg; 's nachts, in mijn donkere kamer, word ik soms plotseling overvallen door tranen. Overdag is het makkelijker, dan ben ik in staat mijn emoties van me af te zetten, mijn bediendemasker op te zetten en mijn best te doen een goede kamenier te zijn. Dat moet ik ook wel, want zonder Alfred heb ik niemand anders dan Hannah.

De klaprozen zijn Hannahs nieuwe 'goede doel'. Ze leggen een band met de klaprozen op de velden van Vlaanderen, zegt ze. Die komen voor in een gedicht van een Canadese arts en officier die de oorlog niet heeft overleefd. Dit jaar gaan we hiermee de oorlogsslachtoffers herdenken.

Teddy vindt het onnodig. Hij vindt dat degenen die in de oorlog zijn gesneuveld een waardig offer hebben gebracht, maar dat het nu tijd is om vooruit te kijken.

'Het was geen offer,' zegt Hannah, terwijl ze de zoveelste klaproos afwerkt. 'Het was een verkwisting. Hun levens zijn verkwist. Zowel van degenen die zijn gestorven als van degenen die zijn teruggekeerd: de levende doden, die op straathoeken zitten met flessen drank en centenbakjes.'

'Offers, verkwisting, het is in principe hetzelfde,' zegt Teddy. 'Je moet dat niet zo letterlijk nemen.'

Hannah antwoordt daarop dat hij het niet begrijpt. Ze kijkt niet op wanneer ze eraan toevoegt dat hij er goed aan zou doen zelf ook een klaproos te dragen. Dat zou ertoe kunnen bijdragen de problemen beneden de kop in te drukken.

Er zijn de laatste tijd problemen geweest. Het is begonnen nadat Simion door Lloyd George in de adelstand was verheven voor zijn verdiensten tijdens de oorlog. Sommigen van de bedienden hebben zelf in de oorlog gevochten, of vaders en broers verloren, en hebben over Simions oorlogsverdiensten weinig goeds te melden. Ze hebben geen enkele waardering voor mensen als Simion en Teddy, van wie ze vinden dat ze geld hebben verdiend aan de dood van anderen.

Teddy geeft Hannah geen antwoord, althans niet direct. Hij mompelt iets over dat de mensen ondankbaar zijn en dat ze blij mogen zijn dat ze werk hebben, maar hij pakt een klaproos en draait hem heen en weer aan de stengel van ijzerdraad. Een poosje zwijgt hij, terwijl hij doet alsof hij verdiept is in de krant. Hannah en ik gaan door met rood crêpepapier draaien om de stengels eraan te kunnen bevestigen.

Nu vouwt Teddy zijn krant op en gooit hem op het tafeltje naast hem. Hij staat op en trekt zijn jasje recht. Hij gaat naar de club, zegt hij. Hij komt naar Hannah toe en steekt de klaproos voorzichtig in haar haar. Ze moet hem maar in zijn plaats dragen, zegt hij. De klaproos staat haar veel beter dan hem. Hij buigt zich voorover, kust haar wang en loopt dan met grote stappen de kamer door. Wanneer hij bij de deur is, aarzelt hij alsof hem iets te binnen is geschoten, en draait zich om.

'Er is een heel goede manier om de oorlog achter je te laten,' zegt hij, 'namelijk door de levens die verloren zijn gegaan te vervangen door nieuwe.'

Daarop geeft Hannah geen antwoord. Ze verstijft alleen, maar zo licht dat je het alleen merkt als je er speciaal op let. Ze kijkt niet naar me. Haar vingers tasten naar Teddy's klaproos en trekken hem uit haar haar.

Hannah is nog steeds niet zwanger. Het is een voortdurend twistpunt tussen hen tweeën, aangewakkerd door Estella's nadrukkelijke bemoedigingen. Hannah en ik hebben het er nooit over en ik weet niet hoe ze erover denkt. In het begin vroeg ik me af of ze zichzelf er met opzet van weerhield zwanger te worden, met behulp van een of ander medicijn, maar daar heb ik geen enkel bewijs van gevonden. Misschien is ze gewoon een vrouw die niet snel in verwachting raakt. Een van de gelukkigen, zoals mijn moeder zou zeggen.

In de herfst van 1921 wordt er een poging gedaan me van Hannah af te trog-gelen. Een vriendin van Estella, lady Pemberton-Brown, neemt me tijdens een weekeinde op het platteland apart en biedt me een baan aan. Ze begint met te zeggen dat ze mijn borduurwerk zo mooi vindt en dat een goede ka-menier dezer dagen niet makkelijk te vinden is, en kondigt dan aan dat ze het heel fijn zou vinden als ik voor haar zou willen werken.

Ik ben gevleid: dit is de eerste keer dat iemand me een positie aanbiedt. De Pemberton-Browns wonen op Glenfield Hall; het is een van de oudste en voornaamste families van heel Engeland. Meneer Hamilton vertelde ons al-tijd verhalen over Glenfield, het huishouden waaraan iedere Engelse butler zich kon meten.

Ik bedank haar voor het compliment, maar antwoord dat ik mijn huidige dienst onmogelijk kan verlaten. Ze verzoekt me erover na te denken. Zegt dat ze morgen nog een keertje met me komt praten, voor het geval ik van ge-dachten verander.

En dat doet ze ook. Een en al glimlach en vleiende woorden.

Weer zeg ik nee. Met meer nadruk ditmaal. Ik zeg dat ik mijn plaats ken, dat ik weet waar ik thuishoor. Bij wie.

Weken later, wanneer we terug zijn op nummer 17, komt Hannah erach-ter wat lady Pemberton-Brown heeft gedaan. Ze roept me op een ochtend naar de zitkamer en wanneer ik binnenkom, zie ik meteen dat ze boos is, al weet ik nog niet waarom. Ze loopt te ijsberen.

'Heb je enig idee, Grace, hoe het voelt om midden in een lunch met zeven vrouwen die erop uit zijn je voor gek te zetten te moeten horen dat iemand heeft geprobeerd je kamenier af te snoepen?'

Ik haal diep adem; ze heeft me ermee overrompeld.

'Om te midden van een groep vrouwen te zitten en te moeten luisteren naar wat ze zeggen, hoe ze erom lachen, te moeten aanzien hoe verbaasd ze zogenaamd zijn dat ik er niets van wist. Dat zoiets vlak onder mijn neus heeft kunnen gebeuren. Waarom heb je het me niet verteld?'

'Het spijt me, mevrouw…'

'Dat mag ik aannemen. Ik moet je kunnen vertrouwen, Grace. Ik dacht dat ik dat kon, na al die tijd, na alles wat we samen hebben doorgemaakt…'

Ik heb nog steeds niets van Alfred gehoord. Vermoeidheid en bezorgdheid geven mijn stem een vlijmscherpe klank. 'Ik heb nee gezegd tegen lady Pem-berton-Brown, mevrouw. Het is niet in me opgekomen er iets over te zeggen, omdat ik geen moment heb overwogen het aanbod aan te nemen.'

Hannah blijft staan, kijkt me aan, slaakt een zucht. Ze gaat op het puntje van de bank zitten en schudt haar hoofd. Ze glimlacht flauwtjes. 'O, Grace. Het spijt me. Dat was bijzonder onaardig van me. Ik snap niet wat me over-kwam. Waarom ik me zo gedraag.' Ze lijkt nog bleker dan anders.

Ze laat haar voorhoofd tegen haar hand rusten en zegt een poosje niets. Wanneer ze haar hoofd weer opheft, kijkt ze me recht in de ogen en zegt met een zachte, trillende stem: 'Het is allemaal ook helemaal niet wat ik ervan had verwacht, Grace.'

Ze ziet er zo breekbaar uit dat ik er meteen spijt van heb dat ik haar zo fel heb toegesproken. 'Wat niet, mevrouw?'

'Alles.' Ze maakt een halfslachtig gebaar. 'Dit. Deze kamer. Dit huis. Lon-den. Mijn leven.' Ze kijkt naar me op. 'Ik voel me zo slecht toegerust. Soms ga ik in gedachten terug om na te gaan wat de eerste verkeerde keuze is geweest.' Haar blik dwaalt naar het raam. 'Ik voel me alsof Hannah Hartford, de echte, is vertrokken om haar ware leven te leven en me hier heeft achtergelaten om haar plaats te vervullen.' Na een ogenblik kijkt ze me weer aan. 'Weet je nog dat ik vorig jaar naar die waarzegster ben gegaan, Grace?'

'Ja, mevrouw.' Angstige huiveringen trekken door me heen.

'Ze heeft me uiteindelijk niet de toekomst voorspeld.'

Opluchting, van korte duur wanneer ze doorgaat.

'Ze kon het niet. Wilde het niet. Ze was het wel van plan. Ik moest gaan zit-ten, moest een kaart trekken. Maar toen ik haar de kaart gaf, stopte ze hem te-rug in het pak, schudde het en zei dat ik er nog eentje moest trekken. Ik zag aan haar gezicht dat ik weer dezelfde kaart had getrokken en ik wist welke het was. De kaart van de dood.' Hannah staat op en begint weer te ijsberen. 'In het begin wilde ze het me niet vertellen. In plaats daarvan besloot ze me de hand te lezen, maar dat deed ze uiteindelijk ook niet. Ze zei dat ze niet wist wat het betekende, dat het onduidelijk was, dat ze het niet scherp kon zien, maar dat één ding zeker was.' Hannah draait zich naar me om. 'Ze zei dat de dood bij me in de buurt rondwaart en dat ik goed moet oppassen. Dood uit het verleden of dood uit de toekomst, dat kon ze niet zeggen, maar ze zag een duisternis.'

Met alle overtuigingskracht die ik kan opbrengen zeg ik dat ze zich er niets van moet aantrekken, dat het waarschijnlijk alleen maar een truc was om haar meer geld af te troggelen, om ervoor te zorgen dat ze terug zou komen voor meer sessies. Dat je van iedereen in Londen kunt zeggen dat hij iemand heeft verloren van wie hij hield, vooral degenen die de hulp inroepen van een waarzegster. Maar Hannah schudt ongeduldig haar hoofd.

'Ik weet wat het betekent. Ik heb het zelf uitgezocht. Ik heb erover gelezen.

Het is een metaforische dood. Soms spreken de kaarten in metaforen. Ik ben het. Ik ben dood vanbinnen. Dat voel ik nu al heel lang. Alsof ik ben gestorven en alles wat er gebeurt een rare, nare droom is van iemand anders.'

Ik weet niet wat ik moet zeggen. Ik verzeker haar dat ze niet dood is. Dat alles echt is.

Ze glimlacht bedroefd. 'O ja? Dan is het nog erger. Want als dit het ware leven is, heb ik niets.'

Nu weet ik wél wat ik moet zeggen. *Eerder een zus dan een kamenier.* 'U hebt mij, mevrouw.'

Ze kijkt me in de ogen en pakt mijn hand. Grijpt die bijna ruw vast. 'Laat me niet in de steek, Grace. Laat me alsjeblieft nooit in de steek.'

'Nee, mevrouw,' zeg ik, getroffen door haar ernst. 'Ik zal u nooit in de steek laten.'

'Beloof je het?'

'Ik beloof het.'

En ik heb me aan mijn belofte gehouden. Door dik en dun.

Opstanding

Duisternis. Stilte. Vage gedaanten. Dit is Londen niet; dit is niet de zitkamer van Grosvenor Square 17. Hannah is verdwenen. Voorlopig.

'Welkom terug.' Een stem in de duisternis. Iemand die zich over me heen buigt.

Ik knipper met mijn ogen. En nogmaals, trager.

Ik ken de stem. Het is Sylvia en ik ben opeens oud, moe.

Zelfs mijn oogleden zijn slap. Onbruikbaar. Als verschoten rolluiken met versleten trekkoorden.

'U hebt lang geslapen. We zijn flink geschrokken. Hoe voelt u zich?'

Ontheemd. Achtergebleven. Te laat.

'Wilt u een glaasje water?'

Ik moet geknikt hebben, want ik krijg een rietje in mijn mond gestoken. Ik neem een slokje. Lauw water. Bekend.

Ik ben onverklaarbaar verdrietig. Nee, niet onverklaarbaar. Ik ben verdrietig omdat de balans is doorgeslagen en ik weet wat me te wachten staat.

Het is weer zaterdag. Er is sinds de lentebazaar een week verstreken. Sinds mijn inzinking, zoals ze het nu noemen. Ik lig in bed in mijn eigen kamer. De gordijnen zijn open en de zon zindert boven de hei. Het is ochtend en de vogels zingen. Ik verwacht bezoek. Sylvia is geweest en heeft me erop voorbereid. Ik zit als een pop tegen een stel kussens geleund. De rand van het laken, die ze over de deken heen heeft gevouwen, ligt als een gladde strook onder mijn handen. Ze heeft me per se presentabel willen maken. Die lieverd heeft zelfs mijn haar geborsteld.

Een klopje op de deur.

Ursula kijkt om het hoekje, ziet dat ik wakker ben, glimlacht. Vandaag zit haar haar in een paardenstaart, waardoor haar hele gezicht zichtbaar is. Het is een klein, rond gezicht, waartoe ik me merkwaardig sterk aangetrokken voel.

Nu staat ze naast het bed, haar hoofd gebogen, en kijkt op me neer. Die grote donkere ogen: ogen voor een olieverfschilderij.

'Hoe gaat het?' vraagt ze, net zoals iedereen.

'Een stuk beter. Aardig van je dat je bent gekomen.'

Ze schudt haar hoofd met snelle bewegingen; doe niet zo mal, wil ze daarmee zeggen. 'Ik had eerder willen komen, maar ik hoorde het gisteren pas, toen ik belde.'

'Dat is maar goed ook. Ik ben nogal in trek. Mijn dochter heeft hier postgevat sinds het is gebeurd. Ik heb haar nogal aan het schrikken gemaakt.'

'Dat weet ik. Ik sprak haar in de foyer.' Ze glimlacht samenzweerderig. 'Ze zei dat u zich niet mocht opwinden.'

'Nee, stel je voor.'

Ze gaat op de stoel dicht bij mijn kussens zitten, zet haar grote tas naast zich op de grond.

'De film,' zei ik. 'Vertel me hoe het daarmee gaat.'

'Hij is bijna af,' zegt ze. 'We zijn klaar met de montage en hebben de geluidsopnamen en soundtrack bijna rond.'

'Soundtrack,' zei ik. Ja, er moet natuurlijk muziek bij. Tragedies worden altijd uitgebeeld met achtergrondmuziek. 'Wat voor soort?'

'Een paar nummers uit de jaren twintig,' antwoordt ze. 'Hoofdzakelijk dansmuziek, en wat piano. Mooie, trieste, romantische pianomuziek, in de stijl van Tori Amos.'

Ik kijk blijkbaar wezenloos, want ze gaat door, zoekt naar musici uit mijn tijd.

'Ook wat Debussy en Prokovjev.'

'Chopin?'

Ze trekt haar wenkbrauwen op. 'Chopin? Nee. Moet die erin?' Ze kijkt onthutst. 'U gaat me toch niet vertellen dat een van de meisjes verzot was op Chopin?'

'Nee,' zeg ik. 'Hun broer David speelde Chopin.'

'O, gelukkig. Die speelt geen grote rol. Hij is te vroeg gestorven om veel invloed gehad te hebben.'

Dat zou ik kunnen tegenspreken, maar dat doe ik niet.

'Hoe is het geworden?' vraag ik. 'Is het een mooie film?'

Ze bijt op haar lip, slaakt een zucht. 'Ik denk het. Ik hoop het. Ik vrees dat ik het zelf niet meer zie.'

'Is het wat je je ervan had voorgesteld?'

Daar denkt ze over na. 'Ja en nee. Het is moeilijk uit te leggen.' Ze slaakt nog een zucht. 'Voordat ik eraan begon, had ik het helemaal in mijn hoofd, het project had een onbegrensd potentieel. Nu alles op film staat, lijkt het beknot door bepaalde beperkingen.'

'Dat geldt voor de meeste projecten.'

Ze knikt. 'Maar ik voel een grote verantwoordelijkheid tegenover hen, tegenover hun verhaal. Ik wilde dat het perfect zou zijn.'

'Niets is perfect.'

'Nee.' Ze glimlacht. 'Soms ben ik bang dat ik niet de juiste persoon ben om hun verhaal te vertellen. Stel dat ik het verkeerd heb geïnterpreteerd? Wat weet ik er immers van?'

'Lytton Strachey heeft gezegd dat onwetendheid het eerste vereiste is om historicus te worden.'

Ze fronst.

'Onwetendheid verheldert,' zeg ik. 'Die selecteert en schrapt met onbewogen perfectie.'

'Staat te veel waarheid een goed verhaal in de weg? Bedoelt u dat?'

'Zoiets.'

'Maar is de waarheid niet juist het belangrijkste? Vooral in een biografische film?'

'Wat is de waarheid?' zeg ik, en ik zou mijn schouders ophalen als ik de kracht daarvoor had.

'Wat er in werkelijkheid is gebeurd.' Ze kijkt naar me alsof ik mijn verstand heb verloren. 'Dat weet u best. U hebt jarenlang in het verleden gewroet. Op zoek naar de waarheid.'

'Dat is zo. Ik weet alleen niet of ik die ooit heb gevonden.' Ik glijd onderuit tegen de kussens. Ursula merkt het en hijst me aan mijn bovenarmen voorzichtig weer wat omhoog. Ik praat door voordat ze dieper kan ingaan op de woordbetekenissen. 'Ik wilde detective worden,' zeg ik. 'Toen ik jong was.'

'Meent u dat? Bij de politie? Waarom hebt u dat dan niet gedaan?'

'Omdat politiemannen me zenuwachtig maken.'

Ze grinnikt. 'Dan is het inderdaad lastig.'

'In plaats daarvan ben ik archeologe geworden. Tussen die twee zit niet veel verschil, goed beschouwd.'

'De slachtoffers zijn alleen langer dood.'

'Ja,' zeg ik. 'Ik ben door Agatha Christie op het idee gebracht. Of liever gezegd: door een van haar romanfiguren. Die zei tegen Hercule Poirot: "U zou een goede archeoloog zijn geweest, monsieur Poirot. U hebt de gave het verleden opnieuw tot leven te brengen." Ik heb het bewuste boek tijdens de oorlog gelezen. De Tweede Wereldoorlog. Ik had detectiveverhalen toen eigenlijk afgezworen, maar een van de andere verpleegsters had er een en oude gewoonten zet je niet makkelijk van je af.'

Ze glimlacht en zegt opeens onthutst: 'O, dat zou ik bijna vergeten! Ik heb iets voor u meegebracht.' Ze steekt haar hand in haar tas en haalt er een klein, langwerpig pakje uit.

Het heeft de afmetingen van een boek, maar het rammelt. 'Het zijn bandjes,' zegt ze. 'Agatha Christie.' Ze haalt met een schaapachtig gezicht haar schouders op. 'Ik wist niet dat u detectives had afgezworen.'

'Trek je daar maar niks van aan. Het was maar tijdelijk, een wilde poging om mijn jeugdige ik achter me te laten. Zodra de oorlog voorbij was, heb ik de draad weer vrolijk opgepakt.'

Ze wijst naar de dictafoon op het nachtkastje. 'Zal ik het bandje erin doen voordat ik ga?'

'Ja,' zeg ik. 'Graag.'

Ze trekt de plastic verpakking eraf, haalt het eerste bandje eruit en doet mijn dictafoon open. 'Er zit al een bandje in.' Ze laat het me zien. Het is de band die ik aan het opnemen ben voor Marcus. 'Is deze voor hem, voor uw kleinzoon?'

Ik knik. 'Leg het maar op de tafel; ik heb het straks nog nodig.' Dat laatste is zeker waar. De tijd dringt, ik voel het, en ik heb me vast voorgenomen het verhaal af te maken.

'Hebt u al iets van hem gehoord?' vraagt ze.

'Nog niet.'

'Binnenkort,' zegt ze met grote stelligheid. 'Dat weet ik zeker.'

Ik ben te moe voor zo veel vertrouwen, maar knik instemmend; ze is er zo van overtuigd.

Ze stopt Agatha in de dictafoon en legt die weer op het kastje. 'Alstublieft.' Ze neemt haar tas over haar schouder. Staat op het punt te vertrekken.

Ik pak haar hand wanneer ze zich omdraait, klem de mijne eromheen. Zo glad. 'Ik zou je iets willen vragen,' zeg ik. 'Of je iets voor me kunt doen, zonder dat Ruth…'

'Natuurlijk,' antwoordt ze. 'Zegt u het maar.' Ze is nieuwsgierig, heeft de dringende klank in mijn stem opgevangen. 'Wat kan ik voor u doen?'

'Riverton. Ik wil Riverton zien. Breng me ernaartoe.'

Ze klemt haar lippen opeen, fronst. Ik heb haar voor het blok gezet. 'Alsjeblieft.'

'Ik weet het niet. Wat zal Ruth daarvan zeggen?'

'Die zal nee zeggen. Daarom vraag ik het aan jou.'

Ze kijkt naar de muur. Ik heb haar in de problemen gebracht. 'In plaats daarvan zou ik u gedeelten van de film kunnen laten zien, die we op locatie hebben gemaakt. Ik kan die overzetten op video…'

'Nee,' zeg ik met klem. 'Ik moet ernaartoe.' Ze kijkt me nog steeds niet aan. 'En snel,' zeg ik. 'Het heeft haast.'

Haar ogen keren terug naar de mijne en ik weet al dat ze ja zal zeggen voordat ze knikt.

Ik knik terug, om haar te bedanken, en wijs naar de cassettedoos. 'Ik heb haar ooit ontmoet. Agatha Christie.'

Het was eind 1922. Teddy en Hannah gaven een diner. Teddy en zijn vader hadden zakelijke betrekkingen met Archibald Christie, die belangstelling had voor de ontwikkeling van een bepaalde uitvinding.

Ze organiseerden heel vaak diners en feestjes in de beginjaren van dat decennium, maar om een aantal redenen herinner ik me dit diner nog heel goed. Een van de redenen was de aanwezigheid van Agatha Christie in eigen persoon. Ze had toen nog maar één boek geschreven, *The Mysterious Affair at Styles*, maar Hercule Poirot had in mijn verbeelding nu al de plaats ingenomen van Sherlock Holmes. Holmes was een jeugdvriend geworden, Poirot hoorde bij mijn nieuwe wereld.

Emmeline was er ook. Ze was al een maand in Londen. Ze was nu achttien en had haar debuut gemaakt vanuit nummer 17. Er werd met geen woord over gerept dat er een echtgenoot voor haar moest worden gezocht, zoals het geval was geweest bij Hannahs debuut. Er waren slechts vier jaren verstreken sinds het bal op Riverton, maar de wereld was sterk veranderd. Meisjes waren veranderd. Ze hadden zich bevrijd van hun korsetten en zich op de tirannie van het 'lijnen' gestort. Je zag nu alleen nog veulenachtige benen, geplette borsten en gladde kapsels. Ze fluisterden niet meer achter hun hand en verscholen zich niet meer achter bedeesde blikken. Ze vertelden moppen, dronken alcohol, rookten en vloekten net als de jongens. De stof van hun japonnen werd dunner, de tailles werden lager, en het niveau van hun zeden zakte mee.

Misschien verklaart dat de ongewone aard van het gesprek van die avond, of misschien was de aanwezigheid van mevrouw Christie de reden dat ze zich allemaal op een bepaalde manier uitdrukten. Of lag het aan de stortvloed van krantenartikelen over het onderwerp van gesprek.

'Ze krijgen allebei de strop,' zei Teddy welgemoed, 'Edith Thompson en Freddy Bywaters. Net als die andere man die zijn vrouw heeft vermoord. Eerder dit jaar, in Wales. Hoe heette hij ook alweer? Was hij geen legerofficier, kolonel?'

'Majoor Herbert Rowse,' antwoordde kolonel Christie.

Emmeline huiverde theatraal. 'Dat iemand zijn eigen vrouw vermoordt, van wie hij geacht wordt te houden.'

'De meeste moorden worden gepleegd door mensen die beweren van elkaar te houden,' zei mevrouw Christie laconiek.

'Mensen worden steeds gewelddadiger,' zei Teddy terwijl hij een sigaar opstak. 'Je hoeft de krant maar op te slaan om daarvan het bewijs te zien. En het verbod op vuurwapens haalt weinig uit.'

'We leven in Engeland, meneer Luxton,' zei kolonel Christie. 'De bakermat van de vossenjacht. Je kunt hier moeiteloos aan vuurwapens komen.'

'Ik heb een vriend die altijd een pistool bij zich draagt,' zei Emmeline luchtig.

'Welnee,' zei Hannah hoofdschuddend. Ze keek mevrouw Christie aan. 'Mijn zus heeft te veel Amerikaanse films gezien.'

'Het is echt waar,' zei Emmeline. 'Een goede vriend van me, wiens naam ik niet zal noemen, zegt dat je er net zo makkelijk aan kunt komen als aan een pakje sigaretten. Hij zegt dat hij er ook voor mij een kan krijgen als ik wil.'

'Harry Bentley zeker,' zei Teddy.

'Harry?' zei Emmeline, en ze keek de tafel rond met haar grote ogen, het blauw omrand door zwarte wimpers. 'Harry doet geen vlieg kwaad! Nee, dan zijn broer Tom.'

'Je gaat met veel te veel mensen om die niet door de beugel kunnen,' zei Teddy. 'Moet ik je er echt aan herinneren dat vuurwapens wettelijk verboden zijn, en bovendien nog gevaarlijk ook?'

Emmeline haalde haar schouders op. 'Ik heb als kind al leren schieten. Alle vrouwen in onze familie kunnen schieten. Grootmama zou ons onterfd hebben als we het niet hadden geleerd. Vraag maar aan Hannah: één keer heeft ze geprobeerd onder de jacht uit te komen door tegen grootmama te zeggen dat ze vond dat het niet juist was om weerloze dieren dood te schieten. Nou, daar had grootmama wel iets over te zeggen, nietwaar, Hannah?'

Hannah trok haar wenkbrauwen op en nam een slokje van haar rode wijn toen Emmeline vervolgde: 'Ze zei: "Nonsens. Je bent een Hartford. Schieten zit in je bloed."'

'Dat kan best zijn,' zei Teddy, 'maar ik duld geen vuurwapens in mijn huis. Stel je eens voor wat mijn kiezers zouden zeggen als ik illegale vuurwapens in mijn bezit had!'

Emmeline gnuifde toen Hannah zei: 'Je toekomstige kiezers.'

'Maak je niet zo druk, Teddy,' zei Emmeline. 'Als je zo doorgaat, hoef je je niet op te winden over vuurwapens; dan krijg je vanzelf een hartaanval. Ik zei niet dat ik een vuurwapen zou aanschaffen; ik zei alleen dat vrouwen vandaag de dag extra voorzichtig moeten zijn, nu ze ieder moment door hun echtgenoot vermoord kunnen worden. Vindt u ook niet, mevrouw Christie?'

Mevrouw Christie had de woordenwisseling gevolgd met een blik waarin een wrang soort geamuseerdheid lag. 'Ik geef zelf niet zo veel om vuurwapens,' zei ze kalmpjes. 'Ik hou meer van gif.'

'Dat klinkt verontrustend, Archie,' zei Teddy, voor zijn doen grappig. 'Een echtgenote met een voorliefde voor gif.'

Archibald Christie glimlachte zuinig. 'Het is alleen maar een van haar vermakelijke liefhebberijtjes.'

Man en vrouw keken elkaar over de tafel heen aan.

'Niet vermakelijker dan je eigen onsmakelijke liefhebberijtjes,' zei mevrouw Christie. 'En een stuk minder veeleisend.'

Laat die avond, nadat de Christies waren vertrokken, haalde ik mijn exemplaar van *The Mysterious Affair at Styles* onder mijn bed vandaan. Ik had het cadeau gekregen van Alfred en ging zo op in het herlezen van de opdracht dat het nauwelijks tot me doordrong dat de telefoon ging. Meneer Boyle moet hebben opgenomen en het gesprek hebben doorverbonden naar Hannah, die boven was. Ik had er amper erg in. Pas toen meneer Boyle op mijn deur klopte en aankondigde dat mevrouw me wilde zien, begon ik me zorgen te maken.

Hannah was nog gekleed in haar oesterkleurige zijden japon. Zijde die wel vloeibaar leek. Haar blonde haar golfde rond haar gezicht en een streng diamanten was rond haar kruin bevestigd. Ze stond met haar rug naar me toe en draaide zich om toen ik binnenkwam.

'Grace,' zei ze, en ze pakte mijn handen vast. Dat baarde me zorgen. Het was een te persoonlijk gebaar. Er was iets gebeurd.

'Mevrouw?'

'Ga even zitten.' Ze liet me plaatsnemen op de bank, kwam naast me zitten en keek me met een meelevende blik in haar blauwe ogen aan.

'Mevrouw?'

'Je tante belde zojuist.'

Ik wist het meteen. 'Moeder,' zei ik.

'Het spijt me erg voor je, Grace.' Ze schudde zachtjes haar hoofd. 'Ze was gevallen. De dokter heeft niets meer voor haar kunnen doen.'

Hannah regelde mijn reis terug naar Saffron Green. 's Ochtends kwam de auto voorrijden en werd ik op de achterbank geïnstalleerd. Het was erg aardig van haar en veel meer dan ik had verwacht; ik zou het heel normaal hebben gevonden als ik de trein had moeten nemen. Nonsens, zei Hannah; het speet haar juist dat ze vanwege het diner voor Teddy's cliënten niet met me mee kon gaan.

Ik keek uit het raampje van de auto toen de chauffeur de ene na de andere straat doorreed en Londen steeds minder voornaam werd, de wijken groter en armoediger werden, tot we de stad uiteindelijk achter ons lieten. Het platteland gleed langs en hoe verder we naar het oosten reden, hoe kouder het werd. Natte sneeuw plakte tegen de ramen en vervaagde het landschap; de winter had alle levenslust uit de wereld gezogen. Berijpte weiden werden één met de blauwgrijze lucht tot ze plaatsmaakten voor de oerbossen van Essex, waar tinten grijsbruin en mosgroen overheersten.

We sloegen de landweg in naar Saffron en reden door de kille, eenzame moerassen. Zilverige stengels trilden in bevroren beken en baardmos hing als kant aan de kale bomen. Ik telde de bochten, hield om onduidelijke redenen mijn adem in en blies die pas uit toen we de oprit van Riverton voorbij waren. De chauffeur reed het dorp in en zette me af bij het grijze huisje in Market Street, dat nog altijd zwijgend ingeklemd stond tussen zijn identieke buren. De chauffeur hield het portier voor me open en zette mijn koffertje op de natte straatstenen.

'Daar zijn we dan,' zei hij.

Ik bedankte hem en hij knikte.

'Ik kom je over vijf dagen weer halen,' zei hij, 'zoals mevrouw me heeft opgedragen.'

Ik keek de auto na toen die de straat uit reed en Saffron High Street insloeg. Ik voelde een hevig verlangen hem terug te roepen, hem te smeken me niet hier achter te laten. Maar daarvoor was het te laat. Ik stond in het schemerdonker en keek op naar het huis waar ik de eerste veertien jaar van mijn leven had doorgebracht, het huis waar moeder had gewoond en was gestorven. En ik voelde niets.

Ik had niets gevoeld sinds Hannah het me had verteld. De hele weg terug naar Saffron had ik geprobeerd me dingen te herinneren: mijn moeder, mijn jeugd, mezelf. Wat gebeurt er met de herinneringen van je kinderjaren? Het moeten er juist veel zijn. Ervaringen die fris en helder van kleur zijn. Misschien leven kinderen zo intens dat ze geen tijd of benul hebben om beelden op te slaan voor later.

De straatlantaarns gingen aan – wazig geel in de koude lucht – en weer daalde er natte sneeuw uit de hemel. Mijn wangen waren verdoofd en ik zag de vlokken in het lamplicht voordat ik ze voelde.

Ik pakte mijn koffertje, haalde mijn sleutel tevoorschijn en liep het trapje op. Op hetzelfde moment zwaaide de deur open. Tante Dee, moeders zus, stond in de deuropening. Ze hield een lamp vast dié schaduwen op haar gezicht wierp, waardoor ze er ouder en vooral gerimpelder uitzag dan ze was. 'Eindelijk,' zei ze. 'Kom erin.'

We gingen eerst naar de zitkamer. Zij sliep in mijn oude bed, zei ze, dus kreeg ik de bank. Ik zette mijn koffer neer bij de muur en ze zei op een verdedigende toon: 'Ik heb soep gemaakt. Dat is misschien niet waar je aan gewend bent in je deftige huis in Londen, maar het is altijd goed genoeg geweest voor mensen van mijn soort.'

'Soep zou fijn zijn,' zei ik.

We aten in stilte aan moeders tafel. Tante zat aan het hoofd van de tafel, met de warmte van het fornuis achter zich, en ik zat op moeders plaats bij het raam. De natte sneeuw was echte sneeuw geworden, die zachtjes tegen de ruiten tikte. Het enige andere geluid was het schrapen van onze lepels en af en toe wat geknetter van het hout in het fornuis.

'Je wilt je moeder zeker wel zien?' zei mijn tante toen we klaar waren met eten.

Moeder lag op haar matras, haar bruine haar los. Ik was eraan gewend het opgestoken te zien; het was erg lang en veel dunner dan het mijne. Iemand – mijn tante? – had een dunne deken tot aan haar kin opgetrokken, alsof ze lag te slapen. Ze zag er grijzer, ouder, meer ingevallen uit dan ik me haar herinnerde. En plat. Het matras was dun geworden van alle jaren dat ze erop had geslapen. De vorm van haar lichaam was onder de deken nauwelijks te bespeuren. Het leek bijna alsof er geen lichaam was, alsof ze al stukje bij beetje uiteenviel.

We gingen weer naar beneden en mijn tante zette thee. We dronken die in de zitkamer op en zeiden heel weinig. Uiteindelijk zei ik dat ik moe was van de reis en begon ik mijn bed op te maken op de bank. Ik spreidde het laken en de deken uit die mijn tante voor me had klaargelegd, maar toen ik moeders kussen wilde pakken, zag ik dat het niet op z'n plek lag. Mijn tante keek toe.

'Je zoekt het kussen zeker,' zei ze. 'Ik heb het weggedaan. Het was vies. Aftands. En in de achterkant zat een groot gat. En dat voor een naaister!' Ze klakte afkeurend met haar tong. 'Ik zou wel eens willen weten wat ze deed met het geld dat ik haar stuurde!'

En toen liep ze weg. Naar boven, om te gaan slapen in de kamer naast die van haar overleden zus. De planken boven mijn hoofd kraakten, de spiralen piepten, en toen was het stil.

Ik lag in het donker, maar kon niet slapen. Ik stelde me voor hoe mijn tante haar kritische blik over moeders spullen had laten gaan; moeder was door de dood overvallen, had geen tijd gekregen iets voor te bereiden, haar zaakjes op orde te brengen. Ik had hier als eerste moeten zijn. Ik had alles moeten regelen en netjes moeten maken, voor moeder. Eindelijk huilde ik een beetje.

We begroeven haar op het kerkhof dicht bij de meent. We waren een kleine, maar respectabele groep. Mevrouw Rodgers uit het dorp, de eigenaresse van de kledingzaak voor wie moeder het verstelwerk had gedaan, en dokter Arthur. Het was een grauwe dag, zoals zulke dagen behoren te zijn. Het sneeuwde niet meer, maar het was koud en we wisten allemaal dat het slechts een kwestie van tijd was. De dominee las snel een stuk uit de Bijbel, met één oog op de lucht – op het weer of de Heer, dat was me niet duidelijk. Hij sprak over plichtsbesef en verbondenheid en de richting die deze geven aan ieders leven.

Ik kan me de details niet herinneren, want ik kon mijn aandacht er niet bij houden. Ik probeerde nog steeds me te herinneren hoe moeder was geweest toen ik klein was. Gek, nu ik oud ben, komen die herinneringen uit zichzelf boven: hoe moeder me leerde ramen lappen zonder strepen achter te laten; hoe moeder met de kerst een ham kookte, haar haren slap vanwege de stoom; hoe moeder haar gezicht vertrok om iets wat mevrouw Rodgers haar vertelde over meneer Rodgers. Maar toen niet. Het enige wat ik voor me zag, was het grijze, ingevallen gezicht van de avond ervoor.

Een ijzige wind kwam op me af en plakte mijn rokken tegen mijn in warme kousen gestoken benen. Ik keek op naar de dreigende lucht en zag iemand op de heuvel, bij de oude eikenboom. Het was een man, een heer; dat zag ik meteen. Hij droeg een lange zwarte jas en een glanzende hoge hoed. Hij had een stok in zijn hand, of misschien was het een strak opgerolde paraplu. Ik schonk hem verder geen aandacht; ik ging ervan uit dat hij was gekomen voor een ander graf, ook al leek het niet logisch dat een heer, die vast en zeker een eigen landgoed had met een eigen begraafplaats, kwam rouwen bij een graf in het dorp. Ik stond er verder niet bij stil.

Toen de dominee de eerste handvol aarde uitstrooide over moeders kist, keek ik weer op naar de boom. De heer stond er nog. Ik zag nu dat hij naar ons keek. Het begon te sneeuwen en de man keek op naar de lucht, waardoor het licht op zijn gezicht viel.

Het was meneer Frederick. Maar hij was veranderd. Als het slachtoffer van een vloek in een sprookje, was hij opeens oud geworden.

De dominee beëindigde de plechtigheid haastig en de begrafenisondernemer zei dat hij het graf vanwege de weersomstandigheden snel moest dichtgooien.

Mijn tante stond naast me. 'De brutaliteit!' zei ze, en eerst dacht ik dat ze de begrafenisondernemer bedoelde, of de dominee. Maar toen ik haar blik volgde, zag ik dat ze naar meneer Frederick keek. Ik vroeg me af hoe ze wist wie hij was. Ik nam aan dat moeder hem een keer had aangewezen toen tante op bezoek was. 'De brutaliteit, dat hij zich hier durft te vertonen!' Ze schudde haar hoofd en klemde haar lippen op elkaar.

Ik begreep niets van wat ze zei, maar toen ik me omdraaide om te vragen wat ze bedoelde, stond ze niet meer naast me. Ze glimlachte naar de dominee en bedankte hem voor de mooie plechtigheid. Misschien gaf ze de familie Hartford de schuld van moeders rugpijn, al zou die beschuldiging niet erg eerlijk zijn. Natuurlijk was moeders rug verzwakt door de jaren dat ze in huishoudelijke dienst had gewerkt, maar de artritis en zwangerschap hadden haar de genadeslag gegeven.

Opeens verdwenen alle gedachten aan mijn tante. Bij de dominee, met zijn zwarte hoed in zijn handen, stond Alfred.

Over het graf heen keek hij me in de ogen en hij stak zijn hand op.

Ik aarzelde en knikte zo haperend dat mijn tanden klapperden.

Hij kwam in beweging, kwam naar me toe. Ik bleef naar hem kijken, alsof hij zou verdwijnen als ik mijn blik afwendde. Toen kwam hij bij me staan. 'Gaat het een beetje?'

Ik knikte weer. Het leek het enige waartoe ik in staat was. In mijn hoofd kolkten woorden als in maalstromen, te snel om er de vinger op te kunnen leggen. Al die weken dat ik op zijn brief had gewacht; het verdriet, de vraagtekens, de droefenis; slapeloze nachten waarin ik denkbeeldige scripts had bedacht met verklaringen en een hereniging. En nu, eindelijk...

'Gaat het wel?' vroeg hij stroef. Hij hief aarzelend zijn hand op naar de mijne, maar bedacht zich meteen. In plaats daarvan bracht hij hem naar de rand van zijn pet.

'Ja,' wist ik uit te brengen, en mijn hand voelde zwaar aan op de plek die hij niet had aangeraakt. 'Dank je dat je bent gekomen.'

'Dat spreekt vanzelf.'

'Toch is het een extra moeite voor je.'

'Het is geen enkele moeite, Grace,' zei hij, terwijl hij de rand van zijn pet door zijn vingers liet glijden.

De laatste woorden bleven tussen ons hangen. Mijn naam, vertrouwd en breekbaar op zijn lippen. Ik liet mijn aandacht afdwalen naar moeders graf, keek naar de begrafenisondernemer, die snel werkte. Alfred volgde mijn blik.

'Ik vind het heel erg van je moeder,' zei hij.

'Dat weet ik,' antwoordde ik snel. 'Dat weet ik.'

'Ze heeft haar hele leven hard gewerkt.'

'Ja,' zei ik.

'Ik heb haar vorige week nog gezien.'

Ik keek hem aan. 'O ja?'

'Ik had haar wat kolen gebracht die we volgens meneer Hamilton wel konden missen.'

'O, Alfred,' zei ik dankbaar.

'Het was 's nachts erg koud. Ik was bang dat je moeder het misschien niet warm genoeg had.'

Ik werd vervuld van dankbaarheid; ik had een schuldbewuste angst gevoeld dat moeders dood zou zijn veroorzaakt door gebrek aan warmte.

Een hand klampte zich strak om mijn pols. Mijn tante stond naast me. 'Dat was het dan,' zei ze. 'Een mooie plechtigheid. Ze heeft niets om over te klagen.' Weer zo defensief, ook al had ik niets gezegd. 'En meer had ik niet kunnen doen.'

Alfred stond naar ons te kijken.

'Alfred,' zei ik, 'dit is mijn tante Dee, de zus van mijn moeder.'

Mijn tante kneep haar ogen half toe en keek naar Alfred met de ongegronde achterdocht die haar was aangeboren. 'Aangenaam kennis te maken.' Ze keek weer naar mij. 'Vooruit,' zei ze, terwijl ze haar hoed rechtzette en haar sjaal strakker om zich heen trok. 'De huiseigenaar komt morgenochtend vroeg en dan moet alles brandschoon zijn.'

Ik keek naar Alfred en vervloekte de muur van onzekerheid die nog steeds tussen ons stond. 'Nou,' zei ik, 'dan kan ik maar beter…'

'Eerlijk gezegd,' zei Alfred snel, 'hoopte ik… dat wil zeggen, mevrouw Townsend dacht dat je misschien wel even naar het huis wilde komen voor een kopje thee.'

Hij wierp een blik op mijn tante, die kribbig fronste. 'Waarom zou ze dat willen?'

Alfred haalde zijn schouders op en wiegde van voren naar achteren op zijn hakken. Hij bleef naar mij kijken. 'Om de anderen weer eens te zien. Om bij te praten. Voor de gezelligheid.'

'Nergens voor nodig,' zei mijn tante.

'Ja,' zei ik ferm. 'Dat zou ik leuk vinden.'

'Mooi,' zei Alfred, met opluchting in zijn stem.

'Nou,' zei mijn tante, 'zoals je wilt. Het kan mij niks schelen.' Ze snoof. 'Maar blijf niet al te lang weg. Denk niet dat ik in mijn eentje ga poetsen en boenen.'

Alfred en ik liepen door het dorp, zij aan zij; kleine sneeuwvlokken, te licht om de grond te bereiken, dwarrelden in de wind. Een poosje liepen we zonder te praten. Gedempte voetstappen op de vochtige, ongeplaveide straat. Klingelende belletjes wanneer mensen winkels binnengingen of uit kwamen. Af en toe reed er een auto ronkend door de straat.

Toen we Bridge Road naderden, begonnen we over moeder te praten. Ik vertelde hem over de dag van de knoop en de gehaakte tas, over de keer dat ik naar de poppenkast was geweest, dat ik ternauwernood was ontsnapt aan het weeshuis.

Alfred knikte. 'Dapper van je moeder. Ze zal het niet makkelijk hebben gehad, helemaal in haar eentje.'

'Ja, dat heeft ze me vaak genoeg verteld,' zei ik met meer bitterheid dan mijn bedoeling was geweest.

'Jammer van je pa,' zei hij toen we langs moeders straat liepen en het dorp abrupt ophield. 'Dat hij haar zo moest achterlaten.'

Eerst dacht ik dat ik hem niet goed had verstaan. 'Wat?'

'Je pa. Jammer dat het tussen hen niets kon worden.'

Mijn stem trilde, ondanks mijn verwoede pogingen hem in bedwang te houden. 'Wat weet jij over mijn vader?'

Hij haalde argeloos zijn schouders op. 'Alleen wat je moeder me heeft verteld. Ze zei dat hij jong was en dat ze van hem hield, maar dat het uiteindelijk onmogelijk was. Het had te maken met zijn familie, zijn verplichtingen. Ze was niet erg duidelijk.'

Mijn stem, zo ijl als de dwarrelende sneeuw: 'Wanneer heeft ze je dat verteld?'

'Wat?'

'Over hem. Mijn vader.' Ik huiverde onder mijn omslagdoek en trok hem strakker om mijn schouders.

'Ik ben de laatste tijd regelmatig bij haar geweest,' zei hij. 'Ze was zo alleen, nu jij in Londen woont. Ik vond het niet erg om haar af en toe een poosje gezelschap te houden, een beetje met haar te babbelen.'

'Heeft ze je verder nog iets verteld?' Was het mogelijk dat moeder uiteindelijk haar hart had uitgestort, nadat ze al die jaren voor mij zo veel geheim had gehouden?

'Nee,' zei Alfred. 'Niet veel. Niet over je vader. Eerlijk gezegd was ik het meest aan het woord. Ze was niet zo'n prater.'

Ik wist niet goed wat ik ervan moest denken. Het was een enorm verwarrende dag: moeders begrafenis, Alfreds onverwachte verschijning, het nieuws dat hij en moeder elkaar regelmatig hadden gesproken, het over mijn vader hadden gehad, een onderwerp dat voor mij al taboe was geweest voordat ik er zelfs maar iets over had kunnen vragen. Ik versnelde mijn pas toen we het hek van Riverton doorgingen, alsof ik bij de dag probeerde weg te komen. Ik was blij met de doordringende vochtigheid van de lange, donkere oprit en gaf me over aan een kracht die me onverbiddelijk leek mee te trekken.

Ik hoorde Alfred achter me, die vaart maakte om me in te halen. Twijgen knapten onder zijn schoenen, de bomen leken te luisteren.

'Ik had je willen schrijven, Gracie,' zei hij opeens. 'Je brieven willen beantwoorden.' Hij liep weer naast me. 'Ik heb het ik weet niet hoe vaak geprobeerd.'

'Waarom heb je het dan niet gedaan?' vroeg ik terwijl ik doorliep.

'Ik kon de juiste woorden niet vinden. Je weet hoe het met mijn hoofd gesteld is. Sinds de oorlog...' Hij hief zijn hand op en klopte zachtjes met de knokkels tegen zijn voorhoofd. 'Bepaalde dingen lukken me gewoon niet meer. Niet zoals vroeger. Woorden en brieven horen daarbij.' Hij had er moeite mee me bij te houden. 'Bovendien,' zei hij, met een trilling in zijn stem, 'waren er dingen die ik je alleen persoonlijk kon vertellen.'

De lucht voelde ijskoud aan op mijn wangen. Ik hield mijn pas in. 'Waarom heb je niet op me gewacht?' vroeg ik zachtjes. 'Op de dag dat we naar het theater zouden gaan?'

'Dat heb ik wél gedaan, Gracie.'

'Maar toen ik thuiskwam... was het nog maar net vijf uur.'

Hij zuchtte. 'Ik ben om tien voor vijf vertrokken. We zijn elkaar nét misgelopen.' Hij schudde zijn hoofd. 'Ik wilde blijven wachten, Gracie, maar mevrouw Tibbit zei dat je het blijkbaar vergeten was. Dat je een boodschap was gaan doen en voorlopig niet terug zou komen.'

'Maar dat was niet waar!'

'Waarom zei ze dat dan?' vroeg Alfred.

Ik trok machteloos mijn schouders op en liet ze weer zakken. 'Zo is ze.'

We waren aan het einde van de oprit gekomen. Daar, op de heuvel, stond Riverton, groot en donker, in de schemering die het aan weerskanten begon te omsluiten. We hielden onwillekeurig onze pas in, bleven een ogenblik staan alvorens door te lopen langs de fontein en om het huis heen naar de bediende-ingang.

'Ik ben je achternagegaan,' zei ik toen we de rozentuin binnengingen.

'Wat?!' zei hij met een zijdelingse blik. 'Echt waar?'

Ik knikte. 'Ik heb tot het laatste moment bij het theater gewacht. Ik dacht dat ik je nog wel zou vinden.'

'O, Gracie,' zei Alfred. Hij bleef bij de trap staan. 'Het spijt me.'

Ik bleef ook staan.

'Ik had niet naar mevrouw Tibbit moeten luisteren,' zei hij.

'Je kon het niet weten.'

'Ik had kunnen weten dat je terug zou komen. Maar…' Hij keek naar de gesloten deur van het bediendevertrek, klemde zijn lippen op elkaar en blies zijn adem uit. 'Ik zat ergens mee, Grace. Iets belangrijks, wat ik met je wilde bespreken. Ik wilde je iets vragen. Ik was op van de zenuwen.' Hij schudde zijn hoofd. 'Toen ik dacht dat je me de bons had gegeven, was ik zo van streek dat ik het allemaal niet meer aankon. Ik heb dat huis zo snel mogelijk verlaten. Ben de eerste de beste straat ingeslagen en gaan lopen.'

'Maar Lucy…' zei ik zachtjes, mijn blik gericht op de vingers van mijn handschoenen, waarop de sneeuwvlokken bij aanraking smolten. 'Lucy Starling…'

Hij zuchtte en keek over mijn schouder heen in de verte. 'Ik ben met Lucy Starling gegaan om je jaloers te maken, Gracie. Dat geef ik eerlijk toe.' Hij schudde zijn hoofd. 'Het was lelijk van me, dat weet ik best: tegenover jou en ook tegenover Lucy.' Hij stak zijn wijsvinger uit en tilde aarzelend mijn kin op om me in de ogen te kunnen kijken. 'Ik heb het gedaan omdat ik ontzettend teleurgesteld was, Grace. Ik was helemaal uit Saffron gekomen, had me erop verheugd je te zien, had geoefend op wat ik zou zeggen wanneer ik je zou zien.'

Zijn lichtbruine ogen stonden ernstig. Een zenuw trilde in zijn wang.

'Wat was je dan van plan tegen me te zeggen?' vroeg ik.

Hij glimlachte nerveus.

Er klonk een gepiep van ijzeren scharnieren: de deur van het bediendevertrek zwaaide open en daar stond mevrouw Townsend, met het licht achter haar brede lichaam, haar wangen rood van de warmte van de haard.

'Wat staan jullie daar in de kou?' vroeg ze met een lach. Ze riep over haar schouder naar degenen die binnen zaten. 'Zei ik het niet? Ze staan hier in de kou!' Ze draaide zich weer om naar ons. 'Ik zei tegen meneer Hamilton: "Meneer Hamilton, ik weet zeker dat ik buiten stemmen hoor." "Dat verbeeldt u zich, mevrouw Townsend," zei hij. "Waarom zouden ze in de kou blijven staan als ze net zo goed lekker warm binnen kunnen zitten?" "Ik zou het niet weten, meneer Hamilton," zei ik, "maar tenzij mijn oren me bedriegen, staan ze voor de deur." En ik had gelijk.' Ze riep naar binnen: 'Ik had gelijk, meneer Hamilton.' Ze stak haar arm uit en wenkte ons naar binnen. 'Vooruit, blijf hier niet staan kleumen!'

De keuze

Ik was vergeten hoe donker het in het bediendevertrek van Riverton was. Hoe laag het balkenplafond was en hoe koud de marmeren vloer. Ik was ook vergeten hoe de winterse wind loeiend vanaf de hei kwam aanzetten en door het verbrokkelende cement van de stenen muren binnendrong. Een groot verschil met nummer 17, waar we moderne isolatie en verwarming hadden.

'Arm kind,' zei mevrouw Townsend. Ze trok me naar zich toe en drukte mijn hoofd tegen haar door de haard verwarmde borsten. (Doodzonde dat kinderen nooit van die troost hadden mogen genieten. Maar zo was het toen, zoals moeder maar al te goed had geweten: een gezin was de grootste opoffering van iedere bediende die carrière wilde maken.) 'Kom erin en ga zitten,' zei ze. 'Nancy, een kopje thee voor Grace.'

Verbaasd vroeg ik: 'Waar is Katie?'

Ze keken elkaar aan.

'Wat is er?' vroeg ik. Er was haar toch niets overkomen? Dan zou Alfred het me toch wel…

'Die is halsoverkop getrouwd,' zei Nancy snibbig en ze liep met driftige passen naar de keuken.

Mijn mond viel open.

Mevrouw Townsend liet haar stem dalen en vertelde snel: 'Een man uit het noorden van het land, die in de mijnen werkt. Ze heeft hem in de stad leren kennen toen ze een boodschap voor me moest doen, het domme kind. Het is allemaal heel snel gegaan. Er is zelfs al een kleintje onderweg, moet je weten.' Ze trok haar schort recht, tevreden over de uitwerking die haar nieuws op me had en wierp een blik in de richting van de keuken. 'Maar zeg er niets over waar Nancy bij is. Ze ziet groen en geel van jaloezie, ook al beweert ze zelf van niet!'

Ik knikte verbijsterd. De kleine Katie was getrouwd? En werd binnenkort moeder?

Terwijl ik het opzienbarende nieuws probeerde te verwerken, bleef mevrouw Townsend haar zorgzaamheid over me uitstorten. Ze liet me plaatsnemen op de stoel het dichtst bij de haard, bromde dat ik te mager en te bleek was en dat ik duidelijk een portie *Christmas pudding* nodig had om wat aan te sterken. Toen ze verdween om die voor me te halen, voelde ik dat iedereen naar me staarde. Ik zette Katie uit mijn hoofd en vroeg hoe het op Riverton was.

Er viel een stilte, waarin ze elkaar allemaal aankeken tot meneer Hamilton uiteindelijk zei: 'Nou, Grace, het is hier niet precies zoals jij je uit jouw tijd herinnert.'

Ik vroeg hem wat hij bedoelde, waarop hij zijn jasje rechttrok. 'Het is tegenwoordig een stuk stiller. Alles gaat langzamer.'

'Het is hier net een spookkasteel,' zei Alfred, die bij de deur stond te draaien. Sinds we waren binnengekomen, maakte hij een geagiteerde indruk. 'Meneer waart rond over het landgoed als een levende dode.'

'Alfred!' vermaande meneer Hamilton hem, maar veel minder streng dan ik zou hebben verwacht. 'Je overdrijft.'

'Helemaal niet,' zei Alfred. 'Vooruit, meneer Hamilton, Grace is een van ons. Ze kan de waarheid wel aan.' Hij keek naar me. 'Het is zoals ik je al heb verteld toen ik in Londen was. Sinds juffrouw Hannah is vertrokken, is meneer niet meer zichzelf geweest.'

'Hij was erg van streek, dat is waar, maar niet alleen omdat juffrouw Hannah met ruzie is vertrokken,' zei Nancy. 'Het kwam ook door het verlies van zijn fabriek en de dood van zijn moeder.' Ze boog zich naar me toe. 'Je zou eens moeten zien hoe het er boven uitziet. We doen ons best, maar het valt niet mee. We mogen geen vaklui laten komen om dingen te laten repareren – hij zegt dat het geluid van kloppende hamers en van ladders die over de vloer worden gesleept hem op zijn zenuwen werkt. We hebben nog meer kamers afgesloten. Hij zegt dat hij toch geen logés meer krijgt, zodat het geen zin heeft onze tijd en energie eraan te verspillen om al die kamers te onderhouden. Eén keer betrapte hij me toen ik was begonnen in de bibliotheek stof af te nemen en kreeg ik de wind van voren.' Ze wierp een blik op meneer Hamilton en vervolgde: 'We doen zelfs de boeken niet meer.'

'Het komt doordat er geen vrouw aan het hoofd van het huishouden staat,' zei mevrouw Townsend, die binnenkwam met een portie Christmas pudding; ze likte een kloddertje room van haar vinger. 'Zo gaat het altijd wanneer er geen vrouw in huis is.'

'Hij zwerft vrijwel de hele tijd over het landgoed, op zoek naar stropers die niet bestaan,' vertelde Nancy verder, 'en wanneer hij binnen is, zit hij beneden in de wapenkamer zijn geweren schoon te maken. Het is om bang van te worden.'

'Kom, kom, Nancy,' zei meneer Hamilton een beetje bedrukt. 'Het is niet netjes om kritiek te leveren op meneer.' Hij nam zijn bril af om in zijn ogen te wrijven.

'Nee, meneer Hamilton,' zei ze. Ze keek naar mij en zei snel: 'Als je hem zou zien, Grace, zou je hem niet herkennen. Hij is opeens oud geworden.'

'Ik héb hem gezien,' zei ik toen.

'Waar?' vroeg meneer Hamilton, een beetje geschrokken. Hij zette zijn bril weer op. 'Toch niet in de tuin? Hij kwam toch niet dicht bij het meer?'

'Nee, meneer Hamilton,' antwoordde ik. 'Helemaal niet. Ik heb hem in het dorp gezien. Op het kerkhof. Tijdens moeders begrafenis.'

'Was hij op de begrafenis?' vroeg Nancy met grote ogen.

'Hij stond op de heuvel,' zei ik, 'en hij keek de hele tijd naar ons.'

Meneer Hamilton zocht naar bevestiging. Alfred haalde zijn schouders op en schudde zijn hoofd. 'Ik heb hem niet gezien.'

'Hij was er,' zei ik met grote stelligheid. 'Ik weet heus wel wat ik heb gezien.'

'Ik neem aan dat hij gewoon een eindje was gaan wandelen,' zei meneer Hamilton zonder enige overtuiging. 'Dat hij een luchtje was gaan scheppen.'

'Hij wandelde niet,' zei ik, vol twijfel. 'Hij stond er alleen maar, nogal verloren, en keek neer op het graf.'

Meneer Hamilton wisselde een blik met mevrouw Townsend. 'Tja, hij mocht je moeder graag, toen ze hier nog werkte.'

'Mocht haar graag?' zei mevrouw Townsend, en ze trok haar wenkbrauwen op. 'Noem je dat tegenwoordig zó?'

Ik keek naar hen. In hun ogen lag iets wat ik niet wist te duiden. Iets waar ik geen weet van had.

'En jij dan, Grace?' vroeg meneer Hamilton, terwijl hij zijn blik abrupt afwendde van die van mevrouw Townsend. 'Genoeg over ons. Vertel eens over Londen. Hoe maakt de jonge mevrouw Luxton het?'

Ik luisterde maar met een half oor naar zijn vragen. Aan de rand van mijn bewustzijn gebeurde iets. Fluistergesprekken, veelbetekenende blikken en insinuaties die al heel lang, ieder apart, in mijn hoofd ronddwaalden, kwamen nu bijeen. Ze begonnen een beeld te vormen. Bijna.

'Grace?' zei mevrouw Townsend ongeduldig. 'Heb je je tong verloren? Hoe is het met juffrouw Hannah?'

'Neemt u me niet kwalijk, mevrouw Townsend,' zei ik. 'Ik zat met mijn gedachten ergens anders.'

Ze keken me allemaal verwachtingsvol aan, dus vertelde ik hun dat Hannah het goed maakte. Dat leek me het beste. Wat had ik hun anders moeten vertellen? Over de ruzies met Teddy, het bezoek aan de spiritist, haar zorg-wekkende praatjes over dat ze al dood was? In plaats daarvan vertelde ik over het prachtige huis, Hannahs kleding en de voorname gasten die ze ontvin-gen.

'En je werk?' vroeg meneer Hamilton, en hij ging rechtop zitten. 'In Lon-den ligt het tempo heel anders. Veel partijtjes zeker? Ik mag aannemen dat ze veel personeel hebben?'

Ik antwoordde dat er veel personeel was, maar dat ze niet zo bekwaam wa-ren als op Riverton, wat hem plezier leek te doen. Ik vertelde hem ook over de poging van lady Pemberton-Brown om mij over te nemen.

'Ik neem aan dat je correct hebt gereageerd?' zei meneer Hamilton. 'Be-leefd maar kordaat, zoals ik je heb geleerd?'

'Ja, meneer Hamilton,' zei ik. 'Uiteraard.'

'Goed zo,' zei hij, stralend als een trotse vader. 'Glenfield Hall. Je moet al een aardige reputatie hebben als Glenfield Hall belangstelling voor je toont. Maar je hebt de juiste beslissing genomen. Voor mensen in ons vak is trouw een eerste vereiste.'

We knikten instemmend. Iedereen behalve Alfred, zag ik.

Meneer Hamilton zag het ook. 'Ik neem aan dat Alfred je over zijn plan-nen heeft verteld?' zei hij, en hij trok één van zijn zilvergrijze wenkbrauwen op.

'Welke plannen?' Ik keek naar Alfred.

'Dat wilde ik je daarnet vertellen,' zei hij, en hij onderdrukte een glimlach toen hij naast me kwam zitten. 'Ik ga hier weg, Grace. Voor mij geen ja-knik-ken meer.'

Eerst dacht ik dat hij bedoelde dat hij Engeland opnieuw ging verlaten. Net nu onze relatie zich begon te herstellen.

Hij lachte om mijn gezicht. 'Ik blijf in de buurt, hoor. Ik ga alleen van Ri-verton weg. Ik ga samen met een vriend uit het leger een zaak beginnen.'

'Alfred…' Ik wist niet wat ik moest zeggen. Ik was opgelucht, maar maak-te me ook zorgen om hem. Weg van Riverton? Van de geborgenheid van Ri-verton? 'Wat voor zaak?'

'Elektra. Mijn vriend is reuze handig. Hij gaat me leren hoe je bellen moet installeren en dat soort dingen. Intussen ga ik ook leren hoe je een winkel moet beheren. Ik ga hard werken en geld sparen, Gracie – ik heb al wat opzij-gelegd. Op een dag heb ik mijn eigen zaak en ben ik helemaal zelfstandig. Wacht maar af.'

Later bracht Alfred me terug naar het dorp. Het was koud en het werd al donker, dus liepen we snel om te voorkomen dat we bevroren. Hoewel ik blij was met Alfreds gezelschap, en opgelucht dat we ons geschil hadden bijgelegd, zei ik weinig. In gedachten was ik bezig fragmenten, dingen die ik had gehoord en gezien, aan elkaar te naaien en te proberen een patroon in de lappendeken te krijgen. Alfred leek het helemaal niet erg te vinden dat we zwijgend voortliepen; achteraf zou blijken dat ook hij met zijn eigen gedachten bezig was, al volgden die een volkomen andere lijn.

Ik dacht aan moeder. Aan de bitterheid die altijd vlak onder de oppervlakte had gelegen; haar overtuiging – verwachting bijna – dat haar leven een aaneenschakeling van tegenslagen was, en zou blijven. Dat was de moeder die ik me herinnerde. Maar de laatste tijd was ik gaan inzien dat ze niet altijd zo was geweest. Mevrouw Townsend dacht met veel genegenheid aan haar terug; meneer Frederick, die erg moeilijk tevreden te stellen was, had haar graag gemogen.

Wat was er gebeurd? Hoe was het jonge dienstmeisje met de ingehouden glimlach zo veranderd? Het antwoord, begreep ik inmiddels, was de sleutel waarmee veel van moeders geheimen zouden worden ontsloten. En de ontknoping naderde. Die flitste als een vis tussen de rietstengels van mijn geest. Ik wist dat de vis er was, ving soms een glimp van hem op, maar iedere keer dat ik hem bijna te pakken had, mijn hand uitstak naar de schimmige vorm, glipte hij weg.

Dat het iets te maken had met mijn geboorte stond buiten kijf: daar had moeder nooit een geheim van gemaakt. En ik was er zeker van dat mijn onbekende vader er een rol in speelde: de man over wie ze had gesproken met Alfred, maar nooit met mij. De man van wie ze had gehouden, maar met wie ze niet samen door het leven had gekund. Welke reden had Alfred genoemd? Zijn familie? Zijn verplichtingen?

'Grace.'

Mijn tante wist wie hij was, maar was net zo gesloten als moeder. Toch wist ik precies hoe ze over hem dacht. Mijn kinderjaren waren doorspekt geweest met hun fluistergesprekken. Tante Dee had moeder verwijten gemaakt over haar slechte keuzes, gezegd dat ze zich had gebrand en nu op de blaren moest zitten. Wanneer moeder had gehuild, had tante Dee haar met bruuske woorden van troost gesust: 'Het is beter zo', 'Het had nooit iets kunnen worden', 'Het is goed dat je daar weg bent'. En 'daar' was het grote huis op de heuvel. Dat had ik zelfs als kind al geweten. Ik wist ook dat tante Dees minachting voor mijn vader gelijkstond aan haar minachting voor Riverton. De twee tragedies van moeders leven, had ze vaak gezegd.

'Grace.'

Haar minachting leek zich ook te richten op meneer Frederick. 'De brutaliteit,' had ze gezegd toen ze hem tijdens de begrafenis had gezien, 'dat hij hier zijn gezicht laat zien.' Ik vroeg me af hoe mijn tante had geweten wie hij was en waarom meneer Frederick haar zo nijdig had gemaakt.

Ik vroeg me ook af wat hij daar had gedaan. Al mocht een heer zijn personeel nog zo graag, het was niet gebruikelijk dat hij naar de begraafplaats van het dorp ging. Zeker niet om te zien hoe iemand die vroeger voor hem had gewerkt werd begraven...

'Grace.' In de verte, te midden van de rietstengels van mijn gedachten, hoorde ik Alfreds stem. Ik keek afwezig naar hem. 'Ik heb je de hele dag al iets willen vragen,' zei hij. 'En ik ben bang dat ik het niet meer zal durven als ik het nu niet doe.'

Moeder had Frederick ook graag gemogen. 'Arme, arme Frederick,' had ze gezegd toen zijn vader en broer waren gestorven. Niet 'arme lady Violet' of 'arme Jemima'. Haar medeleven was geheel en al op Frederick gericht.

Maar dat was toch ook wel begrijpelijk? Meneer Frederick was een jonge man geweest toen moeder in het huis werkte; het was niet meer dan natuurlijk dat ze het meeste medeleven voelde voor degene die ongeveer van haar eigen leeftijd was geweest. Net zoals ik de meeste genegenheid voelde voor Hannah. Bovendien was moeder volgens mij ook gesteld geweest op Fredericks vrouw, Penelope. 'Frederick zal niet hertrouwen,' had ze gezegd toen ik haar had verteld dat Fanny een oogje op hem had. Haar vertrouwen daarin, en haar vertwijfeling toen ik had gezegd dat het echt waar was... De reden daarvoor kon toch alleen maar haar genegenheid voor haar voormalige mevrouw zijn?

'Ik kan de dingen niet erg mooi zeggen, Gracie, dat weet je wel,' zei Alfred, 'dus zeg ik het maar gewoon. Je weet dat ik binnenkort de dienst ga verlaten...?'

Ik knikte. Ik merkte dat ik knikte, al zat ik met mijn gedachten heel ver weg. De vlugge vis kwam weer naderbij. Ik zag de glans van zijn glinsterende schubben tussen de rietstengels heen en weer schieten, uit de schaduwen tevoorschijn komen...

'Maar dat is alleen maar de eerste stap. Ik ga hard sparen en op een goede dag, over niet al te lange tijd, zal ik mijn eigen zaak hebben met ALFRED STEEPLE boven de deur.'

... naar het licht. Was het mogelijk dat moeder helemaal niet van streek was vanwege genegenheid voor haar voormalige mevrouw, maar doordat de man van wie ze had gehouden, en misschien nog steeds hield, plannen zou kunnen hebben om opnieuw te trouwen? Dat moeder en meneer Frederick...? Dat al die jaren geleden, toen ze als dienstmeisje op Riverton werkte...?

'Ik heb heel lang gewacht, Grace, omdat ik je iets wilde kunnen bieden. Meer dan wat ik nu ben...'

Dat bestond niet! Het zou een enorm schandaal zijn geweest. Iedereen zou het geweten hebben. Ik zou het geweten hebben. Of niet?

Herinneringen, flarden van gesprekken, kwamen bovendrijven. Had lady Violet dát bedoeld toen ze tegen lady Clementine een opmerking had gemaakt over 'die onaangename kwestie'? Hadden meer mensen ervan geweten? Was er tweeëntwintig jaar geleden een schandaal geweest in Saffron, was er een vrouw in ongenade weggestuurd van Riverton, zwanger gemaakt door de zoon van haar werkgeefster?

Maar als dat zo was, waarom had lady Violet mij dan aangenomen? Had ik haar dan niet voortdurend op onaangename wijze herinnerd aan wat er was gebeurd?

Tenzij mijn dienstbetrekking een soort vergoeding was. De prijs voor moeders zwijgen. Was dat de reden waarom moeder zo zeker van haar zaak was geweest? Zo zeker dat ik een betrekking zou krijgen op Riverton?

Opeens wist ik het. De vis zwom naar het zonlicht, zijn schubben glinsterden oogverblindend. Waarom had ik het niet eerder doorgehad? Moeders bitterheid, het feit dat meneer Frederick nooit was hertrouwd. Het was me nu duidelijk. Hij had ook van moeder gehouden. Daarom was hij naar de begrafenis gekomen. Daarom had hij met zo'n eigenaardige blik naar me gekeken: alsof hij een geest had gezien. Daarom was hij blij geweest dat ik van Riverton vertrok, had hij tegen Hannah gezegd dat hij me nergens voor nodig had.

'Gracie, ik vroeg me af...' Alfred pakte mijn hand.

Hannah. Nieuwe ontdekkingen vlogen op me af.

Mijn adem stokte. Het verklaarde veel: het gevoel van solidariteit – van zusterschap – dat er tussen ons bestond.

Alfred greep mijn handen stevig vast om te voorkomen dat ik omviel. 'Hé, Gracie,' zei hij, nerveus glimlachend. 'Nu moet je niet flauwvallen, hoor.'

Mijn knieën knikten: ik voelde me alsof ik in talloze kleine deeltjes uiteen was gevallen, alsof ik als zand uit een emmer stroomde.

Wist Hannah het? Was dat de reden waarom ze erop had gestaan dat ik met haar meeging naar Londen? Waarom ze zich tot mij had gewend toen ze zich op alle andere fronten in de steek gelaten had gevoeld? Me had gesmeekt haar nooit te verlaten? Me die belofte had afgedwongen?

'Grace?' zei Alfred, nu met zijn arm om me heen om me overeind te houden. 'Gaat het?'

Ik knikte en probeerde iets te zeggen, maar dat lukte niet.

'Gelukkig maar,' zei Alfred. 'Want ik heb nog meer te zeggen. Al heb ik het idee dat je het al hebt geraden.'

Geraden? Van moeder en Frederick? Van Hannah? Nee. Alfred had het over iets anders. Waar had hij het over? Zijn nieuwe zaak, zijn vriend uit het leger...

'Gracie,' zei Alfred. Hij drukte mijn handen tussen de zijne tegen elkaar. Hij glimlachte naar me, slikte. 'Het zou me een grote eer zijn als je erin zou toestemmen mijn vrouw te worden. Wil je met me trouwen?'

Een flits van bewustzijn. Ik knipperde met mijn ogen. Kon geen antwoord geven. Gedachten en gevoelens stroomden door me heen. Alfred vroeg me ten huwelijk. Alfred, op wie ik verliefd was, stond voor me, zijn gezicht bevroren in het voorafgaande moment, wachtend op mijn antwoord. Mijn tong vormde de woorden, maar mijn lippen weigerden mee te doen.

'Grace?' zei Alfred, met grote ogen van bezorgdheid.

Ik voelde dat ik glimlachte, hoorde dat ik begon te lachen. Ik kon er niet mee ophouden. Ik huilde ook, koude, natte tranen op mijn wangen. Ik was hysterisch, begreep ik: er was de afgelopen paar minuten zo veel door me heen gegaan, ik moest zo veel verwerken. De schok van de ontdekking over mijn relatie tot meneer Frederick, tot Hannah. De verrukkelijke verrassing van Alfreds aanzoek.

'Gracie?' Alfred bekeek me met onzekerheid in zijn ogen. 'Wil dat zeggen dat je het wilt? Met me trouwen, bedoel ik?'

Met hem trouwen. Ik. Het was mijn geheime wensdroom, maar nu het zover was, was ik er niet klaar voor. Ik had het idee lang geleden al afgeschreven als een jeugdfantasie. Had allang niet meer gedacht dat het er ooit echt van zou komen. Dat iemand me een aanzoek zou doen. Dat Alfred me een aanzoek zou doen.

Uiteindelijk knikte ik en slaagde ik erin op te houden met lachen. Ik hoorde mezelf zeggen: 'Ja.' Amper meer dan een fluistering. Ik sloot mijn ogen. De wereld draaide om me heen. Iets harder: 'Ja.'

Alfred slaakte een luide kreet. Ik deed mijn ogen weer open. Hij stond te grinniken, leek te stralen van pure opluchting. Een man en een vrouw die aan de overkant langsliepen, draaiden zich naar ons om en Alfred riep naar hen: 'Ze heeft ja gezegd!' Toen keek hij weer naar mij, wreef zijn lippen over elkaar, probeerde op te houden met grijnzen, zodat hij iets zou kunnen zeggen. Hij omvatte mijn bovenarmen. Hij beefde. 'Ik hoopte zo dat dit je antwoord zou zijn.'

Ik knikte weer, glimlachend. Er gebeurde zo veel tegelijk.

'Grace,' zei hij zachtjes. 'Mag ik... Mag ik je nu kussen?'

Ik zei blijkbaar ja, want voordat ik wist wat er gebeurde, hief hij zijn hand op om mijn hoofd te steunen, boog zich naar me toe, maakte contact. De eigenaardige, aangename nieuwigheid van Alfreds lippen op de mijne. Koud, zacht, teder.

De tijd leek te vertragen.

Hij trok zich terug. Grinnikte naar me, jong en knap in de schemering.

Toen stak hij zijn arm door de mijne, voor het eerst, en liepen we de straat door. We spraken niet, wandelden zwijgend, samen. Op de plek waar zijn arm de mijne raakte, waar de katoen van mijn bloes tegen mijn huid drukte, huiverde ik. De warmte ervan, de druk, een belofte.

Alfred streelde mijn pols met zijn gehandschoende vingers en ik rilde van genot. Mijn zintuigen stonden op scherp: alsof iemand een laagje huid had verwijderd, waardoor ik de gelegenheid kreeg alles beter, ongeremder te voelen. Ik ging nog iets dichter bij hem lopen. Wat was er in één dag veel veranderd. Ik had moeders geheim ontrafeld, begrepen wat de band tussen mij en Hannah was, Alfred had me ten huwelijk gevraagd. Bijna vertelde ik hem ter plekke wat ik had ontdekt over moeder en meneer Frederick, maar de woorden bestierven me op de lippen. Dat kon wachten tot later. Het was allemaal nog zo nieuw voor me, ik wilde moeders geheim nog eventjes voor mezelf houden. En ik wilde genieten van mijn geluksgevoel. Dus zei ik niets en liepen we gearmd moeders straat in.

Kostbare, volmaakte momenten die ik talloze malen in gedachten heb herleefd. In die herbeleving bereiken we soms het huis. We gaan naar binnen, heffen een glas op onze toekomst, trouwen niet lang daarna. En we leven lang en gelukkig tot we allebei heel oud zijn.

Maar zo is het niet gegaan, zoals je weet.

Spoel de film terug. Een nieuwe opname. We waren halverwege de straat, bij het huis van meneer Connelly – de wind voerde sentimentele Ierse fluitmuziek met zich mee – toen Alfred zei: 'Je moet je baan dan maar meteen opzeggen wanneer je terug bent in Londen.'

Ik keek hem scherp aan. 'Mijn baan opzeggen?'

'Bij mevrouw Luxton.' Hij glimlachte naar me. 'Wanneer we getrouwd zijn, hoef je haar nooit meer te helpen met aankleden. Dan gaan we in Ipswich wonen. Je kunt in de winkel werken, als je wilt. De boekhouding doen. Of naaiwerk aannemen als je dat liever hebt.'

Mijn baan opzeggen? Hannah verlaten? 'Maar Alfred,' zei ik eenvoudig, 'ik kan mijn baan niet opzeggen.'

'Natuurlijk wel,' zei hij. Van verbijstering verflauwde zijn glimlach. 'Dat doe ik toch ook?'

'Dat is iets anders…' Ik zocht naar woorden van uitleg, woorden die het hem duidelijk zouden maken. 'Ik ben kamenier. Hannah heeft me nodig.'

'Ze heeft jóú niet nodig, ze heeft een slaaf nodig die haar handschoenen bij elkaar zoekt.' Zijn stem kreeg een zachte klank. 'Daar ben jij veel te goed voor, Grace. Je verdient iets beters. Je verdient zelfstandigheid.'

Ik wilde het hem uitleggen. Dat Hannah heus wel een andere kamenier zou vinden, maar dat ik méér was dan een kamenier. Dat er een band tussen ons bestond. Dat we met elkaar verbonden waren. Sinds de dag in de kinderkamer toen we allebei veertien waren en ik me had afgevraagd hoe het zou zijn om een zusje te hebben. Toen ik voor Hannah een leugen had verteld aan juffrouw Prince, zo instinctief dat ik er bang van was geworden.

Dat ik haar een belofte had gedaan. Dat ik haar mijn woord had gegeven toen ze me had gesmeekt haar nooit in de steek te laten.

Dat we zussen waren. In het geheim.

'Bovendien,' zei hij, 'gaan we in Ipswich wonen. Dan kun je moeilijk in Londen blijven werken.' Hij klopte gemoedelijk op mijn arm.

Ik keek opzij naar zijn gezicht. Heel eerlijk. Heel zeker. Zonder een zweem van tweestrijdigheid. En toen ik probeerde mijn argumenten onder woorden te brengen, voelde ik ze uiteenvallen, verpulveren. Er waren geen woorden om duidelijk te maken, om uit te leggen, wat ik zelf pas na jaren had begrepen.

En toen wist ik dat ik hen nooit allebei kon hebben, Alfred en Hannah. Dat ik een keuze zou moeten maken.

Kilte onder mijn huid. Die zich verspreidde als vloeistof.

Ik trok mijn arm uit de zijne, zei dat het me speet. Dat ik me had vergist, dat ik een jammerlijke fout had gemaakt.

En toen vluchtte ik bij hem vandaan. Ik keek niet om, hoewel ik wist dat hij bleef staan, roerloos, in het kille gele licht van de straatlantaarn. Dat hij me nakeek toen ik de donkere straat door holde, doodongelukkig bleef staan wachten tot mijn tante me binnenliet, verdrietig het huis binnenging. Toen ik de deur van hoe het had kunnen worden tussen ons dichtdeed.

De reis terug naar Londen was een verschrikking. Hij duurde lang, het was koud en de wegen waren glad vanwege de sneeuw. Maar het was vooral zo erg vanwege mijn gezelschap. Ik zat met mezelf opgesloten in de auto, verwikkeld in een vruchteloze discussie. Ik hield mezelf de hele reis voor dat ik de juiste keuze had gemaakt, de enige keuze, om bij Hannah te blijven, zoals ik haar had beloofd. Tegen de tijd dat de auto voor nummer 17 stopte, had ik mezelf daarvan overtuigd.

Ik wist zeker dat Hannah al van de band tussen ons wist. Dat ze het had geraden, mensen erover had horen praten, of dat het haar ronduit was verteld. Dat moest de reden zijn waarom ze altijd naar mij kwam, me altijd in vertrouwen nam. Sinds de ochtend waarop ik haar op de stoep van de secretaresseschool van mevrouw Dove tegen het lijf was gelopen.

Nu wisten we het dus allebei.

En we zouden het geheim bewaren zonder er ooit iets over te zeggen.

Een zwijgende band van toewijding en trouw.

Ik was blij dat ik het niet aan Alfred had verteld. Hij zou mijn besluit om het stil te houden niet kunnen begrijpen. Hij zou erop hebben aangedrongen het aan Hannah voor te leggen; hij zou er zelfs op hebben gestaan dat ik een compensatie zou eisen. Hoe lief en zorgzaam hij ook was, hij zou niet hebben ingezien hoe belangrijk het was de status-quo te handhaven. Hij zou niet begrijpen dat niemand anders het mocht weten. En stel dat Teddy erachter kwam? Of zijn ouders? Hannah zou eronder lijden, ik zou misschien ontslagen worden.

Nee, het was veel beter zo. Er was geen keuze. Dit was de enige oplossing.

DEEL 4

Hannahs verhaal

Het is nu tijd om je te vertellen over de dingen die ik niet zag. Tijd om Grace en haar problemen naar de achtergrond te schuiven en Hannah naar voren te halen. Tijdens mijn afwezigheid was er iets gebeurd. Ik wist het meteen toen ik haar zag. Alles was anders. Hannah was anders. Opgewekter. Mysterieus. Een beetje met zichzelf ingenomen.

Wat er op nummer 17 was gebeurd, kwam ik geleidelijk te weten, net zoals veel andere dingen die gedurende dat laatste jaar gebeurden. Ik had uiteraard mijn verdenkingen, maar ik zag en hoorde niet alles. Alleen Hannah kende de ware toedracht van de dingen en zij was nooit een type geweest voor hartstochtelijke ontboezemingen. Dat lag niet in haar aard; ze gaf de voorkeur aan geheimen. Pas na de afschuwelijke gebeurtenissen van 1924, toen we samen vastzaten op Riverton, kwam ze een beetje los. En ik kon goed luisteren. Dit is haar verhaal.

I

Het was de maandag nadat mijn moeder was gestorven. Ik was naar Saffron Green vertrokken, Teddy en Deborah waren naar hun werk en Emmeline lunchte met vrienden. Hannah was in haar eentje in de zitkamer. Ze was van plan geweest haar correspondentie te verzorgen, maar de doos met postpapier lag ongeopend op de bank. Ze kon de fut niet opbrengen om uitgebreide bedankbrieven te schrijven aan de echtgenotes van Teddy's cliënten. In plaats daarvan zat ze naar buiten te kijken en probeerde ze te raden wat voor soort leven elk van de voorbijgangers leidde. Ze ging zo op in haar spel dat ze hem niet naar de voordeur zag komen. Hem niet hoorde aanbellen. Ze merkte pas iets van zijn aanwezigheid toen Boyle op de deur van de zitkamer klopte en hem aankondigde.

'Er is een heer die u wenst te spreken, mevrouw.'

'Een heer, Boyle?' zei ze, terwijl ze naar een klein meisje bleef kijken dat zich losrukte van haar kindermeisje en het berijpte park in holde. Wanneer had zijzelf voor het laatst hardgelopen? Zo hard dat de wind langs haar gezicht raasde en haar hart zo bonkte dat ze bijna geen adem kon halen?

'Hij zegt dat hij iets in zijn bezit heeft wat aan u toebehoort en dat hij het aan u wil teruggeven, mevrouw.'

Wat een gedoe. 'Kon hij het niet gewoon aan jou geven, Boyle?'

'Hij zegt van niet, mevrouw. Hij zegt dat hij het persoonlijk moet afleveren.'

'Ik ben anders niets kwijt, voor zover ik weet.' Met tegenzin maakte Hannah haar ogen los van het meisje en wendde zich van het raam af. 'Nou, laat hem dan maar binnen.'

Meneer Boyle aarzelde. Hij leek nog iets te willen zeggen.

'Was er verder nog iets?' vroeg Hannah.

'Nee, mevrouw,' zei hij. 'Behalve dat deze heer… Ik geloof niet dat hij een heer is, mevrouw.'

'Wat bedoel je daarmee?' vroeg Hannah.

'Dat hij niet helemaal respectabel lijkt.'

Hannah trok haar wenkbrauwen op. 'Hij is toch niet half ontkleed of zo?'

'Nee, mevrouw, hij is keurig netjes gekleed.'

'Hij zegt toch geen obscene dingen?'

'Nee, mevrouw,' zei Boyle. 'Hij gedraagt zich beleefd.'

Hannah vroeg verschrikt: 'Het is toch geen Fransman, een kleine man met een snor?'

'Nee, mevrouw.'

'Waarin uit dat gebrek aan fatsoen zich dan, Boyle?'

Boyle fronste. 'Ik weet het niet, mevrouw. Het is meer een gevoel dat ik heb.'

Hannah keek alsof ze Boyles gevoelens serieus in overweging nam, maar haar belangstelling was gewekt. 'Als deze heer zegt dat hij iets heeft wat aan mij toebehoort, wil ik het uiteraard graag terug hebben. Als hij hier tekenen van gebrek aan fatsoen mocht vertonen, zal ik uiteraard meteen om je bellen, Boyle.'

'Goed, mevrouw,' zei Boyle op gewichtige toon. Hij boog en verliet de kamer. Hannah streek haar jurk glad. Toen de deur weer openging, stond Robbie Hunter daar.

Ze herkende hem niet meteen. Ze had hem per slot van rekening slechts kort gekend: één winter lang, bijna tien jaar geleden. En hij was veranderd. Hij was een jongen geweest toen ze hem op Riverton had gekend. Met een gladde, gave huid, sprekende bruine ogen en een zachtaardige manier van doen. Een opvallend bedaarde jongen. Dat was een van de dingen waar ze zich zo kwaad om had gemaakt: zijn zelfbewustheid. De manier waarop hij zonder enige waarschuwing in hun leven was gekomen, haar ertoe had aangezet dingen te zeggen die ze beter voor zich had kunnen houden, en moeiteloos hun broer van hen had afgetroggeld.

De man die nu tegenover haar stond was lang, en ging gekleed in een zwart pak met een wit overhemd. Doodgewone kleding, maar bij hem stond die anders dan bij Teddy en de zakenmensen die Hannah kende. Zijn gezicht was knap, maar mager: ingevallen wangen en kringen onder zijn donkere ogen. Ze begreep meteen wat Boyle met het gebrek aan fatsoen bedoelde, maar kon er evenmin de vinger op leggen.

'Goedemorgen,' zei ze.

Hij keek naar haar en leek regelrecht in haar binnenste te kijken. Ze was eraan gewend dat mannen naar haar staarden, maar hij nam haar zo scherp op dat ze bloosde. En toen ze dat deed, glimlachte hij. 'U bent niet veranderd.'

Toen herkende ze hem. Ze herkende zijn stem. 'Robbie Hunter,' zei ze stomverbaasd. Ze bekeek hem nogmaals, haar indrukken nu beïnvloed door deze wetenschap. Het donkere haar van vroeger, de donkere ogen. De sensuele mond, altijd licht geamuseerd. Waarom had ze dat niet eerder gezien? Ze rechtte haar rug, dwong zichzelf tot kalmte. 'Wat aardig dat je me komt opzoeken.' Meteen had ze spijt van de banale woorden en zou ze die het liefst terugnemen.

Hij glimlachte – op een wat ironische manier, vond Hannah.

'Ga zitten.' Ze wees naar Teddy's leunstoel en Robbie ging plichtmatig zitten, als een schooljongen die een onbeduidend bevel opvolgt, omdat hij het niet de moeite waard vindt zich ertegen te verzetten. Weer kreeg ze het irritante gevoel dat ze niets waard was.

Hij keek nog steeds naar haar.

Ze streek met haar handpalmen over haar haar om te controleren of alle speldjes op hun plek zaten, streek de blonde punten glad in haar nek. Ze glimlachte beleefd. 'Is er iets mis met mijn uiterlijk? Moet ik er iets aan herstellen?'

'Nee,' zei hij. 'Ik heb heel lang een beeld van je in me meegedragen... Je bent nog precies hetzelfde.'

'Niet precies,' zei ze, zo luchtig als ze kon. 'Ik was vijftien toen we elkaar voor het laatst gezien hebben.'

'Was je echt zo jong?'

Daar had je dat gebrek aan fatsoen weer. Het zat 'm niet zozeer in wat hij zei – het was goed beschouwd een normale vraag – als wel in de manier waarop: alsof hij er een dubbele betekenis aan gaf, die ze niet vatte. 'Wil je misschien een kopje thee?' vroeg ze, en daar had ze meteen spijt van. Nu zou hij blijven.

Ze stond op, drukte op de bel en bleef bij de schoorsteenmantel dralen, zette wat voorwerpen recht en probeerde zichzelf een houding te geven tot Boyle in de deuropening verscheen.

'Meneer Hunter en ik willen graag thee,' zei Hannah.

Boyle keek achterdochtig naar Robbie.

'Hij was een vriend van mijn broer,' legde Hannah uit. 'In de oorlog.'

'Ah,' zei Boyle. 'Ik zal mevrouw Tibbit verzoeken thee te zetten.' Wat gedroeg hij zich eerbiedig. En wat maakte zij daardoor een conventionele indruk.

Robbie keek om zich heen, nam de zitkamer in zich op. Het artdeco-interieur dat Elsie de Wolfe had gekozen ('het nieuwste van het nieuwste') en waar Hannah zich bij had neergelegd. Zijn blik dwaalde van de achtkantige spiegel boven de haard naar de gordijnen met het ruitpatroon in goud en bruin.

'Modern, hè?' zei Hannah, in een poging luchtig over te komen. 'Ik weet nog steeds niet of ik het mooi vind, maar dat schijnt juist de bedoeling te zijn van modern.'

Robbie leek dat niet te hebben gehoord. 'David had het vaak over je,' zei hij. 'Ik heb het gevoel dat ik je door en door ken. Jou en Emmeline en Riverton.'

Toen ze Davids naam hoorde ging Hannah op de rand van de bank zitten. Ze had zichzelf aangeleerd niet aan hem te denken, de doos met tedere herinneringen niet te openen. En nu zat hier de enige persoon op de wereld met wie ze over hem zou kunnen praten. 'Ja,' zei ze. 'Vertel me over David, Robbie.' Ze bereidde zich voor. 'Was hij… Heeft hij…' Ze klemde haar lippen op elkaar, keek naar Robbie. 'Ik hoop toch zo dat hij me heeft vergeven.'

'Je vergeven?'

'Ik heb me die laatste winter afschuwelijk gedragen. We hadden je niet verwacht. We waren eraan gewend David voor onzelf te hebben. Ik vrees dat ik erg koppig was. Ik heb je de hele vakantie genegeerd, omdat ik wou dat je er niet was.'

Hij haalde zijn schouders op. 'Daar heb ik niets van gemerkt.'

Hannah glimlachte weemoedig. 'Dan heb ik mijn energie verspild.'

De deur ging open en Boyle verscheen met het dienblad. Hij zette het op de tafel naast Hannah en deed een stapje achteruit.

'Meneer Hunter,' zei Hannah, zich er van bewust dat Boyle bleef dralen en Robbie heel scherp in de gaten hield. 'Boyle zei dat u iets aan me wilt teruggeven.'

'Ja,' zei Robbie en hij stak zijn hand in zijn zak. Hannah knikte naar Boyle om aan te geven dat alles in orde was, dat zijn aanwezigheid niet langer vereist was. Toen de deur dicht was, haalde Robbie een opgerold lapje stof tevoorschijn. Het zag er oud en rafelig uit, en Hannah begon zich af te vragen waarom hij dacht dat het aan haar toebehoorde. Maar toen ze nog eens goed keek, zag ze dat het een haarlint was, ooit wit, nu bruin. Met trillende vingers wikkelde hij het lint af en hield haar het pakketje voor.

Haar adem stokte in haar keel. Op het lint lag een minuscuul boekje.

Ze stak haar hand uit en tilde het voorzichtig van het lint. Draaide het om op haar handpalm om naar het omslag te kijken, al wist ze precies wat daarop stond. *De tocht over de Rubicon.*

Een vloedgolf van herinneringen: hoe ze achterna werd gezeten door de bossen van Riverton, dronken van de opwinding van het avontuur; gefluisterde geheimen in de halfdonkere kinderkamer. 'Ik heb dit aan David gegeven. Als talisman.'

Hij knikte.

Ze keek hem aan. 'Waarom heb je het hem afgenomen?'

'Dat heb ik niet gedaan.'

'David zou dit nooit hebben weggegeven.'

'Nee, en dat heeft hij ook niet gedaan. Ik ben alleen een boodschapper. Hij wilde dat je het terug zou krijgen; het laatste wat hij zei was: "Breng het naar Nefertiti." En dat heb ik nu gedaan.'

Hannah keek van hem weg. De naam. Haar geheime naam. Hij kende haar daarvoor niet goed genoeg. Ze sloot haar vingers om het boekje, sloot het deksel van de kist met herinneringen aan hoe dapper, onbesuisd en verwachtingsvol ze waren geweest. Toen hief ze haar blik weer naar hem op en zei: 'Laten we het over andere dingen hebben.'

Robbie boog zijn hoofd en stopte het lint weer in zijn zak. 'Waarover praten mensen wanneer ze elkaar na lange tijd weer ontmoeten?'

'Ze vragen elkaar wat ze hebben gedaan,' zei Hannah. Ze borg het boekje op in haar schrijfbureau. 'Wat het leven hun heeft gegeven.'

'Goed,' zei Robbie. 'Wat heb jij gedaan, Hannah? Wat het leven je heeft gegeven, is duidelijk.'

Hannah rechtte haar rug, schonk thee in een kopje en bood het hem aan. Het kopje rinkelde op het schoteltje in haar hand. 'Ik ben getrouwd. Met Theodore Luxton. Misschien komt de naam je bekend voor. Zijn vader en hij zijn bankiers. Ze werken in de City.'

Robbie bleef naar haar kijken en liet uit niets blijken of Teddy's naam hem iets zei.

'Ik woon in Londen, zoals je al hebt begrepen,' ging Hannah door, en ze probeerde erbij te glimlachen. 'Heerlijke stad, vind je niet? Er is zo veel te zien en te doen. Er zijn zo veel interessante mensen…' Haar stem stierf weg. Robbie bracht haar in de war. Hij keek naar haar met dezelfde verontrustende intensiteit als waarmee hij jaren geleden naar de Picasso in de bibliotheek had staan kijken. 'Robbie,' zei ze, een tikje ongeduldig. 'Ik moet je echt verzoeken daarmee op te houden. Je kunt niet zomaar…'

'Je hebt gelijk,' zei hij zachtjes. 'Je bent veranderd. Je gezicht is triest.'

Ze wilde antwoorden, zeggen dat hij het mis had. Dat de droefenis die hij bespeurde het rechtstreekse gevolg was van het feit dat herinneringen aan haar broer tot leven werden gewekt. Maar iets in zijn stem weerhield haar daarvan. Iets waardoor ze zich transparant voelde, onzeker, kwetsbaar. Alsof hij haar beter kende dan ze zichzelf kende. Dat vond ze allesbehalve prettig, maar ze wist instinctief dat het geen zin had ertegenin te gaan.

'Nou, Robbie,' zei ze en ze kwam stijfjes overeind. 'Dank je wel dat je bent gekomen. Dat je me hebt opgezocht om me het boekje terug te geven.'

In navolging van haar voorbeeld stond Robbie op. 'Ik had het beloofd.'

'Ik zal Boyle vragen je uit te laten.'

'Hoeft niet,' zei Robbie. 'Ik weet de weg.'

Hij deed de deur van de kamer open en Emmeline stormde binnen, als een wervelwind van roze zijde en opgeknipt blond haar. Haar wangen gloeiden van het genot jong te zijn en bij de beau monde te horen in een stad en een tijdperk die toebehoorden aan jonge welgestelde mensen. Ze viel neer op de bank en sloeg haar lange benen over elkaar. Hannah voelde zich opeens oud en een beetje flets. Als een aquarel die per ongeluk in de regen is achtergelaten, waardoor de kleuren in elkaar zijn overgelopen.

'Pfff. Ik ben bekaf,' zei Emmeline. 'Is er nog thee?'

Ze keek op en zag Robbie.

'Herinner je je meneer Hunter nog, Emmeline?' zei Hannah.

Emmeline keek weifelend, leunde naar voren met haar kin op de palm van haar hand en knipperde met haar grote blauwe ogen terwijl ze zijn gezicht bestudeerde.

'Een vriend van David,' zei Hannah. 'Die op Riverton is geweest.'

'Robbie Hunter,' zei Emmeline. Langzaam verscheen er een verheugde glimlach op haar gezicht en ze liet haar hand op haar schoot zakken. 'Natuurlijk. Wat mij betreft, ben je me een japon schuldig, Robbie. Misschien slaag je er ditmaal in de aanvechting om hem van mijn lijf te scheuren te onderdrukken.'

Op aandringen van Emmeline bleef Robbie eten. Ze konden hem onmogelijk toestaan meteen weer te vertrekken nu hij er nog maar net was. En zo kwam het dat Robbie die avond samen met Deborah, Teddy, Emmeline en Hannah aan tafel zat in de eetkamer op nummer 17.

Hannah zat aan de lange kant van de tafel, met Deborah en Emmeline tegenover zich, Teddy aan het ene hoofd en Robbie aan het andere. Hannah vond hen nogal amusante boekensteunen: Robbie was de jonge bohemien, terwijl Teddy, na vier jaar bij zijn vader gewerkt te hebben, een karikatuur was geworden van macht en rijkdom. Hij was nog steeds knap om te zien – Hannah had gemerkt dat de jonge echtgenotes van zijn collega's wel eens naar hem lonkten, ook al hadden ze daar bijzonder weinig aan –, maar zijn gezicht was voller geworden, zijn haar grijzer, en zijn wangen hadden de rossige tint gekregen die het gevolg was van het goede leven. Nu leunde hij achterover tegen de rugleuning van zijn stoel.

'Wat doet u voor de kost, meneer Hunter? Ik hoor van mijn vrouw dat u niet in zaken zit.' Dat er alternatieven bestonden, kwam allang niet meer in hem op.

'Ik ben schrijver,' zei Robbie.

'Schrijver?' zei Teddy. 'Schrijft u voor *The Times*?'

'Dat heb ik gedaan,' zei Robbie, 'onder andere. Nu schrijf ik voor mezelf.' Hij glimlachte. 'Dom genoeg dacht ik dat ikzelf sneller over mijn werk tevreden zou zijn.'

'Wat heerlijk,' zei Deborah luchtig, 'wanneer je het je kunt veroorloven je eigen tijd in te delen. Al zou ik mezelf niet zijn als ik niet voortdurend in de weer was.' Ze begon aan een monoloog over een modeshow die ze onlangs had georganiseerd en lachte daarbij roofzuchtig naar Robbie.

Deborah zat met hem te flirten, besefte Hannah. Ze keek naar Robbie. Hij was knap, op een lome, sensuele manier; niet het type waar Deborah normaal gesproken voor viel.

'Dus u schrijft boeken?' vroeg Teddy.

'Gedichten,' antwoordde Robbie.

Teddy trok ostentatief zijn wenkbrauwen op. '"Hoe saai is het stil te staan, glansloos weg te roesten in plaats van te schitteren in gebruik."'

Hannah kromp ineen om de mishandelde regels van Tennyson.

Robbie ving haar blik op en grinnikte. '"Alsof ademen leven was."'

'Ik hou van Shakespeare,' zei Teddy. 'Lijkt uw poëzie op de zijne?'

'Ik vrees dat ik niet aan hem kan tippen,' zei Robbie, 'maar ik blijf het evengoed proberen. Verlies jezelf in daden, maar kwijn niet in wanhoop weg.'

'Helemaal mee eens,' zei Teddy.

Terwijl Hannah naar Robbie zat te kijken, werd een eerder opgevangen glimp opeens helder. Ze wist wie hij was. Ze haalde diep adem. 'Je bent R.S. Hunter.'

'Wie?' zei Teddy. Zijn blik ging heen en weer tussen Hannah en Robbie en bleef toen rusten op Deborah, vragend om opheldering. Deborah haalde geaffecteerd haar schouders op.

'R.S. Hunter,' zei Hannah, terwijl ze Robbie in de ogen bleef kijken. Ze lachte. Ze kon het niet helpen. 'Ik heb je dichtbundel.'

'De eerste of de tweede?' vroeg Robbie.

'*Vooruitgang en ondergang*,' zei Hannah. Ze had helemaal niet geweten dat er een tweede bestond.

'O,' zei Deborah en ze zette grote ogen op. 'Daarover heb ik een artikel gelezen in de krant. U hebt er een prijs mee gewonnen.'

'*Vooruitgang* is mijn tweede bundel,' zei Robbie, naar Hannah kijkend.

'Ik zou de eerste ook graag willen lezen,' zei Hannah. 'Zou je me willen vertellen wat de titel is, zodat ik hem kan gaan kopen?'

'Je mag de mijne wel lenen,' zei Robbie. 'Ik heb hem al gelezen. Tussen ons gezegd en gezwegen vind ik de auteur nogal een saaie piet.'

Deborahs lippen vormden een glimlach en er verscheen een bekende flonkering in haar ogen. Ze was bezig Robbie op waarde te schatten en een lijst van mensen te maken op wie ze indruk kon maken als ze hem meenam naar een van haar soirees. Te oordelen naar de verlekkerde manier waarop ze haar lippen over elkaar wreef, was hij vrij waardevol. Hannah kreeg plotsklaps een bezitterig gevoel.

'Vooruitgang en ondergang?' zei Teddy met een knipoog naar Robbie. 'U bent toch geen socialist, meneer Hunter?'

Robbie glimlachte. 'Nee, hoor. Ik heb noch bezittingen om te herdistribueren, noch het verlangen bezittingen te vergaren.'

Teddy lachte. 'Meneer Hunter toch,' zei Deborah. 'Amuseert u zich ten koste van ons?'

'Ik amuseer me. Ik hoop niet ten koste van u.'

Deborah glimlachte op een manier die ze zelf innemend vond. 'Een stemmetje fluistert me in dat u niet zo arm bent als u ons wilt laten denken.'

Hannah keek naar Emmeline, die haar lach verborg achter haar handen; het was niet moeilijk te raden aan wie dat stemmetje toebehoorde.

'Waar heb je het over, Deb?' vroeg Teddy. 'Voor de draad ermee.'

'Onze gast zit ons een beetje te plagen,' zei Deborah en haar stem steeg triomfantelijk. 'Hij is helemaal niet *meneer* Hunter, maar *lord* Hunter.'

Teddy trok zijn wenkbrauwen op. 'Hè? Hoe bedoel je?'

Robbie draaide zijn wijnglas om en om aan de steel. 'Het is waar dat mijn vader lord Hunter was, maar ikzelf maak geen gebruik van de titel.'

Teddy nam Robbie over zijn bord met rosbief heen op. Een titel negeren was iets waarvoor hij geen begrip kon opbrengen. Zijn vader en hij hadden hard moeten knokken voordat ze Lloyd George zover hadden gekregen hen in de adelstand te verheffen. 'Weet u zeker dat u geen socialist bent?' vroeg hij.

'Genoeg over politiek,' zei Emmeline opeens en ze sloeg haar ogen ten hemel. 'Natuurlijk is hij geen socialist. Robbie is een van ons en we hebben hem niet uitgenodigd om hem lastig te vallen met zulke saaie onderwerpen.' Ze richtte haar blik op Robbie, liet haar kin op de palm van haar hand rusten. 'Vertel eens waar je bent geweest, Robbie.'

'Recentelijk?' zei Robbie. 'In Spanje.'

Spanje. Hannah herhaalde de naam in zichzelf. Wat heerlijk.

'Wat primitief,' zei Deborah lachend. 'Wat had u daar te zoeken?'

'Ik heb er een oude belofte ingelost.'

'U was in Madrid, neem ik aan?' vroeg Teddy.

'Een poosje,' antwoordde Robbie. 'Op weg naar Segovia.'

Teddy fronste. 'Wat is er in Segovia?'

'Ik ben naar het Alcázar gegaan.'

Hannah voelde haar huid prikken.

'Dat stoffige oude fort?' zei Deborah met een lach. 'Ik zou wel weten wat ik liever deed.'

'Het was juist erg mooi,' zei Robbie. 'Betoverend. Alsof je een andere wereld betreedt.'

'Vertel eens.'

Robbie aarzelde, zocht naar de juiste woorden. 'Soms kreeg ik het gevoel dat ik een glimp opving van het verleden. Wanneer de schemering inzette en ik helemaal alleen was, was het alsof ik de fluisterstemmen van de overledenen kon horen. Alsof er oude geheimen langs me heen gleden.'

'Wat luguber,' zei Deborah.

'Waarom ben je er dan niet gebleven?' vroeg Hannah.

'Ja,' zei Teddy. 'Waarom bent u teruggekeerd naar Londen, meneer Hunter?'

Robbies blik kruiste die van Hannah. Hij glimlachte en zei tegen Teddy: 'Dat heeft het lot zo beslist.'

'Als u zo reislustig bent,' zei Deborah, die haar geflirt in een hogere versnelling zette, 'hebt u vast zigeunerbloed.'

Robbie glimlachte, maar gaf geen antwoord.

'En als dat niet zo is, moet u een slecht geweten hebben,' zei Deborah. Ze boog zich naar Robbie toe en liet speels haar stem dalen. 'Is dat het, meneer Hunter, bent u op de vlucht?'

'Alleen voor mezelf, juffrouw Luxton,' zei Robbie.

'U komt nog wel tot rust,' zei Teddy, 'zodra u wat ouder wordt. Ik was vroeger ook vrij reislustig. Ik was van plan de hele wereld af te reizen om kunstvoorwerpen te verzamelen, ervaringen op te doen.' Aan de manier waarop hij zijn handpalmen aan weerskanten van zijn bord over het tafelkleed wreef, kon Hannah zien dat hij aan een van zijn preken begon. 'Als man krijg je steeds meer verantwoordelijkheden naarmate je ouder wordt. Je raakt gewend aan een bepaalde manier van leven. Dingen die anders dan anders zijn en die je vroeg fascineerden, vind je nu irritant. Neem Parijs, bijvoorbeeld; daar was ik onlangs nog. Ik heb altijd veel van Parijs gehouden, maar de stad gaat langzaamaan naar de knoppen. Geen respect voor tradities. De manier waarop vrouwen zich kleden!'

'Arme Tiddles,' lachte Deborah. 'Helemaal niet meer bij de tijd.'

'Ik weet dat jij verzot bent op de Fransen en hun mode,' zei Teddy, 'en voor ongetrouwde vrouwen als jij is het nog een spel. Maar je hoeft niet te denken dat ik mijn vrouw zal toestaan er zo bij te lopen!'

Hannah durfde niet naar Robbie te kijken. Ze richtte haar blik op haar bord, schoof haar eten heen en weer en legde haar vork neer.

'Reizen laat je in ieder geval kennismaken met andere culturen,' zei Robbie. 'Ik ben bij een stam in het Verre Oosten geweest waar de mannen patronen kerven op de gezichten van hun vrouwen.'

'Met een mes?' vroeg Emmeline ademloos.

Teddy slikte een brok halfgekauwd vlees door en vroeg geïnteresseerd: 'Waarom doen ze dat?'

'Vrouwen worden daar beschouwd als niets anders dan voorwerpen om van te genieten en mee te pronken,' zei Robbie. 'Mannen vinden dat ze het volste recht hebben hen te versieren zoals hun goeddunkt.'

'Wat een barbaren,' zei Teddy hoofdschuddend, en hij gaf Boyle een teken zijn wijnglas bij te vullen. 'En dan snappen ze nóg niet waarom het nodig is dat wij hun manieren leren.'

Hannah zag Robbie daarna een paar weken niet en dacht dat hij zijn belofte om haar zijn poëziebundel te lenen vergeten was. Echt iets voor hem, vermoedde ze, om eerst een uitnodiging om te blijven eten af te troggelen en loze beloften te doen, en dan te verdwijnen zonder die beloften na te komen. Ze was niet beledigd, alleen in zichzelf teleurgesteld dat ze zich bij de neus had laten nemen. Ze besloot het van zich af te zetten.

En toch, toen ze twee weken na die dag toevallig in de kleine boekwinkel in Drury Lane voor de planken stond met de auteurs H tot en met J, en haar blik toevallig viel op een exemplaar van zijn eerste dichtbundel, kocht ze hem. Per slot van rekening had ze zijn gedichten al mooi gevonden voordat ze erachter was gekomen dat hij een man van loze beloften was.

Toen stierf haar vader en werden alle gedachten aan de terugkeer van Robbie Hunter naar de achtergrond geschoven. Toen ze het nieuws van de onverwachte dood van haar vader ontving, voelde Hannah zich alsof ze van haar anker was losgeslagen, alsof ze uit een veilige haven was gedreven en nu was overgeleverd aan de nukken van stromingen die ze niet kende en niet vertrouwde. Ook al was dat onzin. Ze had papa al zo lang niet gezien: hij had geweigerd haar te ontvangen sinds haar huwelijk en ze was er niet in geslaagd de juiste woorden te vinden om hem van gedachten te laten veranderen. Niettemin was ze zolang haar vader nog leefde met iets verbonden geweest, met een grote, stevige figuur. Nu niet meer. Ze voelde zich door hem in de steek gelaten. Ze hadden vaak met elkaar overhoopgelegen, dat was inherent geweest aan hun relatie, maar ze had altijd geweten dat hij op een speciale manier van haar had gehouden. En nu was hij zomaar opeens weg. Ze begon 's nachts te dromen van donker water, lekkende schepen, meedogenloze oceaangolven. En overdag begon ze weer na te denken over wat de spiritist had gezegd over duisternis en dood.

Misschien zou alles anders worden wanneer Emmeline voorgoed op nummer 17 kwam wonen, dacht ze hoopvol. Na de dood van haar vader was besloten dat Hannah als een soort voogdes voor Emmeline zou optreden. Ze moesten haar goed in de gaten houden, had Teddy gezegd, gezien het onaangename incident met de filmmaker. Hoe langer Hannah erover nadacht, hoe meer ze zich begon te verheugen op de plannen. Ze zou een medestander krijgen. Iemand die haar begreep. Ze konden 's avonds laat opblijven, om te praten en te giebelen, geheimen te delen, net zoals vroeger.

Emmeline bleek echter heel andere plannen te hebben toen ze in Londen arriveerde. Ze voelde zich in de stad als een vis in het water en stortte zich met hart en ziel in het feestgedruis waar ze zo van hield. Ze ging iedere avond naar gekostumeerde bals – 'Witte Feesten', 'Circusfeesten', 'Onderwaterfeesten'… Hannah kon het allemaal niet bijhouden. Ze nam deel aan ingewikkelde vossenjachten, waarbij ze de gekste dingen moesten stelen, van de centenbakjes van bedelaars tot politiepetten. Ze dronk te veel en rookte te veel en vond de avond een mislukking als er de volgende ochtend geen foto van haar in het societykatern van de kranten stond.

Op een middag trof Hannah Emmeline samen met een groep vrienden aan in de zitkamer. Ze hadden de meubels opzijgeschoven en het dure Berlijntapijt slordig opgerold bij de haard neergekwakt. Een onbekend meisje in ragfijn, lichtgroen chiffon zat op het opgerolde tapijt loom te roken en had er helemaal geen erg in dat de as van haar sigaret op het tapijt viel. Ze keek naar Emmeline, die probeerde een jongeman met een babyface en twee linkervoeten de foxtrot te leren.

'Nee, nee,' zei Emmeline lachend. 'Het is een vierkwartsmaat, Harry. Niet een driekwartsmaat. Hou mijn hand vast, dan laat ik het je zien.' Ze zette de plaat opnieuw op. 'Klaar?'

Hannah zocht zich een weg langs de muren. Ze was zo overdonderd door de nonchalante manier waarop Emmeline en haar vrienden beslag hadden gelegd op de kamer (het was per slot van rekening háár kamer) dat ze was vergeten waarvoor ze was gekomen. Ze deed alsof ze iets zocht in haar schrijfbureau terwijl Harry op de bank neerplofte en zei: 'Ik kan niet meer. Je wordt nog eens mijn dood, Emme.'

Emmeline viel naast hem neer en sloeg haar arm om zijn schouders. 'Zoals je wilt, lieve schat, maar je moet niet denken dat ik op Clarissa's feest met je zal dansen als je de passen niet kent. De foxtrot is helemaal in en ik ben van plan om die de hele nacht te dansen!'

'De hele nacht' bedoelde ze letterlijk, dacht Hannah. Steeds vaker kwam Emmeline niet laat op de avond, maar vroeg in de ochtend thuis. Zij en sommige van haar vrienden vonden het allang niet meer genoeg om een avond lang in Claridge te dansen en cocktails te drinken van cognac en cointreau, die 'zijspan' werden genoemd, en zetten het feest voort bij iemand thuis. En maar al te vaak was dat bij een volslagen onbekende. 'Binnenvallen' noemden ze dat: in avondjurk door Mayfair zwieren tot ze een feestje zagen waaraan ze konden meedoen. Zelfs de bedienden begonnen erover te praten. Het nieuwe dienstmeisje was laatst bezig geweest de hal te vegen toen Emmeline om halfzes 's ochtends thuis was gekomen. Emmeline mocht van geluk spreken dat Teddy het niet wist, dat Hannah ervoor zorgde dat hij het niet te weten kwam.

'Jane zegt dat Clarissa het ditmaal echt meent,' zei het meisje in het lichtgroene chiffon.

'Denk je dat ze het ook echt doet?' vroeg Harry.

'Vanavond zullen we het te weten komen,' zei Emmeline. 'Clarissa heeft al maanden gedreigd dat ze haar haar in een bob zal laten knippen.' Ze lachte. 'Al is ze gek als ze het doet. Met haar botstructuur ziet ze er dan uit als een Duitse drilmeester.'

'Breng jij gin mee?' vroeg Harry.

Emmeline haalde haar schouders op. 'Of wijn. Het maakt niet uit. Clarissa is van plan het allemaal bij elkaar te gooien zodat iedereen zijn glas kan indopen.'

Een flessenfeest, dacht Hannah. Ze had erover gehoord. Teddy mocht graag artikelen uit de krant voorlezen tijdens het ontbijt. Hij liet de krant dan eerst zakken om haar aandacht te trekken, schudde meewarig zijn hoofd en zei: 'Moet je horen. Alweer zo'n feest. Mayfair ditmaal.' En dan las hij het artikel voor, woord voor woord, waarbij hij er zichtbaar genoegen in schepte de feestgangers, schaamteloze feestversieringen en de inval van de politie te beschrijven. Waarom konden jonge mensen zich niet gedragen zoals zijzelf hadden gedaan toen ze nog jong waren? zei hij dan. Waarom hielden ze geen galadiners, met bedienden die de wijn inschonken, en balboekjes?

Het stuitte Hannah zo tegen de borst dat Teddy blijkbaar vond dat zijzelf niet langer jong was dat ze, hoewel ze vond dat Emmelines gedrag niet door de beugel kon, er nooit iets over zei.

Bovendien zorgde ze ervoor dat Teddy niet te weten kwam dat Emmeline aan dergelijke feesten meedeed. En vooral niet dat ze hielp ze te organiseren. Hannah werd erg bedreven in het verzinnen van smoesjes over Emmelines nachtelijke bezigheden.

Maar toen ze die avond de trap op liep naar Teddy's werkkamer, gewapend met een vernuftige halve waarheid inzake Emmelines hechte vriendschap met lady Clarissa, was hij niet alleen. Toen ze de deur naderde, hoorde ze stemmen. Die van Teddy en Simion. Ze wilde zich al omdraaien om wat later terug te komen, toen ze de naam van haar vader hoorde noemen. Ze hield haar adem in en sloop naar de deur.

'Toch vind ik het sneu,' zei Teddy. 'Ongeacht hoe ik over hem dacht, is het naar dat hij zo moest sterven, door een ongeluk tijdens de jacht. Een ervaren jager als hij.'

Simion schraapte zijn keel. 'Teddy, tussen ons gezegd en gezwegen... ik heb het idee dat er meer achter zat.' Een veelbetekenende pauze. Toen ging hij op zo zachte toon door dat Hannah hem niet kon verstaan.

Teddy zei onthutst: 'Zelfmoord?'

Leugens, dacht Hannah, die begon te hijgen. Smerige leugens.

'Daar lijkt het op,' zei Simion. 'Ik heb van lord Gifford gehoord dat een van de bedienden – de oudere man, Hamilton – hem ergens op het landgoed heeft gevonden. De bedienden hebben hun best gedaan de details geheim te houden – zoals ik je al vaak heb verteld, kan niemand tippen aan de Britse bedienden wanneer het op discretie aankomt –, maar lord Gifford heeft hen eraan herinnerd dat het zijn taak is de reputatie van de familie te beschermen en dat hij van alle feiten op de hoogte gesteld moest worden om dat te kunnen doen.'

Hannah hoorde het schrapen van glas tegen glas, het klokken van sherry die werd ingeschonken.

'En wat zei Gifford?' vroeg Teddy. 'Waarom heeft hij de indruk gekregen dat het... opzet was?'

Simion zuchtte filosofisch. 'De man was er al een tijdlang slecht aan toe. Niet iedereen is geschikt voor het harde zakenleven. Hij was neerslachtig geworden, liep voortdurend met wapens rond. De laatste tijd gingen de bedienden zelfs stiekem achter hem aan wanneer hij het huis uit ging, om hem in de gaten te houden...' Hij streek een lucifer af en de geur van sigarenrook drong tot Hannah door. 'Laten we het erop houden dat, voor zover ik het heb begrepen, dit "ongeluk" er al een tijdje aan zat te komen.'

Er viel een stilte toen beide mannen over deze woorden nadachten. Hannah hield haar adem in en spitste haar oren of ze voetstappen hoorde.

Toen er een gepaste stilte was verstreken, ging Simion met hernieuwde energie door: 'Lord Gifford heeft het heel goed aangepakt – maar niemand zal het ooit te weten komen – en er is geen reden om hier niet van te profiteren.' Hannah hoorde het kraken van leer toen hij ging verzitten. 'Ik heb erover nagedacht en vind dat het tijd is dat je een nieuwe gooi doet naar een zetel in het parlement. De zaken gaan uitstekend, je hebt je voorbeeldig gedragen, onder de Conservatieven sta je te boek als een evenwichtige man. Je kunt volgens mij best proberen je kandidaat te stellen voor het district Saffron.'

In Teddy's stem gloorde nieuwe hoop. 'U bedoelt op Riverton gaan wonen?'

'Riverton is nu van jou en plattelanders hebben graag een lord in hun midden.'

'Vader,' zei Teddy ademloos, 'u bent een genie. Ik zal lord Gifford meteen bellen om te vragen of hij een goed woordje voor me kan doen bij de anderen.' Het geluid van de hoorn die van de haak werd genomen. 'Het is toch niet te laat om te bellen?'

'Het is nooit te laat voor zaken,' zei Simion. 'Of voor politiek.'

Hannah liep bij de deur vandaan. Ze had genoeg gehoord.

Ze sprak Teddy die avond niet meer. Bovendien was Emmeline relatief vroeg thuis, al om twee uur. Hannah lag nog wakker toen haar zus door de gang strompelde. Ze draaide zich om, kneep haar ogen stijf dicht en probeerde niet meer te denken aan wat Simion had gezegd over haar vader en de manier waarop hij was gestorven. Zijn uitzichtloze verdriet. Zijn eenzaamheid. De duisternis die hem had opgeëist. Ze probeerde ook niet te denken aan de brieven van berouw die ze nooit had kunnen afmaken.

En in de eenzaamheid van haar slaapkamer, terwijl Teddy's tevreden gesnurk haar vanuit de aangrenzende kamer bereikte, viel ze in slaap en droomde van zwart water, verlaten schepen en eenzame misthoorns die aan verlaten kusten opklonken.

II

Robbie kwam terug. Hij gaf geen verklaring voor zijn afwezigheid, ging doodgemoedereerd in Teddy's fauteuil zitten alsof er geen tijd was verstreken en gaf Hannah een exemplaar van zijn eerste dichtbundel. Ze stond op het punt te zeggen dat ze er al een had, toen hij een ander boek uit zijn jaszak haalde. Klein, met een groene kaft.

'Voor jou,' zei hij toen hij het haar gaf.

Hannahs hart sloeg over toen ze de titel las. Het was *Ulysses* van James Joyce, een boek dat overal verbannen was.

'Hoe...?'

'Via een kennis in Parijs.'

Hannah liet haar vingertoppen over het woord *Ulysses* glijden. Het ging over een getrouwd stel en hun zieltogende liefdesleven, wist ze. In de krant waren fragmenten van het boek verschenen, die Teddy aan haar had voorgelezen. Hij had het 'smerige kost' genoemd en ze had instemmend geknikt. In werkelijkheid vond ze de fragmenten ontroerend, maar ze wist hoe Teddy gereageerd zou hebben als ze hem dat had verteld. Hij zou gedacht hebben dat ze ziek was, dat ze naar de dokter moest. En misschien was dat ook zo.

Hoewel ze het heerlijk vond dat ze nu de gelegenheid had de roman te lezen, wist ze niet precies wat ze ervan vond dat Robbie hem voor haar had meegebracht. Dacht hij dat ze het type vrouw was voor wie dergelijke onderwerpen dagelijkse kost waren? Of erger nog: stak hij de draak met haar? Vond hij haar juist preuts? Ze stond op het punt hem dat te vragen, toen hij op zachte toon heel eenvoudig zei: 'Het speet me te horen dat je vader is overleden.'

Voordat ze iets over *Ulysses* kon zeggen, begon ze te huilen.

Niemand zocht iets achter Robbies bezoeken. In het begin niet. Er werd door niemand op gezinspeeld dat hun relatie niet door de beugel kon. En als iemand dat had gedaan, zou Hannah het ten stelligste hebben ontkend. Iedereen wist dat Robbie een vriend van haar broer was geweest, dat hij tot op het einde bij hem was geweest. Dat hij een beetje anders dan anderen was, niet helemaal respectabel, zoals ze Boyle nog steeds zag denken, kon je toeschrijven aan de duistere zaken van de oorlog.

Er zat geen lijn in Robbies bezoeken. Zijn komst was nooit gepland, maar Hannah begon ernaar uit te kijken, erop te wachten. Soms was ze alleen, soms was Emmeline of Deborah bij haar. Dat maakte niet uit. Voor Hannah werd Robbie een reddingsboei. Ze spraken over boeken en reizen, extreme ideeën en verre plaatsen. Hij leek haar al heel goed te kennen. Het was bijna alsof ze David terug had. Ze merkte dat ze naar zijn gezelschap begon te verlangen, ongedurig werd, al haar andere bezigheden saai begon te vinden.

Als Hannah iets minder met zichzelf bezig was geweest, zou ze gemerkt hebben dat ze niet de enige was die geïnteresseerd was in Robbies bezoeken. Dan zou ze gemerkt hebben dat Deborah de laatste tijd erg vaak thuis was. Maar Hannah had niets in de gaten.

Het kwam dan ook als een volslagen verrassing toen Deborah op een dag in de zitkamer haar kruiswoordpuzzel weglegde en zei: 'Volgende week geef ik een feestje ter ere van de lancering van het nieuwe parfum van Chanel, meneer Hunter, en weet u wat? Ik heb het zo druk gehad met de organisatie dat ik helemaal geen tijd heb gehad om iemand uit te nodigen om me naar het feest te vergezellen.' Ze glimlachte, een en al witte tanden en rode lippen.

'Dat zal geen probleem zijn,' zei Robbie. 'Er zijn vast mannen genoeg die zich graag laten meevoeren op de gouden golven van de high society.'

'Dat weet ik,' antwoordde Deborah, aan wie Robbies ironie ontging, 'maar het is een beetje kort dag…'

'Lord Woodall wil vast wel met je mee,' zei Hannah.

'Lord Woodall is in het buitenland,' antwoordde Deborah snel. Ze glimlachte naar Robbie. 'En ik kan echt niet in mijn eentje gaan.'

'Volgens Emmeline is het juist heel modern om alleen te gaan,' zei Hannah.

Deborah deed alsof ze dat niet had gehoord. Ze keek bevallig met geloken oogleden naar Robbie. 'Misschien…' Ze schudde haar hoofd met een bescheidenheid die helemaal niet bij haar paste. 'Nee, natuurlijk niet.'

Robbie zei niets.

Deborah tuitte haar lippen. 'Misschien zou u me willen vergezellen, meneer Hunter?'

Hannah hield haar adem in.

'Ik?' zei Robbie lachend. 'Nee, dank u.'

'Waarom niet?' vroeg Deborah. 'Het zal best leuk zijn.'

'Ik heb geen sociale vaardigheden,' zei Robbie. 'Ik zou me als een vis op het droge voelen.'

'Ik kan erg goed zwemmen,' zei Deborah. 'Ik hou u wel in het water.'

'Dank u,' zei Robbie, 'maar liever niet.'

Niet voor het eerst hield Hannah haar adem in. Hij legde een gebrek aan fatsoen aan den dag dat geheel in tegenstelling was met de geaffecteerde vulgariteit van Emmelines vrienden. Het zijne was echt en, dacht Hannah verbaasd, bijzonder aantrekkelijk.

'Ik verzoek u dringend er nog even over na te denken,' zei Deborah, haar stem nu scherp van woede. 'Iedereen die iets te betekenen heeft, zal er zijn.'

'Ik hou niet van de beau monde,' zei Robbie eenvoudig. Het gesprek begon hem te vervelen. 'Te veel mensen die te veel geld uitgeven om indruk te maken op anderen, die te dom zijn om dat te beseffen.'

Deborah opende haar mond en deed hem toen weer dicht.

Hannah probeerde een glimlach te onderdrukken.

'Als u het zeker weet,' zei Deborah.

'Heel zeker,' zei Robbie opgewekt. 'Maar toch bedankt.'

Deborah trok de krant op haar schoot en deed net alsof ze zich weer verdiepte in de kruiswoordpuzzel. Robbie trok zijn wenkbrauwen op naar Hannah en zoog zijn wangen naar binnen als een vis. Hannah begon te lachen.

Deborah hief met een ruk haar hoofd op en keek van de een naar de ander. Hannah herkende de uitdrukking op haar gezicht: die had Deborah, samen met haar hunkering naar overwinningen, van Simion. Haar lippen versmalden zich door de bittere smaak van de nederlaag. 'U kunt goed met woorden overweg, meneer Hunter,' zei ze kil. 'Welk woord van vijf letters is synoniem met vergissing?'

Een paar dagen later wreekte Deborah zich tijdens het avondeten voor Robbies vergissing.

'Ik zag dat meneer Hunter vandaag alweer hier was,' zei ze, een pasteitje aan haar vork spietsend.

'Hij heeft me een boek gebracht waarvan hij dacht dat ik het interessant zou vinden,' zei Hannah.

Deborah wierp een blik op Teddy, die aan het hoofd van de tafel zijn vis ontleedde. 'Ik zit me af te vragen of de bezoeken van meneer Hunter geen slechte invloed hebben op het personeel.'

Hannah legde haar mes en vork neer. 'Ik zie niet in hoe dat zou kunnen.'

'Ja,' zei Deborah, en ze ging rechtop zitten. 'Daar was ik al bang voor. Je hebt immers nooit echt de verantwoordelijkheid op je genomen wat het personeel aangaat.' Ze ging op trage toon door, ieder woord rekkend. 'Bedienden zijn als kinderen, mijn beste Hannah. Ze houden van routine, ze kunnen zonder routine nauwelijks functioneren. Het is onze taak hun die routines bij te brengen.' Ze hield haar hoofd schuin. 'Zoals je weet, komt meneer Hunter altijd zomaar binnenvallen. Hij heeft zelf toegegeven dat het hem schort aan sociale vaardigheden. Hij belt niet eens van tevoren, opdat je het personeel kunt waarschuwen. Mevrouw Tibbit wordt zenuwachtig wanneer ze thee voor twee personen moet klaarmaken als ze op thee voor één persoon had gerekend. Zulke dingen kun je haar echt niet aandoen. Vind je ook niet, Teddy?'

'Wat zeg je?' Hij keek op van de vissenkop.

'Ik zei,' antwoordde Deborah, 'dat het vervelend is dat het personeel de laatste tijd zo onrustig is.'

'Is het personeel onrustig?' vroeg Teddy. Dit was een van zijn zwakke punten, een angst die hij van zijn vader had meegekregen: dat de arbeidersklasse op een kwade dag in opstand zou komen.

'Ik zal het er met meneer Hunter over hebben,' zei Hannah snel. 'Ik zal hem verzoeken voortaan eerst te bellen.'

Deborah deed alsof ze daarover nadacht. 'Nee,' zei ze toen hoofdschuddend. 'Ik vrees dat het daar te laat voor is. Het lijkt mij het best dat hij helemaal niet meer komt.'

'Is dat niet wat overdreven, Deb?' zei Teddy, en Hannah voelde een opwelling van genegenheid voor hem. 'Meneer Hunter lijkt mij een volslagen ongevaarlijk individu. Een bohemien, maar ongevaarlijk. Als hij van tevoren belt, kan het personeel heus wel…'

'Er speelt nog meer,' zei Deborah vinnig. 'Je wilt toch niet dat mensen verkeerde ideeën krijgen, Teddy?'

'Verkeerde ideeën?' zei Teddy fronsend. Hij begon te lachen. 'O, Deb, je bedoelt toch niet dat iemand zou denken dat Hannah en meneer Hunter… Dat mijn echtgenote en een man als hij…?'

Hannah deed heel eventjes haar ogen dicht.

'Natuurlijk niet,' zei Deborah scherp. 'Maar mensen houden van roddelen en roddelpraatjes zijn niet goed voor de zaken. Noch voor politiek.'

'Politiek?' zei Teddy.

'Moeder zei dat je het nog een keer gaat proberen,' zei Deborah. 'Hoe kunnen de mensen erop vertrouwen dat je je kiezers in toom kunt houden als ze het idee krijgen dat je er moeite mee hebt je eigen vrouw de baas te kunnen?' Ze stak triomfantelijk een vork vol eten in haar mond, waarbij ze zorgvuldig meed haar gestifte lippen te raken.

Teddy keek bezorgd. 'Zo had ik het nog niet bekeken.'

'En dat is ook nergens voor nodig,' zei Hannah rustig. 'Meneer Hunter was een goede vriend van mijn broer. Hij komt op bezoek om met mij over David te praten.'

'Dat weet ik, schat,' zei Teddy met een verontschuldigende glimlach. Hij haalde hulpeloos zijn schouders op. 'Toch heeft Deb ergens wel gelijk. Dat zie je zelf toch ook wel in? De mensen mogen geen verkeerde ideeën krijgen.'

Daarna volgde Deborah Hannah als een schaduw. Nu ze door Robbie was afgewezen, wilde ze er zeker van zijn dat hij de instructie ontving; nog belangrijker was dat hij goed wist van wie die afkomstig was. De eerstvolgende keer dat Robbie op bezoek kwam, trof hij Deborah dan ook weer samen met Hannah op de bank in de zitkamer aan.

'Goedemorgen, meneer Hunter,' zei Deborah met een brede glimlach, terwijl ze klitten uit de vacht van haar maltezer, Bunty, plukte. 'Wat aangenaam u weer eens te zien. Mag ik aannemen dat u het goed maakt?'

Robbie knikte. 'En u?'

'Uit de kunst,' zei Deborah.

Robbie glimlachte naar Hannah. 'Wat vond je ervan?'

Hannah klemde haar lippen op elkaar. De drukproef van *The Waste Land* lag naast haar. Ze gaf hem het pakketje. 'Ik vond het heel mooi. Ik werd er ontzettend door geroerd.'

Hij glimlachte. 'Dat dacht ik al.'

Hannah zag dat Deborah nadrukkelijk haar ogen opensperde. 'Robbie,' zei Hannah, en even klemde ze haar lippen op elkaar, 'ik moet iets met je bespreken.' Ze maakte een uitnodigend gebaar naar Teddy's fauteuil.

Robbie ging zitten en keek haar met zijn donkere ogen aan.

'Mijn man,' begon Hannah, maar ze wist niet hoe ze verder moest. 'Mijn man…'

Ze keek naar Deborah, die haar keel schraapte en deed alsof ze al haar aandacht nodig had voor Bunty's zijdeachtige kop. Hannah bleef een ogenblik naar haar staren, gehypnotiseerd door Deborahs lange, dunne vingers, haar puntige nagels…

Robbie volgde haar blik. 'Je man…?'

Hannah sprak op zachte toon. 'Mijn man heeft liever dat je niet meer zomaar op bezoek komt.'

Deborah zette Bunty op de grond en klopte haar jurk af. 'Daar hebt u zeker wel begrip voor, meneer Hunter?'

Op dat moment kwam Boyle binnen met de thee. Hij zette het dienblad op de tafel, knikte naar Deborah en verliet de kamer.

'U drinkt toch nog wel een kopje thee met ons?' zei Deborah, op een zo zoetsappige toon dat Hannah er kippenvel van kreeg. 'Voor de laatste keer?' Ze schonk in en gaf Robbie een kopje.

Met Deborah in de rol van onversaagde dirigent slaagden ze erin een hakkelend gesprek gaande te houden over de val van de coalitieregering en de moord op Michael Collins. Hannah luisterde amper. Het enige wat ze wilde, was een paar minuten met Robbie alleen zijn om het uit te leggen, maar ze wist dat Deborah dat nooit zou toestaan.

Ze zat hierover te piekeren, vroeg zich af of ze ooit nog de gelegenheid zou krijgen hem te spreken, en besefte nu eigenlijk pas goed hoe afhankelijk ze was geworden van zijn gezelschap, toen de deur openging en Emmeline binnenkwam na een lunch met vrienden.

Emmeline zag er die dag opvallend mooi uit: ze had haar haar laten watergolven en droeg een nieuwe sjaal in een nieuwe kleur – siennabruin –, die haar huid een glans bezorgde. Zoals gewoonlijk stormde ze onstuimig binnen, zodat Bunty haastig zijn toevlucht zocht onder een fauteuil, en zakte nonchalant onderuit in de hoek van de bank, waarbij ze haar handen theatraal op haar buik legde.

'Pfff,' zuchtte ze, zich niet bewust van de gespannen sfeer in de kamer. 'Ik zit zo vol dat ik geen pap meer kan zeggen. Ik denk niet dat ik ooit nog iets zal kunnen eten.' Ze rolde haar hoofd opzij. 'Hoe is het ermee, Robbie?' Ze wachtte niet op antwoord, maar ging abrupt rechtop zitten en keek hen met grote ogen aan. 'Jullie raden nooit wie ik op het feestje van lady Sybil Colefax heb gezien. Ik zat te praten met lord Berner – de schat vertelde me over een snoezig pianootje dat hij in zijn Rolls-Royce heeft laten inbouwen – toen de Sitwells opeens binnenkwamen! Alle drie! In levenden lijve zijn ze nog veel leuker. Die dot van een Sachy met zijn geinige moppen en Osbert die altijd gedichtjes heeft met zo'n snaakse slotregel…'

'Epigrammen,' mompelde Robbie.

'Hij is minstens zo gevat als Oscar Wilde,' zei Emmeline. 'Maar eerlijk gezegd was ik nog het meest onder de indruk van Edith. Ze declameerde een van haar gedichten en velen van ons waren tot tranen toe geroerd. Nou ja, jullie kennen lady Colefax – die nodigt alleen mensen met hersens uit – en toen, je moet het me maar niet kwalijk nemen, mijn lieve Robbie, toen heb ik me laten ontvallen dat ik jou ken. Ze wisten niet wat ze hoorden! Maar volgens mij geloven ze me niet en denken ze dat ik gewoon graag dingen uit mijn duim zuig, al zou ik niet weten waarom ze dat denken, maar je begrijpt zeker wel dat je nu verplicht bent om vanavond met me mee te gaan, om te bewijzen dat ik de waarheid heb gesproken?'

Ze haalde adem, viste met een behendige beweging een sigaret uit haar tas en liet zich vuur geven. Ze blies een rookwolk uit. 'Zeg dat je met me meegaat, Robbie. Ik vind het nooit erg dat mensen aan me twijfelen wanneer ik lieg, maar het is iets heel anders wanneer ik de waarheid spreek.'

Robbie nam de tijd om over haar verzoek na te denken. 'Hoe laat moet ik je afhalen?' vroeg hij.

Hannah keek stomverbaasd. Ze had verwacht dat hij zou weigeren, zoals hij altijd deed wanneer Emmeline hem voor een feestje uitnodigde. Ze had gedacht dat Robbie net zo over Emmelines vrienden dacht als zijzelf. Misschien strekte zijn minachting zich niet uit tot mensen als lord Berner en lady Sybil. Misschien was de aantrekkingskracht van de Sitwells te groot om te kunnen weerstaan.

'Om zes uur,' zei Emmeline met een brede glimlach. 'Wat enig!'

Robbie arriveerde om halfzes. Het was ironisch, vond Hannah, dat iemand die eraan gewend was onaangekondigd binnen te vallen veel te vroeg was nu hij iemand kwam afhalen die nog minder punctueel was dan hijzelf.

Emmeline was nog niet gereed, dus kwam Robbie bij Hannah in de huiskamer zitten. Ze was blij dat ze daardoor de gelegenheid had hem uitleg te geven over Deborah, over de manier waarop ze Teddy had overgehaald met haar voorstel in te stemmen. Robbie zei dat ze zich niet druk moest maken, dat hij het al had geraden. Daarna praatten ze over andere dingen en de tijd moest zijn omgevlogen, want opeens verscheen Emmeline, klaar om te vertrekken. Robbie knikte naar Hannah en toen verdwenen Emmeline en hij in de nacht.

Een tijdlang ging dat zo door. Hannah zag Robbie wanneer hij Emmeline kwam halen en Deborah kon er weinig tegen beginnen. Eén keer, toen ze een laatste, wanhopige poging deed hem te laten verbannen, haalde Teddy zijn schouders op en zei dat het niet meer dan normaal was dat de vrouw des huizes gasten ontving die voor haar jongere zus kwamen. Ze kon de man moeilijk in zijn eentje in de huiskamer laten zitten.

Hannah probeerde tevreden te zijn met deze kostbare, gestolen ogenblikken, maar dacht voortdurend aan Robbie. Hij vertelde nooit veel over wat hij deed wanneer ze niet bij elkaar waren. Ze wist niet eens waar hij woonde. Dus begon ze daarover te fantaseren; ze was altijd goed geweest in het verzinnen van scenario's.

Het feit dat hij veel tijd doorbracht met Emmeline negeerde ze gewoon. Want wat maakte dat uit? Emmeline had veel vrienden. Robbie was daar gewoon één van.

Op een ochtend, toen ze samen met Teddy aan het ontbijt zat, sloeg hij met de rug van zijn hand tegen zijn geopende krant en zei: 'Wat zeg je me van die zus van jou?'

Hannah zette zich schrap en vroeg zich af welk schandaal Emmeline nu weer had veroorzaakt. Ze pakte de krant aan toen Teddy haar die over de tafel heen aanreikte.

Het was slechts een kleine foto, van Robbie en Emmeline toen ze de avond daarvoor uit een nachtclub waren gekomen. Emmeline stond er goed op, moest Hannah toegeven. Ze hief haar hoofd op en trok Robbie lachend aan zijn arm. Robbies gezicht was minder duidelijk. Het bevond zich in de schaduw omdat hij op het kritieke moment zijn hoofd had omgedraaid.

Teddy nam de krant weer van haar over en las het onderschrift hardop voor: *'De hooggeboren mejuffrouw E. Hartford, een van de bekoorlijkste jongedames van de high society, in gezelschap van een donkere vreemdeling. Er wordt gefluisterd dat de mysterieuze man de dichter R.S. Hunter is. Volgens een van onze bronnen heeft juffrouw Hartford laten doorschemeren dat de aankondiging van hun verloving ophanden is.'* Hij legde de krant neer en nam een hap van zijn gevulde ei. 'Dat ze zoiets geheim heeft weten te houden. Dat had ik niet achter haar gezocht,' zei hij. 'Maar ach, het had erger kunnen zijn. Ze had net zo goed die Harry Bentley kunnen kiezen.' Hij wreef met zijn duim over de punt van zijn snor om een kloddertje ei weg te vegen. 'Je maakt zeker wel een praatje met hem? Om ervoor te zorgen dat alles correct gebeurt? Ik heb geen behoefte aan een schandaal.'

Toen Robbie de avond daarop Emmeline kwam afhalen, ontving Hannah hem zoals altijd. Ze praatten een poosje, zoals altijd, tot Hannah het niet meer uithield.

'Robbie,' zei ze, terwijl ze naar de open haard liep. 'Ik moet je iets vragen. Is er iets wat je met me wilt bespreken?'

Hij leunde achterover op de bank en glimlachte naar haar. 'Jazeker. En ik dacht dat we dat al deden.'

'Wil je nog iets anders met me bespreken?'

Zijn glimlach verflauwde. 'Ik kan je niet volgen.'

'Wil je me iets vragen?'

'Misschien zou je me willen vertellen wat je denkt dat ik zou moeten vragen,' antwoordde Robbie.

Hannah slaakte een zucht. Ze pakte de krant van het schrijfbureautje en gaf hem aan Robbie.

Hij las het artikel en gaf haar de krant terug. 'En?'

'Robbie,' zei Hannah. Ze sprak op zachte toon om te voorkomen dat de bedienden er iets van zouden opvangen als die toevallig door de gang liepen. 'Ik ben de voogdes van mijn zus. Als jullie je willen verloven, is het niet meer dan correct dat je dat eerst met mij bespreekt.'

Robbie begon te lachen, zag dat Hannah het niet grappig vond en maakte van de lach een glimlach. 'Dat zal ik onthouden.'

Ze knipperde met haar ogen. 'En?'

'En?'

'Is er iets wat je met me wilt bespreken?'

'Nee,' zei Robbie lachend. 'Ik ben geenszins van plan Emmeline ten huwelijk te vragen. Nu niet en nooit niet. Maar bedankt voor je interesse.'

'O,' zei Hannah alleen maar. 'Weet Emmeline dat?'

Robbie haalde zijn schouders op. 'Ik zou niet weten waarom ze zou denken dat het zo was. Ik heb haar daar nooit enige aanleiding toe gegeven.'

'Mijn zus is romantisch,' zei Hannah. 'Ze hecht zich snel aan mensen.'

'Dan zal ze zich moeten onthechten.'

Hannah kreeg nu medelijden met Emmeline, maar voelde ook nog iets anders. Ze verachtte zichzelf een beetje toen ze besefte dat ze opgelucht was.

'Wat is er?' vroeg Robbie. Hij stond heel dicht bij haar. Ze vroeg zich af wanneer hij zo dichtbij was komen staan.

'Ik maak me zorgen om Emmeline,' zei Hannah. Haar been stootte tegen de bank toen ze een stapje achteruit deed. 'Ze denkt dat je meer voor haar voelt dan in werkelijkheid het geval is.'

'Dat kan ik niet helpen,' zei Robbie. 'Ik heb haar duidelijk genoeg gezegd dat het niet zo is.'

'Dan moet je niet meer met haar uitgaan,' zei Hannah bedaard. 'Zeg gewoon dat je geen zin meer hebt in haar feestjes. Dat is voor jou vast geen grote opoffering. Je hebt zelf gezegd dat er geen enkel onderwerp is waarover je met haar vrienden kunt praten.'

'Dat klopt.'

'Als je niets voor Emmeline voelt, moet je dat eerlijk tegen haar zeggen. Alsjeblieft, Robbie. Maak het haar duidelijk. Anders wordt ze ongelukkig en dat wil ik niet.'

Robbie keek naar haar. Hij hief zijn hand op en schikte op een heel tedere manier een lok haar die los was gesprongen. Ze bleef als bevroren staan, zich van niets anders bewust dan van hem. Zijn donkere ogen, de warmte van zijn huid, zijn zachte lippen. 'Dat zal ik doen,' zei hij, 'vanavond nog.' Hij stond nu heel dicht bij haar. Ze was zich bewust van zijn ademhaling, kon die horen, in haar hals voelen. Hij zei zachtjes: 'Maar hoe zou ik jou dan nog kunnen zien?'

Daarna veranderde alles. Dat kon ook niet anders. Iets impliciets was expliciet geworden. Voor Hannah begon de duisternis weg te trekken. Ze was verliefd op hem, al besefte ze dat in het begin niet. Ze was nog nooit verliefd geweest, had niets waarmee ze dit kon vergelijken. Ze had zich wel tot mannen aangetrokken gevoeld, had de plotselinge, onverklaarbare aantrekkingskracht gekend, ook voor Teddy, maar er is een verschil tussen genieten van iemands gezelschap omdat je die persoon aardig vindt en hopeloos verliefd zijn.

De korte gesprekken waar ze tot nu toe naar had uitgekeken, de gestolen ogenblikken wanneer hij op Emmeline wachtte, voldeden niet meer. Hannah wilde hem ergens anders zien, alleen, op een plaats waar ze vrijuit konden praten. Waar niet voortdurend het gevaar dreigde dat een derde persoon zich bij hen zou voegen.

Haar kans kwam op een avond begin 1923. Teddy was voor zaken naar Amerika, Deborah bracht het weekend door op het landgoed van een kennis en Emmeline was met vrienden naar een van Robbies poëzieavonden. Hannah nam een besluit.

Ze at 's avonds in haar eentje in de eetkamer, dronk daarna koffie in de zitkamer en trok zich toen terug op haar slaapkamer. Toen ik binnenkwam om haar te helpen zich uit te kleden, zat ze in de badkamer op de rand van de elegante badkuip op pootjes. Ze droeg een teer satijnen negligé dat Teddy voor haar had meegebracht van een van zijn reizen naar Europa. Ze had iets zwarts in haar handen.

'Wilt u in bad, mevrouw?' vroeg ik. Het was niet haar gewoonte na het diner nog te baden, maar het kwam wel eens voor.

'Nee,' zei Hannah.

'Zal ik u dan uw nachtpon brengen?'

'Nee,' zei ze nogmaals. 'Ik ga niet naar bed, Grace. Ik ga uit.'

Ik begreep het niet. 'Mevrouw?'

'Ik ga uit. En ik heb je hulp nodig.'

De andere bedienden mochten er niets van weten. Het waren spionnen, zei ze doodleuk, en ze wilde niet dat Teddy of Deborah – en ook Emmeline niet – te horen zou krijgen dat ze niet de hele avond thuis was geweest.

Het baarde me zorgen dat ze er 's avonds in haar eentje opuit ging, dat ze zoiets achter Teddy's rug deed. Ik vroeg me af waar ze naartoe ging, en of ze me dat zou vertellen. Ondanks mijn twijfels stemde ik erin toe haar te helpen. Dat sprak vanzelf. Omdat ze dat aan me vroeg.

We zeiden geen van beiden iets toen ik haar hielp de japon aan te trekken die ze al had gekozen: bleekblauwe zijde met franje die langs haar blote knieën streek. Ze zat voor de spiegel en keek toe toen ik haar haar strak vastzette op haar hoofd. Ze plukte aan de voorzijde van haar japon, draaide haar medaillon in het rond, beet op haar onderlip. Toen gaf ze me een pruik: zwart, glad, kort, een pruik die Emmeline maanden geleden naar een gekostumeerd bal had gedragen. Ik was verbaasd – Hannah droeg nooit pruiken –, maar trok hem over haar hoofd en deed een stapje achteruit om haar te bekijken. Ze zag eruit als iemand anders. Als Louise Brooks.

Ze pakte een flesje parfum – ook al een cadeautje van Teddy: Chanel No. 5, dat hij vorig jaar voor haar had meegebracht uit Parijs –, maar veranderde van gedachten. Ze zette het flesje terug op zijn plek en bekeek zichzelf. Toen zag ik het stukje papier op haar kaptafel: *Robbie draagt voor uit eigen werk* stond erop. *The Stray Cat, Soho, Zaterdag 22.00 uur.* Ze griste het stukje papier van de kaptafel, stopte het in haar avondtas en knipte die dicht. In de spiegel keek ze me in de ogen. Ze zei niets; dat hoefde niet. Ik vroeg me af

383

waarom ik het niet had geraden. Er was immers niemand anders die haar zo alert maakte. Zo nerveus. Zo verwachtingsvol.

Ik verliet als eerste haar kamer om te controleren of alle bedienden beneden waren. Toen zei ik tegen meneer Boyle dat ik had gezien dat er op een van de ruiten van de voordeur een vlek zat. Dat was niet zo, maar anders zouden ze er iets van denken wanneer de voordeur zonder reden werd geopend.

Ik ging weer naar boven en gaf Hannah, die in de bocht van de trap stond, een teken dat de kust vrij was. Ik deed de voordeur open en ze stapte samen met mij naar buiten. Daar bleven we staan. Ze draaide zich naar me om en glimlachte.

'Wees voorzichtig, mevrouw,' zei ik, terwijl ik probeerde mijn angstige voorgevoelens opzij te zetten.

Ze knikte. 'Dank je, Grace. Voor alles.'

Toen verdween ze in de nacht, geruisloos, met haar schoenen in haar hand zodat de hakken geen geluid zouden maken.

Hannah vond een taxi in een straat om de hoek en gaf de chauffeur het adres van de nachtclub waar Robbie zijn voordracht hield. Ze was zo opgewonden dat ze amper kon ademhalen. Ze moest aldoor met haar hakken op de vloer van de taxi tikken om zichzelf ervan te overtuigen dat het echt gebeurde.

Het adres had ze gemakkelijk weten te achterhalen. Emmeline hield een dagboek bij waarin ze folders, advertenties en uitnodigingen bewaarde en het had Hannah niet veel tijd gekost om het te vinden. Ze had de moeite niet eens hoeven te doen, bleek achteraf. Zodra ze de taxichauffeur de naam van de nachtclub had gegeven, had hij geen verdere informatie nodig. The Stray Cat was een van de bekendste nachtclubs van Soho, een ontmoetingspunt voor kunstenaars, drugsdealers, zakenmagnaten en rijke jonge leden van de aristocratie, die niets te doen hadden, zich dood verveelden en manieren zochten om zich te bevrijden van de ketenen van hun geboorte.

De chauffeur stopte voor de ingang, zei dat ze goed op zichzelf moest passen en schudde zijn hoofd toen ze hem betaalde. Toen ze zich omdraaide om hem te bedanken, zag ze de naam van de nachtclub op de zwarte taxi weerspiegeld voordat die in de nacht verdween.

Hannah was nog nooit in een nachtclub geweest. Ze bleef staan waar ze stond, keek naar het eenvoudige, uit baksteen opgetrokken gebouw, de verlichte naam en de groepjes lachende mensen die naar buiten kwamen. Dit was dus een van die clubs waar Emmeline het altijd over had. Dit was de plek waar zij en haar vrienden 's avonds naartoe gingen om plezier te maken.

Hannah huiverde ondanks haar warme stola, boog haar hoofd en ging naar binnen. Een portier wilde haar stola aannemen, maar ze weigerde hem af te geven.

Het was een kleine zaal, weinig groter dan een kamer, en het was er warm van de opeengepakte lichamen. De rokerige lucht rook zoetig naar gin. Ze bleef bij de ingang staan, dicht bij een pilaar, en liet haar ogen door de zaal gaan, op zoek naar Robbie.

Hij bevond zich al op het toneel, al kon je het nauwelijks een toneel noemen. Een kleine open ruimte tussen de vleugel en de bar. Hij zat op een kruk, met tussen zijn lippen een sigaret, waar hij af en toe een lome trek van nam. Zijn jasje hing over de rugleuning van een stoel naast hem, zodat hij slechts gekleed was in zijn zwarte broek en witte overhemd, waarvan hij het bovenste knoopje had losgemaakt. Zijn haar zat in de war. Hij bladerde in een notitieboekje. Tegenover hem zat het publiek aan kleine ronde tafels. Ook zaten er mensen op barkrukken, en anderen leunden tegen de muren.

Hannah zag Emmeline, te midden van haar vrienden, aan een van de tafeltjes. Fanny was erbij, de oude dame van het gezelschap. (Het huwelijk was niet wat Fanny zich ervan had voorgesteld. Nu de nogal pedante kinderjuf zich haar kinderen min of meer had toegeëigend en haar echtgenoot niets anders deed dan nieuwe kwalen verzinnen om aan te lijden, was het dagelijkse leven voor Fanny niet erg opwindend. Je kon het haar niet kwalijk nemen dat ze op avontuur uit was in het gezelschap van haar jonge vrienden. Ze duldden haar, had Emmeline aan Hannah verteld, omdat ze zo oprecht was in haar verlangen naar wat plezier in haar leven; bovendien was ze ouder en kon ze hen uit allerlei penibele situaties redden. Ze was vooral goed in politieagenten paaien wanneer ze 's nachts bij invallen werden opgepakt.) Ze dronken cocktails in martiniglazen en een van hen strooide een lijntje wit poeder op de tafel. Normaal gesproken zou Hannah zich zorgen hebben gemaakt om Emmeline, maar vanavond was ze verliefd op de wereld.

Hannah ging nog iets dichter bij de pilaar staan, maar het was niet eens nodig. Emme en haar vrienden gingen zo in elkaar op dat ze helemaal niet om zich heen keken. De man met het witte poeder fluisterde iets tegen Emmeline, die schaterend lachte, losbandig, haar blanke hals gestrekt.

Robbies handen beefden. Hannah zag het notitieboekje trillen. Hij legde zijn sigaret op een asbak op de bar naast zich en begon, zonder introductie. Een gedicht over historie, mysterie, en memorie: 'De sluiers van de nevel'. Het was een van haar lievelingsgedichten.

Hannah keek naar hem; voor het eerst had ze de gelegenheid hem te bekijken, haar ogen over zijn gezicht en zijn lichaam te laten gaan zonder dat hij het wist. En ze luisterde. De woorden hadden haar al ontroerd toen ze ze had gelezen, maar nu ze ze uit zijn eigen mond hoorde, was het alsof ze in zijn hart kon kijken.

Hij zweeg, het publiek klapte, en iemand riep iets waarop gelach opklonk en hij opkeek. Naar haar. Zijn gezicht verried niets, maar ze wist dat hij haar zag en haar ondanks de vermomming herkende.

Een ogenblik waren ze alleen.

Hij keek weer naar zijn notitieboekje, sloeg een paar pagina's om, aarzelde, koos het volgende gedicht.

En toen sprak hij voor haar. Het ene gedicht na het andere. Over weten en niet-weten, waarheid en lijden, liefde en wellust. Ze sloot haar ogen en voelde bij ieder woord de duisternis wegtrekken.

Toen was hij uitgesproken en applaudisseerde het publiek. Het barpersoneel kwam in actie, mengde Amerikaanse cocktails en schonk borrels in, de musici namen hun plaatsen in en barstten los met een jazznummer. Sommigen van de beschonken, lachende mensen maakten een geïmproviseerde dansvloer tussen de tafels. Hannah zag Emmeline naar Robbie zwaaien, hem wenken dat hij zich bij hen moest voegen. Robbie wuifde terug en wees op zijn horloge. Emmeline stak met een overdreven gebaar haar onderlip naar voren en slaakte een gilletje toen een van haar vrienden haar van haar stoel trok.

Robbie stak nog een sigaret op, trok met een soepel gebaar zijn jasje aan en stak het notitieboekje in zijn binnenzak. Hij zei iets tegen een man achter de bar en liep de zaal door naar Hannah.

Op dat moment, toen de tijd vertraagde en ze naar hem keek, hem naderbij zag komen, was ze een flauwte nabij. Ze voelde zich draaierig. Alsof ze boven op een grote klip stond, waar het hard waaide, en ze de grootste moeite had niet te vallen.

Zonder iets te zeggen pakte hij haar hand en nam hij haar mee naar buiten.

Pas om drie uur 's nachts sloop Hannah de bediendetrap van nummer 17 af. Ik had op haar gewacht, zoals ik haar had beloofd, met buikpijn van de zenuwen. Ze was later dan ik haar had verwacht, en de duisternis en bezorgdheid hadden mijn gedachten gekweld met afgrijselijke taferelen.

'Godzijdank,' zei Hannah, die naar binnen glipte toen ik de deur opende. 'Ik was bang dat je het was vergeten.'

'Natuurlijk niet, mevrouw,' zei ik beledigd.

Hannah zweefde door het bediendevertrek en liep op haar tenen, met haar schoenen in haar hand, de hal van het huis in. Toen ze de trap naar de tweede verdieping nam, merkte ze dat ik haar volgde. 'Je hoeft me niet te helpen, Grace. Het is al laat. Bovendien wil ik graag alleen zijn.'

Ik knikte, bleef staan waar ik stond, op de onderste tree, in mijn witte nachtpon. Als een vergeten kind.

'Mevrouw,' zei ik snel.

Hannah draaide zich om. 'Ja?'

'Hebt u een prettige avond gehad, mevrouw?'

Hannah glimlachte. 'O, Grace,' zei ze, 'vanavond is mijn leven begonnen.'

III

Ze ontmoetten elkaar altijd bij hem thuis. Ze had zich vaak afgevraagd waar hij woonde, maar zou het nooit hebben geraden. Hij had een sleepboot, die *Sweet Dulcie* heette en in de Theems lag, meestal in de buurt van Chelsea Bridge. Hij had hem gekocht van iemand in Frankrijk, vertelde hij, na de oorlog, en had hem overgevaren naar Londen. Het was een stevige boot, waarmee je makkelijk de open zee op kon, al zou je dat op het eerste gezicht niet zeggen.

De boot was verrassend goed uitgerust: een houten beschot, een piepklein keukentje met koperen pannen aan haken en een zitgedeelte met een opklapbed onder een rij ramen met gordijnen. Er waren zelfs een douche en toilet. Dat hij zo'n ongebruikelijk onderkomen had, zo anders dan alles wat ze tot dan toe had gekend, maakte het avontuur nog spannender. Een dergelijke intieme plek gaf de gestolen uurtjes van liefde een heel bijzonder cachet.

Hun afspraakjes waren makkelijk te regelen. Robbie kwam Emmeline afhalen en terwijl hij wachtte, moffelde hij Hannah een briefje in handen met de dag, het uur, en de naam van de brug waar hij afgemeerd zou liggen. Hannah bekeek het snel, knikte instemmend en ging op het afgesproken tijdstip naar hem toe. Soms lukte het niet; soms wilde Teddy dat ze hem vergezelde naar een of andere gelegenheid, of moest ze van Estella iets doen voor een comité. Dan kon ze hem niet laten weten dat ze niet zou komen, en stelde ze zich met pijn in haar hart voor hoe hij op haar zat te wachten.

Maar meestal lukte het wel. Dan zei ze dat ze met een vriendin ging lunchen of winkelen, en verdween ze. Ze bleef nooit lang weg. Daar lette ze goed op. Het zou achterdocht wekken als ze langer wegbleef dan een ochtend of een middag. Verboden liefde maakt je vindingrijk en algauw was ze er heel goed in: ze had meteen een smoesje klaar als iemand haar zag op een plek waar je haar niet zou verwachten. Op een dag kwam ze op Oxford Circus lady Clementine tegen. Waar was haar chauffeur? vroeg lady Clementine. Ze was te voet, antwoordde Hannah. Het was zulk mooi weer en ze had zin in een wandeling. Maar lady Clementine was niet van gisteren. Ze kneep haar ogen iets toe, knikte en zei tegen Hannah dat ze voorzichtig moest zijn. Dat de straten ogen en oren hadden.

De straten misschien wel, maar de rivier niet. In ieder geval niet het soort ogen en oren waar Hannah voor moest oppassen. De Theems was toen anders dan nu. Een drukbevaren waterweg, die bruiste van leven: kolenschepen op weg naar fabrieken, pramen die droge waren vervoerden, vissersboten die de vangst naar de markt brachten; en langs het water had je het jaagpad waar grote, sterke Clydesdales kleurige pramen trokken terwijl ze probeerden de duikvluchten van de meeuwen te negeren.

Hannah was verrukt van het leven op de rivier. Ze kon nauwelijks geloven dat ze al die jaren in Londen had gewoond zonder het ware hart van de stad te hebben ontdekt. Ze had over de bruggen gewandeld, althans een deel ervan; ze was er in haar auto met chauffeur talloze malen overheen gereden, maar ze had geen aandacht besteed aan het bruisende leven eronder. Wanneer ze al aan de Theems had gedacht, was het voor haar slechts een obstakel geweest dat overwonnen moest worden om bij een theater, kunstgalerij of museum te komen.

Het ging als volgt in zijn werk: ze verliet nummer 17 en begaf zich naar de brug die op het briefje stond. Soms was het er een in een wijk die ze kende, soms moest ze naar een onbekend deel van Londen. Ze zocht de brug op, daalde af naar de kade en tuurde de rivier af naar de kleine blauwe boot.

Hij stond altijd op haar te wachten. Wanneer ze bij de boot aankwam, stak hij zijn hand uit om haar aan boord te helpen. Dan doken ze de kajuit in en lieten ze de drukke, lawaaierige wereld achter zich om geheel in hun eigen wereld op te gaan.

Soms gingen ze niet onmiddellijk naar binnen. Dan pakte hij haar armen en kuste haar voordat ze iets kon zeggen.

'Ik heb zo lang op je gewacht,' zei hij wanneer ze bleven staan met hun voorhoofden tegen elkaar. 'Ik dacht dat je nooit zou komen.'

En daarna gingen ze naar binnen.

Soms bleven ze erna samen liggen, soezerig door het zachte deinen van de boot. Dan vertelden ze elkaar over hun leven. Ze praatten, zoals alle minnaars, over poëzie en muziek en de plaatsen waar Robbie was geweest en die Hannah graag wilde bezoeken.

Op een winterse namiddag, toen de zon laag boven de kim stond, beklommen ze de smalle trap naar het bovendek en de stuurhut. Er was een mist komen opzetten die hun privacy schonk. In de verte, aan de overkant van de rivier, stond iets in brand. De geur van de rook drong tot hen door en terwijl ze toekeken werden de vlammen hoger en feller.

'Zeker een vrachtschip,' zei Robbie. Op hetzelfde moment explodeerde er iets en kromp hij ineen. Een vuurwerk van vonken vulde de lucht.

Hannah keek naar de wolk van goudgeel licht te midden van de mist. 'Wat erg,' zei ze. 'Maar wat mooi.' Het was net een schilderij van Turner, vond ze.

Het was alsof Robbie haar gedachten kon lezen. 'Whistler woonde ook op de Theems,' zei hij. 'Hij hield ervan om de wisselende nevelsluiers te schilderen, de invloed van het licht. Monet ook. Die heeft hier ook een tijdje gewoond.'

'Dan bevind je je in goed gezelschap,' zei Hannah glimlachend.

'De vorige eigenaar van de *Dulcie* schildert ook,' zei Robbie.

'O ja? Hoe heet hij? Ken ik zijn werk?'

'Haar naam is Marie Seurat.'

Hannah voelde een steek van jaloezie toen ze dacht aan de onbekende vrouw die haar eigen boot had gehad, haar brood had verdiend met schilderen en Robbie had gekend toen zij, Hannah, hem niet had gekend.

'Hield je van haar?' vroeg ze, zich voorbereidend op zijn antwoord.

'Ik was erg op haar gesteld,' zei hij, 'maar helaas hield zij meer van haar minnares, Georgette.' Hij lachte toen hij Hannahs gezicht zag. 'Parijs is heel apart.'

'Ik zou er dolgraag nog een keer naartoe gaan,' zei Hannah.

'Dat zullen we doen,' zei Robbie terwijl hij haar hand in de zijne nam. 'Ooit zullen we gaan.'

Op de winter volgde de lente, en Hannah en Robbie begonnen zich bijna getrouwd te voelen. Op een dag was ze bezig thee voor hem te zetten en sloeg hij haar geamuseerd gade toen ze naar de theeblaadjes keek en zich hardop afvroeg of ze nog wel kracht hadden, nu ze zo droog en broos waren.

'Als we zouden samenwonen,' zei Hannah, 'zou ik vast heel huishoudelijk worden. Koekjes bakken lijkt me leuk.'

Robbie trok zijn wenkbrauwen op: hij had gezien wat ze met toast deed.

'Jij,' zei Hannah, 'zou de hele dag prachtige gedichten schrijven, hier bij het raam, en ze aan mij voorlezen. We zouden oesters en appels eten en wijn drinken.'

'We zouden naar Spanje varen om aan de winter te ontsnappen,' zei Robbie.

'Ja,' zei Hannah. 'En ik zou toreador worden. Een gemaskerde toreador. De beste van heel Spanje.' Ze zette het kopje slappe thee, waar theeblaadjes bovenop dreven, op het plankje naast het bed en ging naast hem zitten. 'Iedereen zou proberen mijn identiteit te ontdekken.'

'Maar het zou ons geheim blijven,' zei Robbie.

'Ja,' zei ze. 'Het zou ons geheim blijven.'

Op een druilerige dag in april lagen ze in elkaars armen te luisteren naar het zachte geklots van het water tegen de kiel van de boot. Hannah keek naar de klok aan de muur, telde de minuten af tot ze zou moeten gaan. Toen de geniepige kleine wijzer op de twaalf stond, kwam ze overeind. Ze pakte haar kousen van het voeteneinde van het bed en trok de linker aan. Robbie liet zijn vingers over haar onderste rugwervels wandelen.

'Ga niet weg,' zei hij.

Ze rimpelde de rechterkous tussen haar handen en stak haar voet erin.

'Blijf hier.'

Ze stond nu naast het bed, trok haar onderjurk aan en schikte hem over haar heupen. 'Je weet best dat ik dat dolgraag zou willen. Dat ik hier eeuwig zou blijven als het kon.'

'In onze geheime wereld.'

'Ja.' Ze glimlachte, knielde op de rand van het bed en stak haar hand uit om zijn wang te strelen. 'Dat zou fijn zijn. Onze eigen wereld. Een geheime wereld. Ik ben dol op geheimen.' Ze blies haar adem uit. Ze had hier al een tijd aan zitten denken, maar wist nog steeds niet waarom ze het zo graag aan hem wilde vertellen. 'Wij hadden vroeger een spel,' zei ze.

'Dat weet ik,' zei Robbie. 'David heeft me over Het Spel verteld.'

'O ja?'

Robbie knikte.

'Maar Het Spel is geheim,' zei Hannah automatisch. 'Waarom heeft hij het je verteld?'

'Je stond op het punt het me zelf te vertellen.'

'Ja, maar dat is iets anders. Jij en ik… Dat is iets anders.'

'Vertel me over Het Spel,' zei hij. 'Doe alsof ik het nog niet weet.'

Ze keek naar de klok. 'Ik moet gaan.'

'In het kort,' zei hij.

'Goed dan. In het kort.'

Ze vertelde het hem. Ze vertelde hem over Nefertiti en Charles Darwin en Emmelines koningin Victoria, en de avonturen die ze hadden verzonnen, het ene nog mooier dan het andere.

'Je had schrijver moeten worden,' zei hij, haar onderarm strelend.

'Ja,' zei ze serieus. 'Ik had via pen en papier kunnen vluchten en avonturen kunnen beleven.'

'Het is nog niet te laat,' zei hij. 'Je kunt er ook nu mee beginnen.'

Ze glimlachte. 'Het is nu niet meer nodig. Nu heb ik jou. Ik vlucht naar jou.'

Soms kocht hij wijn, die ze dronken uit waterglazen. Ze aten kaas en brood, en luisterden naar romantische muziek op de kleine grammofoon die hij uit Frankrijk had meegebracht. Soms, met de gordijnen dicht, dansten ze, zonder zich te storen aan de beperkte ruimte in de boot.

Op zo'n middag viel hij in slaap. Ze dronk de rest van haar wijn, lag een tijdje naast hem, probeerde haar ademhaling aan de zijne aan te passen tot ze het ritme te pakken had. Maar ze kon niet slapen, want de nieuwigheid was te groot. De nieuwigheid om zo naast hem te liggen. De nieuwigheid van hemzelf. Ze knielde op de vloer en keek naar zijn gezicht. Ze had hem nog nooit zien slapen.

Hij droomde. Ze zag de spiertjes rond zijn ogen samentrekken door wat zich achter zijn oogleden afspeelde. Het werd erger terwijl ze zat te kijken. Ze besloot hem wakker te maken. Ze vond het niet leuk om hem zo te zien, zijn knappe gezicht vertrokken.

Toen begon hij geluiden te maken en was ze bang dat mensen op de kade het zou horen. Dat iemand hun te hulp zou komen. Contact zou opnemen met iemand. Met de politie, of nog erger.

Ze legde haar hand op zijn onderarm, liet haar vingers over het bekende litteken glijden. Hij sliep door, bleef roepen. Ze schudde hem zachtjes, zei zijn naam. 'Robbie. Je droomt, lieverd.'

Zijn ogen vlogen open, rond en donker, en voordat ze wist wat er gebeurde, lag ze op de grond met hem boven op zich, zijn handen rond haar hals. Hij wurgde haar, ze kon amper adem krijgen. Ze probeerde zijn naam te zeggen, te roepen dat hij moest ophouden, maar kon het niet. Het duurde maar een ogenblik, toen klikte er iets in hem en drong tot hem door wie ze was. Hij besefte waar hij mee bezig was. Schrok hevig. Sprong overeind.

Ze ging zitten en schoof haastig achteruit tot haar rug de muur raakte. Ze keek geschrokken naar hem op en vroeg zich af wat hem was overkomen. Voor wie hij haar had aangezien.

Hij stond tegenover haar tegen de muur, met zijn handen voor zijn gezicht geslagen, zijn schouders gebogen. 'Is alles goed met je?' vroeg hij zonder naar haar te kijken.

Ze knikte, maar vroeg zich af of inderdaad alles goed was. 'Ja,' zei ze hardop.

Toen kwam hij naar haar toe, knielde naast haar. Blijkbaar kromp ze ineen, want hij hief zijn handen op tot schouderhoogte en zei: 'Ik zal je niets doen.' Hij stak een hand uit en tilde haar kin op om haar hals te bekijken. 'Jezus,' zei hij.

'Het geeft niet,' zei ze, met iets meer kracht. 'Ben jij…'

Hij legde zijn wijsvinger op haar lippen. Hij haalde nog steeds hijgend adem en hij schudde verstrooid zijn hoofd en ze begreep dat hij het niet wilde uitleggen. Dat hij het niet kon.

Hij bracht zijn handpalm naar de zijkant van haar hoofd. Ze vlijde haar wang in zijn hand en keek hem in de ogen. Zulke donkere ogen, vol geheimen die hij niet met haar zou delen. Ze wilde weten wat ze waren, nam zich voor ze hem te ontfutselen. En toen hij haar hals kuste, heel licht en teder, raakte ze in vervoering, zoals altijd.

Ze moest een week lang sjaals dragen, maar dat vond ze niet erg. Ergens vond ze het juist fijn om iets van hem op zichzelf mee te dragen. Het maakte de dagen tussen hun afspraakjes draaglijker. Een geheim bewijs dat hij echt bestond, dat ze samen bestonden. Hun geheime wereld. Soms bekeek ze de blauwe plekken in de spiegel, zoals een jonge bruid steeds naar haar trouwring kijkt. Om zichzelf eraan te herinneren. Al wist ze dat hij het vreselijk zou vinden dat ze dit deed.

Liefdesrelaties draaien, vanwege hun prilheid, helemaal om het heden. Toch komt er altijd een moment – een gebeurtenis, een woordenwisseling, een onmerkbare oorzaak – waarop het verleden en de toekomst zich weer aan het heden hechten. Voor Hannah was dit dat punt. Er zat meer aan hem vast. Dingen die ze niet had geweten. Ze was zo vol geweest van het feit dat hij zomaar opeens van haar was dat ze niet verder had gekeken dan haar huidige geluksgevoel. Hoe langer ze over dit aspect van hem nadacht, en over hoe weinig ze ervan wist, hoe gefrustreerder ze werd. En hoe vaster haar voornemen het uit te pluizen.

Op een koele middag in september zaten ze samen in bed en keken ze door het raam naar de kade. Ze hadden namen en beroepen zitten verzinnen voor de mensen die langskwamen. Nu zwegen ze en keken alleen nog maar stilletjes vanaf hun geheime plekje naar de voorbijtrekkende parade, tot Robbie plotsklaps uit bed stapte.

Hannah bleef in bed, maar draaide zich om en zag dat hij op de keukenstoel ging zitten, één been onder zich trok en zijn hoofd boog over zijn aantekenboekje. Hij probeerde een gedicht te schrijven. Hij had het de hele dag al geprobeerd. Hij was verstrooid geweest tijdens hun samenzijn, niet in staat hun spel met veel enthousiasme te spelen. Ze vond het niet erg. Ze zou niet kunnen uitleggen waarom, maar vanwege die verstrooidheid vond ze hem juist nog aantrekkelijker.

Ze ging languit liggen, zag hoe zijn vingers zich om het potlood klemden, het richting gaven in vloeiende lijnen en krullen op het papier, tot het stopte en met wilde halen terugkeerde over het afgelegde pad. Hij gooide het aantekenboekje en het potlood van zich af en wreef met de muis van zijn hand in zijn ogen.

Ze zei niets. Ze wist wel beter. Het was niet voor het eerst dat ze hem zo zag. Hij was gefrustreerd, wist ze, omdat hij er niet in slaagde de juiste woorden te vinden. Maar dat niet alleen: hij was ook bang. Dat had hij haar niet verteld, maar ze wist het. Ze had hem gadegeslagen en ze had erover gelezen: in de bibliotheek en in kranten en tijdschriften. Het was een verschijnsel dat artsen shellshock noemden: de toenemende onbetrouwbaarheid van het geheugen, een soort verdoving binnen de hersenen wegens traumatische ervaringen.

Ze wou dat ze hem kon helpen, kon zorgen dat het overging. Ze zou er alles voor overhebben als ze het kon wegnemen: de knagende angst dat hij krankzinnig werd. Hij liet zijn hand zakken en trok het potlood en aantekenboekje weer naar zich toe. Begon te schrijven, stopte, streepte woorden door.

Ze draaide zich op haar buik en keek weer naar de mensen die buiten langsliepen.

En toen was het weer winter. Hij zette het kacheltje tegen de muur van de keuken. Ze zaten op de grond te kijken naar de vlammen die op het rooster knisperden en flakkerden. Hun huid was warm en ze waren soezerig van de rode wijn, de warmte en elkaar.

Hannah nam een slokje wijn en zei: 'Waarom wil je niet over de oorlog praten?'

Hij gaf geen antwoord; in plaats daarvan stak hij een sigaret op.

Ze had gelezen wat Freud zei over verdrongen gevoelens en had het idee dat als ze Robbie zover kon krijgen erover te praten, hij misschien genezen kon worden. Ze hield haar adem in, vroeg zich af of ze het zou durven vragen. 'Komt het doordat je iemand hebt gedood?'

Hij keek naar haar profiel, nam een trek van zijn sigaret, blies de rook uit en schudde zijn hoofd. Toen begon hij zachtjes te lachen, zonder enige humor. Hij bracht zijn arm omhoog en legde zijn hand teder tegen de zijkant van haar gezicht.

'Is dat de reden?' fluisterde ze, nog steeds zonder naar hem te kijken.

Hij gaf geen antwoord en nam nog een trek.

'Over wie droom je?'

Hij nam zijn hand weg. 'Het antwoord op die vraag ken je al,' zei hij. 'Ik droom alleen over jou.'

'Dat is niet te hopen,' zei Hannah. 'Het zijn geen prettige dromen.'

Hij nam weer een trek van zijn sigaret, blies de rook uit. 'Vraag me er maar niet naar,' zei hij.

'Je lijdt aan shellshock, nietwaar?' zei ze en nu keek ze hem aan. 'Ik heb erover gelezen.'

Zijn ogen vonden de hare. Zulke donkere ogen. Als natte verf, vol geheimen.

'Shellshock,' zei hij. 'Ik heb me altijd afgevraagd wie dat heeft verzonnen. Ik neem aan dat ze een mooie naam zochten om het onbespreekbare te beschrijven voor de keurige dames thuis.'

'Keurige dames zoals ik, bedoel je,' zei Hannah. Ze was geïrriteerd. Ze was niet in de stemming om met een kluitje in het riet gestuurd te worden. Ze ging rechtop zitten en trok haar onderjurk over haar hoofd heen aan. Begon haar kousen aan te trekken.

Hij zuchtte. Ze wist dat hij niet wilde dat ze zo wegging: boos op hem.

'Heb je Darwin gelezen?' vroeg hij.

'Charles Darwin?' zei ze, naar hem omkijkend. 'Natuurlijk. Wat heeft Charles Darwin te maken met...'

'Aanpassing. Overleven is een kwestie van succesvolle aanpassing. Sommigen van ons zijn daar beter in dan anderen.'

'Aanpassing waaraan?'

'Aan de oorlog. Aan overleven dankzij je vernuft. Aan de nieuwe regels van het spel.'

394

Hannah dacht daarover na. Er voer een groot schip langs en het deed de sleepboot schommelen.

'Ik leef nog,' zei Robbie eenvoudig, met het licht van het haardvuur dansend op zijn gezicht, 'omdat een ander niet meer leeft. Een heleboel anderen.'

Nu wist ze het dus.

Ze wist alleen niet wat ze ermee aan moest. 'Ik ben blij dat je nog leeft,' zei ze, maar diep vanbinnen voelde ze een huivering. En toen zijn vingers haar pols streelden, trok ze haar hand onwillekeurig terug.

'Daarom praat niemand erover,' zei hij. 'Ze weten dat als ze dat wel zouden doen, iedereen hun ware aard zou leren kennen. Leden van de partij van de duivel die zich onder de gewone mensen begeven alsof ze er nog steeds bij horen. Alsof ze geen monsters zijn die zijn teruggekeerd van een moordzuchtige rooftocht.'

'Zeg dat niet,' zei Hannah op scherpe toon. 'Je bent geen moordenaar.'

'Ik heb mensen gedood.'

'Dat geldt niet. Het was oorlog. Je moest jezelf verdedigen. En anderen.'

Hij haalde zijn schouders op. 'Evengoed heeft een ander een kogel in zijn kop gekregen.'

'Hou op,' fluisterde ze. 'Ik kan er niet tegen wanneer je zo praat.'

'Dan had je het niet moeten vragen.'

Het beviel haar niets. Ze wilde hem niet zo zien, maar merkte dat ze er niets tegen kon doen. Dat iemand die ze kende, die ze intiem kende, wiens handen strelend over haar lichaam waren gegaan, iemand die ze volkomen vertrouwde, mensen had gedood... Dat veranderde alles. Het veranderde hém. Niet in negatieve zin. Ze hield niet minder van hem, maar ze bekeek hem anders. Hij had een man gedood. Mannen. Talloze, naamloze mannen.

Ze zat daar op een middag over na te denken terwijl hij door de boot ijsbeerde. Hij had zijn broek aan, maar zijn overhemd hing nog over een stoel. Ze keek naar zijn slanke, gespierde armen, zijn naakte schouders, zijn mooie, wrede handen, toen het gebeurde.

Voetstappen op het bovendek.

Ze bevroren allebei, staarden elkaar aan; Robbie trok zijn schouders op.

Er klonk een klopje. Toen een stem: 'Robbie? Doe eens open. Ik ben het.'

De stem van Emmeline.

Hannah stond op van het bed en griste snel haar kleren bij elkaar.

Robbie legde zijn vinger op zijn lippen en liep geruisloos naar de deur.

'Ik weet dat je er bent,' zei Emmeline. 'Ik sprak een heel lief oud mannetje op het jaagpad; hij zei dat hij je naar binnen heeft zien gaan en dat je de hele middag niet tevoorschijn bent gekomen. Laat me binnen, ik sta hier te vernikkelen.'

Robbie gebaarde naar Hannah dat ze zich in het toilet moest verstoppen.

Hannah knikte, liep op haar tenen de kajuit door en trok de deur snel achter zich dicht. Haar hart bonkte achter haar ribben. Ze trok moeizaam haar jurk over haar hoofd en ging toen op haar hurken zitten om door het sleutelgat te kijken.

Robbie deed de deur open. 'Hoe wist je waar je me kon vinden?'

'Jij ook goedendag,' zei Emmeline. Ze boog haar hoofd om binnen te komen en liep meteen door naar het midden van de kajuit. Hannah zag dat ze haar nieuwe gele japon aanhad. 'Desmond heeft het aan Freddy verteld, Freddy aan Jane. Je weet hoe de jongelui zijn.' Ze zweeg en keek met grote ogen om zich heen. 'Schitterend! Wat een prachtige schuilplaats. Je zult het hier wel naar je zin hebben... Bijzonder knus, moet ik zeggen.' Ze trok haar wenkbrauwen op toen ze de verkreukelde lakens op het bed zag, draaide zich om naar Robbie en keek glimlachend naar zijn ontblote bovenlichaam. 'Stoor ik?'

Hannah hield haar adem in.

'Ik sliep,' zei Robbie.

'Om kwart voor vier 's middags?'

Hij haalde zijn schouders op, pakte zijn overhemd en trok het aan.

'Ik vroeg me al af wat je de hele dag deed. Ik dacht dat je druk was met gedichten schrijven.'

'Dat was ik ook. Ben ik ook.' Hij masseerde zijn nek en blies nijdig zijn adem uit. 'Wat moet je?'

Hannah kromp ineen bij de boze klank van zijn stem. Hij was boos omdat Emmeline over dichten was begonnen: Robbie had al weken niets geschreven. Emmeline leek geen erg te hebben in zijn nurkse gedrag. 'Ik wilde weten of je vanavond meegaat. Naar Desmond.'

'Ik heb al gezegd van niet.'

'Ik weet dat je dat hebt gezegd, maar ik vroeg me af of je misschien van gedachten was veranderd.'

'Nee.'

Er viel een stilte toen Robbie omkeek naar de deur en Emmeline verlangend de kajuit rondblikte. 'Zal ik soms...'

'Je moet gaan,' zei Robbie snel. 'Ik ben aan het werk.'

'Ik kan anders best' – ze gebruikte haar tas om de rand van een vies bord op te tillen – 'opruimen of zo.'

'Nee.' Robbie deed de deur open.

Hannah zag hoe Emmeline haar mond tot een luchtige glimlach dwong. 'Ik maakte maar een grapje, lieve schat. Je dacht toch niet echt dat ik op zo'n mooie middag niets beters te doen had dan troep opruimen?'

Robbie gaf daar geen antwoord op.

Emmeline schreed naar de deur. Trok zijn kraag recht. 'Je gaat morgen toch wel mee naar Freddy?'

Hij knikte.

'En je komt me om zes uur halen?'

'Ja,' zei Robbie, en hij deed de deur achter haar dicht.

Hannah kwam het toilet uit. Ze voelde zich vies, als een rat die uit zijn hol komt.

'Misschien kunnen we elkaar beter een poosje niet zien?' zei ze. 'Een week of zo?'

'Doe niet zo raar,' zei Robbie. 'Ik heb tegen Emmeline gezegd dat ze hier niet meer mag komen. Ik zal het nog een keer zeggen en ervoor zorgen dat het duidelijk is.'

Hannah knikte en vroeg zich af waarom ze zich zo schuldig voelde. Ze herinnerde zichzelf eraan, zoals altijd, dat het zo moest zijn. Dat ze Emmeline er geen kwaad mee deden. Robbie had haar lang geleden al verteld dat hij niet verliefd op haar was. Hij had gezegd dat ze had gelachen en had gevraagd waarom hij had gedacht dat zij dat dacht. Maar toch. De klank in Emmelines stem, de spanning onder de geoefende nonchalance. En de gele jurk. Emmelines lievelingsjurk…

Hannah keek op de klok aan de muur. Ze had nog een halfuur. 'Misschien kan ik beter gaan,' zei ze.

'Nee,' zei hij. 'Blijf.'

'Ik…'

'Nog een paar minuten. Geef Emmeline de tijd om weg te gaan.'

Hannah knikte toen Robbie naar haar toe kwam. Hij streek met beide handpalmen langs haar gezicht om ze in haar nek samen te brengen en trok haar mond naar de zijne.

Een plotselinge, heftige kus, die haar overrompelde en het irritante stemmetje van haar twijfels afdoende tot zwijgen bracht.

Een natte middag in december; ze zaten in de stuurhut. De boot lag afgemeerd bij de Battersea Bridge, waar de treurwilgen hun tranen plengden in de Theems.

Hannah blies langzaam haar adem uit. Ze had het juiste moment afgewacht om het hem te vertellen. 'Ik kan de komende twee weken niet komen,' zei ze. 'Vanwege Teddy. Hij heeft gasten uit Amerika en ik moet de brave echtgenote spelen. Hun de stad laten zien, hen bezighouden.'

'Ik kan het niet uitstaan,' zei hij, 'wanneer je hem zo paait.'

'Dat doe ik helemaal niet. Teddy zou niet weten wat hem overkwam als ik dat zou doen.'

'Je weet best wat ik bedoel,' zei Robbie.

Ze knikte. Natuurlijk wist ze wat hij bedoelde. 'Ik heb er ook een hekel aan. Ik zou er alles voor overhebben als ik je nooit meer hoefde te verlaten.'

'Alles?'

'Bijna alles.' Ze huiverde toen een regenvlaag de stuurhut binnendrong. 'Maak voor volgende week een afspraakje met Emmeline; laat me weten wanneer en waar ik bij je kan komen, na de jaarwisseling.'

Robbie leunde over het stuurwiel heen om het raam dicht te doen. 'Ik wil een einde maken aan mijn relatie met Emmeline.'

'Nee,' zei Hannah abrupt. 'Nog niet. Hoe kunnen we elkaar dan nog zien? Hoe moet ik je dan vinden?'

'Dat zou geen probleem zijn als je bij me kwam wonen. Dan zouden we elkaar altijd kunnen vinden. Dan zouden we elkaar nooit kwijtraken.'

'Ik weet het, ik weet het.' Ze pakte zijn hand. 'Maar tot het zover is... Waarom wil je de relatie verbreken?'

Hij boog zich nog verder naar voren. Het raam zat vast, hij kreeg het niet dicht. 'Je had gelijk,' zei hij. 'Ze raakt te veel aan me gehecht.'

'Laat dat raam nou,' zei Hannah. 'Je wordt helemaal nat.'

Eindelijk gaf het raam mee en sloeg dicht. Robbie ging weer zitten, zijn haar drijfnat. 'Ze raakt veel te veel aan me gehecht,' herhaalde hij.

'Emmeline hecht zich snel aan mensen,' zei Hannah. Ze haalde een handdoek uit het kastje achter haar en droogde zijn gezicht. 'Zo is ze nu eenmaal. Waarom? Waarom zeg je dit?'

Robbie schudde ongeduldig zijn hoofd.

'Wat is er?' vroeg Hannah.

'Niets,' zei Robbie. 'Je hebt gelijk. Het is waarschijnlijk niets.'

'Natuurlijk is het niets,' zei Hannah resoluut. Op dat moment geloofde ze het ook. Ze zou het trouwens ook hebben gezegd als ze het niet had geloofd. Zo is de liefde: dwingend, overtuigd van eigen gelijk, overredend. De liefde brengt fluisterstemmen van twijfel met gemak tot zwijgen.

Het regende nu erg hard. 'Je hebt het koud,' zei Hannah. Ze sloeg de handdoek om zijn schouders. Ze ging op haar knieën voor hem zitten en droogde zijn blote armen. 'Je vat nog kou.' Ze keek hem niet aan toen ze zei: 'Teddy wil dat we op Riverton gaan wonen.'

'Wanneer?'

'In maart. Hij zal het huis laten opknappen en een nieuw zomerhuis bouwen. Hij is al weken bezig met de plannen.' Ze voegde er laconiek aan toe: 'Hij denkt dat hij als landheer een goed figuur zal slaan.'

'Waarom heb je me dit niet eerder verteld?'

'Ik wilde er niet aan denken,' zei ze machteloos. 'Ik hoopte aldoor dat hij van gedachten zou veranderen.' Opeens sloeg ze haar armen stijf om hem heen. 'Je moet blijven uitgaan met Emmeline. Ik kan je niet op Riverton uitnodigen, maar zij wel. Ik neem aan dat ze al haar vrienden zal uitnodigen voor weekeinden en feestjes.'

Hij knikte en meed haar ogen.

'Alsjeblieft,' zei Hannah. 'Voor mij. Ik moet weten dat je zult komen.'

'En dan worden we zo'n weekendstel?'

'Ja.'

'Dan gaan we hetzelfde spel spelen als talloze andere stellen al hebben gedaan? Elkaar 's nachts stiekem opzoeken, en overdag net doen alsof we elkaar amper kennen?'

'Ja,' zei ze kalm.

'Dat zijn onze regels niet.'

'Dat weet ik.'

'Het is niet genoeg,' zei hij.

'Dat weet ik,' zei ze weer.

'Goed,' zei hij. 'Maar ik doe het alleen voor jou.'

1923 werd 1924 en toen Teddy voor zaken op reis was en Deborah en Emmeline het druk hadden met hun vrienden, regelden ze weer een ontmoeting. De boot lag afgemeerd in een deel van Londen waar Hannah nog nooit was geweest. Terwijl de taxi steeds dieper doordrong in de doolhof van East End, keek ze uit het raampje. De avond was gevallen en er was niet veel te zien: grijze gebouwen; door paarden getrokken karren met lantaarns bovenin; hier en daar kinderen met rode wangen, gekleed in wollen truien, die aan het knikkeren of bikkelen waren en naar de taxi wezen. Toen sloegen ze een straat in met een heleboel gekleurde lichtjes, drommen mensen, muziek.

Hannah boog zich naar voren en vroeg aan de chauffeur: 'Wat is dit? Wat gebeurt hier?'

'Nieuwjaarsfestival,' zei hij met een zwaar Cockney-accent. 'Stapelgek, als je het mij vraagt. Midden in de winter; ze zouden thuis bij de kachel moeten zitten.'

Hannah keek gefascineerd om zich heen toen de taxi door de straat in de richting van de rivier kroop. Tussen de huizen waren strengen lampjes opgehangen die hun zigzagweg leken te begeleiden. Een bandje van mannen met violen en een accordeon had nogal wat omstanders getrokken, die klapten en lachten. Kinderen holden tussen de volwassenen door, gooiden serpentines en bliezen op fluitjes; mannen en vrouwen stonden rond grote metalen tonnen waarop kastanjes werden gepoft en dronken bier uit grote pullen. De taxichauffeur moest claxonneren en uit het raampje roepen om vrij baan te krijgen. 'Ze zijn gek,' zei hij toen de taxi eindelijk het einde van de straat bereikte en de hoek omsloeg een donkere straat in. 'Stapelgek.'

Hannah voelde zich alsof ze door een soort sprookjeswereld was gereden. Toen de chauffeur uiteindelijk bij de kade stopte, holde ze ademloos naar Robbie, die op haar stond te wachten.

Robbie stribbelde tegen, maar Hannah soebatte tot ze hem uiteindelijk wist over te halen mee te gaan naar het straatfeest. Ze kwamen zo weinig buiten, zei ze, en wanneer zouden ze nogmaals een gelegenheid krijgen om samen naar een feestje te gaan? Niemand kende hen hier. Het kon makkelijk.

Ze hoopte dat ze op haar geheugen kon vertrouwen toen ze terugliepen, was een beetje bang dat ze de straat niet zou vinden. Bang dat het feest zou zijn verdwenen, zoals de elfenkring in een sprookje. Maar algauw hoorden ze de jubelende klanken van de violen, de fluitjes van de kinderen en de vrolijke kreten, en wist ze dat ze er bijna waren.

Even later sloegen ze de hoek om de sprookjeswereld in en liepen ze langzaam door de straat. De koude wind bracht de geur mee van gepofte kastanjes, zweet en vrolijkheid. Mensen hingen uit de ramen, riepen naar degenen die op straat stonden, zongen, hieven hun glas om het nieuwe jaar te verwelkomen en het oude vaarwel te zeggen. Hannah keek met grote ogen om zich heen, hield Robbies arm stijf omklemd, wees naar van alles, lachte verrukt om de mensen die begonnen te dansen op een geïmproviseerd dansvloertje.

Ze bleven staan kijken, tussen de groeiende menigte, vonden toen zitplaatsen op een plank die op wat kisten was gelegd. Een dikke vrouw met rode wangen en een dikke bos donker, krullend haar was op een hoge kruk bij de vioolspelers gaan zitten, zong de liedjes mee en tikte daarbij met een tamboerijn tegen haar mollige dij. Gejuich uit het publiek, aanmoedigende kreten, zwierende rokken.

Hannah vond het schitterend. Ze had nog nooit zo'n uitgelaten sfeer meegemaakt. Ze was naar talloze feestjes geweest, maar hiermee vergeleken waren die allemaal erg strak georganiseerd. Erg tam. Ze klapte, lachte, kneep hard in Robbies hand. 'Wat kunnen ze dat goed,' zei ze, niet in staat haar ogen van de dansparen af te wenden. Mannen en vrouwen, dik en dun, groot en klein, haakten hun armen ineen terwijl ze rondwervelden, stampten en klapten. 'Vind je hen niet geweldig?'

De muziek was aanstekelijk. Sneller, luider, hij drong via haar poriën haar lichaam binnen, vloeide in haar bloed, deed haar huid tintelen. Een ophitsend ritme dat de kern van haar wezen raakte.

Robbies stem in haar oor: 'Ik heb dorst. Laten we iets te drinken gaan halen.'

Ze hoorde hem amper, schudde haar hoofd. Besefte dat ze haar adem had ingehouden. 'Nee. Nee, ga jij maar. Ik wil blijven kijken.'

Hij aarzelde. 'Ik wil je niet alleen laten.'

'Er zal me heus niets gebeuren.' Vaag was ze zich ervan bewust dat zijn hand de hare nog een ogenblik omklemd hield en toen losliet. Geen tijd om hem na te kijken, er was veel te veel te zien. Te horen. Te voelen.

Ze vroeg zich later af of ze iets in zijn stem had moeten horen. Of ze had moeten beseffen dat het lawaai, de drukte, de menigte hem zo beklemden dat hij nauwelijks adem kon halen. Maar ze had het niet in de gaten. Ze was als betoverd.

Robbies plaats werd snel door een ander ingenomen. Een warme dij drukte tegen de hare. Ze wierp een blik opzij. Een kleine, gedrongen man met rode bakkebaarden en een bruine vilthoed.

De man ving haar blik op, boog zich naar haar toe en wees met zijn duim naar de dansvloer. 'Zullen we?'

Zijn adem rook naar tabak. Zijn ogen waren bleek, blauw, strak op haar gericht.

'O... nee.' Ze glimlachte naar hem. 'Dank u. Ik ben hier met iemand.' Ze keek over haar schouder of ze Robbie zag. Ze meende hem in de duisternis aan de overkant van de straat te zien. Bij een rokende ton. 'Hij komt zo terug.'

De man hield zijn hoofd schuin. 'Vooruit. Eén dansje maar. Om warm te blijven.'

Hannah keek weer achterom. Nu was Robbie nergens te bekennen. Had hij gezegd waar hij naartoe ging? Hoe lang hij weg zou blijven?

'Ja of nee?' zei de man. Ze draaide zich naar hem terug. Overal klonk muziek. Het herinnerde haar aan een straat die ze jaren geleden in Parijs had gezien. Tijdens haar huwelijksreis. Ze beet op haar lip. Eén dansje kon toch geen kwaad? Wat had het leven voor zin als je niet iedere gelegenheid aangreep? 'Goed dan,' zei ze en ze pakte zijn hand. Glimlachte nerveus. 'Maar ik weet niet zeker of ik het kan.'

De man grinnikte. Trok haar overeind, sleepte haar mee naar het midden van de wervelende menigte.

En toen danste ze. In zijn sterke greep wist ze opeens hoe het moest. Ze kende de passen. Ze huppelden en draaiden, meegevoerd op het ritme van de andere stellen. Violen zongen, voeten stampten, handen klapten. De man stak zijn arm door de hare, ellebogen ineen, en ze zwierden in het rond. Ze lachte, ze kon haar lach niet binnenhouden. Ze had nog nooit zo'n overweldigend gevoel van vrijheid gekend. Ze hief haar gezicht op naar de nachtelijke hemel, sloot haar ogen, voelde de kus van koude lucht op haar warme oogleden, haar gloeiende wangen. Ze deed haar ogen weer open, zocht tijdens het dansen naar Robbie. Verlangde ernaar met hém te dansen, door hem te worden vastgehouden. Ze keek naar de zee van gezichten – zo veel waren het er daarnet toch niet geweest? –, maar ze draaide te snel in het rond. De gezichten waren een waas van ogen, monden en woorden.

'Ik...' Ze was buiten adem, drukte haar hand tegen haar blote hals. 'Ik moet nu stoppen. Mijn vriend is vast al terug.' Ze tikte de man op zijn schouder omdat hij haar bleef vasthouden, in de rondte bleef zwieren. Riep in zijn oor: 'Zo is het genoeg. Dank u.'

Ze werd bang dat hij niet zou stoppen, dat hij zou blijven dansen, steeds maar weer in de rondte, dat hij haar nooit meer los zou laten. Maar toen voelde ze dat het zwieren stopte; een ogenblik van duizeligheid en toen stonden ze weer bij de bank.

Daarop zaten nu andere mensen. Robbie was nog steeds nergens te bekennen.

'Waar is uw vriend?' vroeg de man. Hij was tijdens het dansen zijn hoed verloren en streek met zijn hand over zijn dikke rode haar.

'Hij komt zo,' zei Hannah. Ze zocht de onbekende gezichten af. Knipperde met haar ogen tegen de duizeligheid. 'Hij komt zo.'

'Dan kunt u beter blijven dansen,' zei de man. 'Anders vat u kou.'

'Nee,' zei Hannah. 'Dank u, maar ik wil hier op hem wachten.'

De man greep haar pols. 'Vooruit. Nog eentje. Hou me nog even gezelschap.'

'Nee,' zei Hannah nadrukkelijk. 'Dit was voor mij genoeg.'

De greep van de man verslapte. Hij haalde zijn schouders op, streek met zijn vingers over zijn bakkebaarden, zijn hals. Draaide zich om en wilde weglopen.

Opeens, in de duisternis, zag ze beweging. Een schaduw. Hij kwam naderbij.

Robbie.

Een elleboog tegen haar schouder en ze viel.

Een kreet. Wie schreeuwde er? Hij, de man? Zij?

Hannah viel tegen een muur van toeschouwers aan.

Het bandje bleef spelen; het klappen en stampen ging door.

Vanaf de grond keek ze omhoog. Robbie lag boven op de man. Beukende vuisten. Harde klappen. Weer. En weer. En weer.

Paniek. Hitte. Angst.

'Robbie!' riep ze. 'Robbie, hou op!'

Ze baande zich een weg door de dichte menigte, vastgrijpend wat ze kon.

De muziek was gestopt en mensen hadden zich rond de vechtenden verzameld. Ze wist zich ertussendoor te dringen, tot ze vooraan stond. Ze greep Robbies overhemd vast. 'Robbie!'

Hij schudde haar van zich af. Keek naar haar op. Lege ogen die haar niet aankeken. Haar niet zagen.

De vuist van de man raakte Robbies gezicht. En nu lag híj bovenop.

Bloed.

Hannah krijste. 'Nee! Laat hem met rust. Alstublieft, laat hem los.' Ze begon te huilen. 'Kan niemand hem helpen?'

Ze wist achteraf niet precies hoe er een einde aan kwam. Wist niet wat de naam was van de man die haar te hulp schoot, die Robbie te hulp schoot. Die de man met de bakkebaarden van hem af trok, Robbie naar de muur sleepte. Glazen water haalde, toen whisky. Zei dat ze haar man mee naar huis moest nemen en in bed moest stoppen.

Wie het ook was, de gebeurtenissen van die avond verbaasden hem allerminst. Hij lachte en zei dat er geen zaterdagavond – zelfs geen vrijdagavond en donderdagavond – voorbijging zonder dat een paar kerels elkaar te lijf gingen. Toen haalde hij zijn schouders op en zei dat Red Wycliffe geen kwaaie vent was. Hij had alleen nare oorlogservaringen, dat was alles, en sindsdien was hij niet meer zichzelf geweest. Daarna had hij hen weggestuurd, Robbie steunend op Hannah.

Niemand lette op hen toen ze de straat uit strompelden en de dansende menigte, de vrolijkheid en het handgeklap achter zich lieten.

Later, op de boot, waste ze zijn gezicht. Hij zat op een lage houten stoel en zij knielde voor hem. Hij had weinig gezegd sinds ze het festival hadden verlaten en ze had niets willen vragen. Wat hem was overkomen, waarom hij de man te lijf was gegaan, waar hij was geweest. Ze vermoedde dat hij zichzelf hetzelfde soort vragen stelde, en daar had ze gelijk in.

'Dit had heel anders kunnen aflopen,' zei hij uiteindelijk. 'Dit had heel anders kunnen aflopen.'

'Ssst,' zei ze, en ze drukte de vochtige lap flanel tegen zijn wang. 'Het is voorbij.'

Robbie schudde zijn hoofd. Sloot zijn ogen. Onder de dunne oogleden flakkerden zijn gedachten. Hannah kon hem amper verstaan toen hij fluisterde. 'Ik zou hem vermoord hebben, God sta me bij, ik zou hem vermoord hebben.'

Daarna gingen ze niet meer uit. Hannah nam de schuld op zich, verweet het zichzelf dat ze niet naar zijn tegenwerpingen had geluisterd, dat ze erop had gestaan naar het festival te gaan. De lichten, het lawaai, de menigte. Ze had zo veel over shellshock gelezen: ze had beter moeten weten. Ze nam zich voor in de toekomst beter op hem te passen, te denken aan wat hij had doorstaan, hem voorzichtig te behandelen. En hier nooit meer iets over te zeggen. Het was voorbij. Het zou niet weer gebeuren. Daar zou ze voor zorgen.

Ongeveer een week later lagen ze samen in bed hun spel te spelen, zich in te beelden dat ze in een klein, afgelegen dorp boven op de Himalaya woonden, toen Robbie opeens rechtop zitten en zei: 'Ik heb genoeg van dit spel.'

Hannah richtte zich op één elleboog op. 'Wat wil je liever doen?'

'Ik wil dit in het echt.'

'Ik ook,' zei Hannah. 'Stel je toch eens voor dat we…'

'Nee,' zei Robbie. 'Waarom kunnen we het niet echt doen?'

'Lieveling,' zei Hannah zachtjes, en ze streek met haar vinger over zijn rechterwang, over het nieuwe litteken. 'Ik weet niet of het je is ontschoten, maar ik ben al getrouwd.' Ze probeerde luchtig te doen. Hem aan het lachen te maken, maar dat lukte niet.

'Je kunt tegenwoordig scheiden.'

Ze vroeg zich af wie dat kon. 'Ja, maar…'

'We kunnen ergens naartoe varen, hiervandaan, ver van iedereen die we kennen. Wil je dat niet?'

'Je weet best dat ik dat wil,' zei Hannah.

'Dankzij de nieuwe wet hoef je alleen maar bewijs van overspel te overleggen.'

Hannah knikte. 'Maar Teddy is niet overspelig.'

'Vast wel,' zei Robbie. 'Al die tijd dat wij…'

'Zo is hij niet,' zei Hannah. 'Hij heeft nooit veel interesse getoond.' Ze streek met haar vinger over zijn lippen. 'Zelfs niet toen we pas getrouwd waren. Pas toen ik jou leerde kennen, begreep ik…' Ze stopte, boog zich naar hem toe om hem te kussen. 'Toen begreep ik het pas.'

'Hij is een dwaas,' zei Robbie. Hij keek haar doordringend aan, liet zijn vingers over haar arm glijden, van haar schouder tot haar pols. 'Verlaat hem.'

'Wat?'

'Ga niet met hem mee naar Riverton,' zei hij. Hij was gaan zitten, en hij had haar polsen vastgepakt. God, wat was hij knap. 'Laten we er samen vandoor gaan.'

'Dat meen je niet,' zei ze onzeker. 'Je plaagt me.'

'Ik meen het heel serieus.'

'Zomaar verdwijnen?'

'Zomaar verdwijnen.'

Ze zweeg, dacht na.

'Dat kan ik niet doen,' zei ze. 'Dat weet je best.'

'Waarom niet?' Hij liet abrupt haar polsen los, stapte uit bed en stak een sigaret op.

'Om een heleboel redenen…' Ze dacht erover na. 'Emmeline…'

'Emmeline kan de pot op.'

Hannah kromp ineen. 'Ze heeft me nodig.'

'Ík heb je nodig.'

Dat was waar. En dat wist ze heel goed. Hij had haar nodig op een manier die zowel angstaanjagend als opwindend was.

'Ze redt zich heus wel,' zei Robbie. 'Ze is sterker dan je denkt.'

Hij zat nu aan de tafel, trok aan zijn sigaret. Hij leek magerder dan ze zich herinnerde. Hij wás magerder. Ze vroeg zich af waarom dat haar niet eerder was opgevallen.

'Teddy zou me weten te vinden,' zei ze. 'Hij en de rest van de familie.'

'Ik zou ervoor zorgen dat het niet gebeurt.'

'Je kent hen niet. Ze dulden geen schandalen.'

'We zouden naar een plek gaan waar ze ons nooit zullen zoeken. De wereld is groot genoeg.'

Wat zag hij er breekbaar uit zoals hij daar zat. Zo eenzaam. Hij had alleen haar en niemand anders. Ze ging bij hem staan, sloeg haar armen om zijn hoofd, drukte zijn wang tegen haar buik.

'Ik kan niet leven zonder jou,' zei hij. 'Dan ga ik nog liever dood.' Hij zei het zo eenvoudig dat ze huiverde, en ze walgde van zichzelf omdat ze zijn woorden ergens ook prettig vond.

'Zeg dat niet,' zei ze.

'Ik moet je bij me hebben,' zei hij eenvoudig.

'Ik zal erover nadenken,' zei Hannah. Ze was er inmiddels achter dat ze het best met hem kon meedoen wanneer hij in zo'n bui was.

En dus liet ze hem de plannen maken. Voor hun ontsnapping. Hij schreef geen poëzie meer en haalde zijn aantekenboekje alleen nog maar tevoorschijn om ontsnappingsplannen uit te werken. Soms hielp ze zelfs. Het was een spel, zei ze in zichzelf, net als alle andere spellen die ze speelden. Het maakte hem gelukkig en bovendien raakte ze er zelf ook vaak van in vervoering. De verre oorden waar ze konden gaan wonen, de plaatsen die ze zouden gaan bekijken, de avonturen die ze zouden beleven. Een spel. Hun eigen spel in hun eigen geheime wereld.

Ze wist niet, kon niet weten, waartoe het zou leiden.

Als ze het had geweten, vertelde ze me later, zou ze hem voor de allerlaatste keer hebben gekust en heel hard zijn weggelopen, zo ver als ze kon.

Het begin van het einde

Het hoeft eigenlijk niet met zo veel woorden gezegd te worden: geheimen komen altijd uit. Hannah en Robbie slaagden er vrij lang in hun verhouding geheim te houden – gedurende heel 1923 en het begin van 1924 –, maar zoals alle onmogelijke liefdesgeschiedenissen was ook deze gedoemd te mislukken.

Beneden begonnen praatjes de ronde te doen. Deborahs nieuwe kamenier, Caroline, was de aanstichtster. Ze was zo iemand die overal haar neus in stak en had voorheen gewerkt voor lady Penthrop, van wie werd gezegd dat ze het met de helft van de vrijgezelle lords in Londen had aangelegd. Ze had bij haar ontslag een prachtige referentie meegekregen, die ze, samen met een flinke som geld, van haar mevrouw had afgedwongen nadat ze haar in een compromitterende situatie had aangetroffen. Ironisch genoeg had ze zich de moeite kunnen besparen: om bij ons te komen werken had ze geen referenties nodig. Haar reputatie was bekend en Deborah had haar juist omdat ze nieuwsgierig was in dienst genomen en niet omdat ze zo goed kon afstoffen.

Er zijn altijd aanwijzingen, als je weet waar je moet kijken, en zij wist waar ze moest kijken. Stukjes papier met vreemde adressen die uit de haard worden gevist voordat ze zijn verkoold, doordrukken van hartstochtelijke briefjes op blocnotes, winkeltassen waarin oude buskaartjes zitten. En het was niet moeilijk om de andere bedienden aan het praten te krijgen. Toen ze eenmaal het spookbeeld van de echtscheiding ter sprake had gebracht en de anderen erop had gewezen dat ze mogelijk hun baan zouden verliezen als er een schandaal zou uitlekken, waren ze zeer hulpvaardig.

Ze wist dat ze mij niets hoefde te vragen en uiteindelijk was dat ook niet nodig. Ze kwam zelf achter Hannahs geheim. Maar het was gedeeltelijk mijn schuld: ik had beter moeten opletten. Als ik niet zo druk was geweest met mijn eigen problemen, zou ik gemerkt hebben wat Caroline in haar schild voerde en dan had ik Hannah kunnen waarschuwen. Maar helaas was ik juist in die tijd geen goede kamenier, schoot ik jammerlijk tekort in mijn verantwoordelijkheden ten opzichte van Hannah. Ik zat met mijn gedachten heel ergens anders, zie je; ik had zelf ook een teleurstelling te verwerken gekregen. Uit Riverton was nieuws gekomen van Alfred.

Zo kwam het dat we er pas iets over hoorden op de avond van de opera, toen Deborah Hannahs slaapkamer binnenkwam. Ik had Hannah geholpen zich te kleden in een avondjurk van bleke Franse zijde, wit noch roze, en was nu bezig haar gekrulde haar te schikken toen er op de deur werd geklopt.

'Ik ben bijna klaar, Teddy,' zei Hannah, en ze trok in de spiegel een gezicht naar me. Teddy was overdreven punctueel. Ik zette een weerbarstige krul vast met een haarspeld.

De deur ging open en Deborah schreed de kamer binnen, dramatisch in een rode japon met vlindermouwen. Ze ging op de rand van Hannahs bed zitten en sloeg haar benen over elkaar in een waas van rode zijde.

Hannah keek me in de spiegel aan. Deborah kwam nooit op haar kamer. 'Verheug je je op *Tosca*?' vroeg Hannah.

'Heel erg,' zei Deborah. 'Ik ben dol op Puccini.' Ze haalde een make-up-spiegeltje uit haar avondtas, knipte het open, vormde met haar lippen een O en pinkte wat uitgesmeerde lippenstift weg bij haar mondhoeken. 'Wel triest, natuurlijk, geliefden die uit elkaar gedreven worden.'

'Opera's hebben meestal geen happy end,' zei Hannah.

'Nee,' zei Deborah, 'en dat geldt ook voor het gewone leven.'

Hannah klemde haar lippen op elkaar. Wachtte af.

'Je begrijpt zeker wel,' zei Deborah, terwijl ze in het spiegeltje keek en over haar wenkbrauwen streek, 'dat het me niets kan schelen met wie jij achter mijn broers rug in bed duikt.'

Hannahs ogen vonden de mijne. Ik was zo geschrokken dat ik de haar-speld verkeerd vastpakte en liet vallen.

'Het gaat mij alleen om mijn vaders zaken.'

'Ik wist niet dat die iets met mij te maken hebben,' zei Hannah. Ze sprak op normale toon, maar ik hoorde dat haar ademhaling oppervlakkig en sneller werd.

'Hou je niet van den domme,' zei Deborah. Ze klapte het spiegeltje dicht. 'Je weet heel goed welke rol je daarin speelt. Mensen vertrouwen ons omdat we het beste van beide werelden vertegenwoordigen. Een moderne manier van zakendoen, gecombineerd met de ouderwetse zekerheid van jouw stam-boom. Vooruitgang en traditie, hand in hand.'

'Progressieve traditie. Ja, ik heb altijd al gevonden dat Teddy en ik een stel waren dat niet goed bij elkaar paste,' zei Hannah.

'Niet zo bits,' zei Deborah. 'Jij en de jouwen hebben net zo veel voordeel bij de band tussen onze families als wij. Nadat je vader zijn hele erfenis erdoorheen had gejaagd…'

'Mijn vader heeft zijn best gedaan.' Hannah kreeg een kleur.

Deborah trok haar wenkbrauwen op. 'Vind je? Hij heeft anders zijn fabriek helemaal de grond in gewerkt.'

'Mijn vader is zijn fabriek kwijtgeraakt vanwege de oorlog. Het zat hem gewoon tegen.'

'Natuurlijk,' zei Deborah. 'Ellendig, zo'n oorlog. Zo veel mensen wie het tegenzat. En je vader was nog wel zo'n fatsoenlijke man. Hij had zich vast voorgenomen om zijn fabriek draaiende te houden, weer winstgevend te maken. Hij was een dromer. Geen realist, zoals jij.' Ze lachte kort en kwam achter Hannah staan, waarbij ze mij dwong een stap opzij te doen. Ze boog zich over Hannahs schouder en zei tegen haar spiegelbeeld: 'Het is geen geheim dat hij niet wilde dat je met Teddy zou trouwen. Weet je dat hij op een avond bij mijn vader is gekomen? Ja, ja. Hij zei dat hij wist wat hij in zijn schild voerde en dat hij het kon vergeten, dat je er nooit in zou toestemmen.' Ze richtte zich weer op en glimlachte fijntjes, triomfantelijk, toen Hannah haar ogen afwendde. 'Maar je hebt wél toegestemd. Omdat je een pienter meisje bent. Je hebt het hart van je arme vader gebroken, maar je wist net zo goed als hij dat je geen keus had. En je had gelijk. Waar zou je nu zijn als je niet met mijn broer was getrouwd?' Ze wachtte even en trok één geëpileerde wenkbrauw op. 'Bij die dichter van je?'

Ik stond klem bij de kast, kon niet bij de deur komen, wenste dat ik ergens anders was. Hannahs blos was weggetrokken, zag ik. Haar lichaam had de strakke houding van iemand die zich voorbereidt op klappen, maar niet zeker weet waar die vandaan zullen komen.

'En je zusje?' vervolgde Deborah. 'Waar zou de kleine Emmeline nu zijn?'

'Emmeline heeft hier niets mee te maken,' zei Hannah met een trilling in haar stem.

'Juist wel,' zei Deborah. 'Ze is geheel afhankelijk van mijn familie. Een arm weesmeisje. Eerst is haar vader al zijn geld kwijtgeraakt, daarna heeft hij een kogel in zijn kop geschoten, en nu heeft haar zus het aangelegd met een van haar vriendjes. Allemensen, het ontbreekt er nog maar aan dat die onsmakelijke films opeens opduiken!'

Hannah verstijfde.

'Ja,' zei Deborah, 'daar weet ik van. Je denkt toch niet dat mijn broer iets voor me geheimhoudt?' Ze glimlachte en haar neusgaten verwijdden zich. 'Hij weet wel beter. Familie gaat altijd voor.'

'Wat wil je, Deborah?'

Deborah glimlachte flauwtjes. 'Ik wil alleen maar dat je inziet hoeveel we allemaal te verliezen hebben door een schandaal. Waarom je er dus een einde aan moet maken.'

'En als ik dat niet doe?'

Deborah zuchtte en pakte Hannahs avondtasje van het voeteneinde van het bed. 'Als je er zelf geen einde aan maakt, zal ik dat doen.' Ze knipte het tasje dicht en gaf het aan Hannah. 'Mannen als hij – artistieke, door de oorlog geschonden figuren – verdwijnen soms zomaar. Daar zoekt niemand verder iets achter.' Ze trok haar jurk recht en liep naar de deur. 'Zorg dat hij uit je leven verdwijnt. Anders doe ík het.'

Daarna was de *Sweet Dulcie* geen veilig terrein meer. Robbie wist nergens van, tot Hannah me naar hem toe stuurde met een brief: met uitleg en een plaats waar ze elkaar nog één keer konden ontmoeten.

Hij schrok toen hij mij zag in plaats van Hannah, en hij was niet blij. Hij pakte de brief achterdochtig aan, keek de kade af om te zien of ik niet was gevolgd en begon toen te lezen. Zijn haar zat in de war en hij had zich niet geschoren. Op zijn wangen zaten stoppels, evenals op de huid rond zijn gladde lippen die bewogen toen hij Hannahs woorden las. Hij rook ongewassen.

Ik had nog nooit een man in zo'n naakte staat gezien en wist mezelf geen houding te geven. Ik richtte mijn blik uiteindelijk maar op de rivier achter hem. Toen hij aan het einde van de brief was gekomen, keek hij me aan en zag ik hoe donker zijn ogen waren, en hoe wanhopig. Ik knipperde, wendde mijn blik af en vertrok zodra hij had gezegd dat hij naar de afgesproken plaats zou komen.

Ze zagen elkaar die winter voor het laatst op de afdeling Egypte van het British Museum. Het was een regenachtige ochtend in maart. Ik deed net alsof ik artikelen las over Howard Carter, terwijl Hannah en Robbie op de twee uiteinden van een bank tegenover de expositie van Toetanchamon zaten, als twee volslagen vreemden die niets anders deelden dan belangstelling voor egyptologie.

Een paar dagen later was ik, op verzoek van Hannah, Emmeline aan het helpen haar spullen in te pakken voor haar verhuizing naar Fanny. Emmeline had inmiddels twee kamers in beslag genomen op nummer 17 en het was duidelijk dat ze zonder hulp onmogelijk op tijd klaar zou zijn. Ik was bezig Emmelines winteraccessoires tussen de pluchen beesten vandaan te plukken die ze van aanbidders had gekregen, toen Hannah kwam kijken hoe het ging.

'Je wordt geacht te helpen, Emmeline,' zei Hannah. 'In plaats van Grace al het werk te laten doen.'

Hannahs stem klonk stroef sinds de dag in het British Museum, maar Emmeline had niets in de gaten. Ze ging te veel op in haar dagboek, waar ze al de hele middag in zat te bladeren. Ze zat met gekruiste benen op de grond, bekeek oude entreekaartjes, schetsjes en foto's en las de jolige opmerkingen. 'Moet je horen,' zei ze. 'Van Harry. *Kom alsjeblieft naar Desmond, anders zijn we met drie kerels: Dessy, ondergetekende en Clarissa.* Wat een giller! Arme Clarissa, waarom heeft ze haar haar ook laten knippen!'

Hannah ging op het voeteneinde van het bed zitten. 'Ik zal je missen.'

'Dat weet ik,' zei Emmeline, terwijl ze een verkreukelde pagina van het dagboek gladstreek. 'Maar je snapt toch wel dat ik echt niet met je mee kan gaan naar Riverton? Ik zou er doodgaan van verveling.'

'Dat weet ik.'

'Niet dat het voor jou saai zal zijn, natuurlijk,' zei Emmeline snel, toen ze besefte dat ze eigenlijk iets doms had gezegd. 'Je weet dat ik dat niet bedoel.' Ze glimlachte. 'Gek hè, hoe alles uiteindelijk is gelopen?'

Hannah trok haar wenkbrauwen op.

'Ik bedoel, toen we nog jong waren, was jij degene die weg wilde. Weet je nog dat je zelfs van plan was werk te zoeken op een kantoor?' Emmeline lachte. 'Heb je papa ooit om toestemming gevraagd? Ik kan het me niet herinneren.'

Hannah schudde haar hoofd.

'Ik vraag me af wat hij zou hebben gezegd,' zei Emmeline. 'Arme papa. Ik herinner me vaag dat hij erg boos was toen je met Teddy trouwde en hij met mij achterbleef. Al kan ik me niet herinneren waarom.' Ze slaakte een opgewekte zucht. 'Maar alles is uiteindelijk toch goedgekomen.'

Hannah klemde haar lippen op elkaar en zocht naar de juiste woorden. 'Je voelt je prettig in Londen, nietwaar?'

'Moet je dat nog vragen?' zei Emmeline. 'Het is de hemel op aarde.'

'Mooi.' Hannah stond op, aarzelde, ging weer zitten. 'En je weet dat als mij iets mocht overkomen…'

'Dat je wordt ontvoerd door marsmannetjes van de rode planeet?' zei Emmeline.

'Ik maak geen grapje, Emme.'

Emmeline sloeg haar ogen op naar het plafond. 'Dat weet ik. Je loopt de hele week al rond met een gezicht als een oorwurm.'

411

'Lady Clementine en Fanny zullen je altijd helpen. Dat weet je, hè?'

'Ja, ja,' zei Emmeline. 'Dat heb je allemaal al gezegd.'

'Dat weet ik. Maar nu ik wegga en je in je eentje achterlaat in Londen…'

'Je laat me niet achter,' zei Emmeline. 'Ik wil zelf blijven. En ik zal niet alleen zijn, ik heb Fanny.' Ze maakte een luchtig gebaar. 'Ik red me wel.'

'Dat weet ik,' zei Hannah. Haar blik kruiste de mijne. Ze keek snel weg. 'Nou, gaan jullie maar verder met inpakken dan.'

Hannah was bijna bij de deur toen Emmeline zei: 'Ik heb Robbie al een tijdje niet gezien.'

Hannah verstijfde, maar keek niet om. 'Nee,' zei ze, 'nu je het zegt, hij is al een paar dagen niet geweest.'

'Ik ben hem gaan zoeken, maar zijn boot ligt er niet. Deborah zegt dat hij vertrokken is.'

'O ja?' zei Hannah, nog steeds verstijfd. 'En waar zei ze dat hij naartoe is?'

'Dat zei ze niet.' Emmeline fronste. 'Ze zei dat jij het misschien wist.'

'Hoe moet ik dat nu weten?' zei Hannah, en nu draaide ze zich om. Ze meed mijn ogen. 'Maak je geen zorgen. Hij is waarschijnlijk ergens naartoe om gedichten te schrijven.'

'Hij zou nooit zomaar vertrekken. Hij zou het me vertellen.'

'Dat weet ik nog zo net niet,' zei Hannah. 'Zo was hij. Onvoorspelbaar. Onbetrouwbaar.' Ze trok haar schouders op, liet ze weer zakken. 'En wat maakt het ook uit?'

'Voor jou maakt het misschien niets uit, maar voor mij wel. Ik hou van hem.'

'Ach, Emme, nee,' zei Hannah zachtjes. 'Dat is niet zo.'

'Wel waar,' zei Emmeline. 'Ik heb altijd van hem gehouden. Sinds hij voor het eerst op Riverton was en mijn arm heeft verbonden.'

'Je was elf,' zei Hannah.

'Dat weet ik, en dat was maar kalverliefde,' zei Emmeline. 'Maar het was het begin. Sindsdien heb ik iedere man die ik heb ontmoet met Robbie vergeleken.'

Hannah perste haar lippen op elkaar. 'En die cineast dan? En Harry Bentley en alle andere jongemannen op wie je het afgelopen jaar verliefd bent geweest? Je hebt je met twee van hen zelfs kortstondig verloofd.'

'Robbie is anders,' zei Emmeline.

'En hoe ziet hij dat zelf?' vroeg Hannah, zonder naar Emmeline te durven kijken. 'Heeft hij je ooit redenen gegeven die je ervan overtuigen dat hij van je houdt?'

'Dat moet wel,' zei Emmeline. 'Hij heeft nog nooit een gelegenheid voorbij laten gaan om met me uit te gaan. En dat doet hij heus niet omdat hij mijn vrienden zo aardig vindt. Hij maakt er geen geheim van dat hij ze een stelletje leeghoofdige rijkeluiskinderen vindt.' Ze knikte resoluut. 'Ik weet het zeker. En ik hou ook van hem.'

'Nee,' zei Hannah, met zo veel klem dat Emmeline verbaasd opkeek. 'Hij is niet geschikt voor je.'

'Hoe weet je dat?' vroeg Emmeline. 'Je kent hem amper.'

'Ik ken mannen als hij,' zei Hannah. 'Het ligt aan de oorlog. Die heeft volkomen normale mannen voor zich opgeëist en geschonden teruggegeven. Gebroken.' Ik moest denken aan Alfred, die avond op de trap van Riverton toen zijn spookbeelden hem hadden gekweld, en zette het beeld met kracht van me af.

'Dat kan me niet schelen,' zei Emmeline hardnekkig. 'Ik vind het romantisch. Ik wil graag voor hem zorgen. Hem beter maken.'

'Mannen als Robbie zijn gevaarlijk,' zei Hannah. 'Ze kunnen niet beter gemaakt worden. Ze zijn zoals ze zijn.' Ze blies gefrustreerd haar adem uit. 'Je hebt zo veel andere aanbidders. Kun je niet van een van hen houden?'

Emmeline schudde koppig haar hoofd.

'Jawel, dat kun je best. Beloof me dat je het zult proberen.'

'Maar dat wíl ik niet.'

'Het moet!'

Emmeline wendde haar blik af van Hannah en ik zag een nieuw element in de uitdrukking op haar gezicht: iets hards, iets onverzettelijks. 'Daar heb jij niets over te zeggen, Hannah,' zei ze vlak. 'Ik ben twintig. Ik heb je niet nodig om beslissingen te nemen. Jij was op je twintigste al getrouwd en als ik me goed herinner, heb jij voor dat besluit ook niemand om raad gevraagd!'

'Dat is niet hetzelfde.'

'Je hoeft niet meer over me te waken.' Emmeline haalde diep adem en keek weer naar Hannah. Ze sloeg een luchtiger toon aan. 'Laten we afspreken dat we ons van nu af aan niet meer met elkaars leven bemoeien, goed?'

Daar kon Hannah weinig tegen inbrengen. Ze knikte instemmend en trok de deur achter zich dicht.

Op de vooravond van ons vertrek naar Riverton pakte ik het laatste deel van Hannahs spullen in. Hannah zat op de vensterbank naar het park te kijken, waar het laatste daglicht wegstierf. De straatlantaarns waren net gaan branden toen ze zich naar me omdraaide en vroeg: 'Ben jij ooit verliefd geweest, Grace?'

413

Haar vraag overviel me. De timing. 'Ik… Ik zou het niet weten, mevrouw.' Ik legde haar vossenstaartjas onder in de hutkoffer.

'Als het zo was, zou je het wel weten,' zei ze.

Ik meed haar blik. Probeerde onverschillig te klinken, hoopte dat ze dan over iets anders zou beginnen. 'In dat geval is het antwoord nee, mevrouw.'

'Dat is misschien maar goed ook.' Ze keek weer uit het raam. 'Ware liefde is net een ziekte.'

'Een ziekte, mevrouw?' Ik voelde me inderdaad helemaal niet goed.

'Ik had dat voorheen nooit begrepen. Uit boeken en toneelstukken. Gedichten. Ik begreep nooit wat intelligente, nuchtere mensen ertoe bracht uitzonderlijke, irrationele dingen te doen.'

'En nu wel, mevrouw?'

'Ja,' zei ze zachtjes, 'nu begrijp ik dat wel. Het is een ziekte. Je wordt ermee besmet wanneer je het helemaal niet verwacht. En je kunt er niet van genezen worden. En soms, in extreme gevallen, heeft die ziekte zelfs een fatale afloop.'

Ik sloot een ogenblik mijn ogen, verloor bijna mijn evenwicht. 'Dat bedoelt u toch niet letterlijk, mevrouw?'

'Nee. Je hebt waarschijnlijk gelijk, Grace. Ik overdrijf.' Ze keek me aan en glimlachte. 'Hoor mij nou. Ik ben een levend voorbeeld. Ik gedraag me als de heldin van een keukenmeidenroman.' Ze zweeg, maar bleef blijkbaar over hetzelfde onderwerp nadenken, want na een poosje hield ze haar hoofd vragend schuin en zei: 'Weet je, Grace, ik heb altijd gedacht dat jij en Alfred…'

'Nee, mevrouw,' zei ik snel. Te snel. 'Alfred en ik zijn altijd alleen maar goede vrienden geweest.' De hete prikkeling van duizend naalden in mijn huid.

'Echt?' Ze dacht erover na. 'Wat eigenaardig dan, dat ik daar een heel andere indruk van had.'

'Ik zou niet weten hoe dat kan, mevrouw.'

Ze keek naar me, zag me stuntelen met de zijden japonnen en glimlachte. 'Ik breng je in verlegenheid.'

'Helemaal niet, mevrouw,' zei ik. 'Alleen…' Ik zocht naar woorden. 'Ik moest alleen opeens denken aan een brief die ik onlangs heb ontvangen. Nieuws van Riverton. Het is wel toevallig dat u juist nu naar Alfred vraagt.'

'O ja?'

'Ja, mevrouw.' Ik kon niet ophouden. 'Kunt u zich juffrouw Starling herinneren, die voor uw vader werkte?'

Hannah fronste. 'Een magere vrouw met saai bruin haar? Die altijd geruisloos door het huis liep met een leren handtas?'

'Ja, mevrouw, die bedoel ik.' Ik was nu buiten mezelf getreden, zag en hoorde hoe ik erin slaagde een nonchalante toon aan te slaan. 'Alfred en zij zijn onlangs getrouwd, mevrouw. Een maand geleden. Ze wonen nu in Ipswich, waar hij een zaak is begonnen. In elektra.' Ik deed de hutkoffer dicht en knikte met neergeslagen ogen. 'Neemt u me niet kwalijk, mevrouw, maar meneer Boyle heeft me beneden nog ergens voor nodig.'

Ik trok de deur achter me dicht en was alleen. Ik sloeg mijn hand voor mijn mond. Kneep mijn ogen stijf dicht. Voelde mijn schouders schokken en vocht in mijn keel lopen.

Mijn botten leken een belangrijk deel van hun kracht te verliezen en ik zakte langzaam in elkaar. Ik helde voorover, met mijn schouder tegen de muur, wilde in de vloer wegzakken, door de muren worden opgenomen, in lucht opgaan.

Zo bleef ik staan, niet in staat me te verroeren. Ik kreeg onduidelijke visioenen dat Teddy of Deborah me in de schemerige gang aantrof toen het tijd was hun bedden gereed te maken, dat meneer Boyle werd geroepen om me mee te nemen. En ik voelde niets. Geen schaamte, geen plichtsbesef. Want wat maakte het uit? Wat maakte het allemaal nog uit?

Toen klonk, ergens beneden, een harde bons. Gekletter van borden en bestek.

Ik maakte een verstikt geluid. Mijn ogen gingen open. Het heden vloog op me af, vulde mijn wezen.

Natuurlijk maakte het uit. Hannah. Ze had me nu harder nodig dan ooit tevoren. De verhuizing terug naar Riverton, een leven zonder Robbie.

Ik haalde sidderend adem. Rechtte mijn schouders en slikte, dwong mijn keel zich te ontspannen.

Niemand had er iets aan als ik alleen maar aan mezelf dacht, als ik zo gebukt ging onder zelfmedelijden dat ik mijn plichten verzaakte.

Ik zette me af tegen de muur, trok mijn rok en mijn manchetten recht, droogde mijn ogen.

Ik was kamenier. Geen doodgewoon dienstmeisje. Er werd op me gerekend. Ik mocht niet ten prooi vallen aan aanvallen van gevaarlijk zelfbeklag.

Ik haalde nogmaals diep adem. Nadrukkelijk. Knikte tegen mezelf en liep met grote, doelbewuste stappen de gang door.

Toen ik de trap op liep naar mijn kamer, deed ik resoluut de denkbeeldige, noodlottige deur dicht waarachter ik een glimp had opgevangen van de echtgenoot, het gezin en de kinderen die ik had kunnen hebben.

Terug op Riverton

Ursula is gekomen, zoals ze had beloofd. We rijden over de bochtige landweg naar Saffron Green. Zo dadelijk zullen we de borden zien die bezoekers welkom heten op Riverton. Terwijl Ursula chauffeert, werp ik een blik op haar gezicht; ze glimlacht naar me en richt haar ogen dan weer op de weg. Ze heeft alle twijfels of het wel verstandig is om er met me opuit te gaan van zich af gezet. Sylvia was niet blij, maar heeft toegezegd het niet aan de directrice te verklappen en zo nodig Ruth aan het lijntje te houden. Ik vrees dat ik de onaangename geur van allerlaatste kansen verspreid. Het is te laat voor verdere zorgen inzake de toekomst.

De metalen hekken staan open. Ursula stuurt de auto de oprit op en we volgen de bochten in de richting van het huis. In de laan is het schemerig en eigenaardig stil, net zoals vroeger, alsof de tunnel van bomen probeert fluisteringen op te vangen. We nemen de laatste bocht en dan zien we het huis. Precies zoals al die andere keren: op mijn eerste dag op Riverton, veertien jaar oud en zo groen als gras, op de dag van de soiree toen ik bij moeder was geweest en me vol verwachting naar het huis haastte, op de avond van Alfreds aanzoek, op de ochtend in 1924 toen we vanuit Londen naar Riverton terugkeerden. Vandaag is een soort thuiskomst.

Er is nu een betonnen parkeerterrein tussen de oprit en de fontein van Eros en Psyche. Ursula draait haar raampje naar beneden wanneer we het loket naderen. Ze wisselt een paar woorden met de kaartjesverkoper en dan mogen we doorrijden. Vanwege mijn zichtbaar zwakke gestel heeft ze toestemming gekregen me voor de deur te laten uitstappen en daarna de auto te parkeren. Ze neemt de halve cirkel – nu niet meer van grind maar van asfalt – en brengt de auto voor de ingang tot stilstand. Er staat een metalen tuinbank onder aan het bordes. Ursula helpt me ernaartoe, laat me plaatsnemen en gaat dan de auto wegzetten.

Ik zit op het bankje en denk aan meneer Hamilton, aan hoe vaak hij de voordeur van Riverton heeft geopend voordat hij in 1934 zijn hartaanval kreeg. En opeens gebeurt er iets.

416

'Fijn dat je er weer bent, Grace.'

Ik knijp mijn ogen tot spleetjes tegen de waterige zon (of zijn het mijn ogen die tranen?) en kijk op. Daar staat hij, op de bovenste tree van de bordestrap.

'Meneer Hamilton,' zeg ik. Ik hallucineer, dat is duidelijk, maar het lijkt me evengoed ongemanierd om een oude kameraad te negeren, ook al is hij al zestig jaar dood.

'We vroegen ons juist af wanneer we je weer eens te zien zouden krijgen, mevrouw Townsend en ik.'

'Ja?' Mevrouw Townsend was kort na hem overleden – een hersenbloeding in haar slaap.

'Ja. We vinden het altijd prettig wanneer de jonge generatie terugkeert. We zijn een beetje eenzaam, zo met ons tweeën. Geen familie om te dienen. Alleen een hoop getimmer en gebonk en moddervoeten in huis.' Hij schudt zijn hoofd en kijkt op naar de gewelfde façade van de portiek. 'Ja, er is veel veranderd hier. Wacht maar tot je ziet wat ze met mijn provisiekamer hebben gedaan.' Boven zijn grote, glimmende neus staan zijn ogen vriendelijk wanneer hij naar me glimlacht. 'Vertel eens, Grace,' zegt hij, 'hoe is het met je?'

'Ik ben moe,' zeg ik. 'Ik ben moe, meneer Hamilton.'

'Dat weet ik, meisje,' zegt hij. 'Maar het duurt nu niet lang meer.'

'Wat zegt u?' Ursula staat naast me en stopt de parkeerbon in haar tas. 'Bent u moe?' Ze fronst bezorgd haar wenkbrauwen. 'Ik zal kijken of ik een rolstoel voor u kan huren. Ze hebben in huis nu in ieder geval wel liften.'

Ik antwoord dat een rolstoel prettig zou zijn en kijk nog even op naar meneer Hamilton. Maar hij staat er niet meer.

In de hal worden we verwelkomd door een kwieke vrouw die is gekleed als de echtgenote van een landheer uit de jaren veertig; ze vertelt ons dat het entreekaartje ons recht geeft op een rondleiding en dat die net gaat beginnen. Voordat we er iets tegen in kunnen brengen, worden we aan een groep van zeven andere nietsvermoedende bezoekers toegevoegd: twee dagjesmensen uit Londen, een schooljongen die een werkstuk over een plaatselijke bezienswaardigheid moet maken, en een Amerikaans gezin, waarvan de ouders en de zoon identieke sportschoenen en T-shirts met de tekst I ESCAPED THE TOWER! dragen, en de lange, bleke, nurkse tienerdochter geheel in het zwart gekleed is. Onze gids – Beryl, zegt ze, en ze wijst naar haar badge alsof ze het daarmee wil bewijzen – is in Saffron Green geboren en getogen, en als we iets willen weten, kunnen we het aan haar vragen.

De rondleiding begint beneden. Het kloppende hart van ieder Engels landhuis, zegt Beryl met een geoefende glimlach en een knipoog. Ursula en ik nemen de lift die is geïnstalleerd op de plaats waar vroeger de garderobe was. Tegen de tijd dat we beneden aankomen, staat de groep al rond mevrouw Townsends keukentafel. Ze lachen wanneer Beryl een lijst voorleest van komische traditionele Engelse gerechten uit de negentiende eeuw.

Het bediendevertrek ziet er nog vrijwel hetzelfde uit, en toch anders. Het komt door de verlichting, besef ik. Elektriciteit heeft de flakkerende, fluisterende vertrekken het zwijgen opgelegd. We hebben het heel lang zonder elektra moeten doen op Riverton. Toen Teddy die in 1925 liet installeren, haalde de kwaliteit het niet bij die van nu. Ik mis de schemerige sfeer, maar neem aan dat ze de verlichting van toen niet mogen nabootsen, zelfs niet om een historisch effect te bereiken. Daar zijn nu wetten voor. Gezondheid en veiligheid. Wettelijke aansprakelijkheid. Niemand wil worden aangeklaagd omdat een bezoeker struikelt op een slecht verlichte trap.

'Deze kant op,' kwettert Beryl. 'We gaan via de bediende-ingang naar het terras aan de achterkant, maar maakt u zich geen zorgen, ik zal u niet dwingen uniformen aan te trekken!'

We bevinden ons op het gazon boven lady Ashbury's rozentuin. Tot mijn verbazing ziet alles er nog net zo uit als vroeger, alleen zijn er hellinkjes gemaakt tussen de terrassen. Ze hebben een hele ploeg in dienst, vertelt Beryl, voor het onderhoud van het landgoed. Er is veel werk: de tuinen zelf, de gazons, de fonteinen, diverse bijgebouwen. Het zomerhuis.

Het zomerhuis was een van de eerste veranderingen die Teddy aanbracht toen Riverton in 1923 van hem werd. Het was doodzonde, zei hij, dat zo'n prachtig meer, de parel van het landgoed, niet werd benut. Hij zou er feestjes gaan houden. Zijn gasten konden dan op het meer gaan varen, 's avonds door een telescoop naar de sterren kijken. Hij liet onmiddellijk bouwplannen maken en tegen de tijd dat we in april 1924 uit Londen kwamen, was het zomerhuis bijna klaar. De enige tegenslagen die ze hadden ervaren, waren het uitblijven van een lading kalksteen uit Italië en de lenteregen.

Het regende ook op de ochtend dat we aankwamen. Toen we door de eerste dorpen van Essex reden, kwam het water al met bakken uit de lucht. De moerassen waren verzadigd, de bossen drassig, en toen de auto's het einde van de modderige oprit van Riverton bereikten, was het huis er niet. Niet op het eerste gezicht. Het was omhuld door een laaghangende nevel en kwam slechts geleidelijk in zicht, als een spookverschijning. Toen we er dichtbij waren, veegde ik met mijn handpalm over de beslagen ruit van de auto en tuurde door de nevel naar het gekleurde glas van de ramen van de kinderkamer. Ik kreeg een bijna overweldigend gevoel dat ergens in dat grote, donkere huis de Grace van jaren geleden bezig was de eetkamertafel in gereedheid te brengen, Hannah en Emmeline te helpen met aankleden, nieuwe wijsheden van Nancy aan te horen. Daar en hier, toen en nu – simultaan, de grillige kuren van de tijd.

De eerste auto stopte en meneer Hamilton verscheen met een zwarte paraplu in zijn hand op het bordes om Hannah en Teddy te helpen met uitstappen. De tweede auto reed door naar de achteringang en stopte. Ik trok mijn regenjas op tot over mijn hoed, knikte naar de chauffeur en holde naar de bediende-ingang.

Misschien kwam het door de regen. Als het een mooie dag was geweest met een strakblauwe lucht en zonlicht dat door de ramen naar binnen kwam, zou de verlopen staat van het huis misschien niet zo'n schok zijn geweest. Meneer Hamilton en zijn personeel hadden hun uiterste best gedaan – ze hadden dag en nacht gepoetst en geboend, zei Nancy –, maar het huis was er bijzonder slecht aan toe. Het zou niet meevallen om alle jaren dat meneer Frederick het willens en wetens had verwaarloosd goed te maken.

Hannah leed er het meest onder van ons allemaal. Logisch ook. De aftakeling van het huis maakte pas goed duidelijk hoe eenzaam haar vader op het einde was geweest. Het maakte oude schuldgevoelens los: het feit dat ze er niet in was geslaagd de breuk tussen hen te helen.

'Het idee dat hij zo leefde,' zei ze tegen me toen ik haar die avond hielp zich gereed te maken om naar bed te gaan. 'Ik zat in Londen en ik wist er niets van. Emmeline maakte er wel eens grapjes over, maar ik had geen idee...' Ze schudde haar hoofd. 'Het idee, Grace, dat mijn lieve, arme papa zo ongelukkig was.' Ze zweeg even en zei toen: 'Dit bewijst hoe het de mens vergaat wanneer hij zijn ware aard verloochent.'

'Ja, mevrouw,' zei ik, me er niet van bewust dat we het niet meer over haar vader hadden.

Ook Teddy schrok van de mate van verval van Riverton, maar liet zich er allerminst door ontmoedigen. Hij was toch al van plan geweest het hele huis te laten opknappen.

'Nu kunnen we alles meteen moderniseren,' zei hij met een welwillende glimlach tegen Hannah.

Ze waren er toen een week en het regende niet meer. Hij stond bij het raam van haar slaapkamer en liet zijn blik door het zonovergoten vertrek gaan. Hannah en ik zaten op de chaise longue haar japonnen te sorteren.

'Zoals je wilt,' was haar lauwe reactie.

Teddy keek haar verbijsterd aan: vond ze het niet geweldig dat ze het huis van haar voorvaderen kon opknappen? Hielden niet alle vrouwen ervan huizen helemaal naar hun eigen smaak in te richten? 'Ik zal kosten noch moeite sparen,' zei hij.

Hannah keek op en glimlachte geduldig, als tegen een wat opdringerige winkelbediende. 'Ik laat het helemaal aan jou over.'

Teddy zou het prettig hebben gevonden als ze zijn enthousiasme voor de renovatie had gedeeld, als ze had deelgenomen aan gesprekken met ontwerpers, om te praten over de voor- en nadelen van bepaalde meubelstoffen, als ze verheugd zou hebben gereageerd toen hij een prachtige replica van een koninklijke kapstok op de kop tikte. Maar hij maakte er geen punt van. Hij was er inmiddels aan gewend dat hij zijn vrouw niet begreep. Hij schudde zijn hoofd, streelde het hare en sprak er niet meer over.

Voor de renovaties had Hannah geen belangstelling, maar sinds we naar Riverton waren teruggekeerd, was haar stemming aanzienlijk verbeterd. Ik had gedacht dat ze vreselijk in de put zou zitten toen ze Londen, en Robbie, had moeten verlaten en ik had me op het ergste voorbereid. Maar ik had het mis. Ze was zelfs opgewekter dan ooit. Toen de werkzaamheden begonnen, bracht ze veel tijd buitenshuis door. Ze maakte lange wandelingen over het landgoed, helemaal tot aan de buitenste weiden, en kwam dan voor de lunch terug met graszaden aan haar rok en een blos op haar wangen.

Ik dacht dat ze Robbie had opgegeven, dat ze liefde had gekend en had besloten dat ze ook zonder die liefde kon leven. Je vindt me vast naïef, en dat was ik ook. Maar ik had alleen mijn eigen ervaring als leidraad. Ik had Alfred opgegeven, was naar Riverton teruggekeerd en had me eraan aangepast dat hij uit mijn leven was verdwenen; ik ging ervan uit dat Hannah hetzelfde had gedaan, dat ook zij had besloten dat haar plichten elders lagen.

Op een dag ging ik naar haar op zoek. Teddy was door de Tory's kandidaat gesteld voor de zetel van Saffron en lord Gifford kwam lunchen. Hij zou er over een halfuur zijn en Hannah was nog niet terug van haar wandeling. Ik vond haar uiteindelijk in de rozentuin. Ze zat op de stenen trap onder het prieel, dezelfde trap waarop Alfred al die jaren geleden had gezeten.

'Godzijdank, mevrouw,' zei ik buiten adem toen ik bij haar was. 'Lord Gifford komt zo en u bent nog niet aangekleed.'

Hannah glimlachte me toe over haar schouder heen. 'Ik zou toch zweren dat ik mijn groene jurk aanheb.'

'U weet best wat ik bedoel, mevrouw. U moet zich kleden voor de lunch.'

'Ik weet het,' zei ze. Ze strekte haar armen zijwaarts en draaide haar polsen. 'Maar het is zo'n prachtige dag dat het jammer is om naar binnen te gaan. Denk je dat we Teddy kunnen overhalen op het terras te eten?'

'Dat weet ik niet, mevrouw,' zei ik. 'Ik denk niet dat meneer Luxton dat prettig zal vinden. U weet dat hij niet tegen insecten kan.'

Ze lachte. 'Je hebt gelijk. Nou ja, het was maar een idee.' Ze stond op en pakte haar schrijfblok en pen op. Op het schrijfblok lag een envelop zonder postzegel.

'Zal ik meneer Hamilton vragen die brief voor u te posten, mevrouw?'

'Nee,' zei ze, het schrijfblok tegen haar borst drukkend. 'Nee, dank je, Grace. Ik ga vanmiddag naar het dorp en dan doe ik het zelf wel.'

Snap je nu waarom ik dacht dat ze gelukkig was? Omdat ze het was. Maar niet omdat ze Robbie had opgegeven. Dat had ik helemaal mis. Ook niet omdat ze opeens weer iets voor Teddy voelde. En ook niet omdat ze terug was in het huis van haar voorvaderen. Nee. Ze was gelukkig om een andere reden. Hannah had een geheim.

Beryl gaat ons nu voor over het Lange Pad. Het is een hobbelige rit in de rolstoel, maar Ursula doet heel voorzichtig. Wanneer we bij het tweede draaihekje komen, zie ik dat er een bordje aan hangt. Beryl legt uit dat het onderste deel van de tuin aan de zuidkant wegens werkzaamheden gesloten is voor het publiek. Er wordt aan het zomerhuis gewerkt, dus kunnen we dat vandaag niet bezichtigen. We mogen tot aan de Icarusfontein, maar verder niet. Ze doet het hek open en de bezoekers lopen in ganzenpas verder.

Het plan voor het feest was afkomstig van Deborah. Ze deden er goed aan iedereen te laten weten dat Hannah en Teddy, ondanks het feit dat ze niet meer in Londen woonden, nog altijd tot het sociale circuit behoorden. Teddy vond het een prachtig plan. De belangrijkste renovaties waren bijna rond en dit was bij uitstek een gelegenheid om ermee te pronken. Hannah gedroeg zich verrassend inschikkelijk. En niet alleen inschikkelijk; ze hielp ook mee met de organisatie. Teddy, verbaasd en verheugd, wist dat hij beter geen vragen kon stellen. Deborah, die niet gewend was dat ze de organisatie van feesten met een ander moest delen, was minder enthousiast.

'Waarom zou je je vermoeien met al die rompslomp?' zei ze toen ze op een ochtend een kopje thee dronken.

Hannah glimlachte. 'Waarom niet? Ik heb een heleboel goede ideeën. Wat dacht je van Chinese lampionnen?'

Het was op aandringen van Hannah dat het oorspronkelijk geplande intieme feestje veranderde in het extravagante bal dat het uiteindelijk werd. Ze maakte gastenlijsten en besloot om voor de gelegenheid een dansvloer te laten bouwen. Ooit was het zomernachtfeest een traditie geweest op Riverton, zei ze tegen Teddy; waarom zouden ze dat niet in ere herstellen?

Teddy vond het schitterend. Een van zijn liefste wensdromen ging in vervulling toen hij zag dat zijn vrouw en zijn zus nauw samenwerkten. Hij gaf Hannah de vrije teugel en daar maakte ze ruimschoots gebruik van. Ze had er haar redenen voor. Dat weet ik nu. Je gaat in een grote, rumoerige menigte veel makkelijker op dan in een kleine groep genodigden.

Ursula duwt me langzaam rond de Icarusfontein. Hij is schoongemaakt. De blauwe tegeltjes glimmen en het marmer glanst als nooit tevoren, maar Icarus en zijn drie zeemeerminnen zitten nog steeds bevroren in de waterige reddingsscène. Ik knipper met mijn ogen en de twee geestverschijningen in witte onderrokken die loom op de rand liggen, zijn verdwenen.

'Ik ben de koning van de hele wereld!' De jonge Amerikaanse jongen is op het hoofd van de zeemeermin met de harp geklommen en staat met zijn armen gespreid.

Beryl haalt de frons van haar gezicht en glimlacht professioneel vriendelijk. 'Dat mag niet, hoor. De fontein is gebouwd om naar te kijken, niet om op te klimmen.' Ze wijst met haar vinger naar het smalle pad dat naar het meer voert en zegt tegen het gezelschap: 'U mag over dat pad verder lopen. U mag niet voorbij de versperring, maar daar kunt u in ieder geval een stukje van ons beroemde meer zien.'

De jongen springt van de rand van de fontein en komt met een bons vlak voor me op de grond neer. Hij werpt me een blik toe van schuchtere minachting en holt weg. Zijn ouders en zus volgen hem over het pad.

Het is te smal voor de rolstoel, maar ik moet het zien. Het is het pad dat ik die avond heb genomen. Ik verzoek Ursula me overeind te helpen. Ze kijkt weifelend.

'Weet u het zeker?'

Ik knik.

Ze duwt de stoel naar het begin van het pad en ik steun op haar wanneer ze me overeind hijst. We blijven een ogenblik zo staan, tot Ursula ons beiden in evenwicht heeft, en dan gaan we langzaam op weg. Steentjes onder mijn schoenen, lange grasprieten die langs mijn rok strijken, libellen hangen doodstil in de warme lucht en schieten dan weg.

We blijven staan wanneer het Amerikaanse gezin terugkeert naar de fontein. Ze beklagen zich luidkeels over de werkzaamheden.

'Half Europa staat in de steigers,' zegt de moeder.

'Ik wil mijn geld terug,' zegt de vader.

'De enige reden waarom ik ben meegegaan, is dat ik wilde zien waar hij is gestorven,' zegt het meisje met de lompe zwarte schoenen.

Ursula glimlacht wrang naar me en we lopen weer door. Het geklop van hamers wordt luider. Eindelijk, na diverse pauzes, bereiken we de barricade waar het pad eindigt. Het is dezelfde plek waar de andere barricade was, vele jaren geleden.

Ik hou me eraan vast en kijk naar het meer in de verte. Het water rimpelt. Het zomerhuis is aan het oog onttrokken, maar de geluiden van de werklieden zijn goed te horen. Het doet me denken aan 1924, toen de arbeiders haast maakten om het op tijd af te krijgen voor het feest. Tevergeefs, trouwens. De lading kalksteen was in Calais blijven steken wegens een havenstaking en kwam tot Teddy's grote verdriet niet op tijd. Hij had zijn nieuwe telescoop er willen neerzetten, zodat zijn gasten aan de rand van het meer de nachtelijke hemel konden bekijken. Hannah was degene die hem een hart onder de riem stak.

'Maakt niet uit,' zei ze. 'Je kunt er beter mee wachten tot het huis klaar is. Dan kun je nog een feest houden. Een telescoopfeest.' Het valt je zeker wel op dat ze 'je' zei en niet 'we'? In gedachten maakte ze al geen deel meer uit van Teddy's toekomst.

'Nou, goed dan,' zei Teddy. Hij klonk als een verwende schooljongen.

'Het is waarschijnlijk maar beter zo,' zei Hannah. Ze hield haar hoofd schuin. 'Misschien is het zelfs een goed idee om een barricade op het pad naar het meer te zetten. Zodat de mensen er niet te dichtbij komen. Het kan er gevaarlijk zijn.'

Teddy fronste. 'Gevaarlijk?'

'Je weet hoe werklieden zijn,' antwoordde Hannah. 'Ze hebben misschien nog meer dingen onafgewerkt gelaten. Je kunt beter wachten tot je tijd hebt gehad om alles daar goed te bekijken.'

Ja, de liefde maakt je vindingrijk. Ze wist Teddy met gemak te overtuigen. Stelde hem het spookbeeld van rechtszaken en negatieve publiciteit voor ogen. Teddy gaf meneer Boyle opdracht een barricade met waarschuwingsborden neer te zetten om de gasten bij het meer vandaan te houden. Ze zouden in augustus nog een feest houden ter ere van zijn verjaardag. Een feestelijke lunch in het zomerhuis met boottochtjes, spelletjes en gestreepte feesttenten. Net als op het schilderij van die Franse schilder, zei hij – hoe heet hij ook alweer?

Het is er uiteraard nooit van gekomen. In augustus 1924 dacht niemand meer aan feestjes, behalve Emmeline. Maar dat was een bijzondere vorm van uitbundigheid, een reactie op en niet ondanks het afgrijzen en het bloed.

Het bloed. Zo veel bloed. Wie had kunnen denken dat er zo veel bloed zou zijn? Ik zie hiervandaan de plek aan het meer. Waar ze stonden. Waar hij stond vlak voordat...

Ik voel me duizelig worden, mijn knieën knikken. Ursula grijpt mijn armen, houdt me overeind.

'Gaat het?' vraagt ze. Haar donkere ogen staan bezorgd. 'U ziet erg bleek.

Mijn gedachten drijven alle kanten op. Ik heb het warm. Ik ben duizelig.

'Zullen we een poosje naar binnen gaan?'

Ik knik.

Ursula neemt me mee terug over het pad, zet me in de rolstoel en legt aan Beryl uit dat we eventjes naar binnen moeten.

Het komt door de warmte, zegt Beryl begrijpend. Haar moeder heeft er ook last van. Het is ook ongewoon warm. Ze buigt zich naar me toe en wanneer ze glimlacht verdwijnen haar ogen. 'Daar komt het door, nietwaar? Door de warmte.'

Ik knik. Het heeft geen zin haar tegen te spreken. Hoe zou ik kunnen uitleggen dat ik me niet zo draaierig voel vanwege de warmte, maar vanwege de druk van oude schuldgevoelens?

Ursula brengt me naar de zitkamer. We gaan niet helemaal naar binnen; dat kan niet. Er is een rood koord gespannen, anderhalve meter vanaf de deuropening. Ze willen natuurlijk niet dat iedereen er zomaar kan rondlopen en met vieze vingers over de rugleuning van de bank strijkt. Ursula parkeert me bij de muur en komt naast me zitten, op een bankje dat daar voor de bezoekers is neergezet.

Toeristen drentelen langs, wijzen naar het schitterende serviesgoed, uiten hun verwondering over het tijgervel op de achterkant van de leunstoel. Geen van hen lijkt er erg in te hebben dat de kamer vol zit met spoken.

In de zitkamer nam de politie de verhoren af. Arme Teddy. Hij was volslagen verbijsterd. 'Hij was een dichter,' vertelde hij de politie, nog gekleed in zijn smoking, met een deken rond zijn schouders. 'Hij kende mijn vrouw van vroeger. Een aardige vent, artistiek maar ongevaarlijk. Hij ging om met mijn schoonzusje en haar vrienden.'

De politie ondervroeg die avond iedereen. Iedereen behalve Hannah en Emmeline. Daar zorgde Teddy voor. Het was al erg genoeg dat ze er getuige van waren geweest, zei hij tegen de agenten; ze hoefden het niet nogmaals te doorleven. Blijkbaar had de familie Luxton voldoende invloed, want de agenten gaven gehoor aan zijn verzoek.

Wat hen betrof, was het ook niet belangrijk. Het was laat en ze wilden terug naar hun vrouw en hun warme bed. Ze hadden alles gehoord wat ze horen wilden. Het was niet zo'n opzienbarend verhaal. Deborah had het al gezegd: in heel Londen, op de hele wereld, waren jonge mannen die er moeite mee hadden zich weer aan het normale leven aan te passen na alles wat ze in de oorlog hadden gezien en gedaan. Dat hij dichter was, maakte alles vrij voorspelbaar. Artistieke mensen hadden de neiging zich excentriek en emotioneel te gedragen.

De groep heeft ons gevonden. Beryl vraagt of we ons weer willen aansluiten en leidt ons naar de bibliotheek.

'Een van de weinige vertrekken die bij de brand van 1938 niet zijn verwoest,' zegt ze, terwijl ze doelbewust met klikkende hakken de gang door loopt. 'En dat is een groot geluk. De familie Hartford had een onschatbare collectie antieke boeken. Meer dan negenduizend exemplaren.'

Dat kan ik bevestigen.

De ongeregelde groep loopt achter Beryl aan de bibliotheek in en verspreidt zich. Halzen worden gerekt om de glaskoepel te bekijken en de planken met boeken die tot in de nok reiken. Robbies Picasso is weg. Die hangt vermoedelijk ergens in een museum. De dagen dat werken van grote meesters zomaar in Engelse landhuizen hingen, zijn voorgoed voorbij.

Dit is de kamer waar Hannah het grootste deel van haar tijd doorbracht na Robbies dood; dagenlang zat ze met opgetrokken benen in een fauteuil in het stille vertrek. Ze las niet, ze zat er alleen maar. Herleefde het verleden. Een tijdlang was ik de enige die ze wilde zien. Ze sprak obsessief, dwangmatig over Robbie, vertelde me de details van hun verhouding. Episode na episode. En ieder verhaal eindigde met dezelfde noodkreet.

'Ik hield van hem, Grace,' zei ze, zo zacht dat ik haar bijna niet kon verstaan.

'Dat weet ik, mevrouw.'

'Maar ik kon niet…' Dan keek ze me met glazige ogen aan. 'Het was niet genoeg.'

In het begin legde Teddy zich bij haar apathie neer – het leek een logische reactie op wat ze had meegemaakt –, maar naarmate de weken verstreken en ze er niet in slaagde de stoïcijnse houding aan te nemen waar de Engelsen om bekendstonden, begreep hij er niets meer van.

Iedereen hield er zijn of haar mening op na over wat het beste voor haar was, wat er gedaan moest worden om haar op te vrolijken. Op een avond werd het na het eten een hele discussie.

'Ze heeft een nieuwe hobby nodig,' zei Deborah. Ze stak een sigaret op. 'Ik twijfel er geen moment aan dat het een grote schok is wanneer je getuige bent van een zelfmoord, maar het leven gaat door.'

'Wat voor soort hobby?' vroeg Teddy fronsend.

'Ik zit eigenlijk te denken aan bridge,' zei Deborah. Ze tikte as op haar bord. 'Een goede bridgewedstrijd biedt je de mogelijkheid alles even van je af te zetten.'

Estella, die op Riverton was blijven hangen om 'te helpen', was het ermee eens dat Hannah afleiding nodig had, maar had haar eigen ideeën over wat voor soort afleiding: ze moest een baby krijgen. Iedere vrouw wilde een baby. Kon Teddy er niet voor zorgen dat ze er een kreeg?

Teddy zei dat hij zijn best zou doen. En dat deed hij, waarbij hij Hannahs volgzaamheid aanzag voor instemming.

Tot Estella's grote vreugde verklaarde de dokter drie maanden later dat Hannah zwanger was, maar dit bracht allerminst de gewenste afleiding. Integendeel, Hannah trok zich nog meer in zichzelf terug. Ze vertelde me steeds minder over haar verhouding met Robbie en riep me uiteindelijk helemaal niet meer naar de bibliotheek. Ik was teleurgesteld en vooral ongerust. Ik had gehoopt dat haar bekentenissen haar zouden bevrijden van de afzondering die ze zichzelf had opgelegd. Dat ze, door me alles over hun relatie te vertellen, langzaamaan haar weg terug zou vinden, naar ons. Maar dat gebeurde niet.

Integendeel. Ze creëerde steeds meer afstand tussen ons; ze kleedde zich zelfstandig aan, keek me op een vreemde, bijna boze manier aan als ik haar mijn hulp aanbood. Ik probeerde op haar in te praten, haar eraan te herinneren dat het haar schuld niet was, dat ze hem niet had kunnen redden, maar ze keek alleen maar naar me met een verdwaasde uitdrukking op haar gezicht. Alsof ze niet wist waar ik het over had of, erger nog: twijfelde aan de redenen waarom ik het zei.

Die laatste maanden dwaalde ze als een geest door het huis. Nancy zei dat het net was alsof ze meneer Frederick terug hadden. Teddy maakte zich grote zorgen. Per slot van rekening ging het nu niet alleen meer om Hannahs gezondheid. De baby, zijn zoon, zijn erfgenaam, verdiende beter. Hij liet de ene na de andere arts komen, die allemaal, met de oorlog nog vers in hun geheugen, shock als diagnose stelden en zeiden dat het niet meer dan normaal was na wat ze had gezien.

Een van hen nam Teddy na zijn consultatie apart en zei: 'Ze lijdt inderdaad aan shock. Ze is zich nauwelijks bewust van haar omgeving.'

'Hoe is dat te genezen?' vroeg Teddy.

De arts schudde meewarig zijn hoofd. 'Als ik dát wist.'

'Geld is geen bezwaar,' zei Teddy.

De arts fronste. 'Was er niet nóg een getuige?'

'Haar zus. De zus van mijn vrouw,' zei Teddy.

'Haar zus,' zei de dokter en hij maakte er een notitie van. 'Da's mooi. Hebben ze een goede relatie?'

'Een uitstekende relatie,' zei Teddy.

De dokter wees met zijn vinger naar Teddy. 'Laat haar hierheen komen. Praten is de beste manier om deze vorm van hysterie aan te pakken. Uw vrouw moet tijd doorbrengen met iemand die dezelfde traumatische ervaring heeft gehad.'

Teddy volgde het advies van de arts op en stuurde herhaalde malen een uitnodiging naar Emmeline, maar die weigerde te komen. Ze had geen tijd. Ze had het te druk.

'Ik begrijp het niet,' zei Teddy op een avond na het diner. 'Hoe kan ze haar eigen zus negeren? Na alles wat Hannah voor haar heeft gedaan?'

'Laat nou maar,' zei Deborah. Ze trok haar wenkbrauwen op. 'Naar wat ik heb gehoord, is het beter dat ze wegblijft. Men zegt dat ze heel ordinair aan het worden is, dat ze op ieder feest de laatste is die vertrekt en zich inlaat met allerlei vreemde figuren.'

Het was waar: Emmeline had zich weer in haar wervelende leven in Londen gestort. Ze was de spil van ieder feest, speelde de hoofdrol in een aantal films – liefdesgeschiedenissen, horrorfilms; ze had haar bestemming gevonden in de rol van de misbruikte femme fatale.

Het was erg jammer, roddelde men gretig in het societycircuit, dat Hannah zich niet net zo goed had kunnen herstellen als Emmeline. Wel eigenaardig, dat ze er zo veel meer moeite mee had dan haar zus. Per slot van rekening was Emmeline degene die verkering met hem had gehad.

Emmeline had het er wel degelijk moeilijk mee. Ze had alleen haar eigen manier om ermee om te gaan. Ze lachte harder en dronk meer. Volgens de geruchten had de politie, op de dag dat ze op Braintree Road om het leven kwam, aangebroken flessen cognac in de auto gevonden. De Luxtons hadden dat stil weten te houden. Als er iémand was die je toentertijd kon omkopen, was het een politieagent. Misschien nu nog; dat weet ik niet.

Ze vertelden het niet meteen aan Hannah. Estella vond het een te groot risico en Teddy was het daarmee eens, nu de baby binnenkort zou worden geboren. Lord Gifford gaf een verklaring af uit naam van Teddy en Hannah.

Teddy kwam op de avond na het ongeluk naar beneden. Hij viel erg uit de toon in het sombere bediendevertrek, als een acteur die op de verkeerde set was terechtgekomen. Hij was zo lang dat hij zich moest bukken om te voorkomen dat hij zijn hoofd zou stoten aan de plafondbalk boven de laatste tree.

'Meneer Luxton,' zei meneer Hamilton. 'We hadden u niet verwacht…' Zijn stem stierf weg, maar hij sprong overeind, draaide zich naar ons om, klapte geluidloos in zijn handen, hief ze toen op en maakte gebaren alsof hij de dirigent was van een orkest dat heel snelle muziek speelde. We gingen haastig op een rij staan, met onze handen op onze rug, in afwachting van wat Teddy te zeggen had.

Wat hij zei, was eenvoudig. Emmeline was betrokken geraakt bij een auto-ongeluk waarbij ze het leven had verloren. Nancy greep achter mijn rug mijn hand vast.

Mevrouw Townsend slaakte een kreet en zakte op een stoel neer met haar hand tegen haar borst gedrukt. 'Het arme kind,' zei ze. 'Ik krijg er helemaal de bibbers van.'

'Het is voor ons allen een vreselijke schok, mevrouw Townsend,' zei Teddy, en hij liet zijn ogen langs alle bedienden glijden. 'Ik heb echter een verzoek aan u.'

'Als ik voor ons allen mag spreken,' zei meneer Hamilton, die wit was weggetrokken. 'We zullen vanzelfsprekend ons best doen u in deze moeilijke tijden bij te staan.'

'Dank u, meneer Hamilton,' zei Teddy, en hij knikte triest. 'Zoals u weet, heeft mevrouw Luxton het al moeilijk genoeg vanwege dat andere ongeluk, bij het meer. Ik denk dat we er goed aan doen haar voorlopig niets te vertellen over deze nieuwe tragedie. Het is niet verstandig haar nog meer van streek te maken nu ze in verwachting is. Ik weet zeker dat u dat met me eens bent.'

Het personeel bleef er zwijgend bij staan. Teddy ging door.

'Ik verzoek u dus niet over juffrouw Emmeline en het ongeluk te praten. En ervoor te zorgen dat er geen kranten rondslingeren op plaatsen waar ze die kan vinden.'

Hij zweeg en keek ons een voor een aan.

'Is dat duidelijk?'

Meneer Hamilton knipperde met zijn ogen en kwam weer tot zichzelf. 'Eh, ja. Ja, meneer.'

'Mooi,' zei Teddy. Hij knikte een paar keer snel, besefte dat hij er niets aan toe te voegen had en vertrok met een strakke glimlach op zijn gezicht.

Toen Teddy was verdwenen, keek mevrouw Townsend met grote ogen naar meneer Hamilton. 'Maar... bedoelt hij dat we het helemaal niet aan juffrouw Hannah mogen vertellen?'

'Inderdaad, mevrouw Townsend,' zei meneer Hamilton. 'Voorlopig.'

'Maar het gaat om haar zus...'

'Dit is wat hij ons heeft opgedragen, mevrouw Townsend.' Meneer Hamilton haalde diep adem en kneep in de brug van zijn neus. 'Meneer Luxton is hier de baas, net zoals meneer Frederick dat was.'

Mevrouw Townsend deed recalcitrant haar mond open, maar meneer Hamilton legde haar het zwijgen op. 'U weet net zo goed als ik dat we de instructies van meneer moeten uitvoeren.' Hij nam zijn bril af en begon met driftige gebaren de glazen te poetsen. 'Ongeacht wat we ervan denken. En van hem.'

Later, toen meneer Hamilton boven het diner opdiende, kwamen mevrouw Townsend en Nancy bij me in de eetkamer van het bediendevertrek waar ik Hannahs zilveren japon aan het verstellen was. Mevrouw Townsend kwam aan de ene kant naast me zitten, Nancy aan de andere kant. Als cipiers die waren gekomen om me naar de galg te begeleiden.

Met een blik naar de trap zei Nancy: 'Je moet het haar vertellen.'

Mevrouw Townsend voegde er hoofdschuddend aan toe. 'Het is niet juist. Haar eigen zus. Ze moet het weten.'

Ik stak mijn naald in het klosje zilvergaren en legde de japon neer.

'Jij bent haar kamenier,' zei Nancy. 'Ze is zeer op je gesteld. Je moet het haar vertellen.'

'Dat weet ik,' zei ik zachtjes. 'En dat zal ik ook doen.'

De volgende ochtend trof ik haar, zoals verwacht, in de bibliotheek aan. In een fauteuil helemaal achterin, waar ze door de grote glazen deuren naar het kerkhof zat te kijken. Haar aandacht was gericht op iets daar in de verte en ze hoorde me niet aankomen. Ik liep naar haar toe en bleef zwijgend bij de tweede, identieke fauteuil staan. Het vroege zonlicht viel door de ruiten op haar profiel en gaf haar een bijna engelachtig uiterlijk.

'Mevrouw?' zei ik zachtjes.

Zonder haar blik van het raam af te wenden zei ze: 'Je komt me vertellen over Emmeline.'

Ik zweeg verrast en vroeg me af hoe ze het wist. 'Ja, mevrouw.'

'Ik wist dat je het me zou vertellen. Ook al heeft hij het verboden. Na al die jaren ken ik je goed genoeg, Grace.' Haar toon was moeilijk te doorgronden.

'Ik vind het heel erg, mevrouw. Van juffrouw Emmeline.'

Ze neeg haar hoofd, maar bleef kijken naar dat punt in de verte, bij de begraafplaats. Ik wachtte een poosje en toen duidelijk was dat ze geen gezelschap wilde, vroeg ik of ik haar ergens mee van dienst kon zijn. Wilde ze misschien thee? Een boek? Ze gaf niet meteen antwoord, alsof ze me niet had gehoord. Toen zei ze, ogenschijnlijk zonder enig verband: 'Jij kunt geen steno.'

Het was geen vraag, dus gaf ik geen antwoord.

Later kwam ik erachter wat ze bedoelde, waarom ze die opmerking maakte over steno. Maar dat was pas jaren later. Die ochtend wist ik nog niet welke rol mijn bedrog had gespeeld.

Ze ging verzitten, trok haar lange, blote benen dichter naar de stoel. Keek me nog steeds niet aan. 'Je mag gaan, Grace,' zei ze, met in haar stem een klank zo kil dat ik tranen in mijn ogen kreeg.

Ik had niets meer te zeggen. Ik knikte en vertrok, me niet bewust van het feit dat dit ons laatste gesprek zou zijn.

Beryl leidt ons naar de kamer die op het laatst van Hannah was. Heel even weifel ik, weet ik niet zeker of ik in staat ben er naar binnen te gaan. Maar de kamer is nu anders. Hij is geschilderd en ingericht met victoriaans meubilair dat niet tot de originele inrichting van Riverton behoorde. Het bed is niet het bed waar Hannahs baby werd geboren.

De meeste mensen dachten dat de baby haar dood was. Net zoals de geboorte van Emmeline de dood had veroorzaakt van haar eigen moeder. Zo plotseling, zeiden ze hoofdschuddend. Zo triest. Maar ik wist beter. Het was een excuus. Een kans. Het was inderdaad geen gemakkelijke bevalling, maar ze had doodgewoon geen wilskracht meer. Door wat er aan het meer was gebeurd, de dood van Robbie en die van Emmeline zo kort erna, was ze al begonnen met sterven voordat de baby klem kwam te zitten in haar bekken.

Eerst bleef ik bij haar in die kamer, maar toen de weeën sterker werden en elkaar sneller opvolgden, toen de baby zich naar buiten wilde persen, raakte ze steeds meer ten prooi aan waanbeelden. Ze staarde naar me met angst en woede op haar gezicht, schreeuwde dat ik weg moest gaan, dat het allemaal mijn schuld was. Het was niet ongebruikelijk dat barende vrouwen hun greep op de werkelijkheid verloren, legde de dokter uit toen hij me verzocht te doen wat ze zei; het was niet ongebruikelijk dat ze opgingen in waanideeën.

Maar ik kon haar niet zo achterlaten. Ik verliet haar zijde, maar niet de kamer. Toen de dokter begon te snijden, keek ik toe vanaf mijn plek bij de deur, keek ik naar haar gezicht. Toen ze haar hoofd achterover liet zakken, slaakte ze een zucht die erg veel leek op opluchting. Op verlossing. Ze wist dat ze bevrijd zou worden als ze zich niet verzette. Dat het allemaal voorbij zou zijn.

Nee, haar dood was niet plotseling. Ze was al maanden bezig geweest te sterven.

Ik was kapot. Diep in de rouw. In zekere zin had ik mezelf verloren. Dat is wat er gebeurt wanneer je je leven in dienst stelt van een ander. Dan ben je met die persoon verbonden. Zonder Hannah was ik niets.

Ik was niet in staat iets te voelen. Ik was leeg, alsof iemand me als een dode vis had opengesneden en alle ingewanden had verwijderd. Ik kweet me plichtmatig van mijn taken, hoewel dat er niet veel waren nu Hannah er niet meer was. Ik hield dat een maand vol, dwaalde van de ene inwisselbare plek naar de andere, tot ik op een dag tegen Teddy zei dat ik wegging.

Hij wilde dat ik bleef; toen ik weigerde, smeekte hij me op mijn besluit terug te komen, niet voor hem maar omwille van Hannah, omwille van haar nagedachtenis. Ik wist toch wel hoezeer ze op me gesteld was geweest? Ze zou willen dat ik deel uitmaakte van het leven van haar dochter, van Florence.

Maar ik kon het niet. Ik kon het niet over mijn hart verkrijgen. Ik had geen hart. Ik was doof voor meneer Hamiltons afkeurende woorden, blind voor mevrouw Townsends tranen, had geen idee hoe het verder moest, wist alleen heel zeker dat ik niet op Riverton kon blijven.

Hoe onbeschrijflijk beangstigend zou het zijn geweest om Riverton te verlaten, om mijn betrekking te verlaten, als ik gevoelens had gehad. Het was maar goed dat ik die niet had: de angst zou het misschien gewonnen hebben van het verdriet en me voor altijd hebben vastgeklonken aan het huis op de heuvel. Want ik wist niets over het leven buiten de huishoudelijke dienst. Raakte in paniek van mijn onafhankelijkheid. Durfde amper ergens naartoe te gaan, de simpelste dingen te doen, mijn eigen beslissingen te nemen.

Toch vond ik een kleine flat in Marble Arch, en het leven ging door. Ik pakte allerlei baantjes aan – als werkster, serveerster, naaister –, liet me met niemand in, vertrok wanneer de mensen te veel vragen begonnen te stellen, meer van me wilden dan ik in staat was te geven. Zo verstreek er een decennium. Ik wachtte, zonder het zelf te weten, op de volgende oorlog. En op Marcus, wiens geboorte voor me zou doen wat die van mijn eigen dochter niet had gedaan: me teruggeven wat door de dood van Hannah was weggenomen.

Ik dacht bijna nooit aan Riverton, aan alles wat ik was kwijtgeraakt.

Laat me dat anders formuleren: ik wilde niet aan Riverton denken. Wanneer ik op een onbewaakt ogenblik merkte dat mijn gedachten door de kinderkamer dwaalden, op de trap boven lady Ashbury's rozentuin draalden, op de rand van de Icarusfontein balanceerden, zocht ik snel afleiding.

Maar ik dacht wel na over de baby, Florence. Mijn half-nichtje. Het was een mooi kindje. Met Hannahs blonde haar, maar niet haar ogen. Grote, bruine ogen had ze. Misschien zou dat later nog veranderen. Dat komt voor. Maar ik denk dat ze bruin bleven, zo bruin als die van haar vader. Want was ze niet Robbies dochter?

Ik heb daar door de jaren heen veel over nagedacht. Het is natuurlijk mogelijk dat, ondanks het feit dat Hannah er al die jaren niet in was geslaagd zwanger te raken van Teddy, dit in 1924 opeens wel lukte. Er gebeuren wel vreemdere dingen. Maar is dat, aan de andere kant, niet een al te voor de hand liggende verklaring? Teddy en Hannah deelden niet vaak het bed in de laatste jaren van hun huwelijk, maar in het begin had Teddy heel graag kinderen gewild. Wijst het feit dat Hannah toen niet zwanger was geworden er niet op dat een van hen een probleem had? Florence is het bewijs dat Hannah wel degelijk in staat was zwanger te worden.

Is het dan niet veel aannemelijker dat niet Teddy de vader van Florence was? Dat ze aan het meer is verwekt? Dat Hannah en Robbie die avond in het onafgewerkte zomerhuis, na maanden van elkaar gescheiden geweest te zijn, de verleiding niet hadden kunnen weerstaan? Qua tijd klopte het precies. Deborah wist dat ook. Ze wierp één blik op die grote donkere ogen en klemde haar lippen op elkaar. Ze wist het.

Of ze het aan Teddy heeft verteld, weet ik niet. Misschien ontdekte hij het zelf. In ieder geval bleef Florence niet lang op Riverton. Teddy kon haar ook moeilijk houden: ze was een blijvende herinnering aan het overspel. De Luxtons waren het met elkaar eens dat hij de hele zaak van zich af moest zetten, zich moest toeleggen op het beheer van Riverton Manor en zijn politieke comeback.

Ik heb gehoord dat Florence naar Amerika werd gestuurd, dat Jemima erin had toegestemd haar in huis te nemen als zusje van Gytha. Ze had altijd meer kinderen gewild. Ik denk dat Hannah dat wel prettig zou hebben gevonden, dat ze liever had dat haar dochter opgroeide als een Hartford dan als een Luxton.

De rondleiding is beëindigd en we keren terug naar de hal. Niettegenstaande Beryls enthousiaste aanprijzing laten Ursula en ik de souvenirwinkel links liggen.

Weer zit ik op het ijzeren bankje te wachten, terwijl Ursula de auto gaat halen. 'Ik ben zo terug,' belooft ze. Ik zeg dat ze zich geen zorgen hoeft te maken, dat mijn herinneringen me gezelschap zullen houden.

'Kom je gauw weer?' vraagt meneer Hamilton vanuit de deuropening.

'Nee,' zeg ik. 'Dat denk ik niet, meneer Hamilton.'

Hij lijkt er begrip voor te hebben, glimlacht kort. 'Ik zal mevrouw Townsend de groeten van je doen.'

Ik knik en hij verdwijnt, lost op als een aquarel in een stoffige baan zonlicht.

Ursula helpt me met instappen. Ze heeft een flesje water uit de automaat bij het loket gehaald en draait de dop er voor me af wanneer ik mijn veiligheidsgordel om heb. 'Alstublieft,' zegt ze. Ze steekt een rietje in de hals en klemt mijn handen om het koude flesje.

Ze start de motor en we rijden langzaam het parkeerterrein af. Ik ben me er vaag van bewust, wanneer we de donkere bladertunnel in rijden, dat dit de laatste keer is dat ik de oprit af rijd, maar ik kijk niet om.

We rijden een poosje in stilte en dan zegt Ursula: 'Weet u, er is één ding dat me nog steeds dwarszit.'

'Mm-mm?'

'De zusjes Hartford waren erbij toen hij het deed.' Ze werpt een zijdelingse blik op me. 'Maar wat deden ze bij het meer? Ze hadden op het feest moeten zijn.'

Ik geef geen antwoord en ze kijkt weer naar me, vraagt zich af of ik haar misschien niet heb gehoord.

'Wat heb je besloten?' vraag ik. 'Hoe gebeurt het in de film?'

'Ze zien hem weggaan, volgen hem naar het meer en proberen hem ervan te weerhouden.' Ze haalt haar schouders op. 'Ik heb alles nagezocht, maar heb geen verhoren van Emmeline en Hannah gevonden, dus moest ik ernaar gissen. Dit klonk logisch.'

Ik knik.

'Bovendien vonden de producenten dit spannender dan dat ze hem daarna pas zouden vinden.'

Ik knik.

'U mag er zelf over oordelen,' zegt ze, 'wanneer u de film ziet.'

Ik was van plan geweest naar de première te gaan, maar nu weet ik dat dat er niet meer in zit. Ursula weet het blijkbaar ook.

'Ik zal u zo snel mogelijk een videoband van de film brengen,' zegt ze.

'Graag.'

Ze draait de oprit van Heathview in. 'O jee,' zegt ze, en haar ogen worden groot. Ze legt haar hand op de mijne. 'Klaar voor de strijd?'

Ruth staat te wachten. Ik verwacht een afkeurend toegeknepen mond te zien, maar nee. Ze lacht. Vijftig jaar verdwijnen en ik zie haar weer als jong meisje, voordat het leven de kans kreeg haar teleur te stellen. Ze heeft iets in haar hand, zwaait ermee. Het is een brief, zie ik. En ik weet meteen van wie.

De tijd loopt ten einde

Hij is er. Marcus is thuis. De afgelopen week is hij iedere dag bij me geweest. Soms komt Ruth met hem mee; soms zijn we alleen met ons tweetjes. We praten niet altijd. Vaak zit hij gewoon naast me en houdt hij mijn hand vast terwijl ik doezel. Ik vind het prettig wanneer hij mijn hand vasthoudt. Het is het fijnste gebaar dat er bestaat: troostend van de wieg tot het graf.

Ik ben stervende. Niemand heeft me dat verteld, maar ik zie het aan iedereen. De vriendelijke, tedere gezichten, de bedroefde, glimlachende ogen, de zachte fluisteringen en de blikken die ze uitwisselen. En ik voel het zelf ook.

Een siddering.

Mijn tijd loopt ten einde. De tijdskaders waar ik mijn hele leven mee heb gewerkt, hebben opeens hun betekenis verloren: seconden, minuten, uren, dagen. Het zijn slechts woorden. Ik heb alleen nog momenten.

Marcus heeft een foto bij zich. Hij geeft hem aan mij en ik weet al welke het is voordat ik hem bekijk. Het is een van mijn lievelingsfoto's, die jaren geleden is genomen bij een opgraving. 'Waar heb je die gevonden?' vraag ik.

'Ik had hem bij me,' zegt hij schaapachtig en hij strijkt over zijn wat lange, door de zon gebleekte haar. 'Al die tijd dat ik op reis was. Ik hoop dat je het niet erg vindt.'

'Ik ben er blij om,' zeg ik.

'Ik wilde een foto van je,' zegt hij. 'Ik vond deze vroeger al zo leuk. Je ziet er op deze foto heel gelukkig uit.'

'Dat was ik ook. Erg gelukkig.' Ik kijk nog een poosje naar de foto en geef hem dan terug. Hij zet hem op het nachtkastje, zodat ik hem kan zien wanneer ik wil.

Ik word wakker uit een hazenslaapje en zie Marcus bij het raam staan. Hij kijkt uit over de heide. Eerst denk ik dat Ruth ook in de kamer is, maar ze is het niet. Het is iemand anders. Iets anders. Ze is een poosje geleden verschenen. Is er sindsdien geweest. Niemand anders kan haar zien. Ze wacht op me en ik ben bijna gereed. Vanochtend vroeg heb ik het laatste bandje voor Marcus opgenomen. Het is nu klaar, het verhaal is verteld. De belofte die ik heb gedaan, is verbroken en hij zal achter mijn geheim komen.

Marcus voelt aan dat ik wakker ben. Hij draait zich om. Glimlacht. Zijn prachtige gulle glimlach. 'Grace.' Hij verlaat zijn plek bij het raam, komt bij me staan. 'Kan ik iets voor je halen? Een glaasje water?'

'Graag,' zeg ik.

Ik kijk naar hem, zijn slanke gestalte in de makkelijke kleding. Spijkerbroek en T-shirt, het uniform van de hedendaagse jeugd. Op zijn gezicht zie ik de jongen die hij is geweest, het kind dat me naliep door alle kamers, vragen stelde, verhalen eiste: over de plaatsen waar ik was geweest, de voorwerpen die ik had opgegraven, het grote, oude huis op de heuvel en de kinderen met hun spel. Ik zie de jongeman die me zo blij maakte toen hij zei dat hij schrijver wilde worden. Die me verzocht iets van zijn werk te lezen en hem te vertellen wat ik ervan vond. Ik zie de volwassen man, gevangen in het web van het verdriet, hulpeloos. De man die niet geholpen wenst te worden.

Ik beweeg me, schraap mijn keel. Ik wil hem iets vragen. 'Marcus,' zeg ik.

Hij kijkt me aan vanonder een lok bruin haar. 'Ja, Grace?'

Ik bekijk zijn ogen, hopend, denk ik, op de waarheid. 'Hoe is het met je?'

Het doet me deugd dat hij me niet met een kluitje in het riet stuurt. Hij hijst me wat hoger op tegen mijn kussens, strijkt mijn haar glad en geeft me een bekertje water. 'Ik geloof dat het wel gaat,' zegt hij.

Er zijn een heleboel dingen die ik tegen hem zou willen zeggen, om hem gerust te stellen. Maar ik ben te zwak, te moe. Ik kan alleen maar knikken.

Ursula komt. Ze kust mijn wang. Ik wil mijn ogen openen, haar bedanken dat ze zich om de Hartfords heeft bekommerd, om hun nagedachtenis, maar ik kan het niet. Marcus neemt de honneurs waar. Ik hoor hem de videoband aanpakken, haar bedanken, zeggen dat hij ernaar uitkijkt de film te zien. Dat ik zo lovend over haar heb gesproken. Hij vraagt of de première een succes was.

'Het was geweldig,' zegt ze. 'Ik was verschrikkelijk zenuwachtig, maar alles is heel goed gegaan. Ik heb zelfs een paar goede recensies gekregen.'

'Dat heb ik gezien,' zegt Marcus. 'Een héél goede recensie in *The Guardian*. "Huiveringwekkend," schreven ze, "met subtiele schoonheid", nietwaar? Gefeliciteerd.'

'Dank je,' zegt Ursula, en ik stel me haar verlegen, blije glimlach voor.

'Grace vond het jammer dat ze er niet bij kon zijn.'

'Dat weet ik,' zegt Ursula. 'Ik ook. Ik had haar er graag bij gehad.' Opgewekter vervolgt ze: 'Mijn eigen grootmoeder is wel gekomen. Helemaal uit Amerika.'

'Wauw,' zegt Marcus. 'Wat een trouw.'

'Eerder poëtische rechtvaardigheid,' zegt Ursula. 'Zij is degene die me op het verhaal attent heeft gemaakt. Ze is een ver familielid van de gezusters Hartford. Een achternicht, geloof ik. Ze is in Engeland geboren, maar haar moeder is met haar naar de Verenigde Staten verhuisd toen ze nog klein was, nadat haar vader in de Eerste Wereldoorlog was gesneuveld.'

'Dan is het helemaal geweldig dat ze heeft kunnen zien waar haar aanzet toe heeft geleid.'

'Ik zou haar niet eens hebben kunnen tegenhouden als ik dat had gewild,' zegt Ursula lachend. 'Mijn oma Florence laat zich niets verbieden.'

Ursula komt dichterbij. Ik voel het. Ze pakt de foto van het nachtkastje. 'Deze foto heb ik nog nooit gezien. Wat ziet Grace er hier mooi uit. Wie is de man die bij haar staat?'

Marcus glimlacht; ik hoor het aan zijn stem. 'Dat is Alfred.'

Een stilte.

'Mijn grootmoeder is geen conventioneel type,' zegt Marcus vol genegenheid. 'Hoewel mijn moeder er vierkant tegen was, heeft Grace op de rijpe leeftijd van vijfenzestig jaar een minnaar genomen. Het bleek dat ze de man van jaren geleden kende. Hij was naar haar op zoek gegaan en heeft haar gevonden.'

'Wat romantisch,' zegt Ursula.

'Ja,' antwoordt Marcus. 'Alfred was een prima vent. Ze zijn nooit getrouwd, maar zijn wel bijna twintig jaar samen geweest. Grace zei altijd dat ze hem één keer had laten gaan en dat ze niet van plan was die fout nog een keer te maken.'

'Dat klinkt echt als Grace,' zei Ursula.

'Alfred plaagde haar altijd door te zeggen dat het maar goed was dat ze archeologe was. Hoe ouder hij werd, hoe meer belangstelling ze voor hem kreeg.'

Ursula lachte. 'Hoe is het verdergegaan?'

'Hij is in zijn slaap overleden,' zei Marcus. 'Negen jaar geleden. En toen is Grace hier komen wonen.'

Zachte, warme wind komt door het open raam naar binnen, glijdt over mijn gesloten oogleden. Ik denk dat het middag is.

Marcus is er. Hij is er al een poosje. Ik hoor hem, dicht bij me, hoor zijn pen op de blocnote krassen. Af en toe zucht hij. Staat op, loopt naar het raam, het toilet, de deur.

Het is later. Ruth is er. Ze staat naast mijn bed, streelt mijn gezicht, kust mijn voorhoofd. Ik ruik de bloemengeur van haar poeder. Ze gaat zitten.

'Ben je aan het schrijven?' vraagt ze aan Marcus. Ze klinkt aarzelend. Nerveus.

Wees lief, Marcus; ze doet haar best.

'Ik weet het nog niet,' zegt hij. Daarop volgt een korte stilte. 'Ik zit erover te denken.'

Ik hoor hen, hun ademhaling. Zeg iets, een van jullie.

'Inspecteur Adams?'

'Nee,' zegt Marcus snel. 'Ik ga misschien iets heel anders doen.'

'O ja?'

'Grace heeft me wat bandjes gestuurd.'

'Bandjes?'

'Als brieven, maar dan ingesproken.'

'Daar heeft ze me niets over verteld,' zegt Ruth zachtjes. 'Wat staat erop?'

'Van alles.'

'Zegt ze… iets over mij?'

'Hier en daar. Ze praat over wat ze elke dag doet, maar ze praat ook over het verleden. Ze heeft een heel bijzonder leven gehad.'

'Ja,' zegt Ruth.

'Precies een eeuw, van dienstmeisje tot doctor in de archeologie. Ik zou graag over haar willen schrijven.' Een stilte. 'Daar heb je toch niets op tegen?'

'Waarom zou ik daar iets op tegen hebben?' vraagt Ruth. 'Natuurlijk niet. Waarom zou ik?'

'Ik weet het niet…' Ik hoor dat Marcus zijn schouders ophaalt. 'Ik dacht dat je het misschien niet leuk zou vinden.'

'Ik zal het graag willen lezen,' zegt Ruth ferm. 'Ga gerust je gang.'

'Het is weer eens iets anders,' zegt Marcus.

'Geen spannend boek.'

Marcus lacht. 'Nee. Geen spannend boek. Een gewoon levensverhaal.'

Ach, lieve schat. Gewone levensverhalen bestaan niet.

Ik ben wakker. Marcus zit naast me op de stoel te schrijven. Hij kijkt op.

'Hallo, Grace,' zegt hij en hij lacht naar me. Legt het schrijfblok weg. 'Ik ben blij dat je wakker bent. Ik wil je namelijk bedanken.'

Bedanken? Ik trek mijn wenkbrauwen op.

'Voor de bandjes.' Hij heeft mijn hand nu vast. 'De verhalen die je hebt gestuurd. Ik was vergeten hoeveel ik van verhalen hou. Om te lezen, om naar te luisteren. Om te schrijven. Sinds Rebecca… Het was zo'n schok… Ik kon gewoon niet…' Hij haalt diep adem, glimlacht weer. Begint opnieuw. 'Ik was vergeten hoeveel behoefte ik heb aan verhalen.'

Blijdschap – of is het hoop? – gloeit onder mijn ribben. Ik wil hem aanmoedigen, hem duidelijk maken dat de tijd de meester is van het perspectief. Een onverschillige meester, adembenemend efficiënt. Ik doe blijkbaar pogingen, want hij zegt zachtjes: 'Praat maar niet.' Hij heft zijn hand op, streelt mijn voorhoofd zachtjes met zijn duim. 'Rust nu maar uit, Grace.'

Ik sluit mijn ogen. Hoe lang lig ik er zo bij? Slaap ik?

Wanneer ik mijn ogen weer open, zeg ik: 'Er is er nog een.' Mijn stem klinkt schor omdat hij te weinig gebruikt wordt. 'Nog een bandje.' Ik wijs naar de ladekast en hij gaat kijken.

Hij vindt de cassette in de la met de foto's. 'Is dit het?'

Ik knik.

'Waar is je cassetterecorder?' vraagt hij.

'Nee,' zeg ik snel. 'Niet nu. Voor later.'

Eventjes kijkt hij verbaasd.

'Voor erna,' zeg ik.

Hij zegt niet: na wat? Dat hoeft niet. Hij steekt het bandje in de borstzak van zijn shirt en klopt erop. Glimlacht naar me en streelt mijn wang.

'Dank je, Grace,' zegt hij zachtjes. 'Wat moet ik straks zonder jou?'

'Je redt je wel,' zeg ik.

'Beloof je dat?'

Ik beloof niets, niet meer. Maar ik gebruik al mijn energie om mijn arm op te heffen en zijn hand vast te grijpen.

Het schemert. Ik zie het aan het paarsige licht. Ruth verschijnt in de deuropening, een tas onder haar arm, grote ogen van bezorgdheid. 'Ik ben toch niet te laat?'

Marcus staat op, pakt haar tas aan, omhelst haar. 'Nee,' zegt hij.

We gaan naar de film kijken, Ursula's film, wij samen. Een familiegebeurtenis. Ruth en Marcus hebben het georganiseerd; ik zie hen samen dingen regelen en bemoei me uiteraard nergens mee.

Ruth komt naar me toe, geeft me een kus, draait een stoel om zodat ze naast mijn bed kan zitten.

Weer een klopje op de deur. Ursula.

Nog een zoen op mijn wang.

'Fijn dat je er bent,' zegt Marcus verheugd.

'Ik zou het voor geen goud willen missen,' zegt Ursula. 'Bedankt voor de uitnodiging.'

Ze komt aan de andere kant van mijn bed zitten.

'Dan laat ik nu de rolgordijnen zakken,' zegt Marcus. 'Klaar?'

Het licht valt weg. Marcus zet een stoel naast die van Ursula en gaat zitten. Fluistert iets waarom ze moet lachen. Ik word omhuld door een welkom gevoel van afsluiting.

Er klinkt muziek en de film begint. Ruth knijpt zachtjes in mijn hand. We kijken naar een auto die op grote afstand over een bochtige landweg rijdt. Een man en een vrouw zitten naast elkaar op de voorbank en roken allebei. De vrouw draagt een japon met glittertjes en een stola van veren. Ze draaien de oprit van Riverton in, de auto rijdt tot aan het einde en daar is het: het huis. Groot en koud. Ze heeft de bizarre, vergane glorie ervan precies te pakken gekregen. Een butler verwelkomt hen en dan zijn we in het bediendevertrek. Ik zie het aan de vloer. Hoor het aan de geluiden. Champagneglazen. Nerveuze opwinding. De trap op. De deur gaat open. De hal door naar het terras.

Het is onwezenlijk. Het feest. Hannahs Chinese lampionnen gloeien in het donker. De jazzband, de schelle klarinet. Vrolijke mensen die de charleston dansen…

Er klinkt een luide knal en ik ben wakker. Het is de film, het pistoolschot. Ik ben in slaap gevallen en heb het cruciale moment niet gezien. Maakt niet uit. Ik weet hoe deze film afloopt: aan de rand van het meer van Riverton Manor, in bijzijn van twee mooie zussen, berooft Robbie Hunter, oorlogsveteraan en dichter, zich van het leven.

Maar ik weet dat het in het echt niet zo is gegaan.

Het einde

Eindelijk. Na negenennegentig jaar is het einde voor me gekomen. De laatste draad waaraan ik vastzat, heeft losgelaten en de noordenwind blaast me weg. Eindelijk vervaag ik tot niets.

Ik kan hen nog horen. Ben me er vaag van bewust dat ze er zijn. Ruth houdt mijn hand vast. Marcus ligt dwars op het voeteneinde van het bed. Warm op mijn voeten.

Er verschijnt iemand anders achter het raam. Ze komt naar voren, vanuit de schaduwen, en ik kijk naar haar mooie gezicht. Het is moeder en het is Hannah, en toch ook niet.

Ze glimlacht. Steekt haar hand uit. Vol genade en vergiffenis en vrede.

Ik pak haar hand.

Ik ben bij het raam. Ik zie mezelf op het bed: oud en zwak en bleek. Mijn vingers wrijven over elkaar, mijn lippen bewegen maar vinden geen woorden.

Mijn borst rijst en daalt.

Een rochel.

Bevrijding.

Ruth' adem stokt.

Marcus kijkt op.

Maar ik ben er al niet meer.

Ik wend me af en kijk niet meer om.

Het einde is voor me gekomen. En ik vind het helemaal niet erg.

Het bandje

Test. Een. Twee. Drie. Band voor Marcus. Nummer vier. Dit is de laatste band die ik zal inspreken. Ik ben bijna bij het einde en het heeft geen zin daarna nog door te gaan.

22 juni 1924. De langste dag van het jaar en de avond van het zomerfeest op Riverton.

Beneden in de keuken was het een drukte van belang. Mevrouw Townsend had de oven flink opgestookt en deelde bevelen uit aan de drie dorpsvrouwen die waren ingehuurd om haar te helpen. Ze streek haar schort glad over haar omvangrijke middel en hield met een scherp oog haar hulpjes in de gaten toen die honderden piepkleine quiches bestreken.

'Een feest,' zei ze met een stralende lach toen ik me langs hen heen spoedde. 'Eindelijk.' Ze streek met haar pols een lok naar achteren die nu al aan de knot boven op haar hoofd was ontsnapt. 'Meneer Frederick – God hebbe zijn ziel – hield niet van feestjes en had daar goede redenen voor. Maar naar mijn bescheiden mening moet er in ieder huis af en toe een feest worden gehouden, om de mensen eraan te herinneren dat het bestaat.'

'Is het waar,' vroeg de magerste van de dorpsvrouwen, 'dat prins Edward komt?'

'Iedereen die iets te betekenen heeft, zal er zijn,' zei mevrouw Townsend. Ze plukte met een nadrukkelijk gebaar een haar van een quiche. 'De bewoners van dit huis bewegen zich in de hoogste kringen.'

Tegen tienen had Dudley het gazon gemaaid en geplet en waren de decorateurs gearriveerd. Meneer Hamilton ging midden op het terras staan en zwaaide met zijn armen als een orkestdirigent.

'Nee, meneer Brown,' zei hij, naar links wijzend. 'De dansvloer komt aan de westkant. 's Avonds komt er meestal een koele nevel opzetten vanaf het meer en de oostkant heeft geen enkele beschutting.' Hij keek een poosje toe en brieste toen: 'Nee, nee, nee. Niet daar. Daar komt de ijssculptuur. Dat heb ik toch heel duidelijk tegen uw collega gezegd?'

De collega, die boven op een trapleer zat om een streng Chinese lampionnen vast te maken aan de rand van het prieel, kon zich niet verdedigen.

Ik had het druk met het ontvangen van de gasten die het hele weekeinde zouden blijven logeren, en werd onwillekeurig aangestoken door hun opwinding. Jemima, op vakantie uit Amerika, kwam al vroeg, samen met haar nieuwe echtgenoot en de kleine Gytha. Het leven in de Verenigde Staten deed haar blijkbaar goed: ze was mollig en bruin. Lady Clementine en Fanny waren tezamen uit Londen gekomen, en lady Clementine had zich er lijdzaam bij neergelegd dat ze van een openluchtfeest in de maand juni hoogstwaarschijnlijk reuma zou krijgen.

Emmeline arriveerde na de lunch met een grote groep vrienden en veroorzaakte nogal wat opschudding. Ze waren met een hele stoet auto's uit Londen gekomen en claxonneerden al vanaf de oprit, om vervolgens rondjes te rijden rond Eros en Psyche. Op de motorkap van een van de auto's zat een vrouw in een japon van felroze chiffon. Haar gele sjaal wapperde rond haar hals. Nancy, die met een dienblad op weg was naar de keuken, bleef vol afgrijzen staan toen ze zag dat het Emmeline was.

Er kon echter geen tijd worden verspild aan misprijzende opmerkingen over het gedrag van de hedendaagse jeugd. De ijssculptuur uit Ipswich was bezorgd, de bloemisten uit Saffron waren er en lady Clementine wilde per se een high tea in de zitkamer, net als vroeger.

Tegen het einde van de middag arriveerde het muziekgezelschap. Nancy leidde hen via de bediendetrap naar het terras.

'Zwarten!' zei mevrouw Townsend, haar ogen groot van angstige opwinding. 'Op Riverton Manor. Lady Ashbury draait zich vast om in haar graf.'

'Welke lady Ashbury?' vroeg meneer Hamilton, die de ingehuurde kelners inspecteerde.

'Allemaal, zou ik zeggen,' antwoordde mevrouw Townsend, nog steeds met grote ogen.

Eindelijk kantelde de middag om zijn as en schoof de dag richting avond. Het werd koeler, het daglicht stierf weg, de lampionnen werden aangestoken, groen, rood en geel in de schemering.

Ik trof Hannah aan voor het raam van de rode kamer. Ze zat op haar knieën op de bank en keek naar het gazon aan de zuidzijde, naar de voorbereidingen voor het feest. Dat dacht ik tenminste.

'U moet zich gaan aankleden, mevrouw.'

Ze schrok op. Slaakte een nerveuze zucht. Zo was ze de hele dag al: ongedurig. Ze begon ergens aan, sprong over op iets anders, maakte niets af.

'Een ogenblikje nog, Grace.' Ze bleef zitten, met het licht van de onder-gaande zon op de zijkant van haar gezicht, een rode gloed op haar wang. 'Het is me nooit eerder opgevallen wat een mooi uitzicht je hier hebt,' zei ze. 'Vind je het niet prachtig?'

'Ja, mevrouw.'

'Ik snap niet dat ik dat niet eerder heb gezien.'

In haar kamer zette ik krulspelden in haar haar, wat makkelijker gezegd dan gedaan was. Ze zat zo te draaien dat ik de helft van de tijd de klemmetjes niet goed kon vastzetten en de lok moest losmaken en opnieuw om de krul-speld draaien.

Toen alle krulspelden er eindelijk in zaten, min of meer op hun plek, hielp ik haar met haar japon. Zilverkleurige zijde met spaghettibandjes die op haar rug een gewaagd lage V vormden. De japon omvatte haar ranke lichaam als een handschoen en reikte tot vlak onder haar blanke knieën.

Terwijl ze hem rond haar heupen schikte, ging ik haar schoenen halen. De laatste mode uit Parijs, een cadeautje van Teddy. Zilverkleurig satijn met dunne bandjes. 'Nee,' zei ze. 'Niet die. Ik wil de zwarte aan.'

'Maar mevrouw, u houdt zo van deze.'

'De zwarte zitten makkelijker,' zei ze en ze bukte zich om haar kousen aan te trekken.

'Maar passen deze niet beter bij uw japon…?'

'Ik zei "de zwarte" en ik wens dat niet nog een keer te herhalen, Grace.'

Ik haalde diep adem. Zette de zilveren schoentjes terug in de kast en pakte de zwarte.

Hannah bood onmiddellijk haar excuses aan. 'Ik ben zenuwachtig. Dat moet ik niet op jou afreageren. Het spijt me.'

'Dat geeft niets, mevrouw,' zei ik. 'Het is logisch dat u opgewonden bent.'

Ik maakte de krulspelden los. Haar haar viel in blonde golven rond haar schouders. Ik trok er een scheiding in, borstelde het over haar voorhoofd en zette het vast met een diamanten haarspeld.

Hannah boog zich naar voren om paarlen oorknopjes in te doen en vloek-te met een pijnlijk vertrokken gezicht toen een van de klemmetjes zich in haar vingertop vastbeet.

'U doet het te gehaast, mevrouw,' zei ik bedaard. 'U moet voorzichtig zijn met die dingen.'

Ze gaf ze aan mij. 'Ik heb vandaag twee linkerhanden.'

Ik drapeerde strengen bleke parels om haar hals toen de eerste auto arri-veerde, knerpend op het grind van de oprit onder het raam. Ik schikte de parels zodanig dat ze tussen haar schouderbladen kwamen te hangen, in de V van de japon.

'Alstublieft,' zei ik. 'U bent gereed.'

'Ik hoop het, Grace.' Ze trok haar wenkbrauwen op en bekeek zichzelf in de spiegel. 'Ik hoop dat ik niets over het hoofd heb gezien.'

'Dat lijkt me niet, mevrouw.'

Ze gebruikte haar vingertoppen om snel haar wenkbrauwen tot een gladde lijn te strijken. Ze schikte iets aan een van de strengen parels, trok hem wat naar beneden, schoof hem weer omhoog, blies luidruchtig haar adem uit.

Opeens weerklonk de schrille klank van een klarinet.

Hannah slaakte een kreetje en drukte haar hand tegen haar borst. 'Hemel!'

'U zult het wel fijn vinden, mevrouw,' zei ik behoedzaam, 'dat al uw plannen eindelijk verwezenlijkt worden.'

Haar ogen flitsten naar de mijne. Het was alsof ze iets wilde zeggen, maar dat deed ze niet. Ze drukte haar rood gestifte lippen op elkaar. 'Ik heb iets voor je, Grace. Een cadeau.'

Ik was perplex. 'Het is mijn verjaardag niet, mevrouw.'

Ze glimlachte en trok snel de kleine lade van haar kaptafel open. Met haar vuist gesloten draaide ze zich weer naar me om. Toen liet ze iets aan een ketting hoog boven mijn hand bengelen en op mijn handpalm neerdalen.

'Maar mevrouw,' zei ik, 'dat is uw medaillon.'

'Was. Was mijn medaillon. Nu is het van jou.'

Ik wist niet hoe snel ik het moest teruggeven. Onverwachte geschenken maken me zenuwachtig. 'Nee, mevrouw. Nee, dank u.'

Ze duwde mijn hand weg. 'Ik sta erop. Het is om je te bedanken voor alles wat je voor me hebt gedaan.'

Bespeurde ik toen al de klanken van een afscheid?

'Ik doe alleen mijn werk, mevrouw,' zei ik snel.

'Accepteer het medaillon, Grace,' zei ze. 'Alsjeblieft.'

Voordat ik nog meer tegenwerpingen kon maken, stond Teddy in de deuropening. Lang en slank in zijn zwarte pak, voren van de kam in zijn met olie geplette haar, rimpels van nervositeit op zijn brede voorhoofd.

Ik sloot mijn hand om het medaillon.

'Ben je zover?' vroeg hij aan Hannah, terwijl hij aan de punten van zijn snor frunnikte. 'Die vriend van Deborah is beneden, die Cecil, de fotograaf. Hij wil familiekiekjes maken voordat de gasten komen.' Hij sloeg tweemaal met zijn handpalm op de deurpost, liep de gang weer in en zei: 'Waar zit Emmeline toch?'

Hannah trok haar japon glad over haar heupen. Ik zag dat haar handen trilden. Ze glimlachte nerveus. 'Wens me succes.'

'Veel succes, mevrouw.'

Tot mijn verbazing kwam ze toen naar me toe en gaf me een kus op mijn wang. 'Jij ook, Grace.'

Ze greep mijn handen nog even vast en snelde toen achter Teddy aan. Ik bleef achter met het medaillon in mijn vuist.

Vanachter het raam boven keek ik een poosje naar het feest. Heren en dames – in groen, geel, roze – liepen het terras op, daalden de stenen trap af naar het gazon. Jazzmuziek vulde de lucht; Chinese lampions flakkerden in de zachte wind; meneer Hamiltons ingehuurde kelners zigzagden door de groeiende menigte, grote zilveren dienbladen met glazen sprankelende champagne hoog opgeheven. Emmeline, in glanzend roze, leidde een lachende man naar de dansvloer om de shimmy te dansen.

Ik draaide het medaillon om en om in mijn handen, keek er af en toe naar. Viel het me op dat het zachtjes rammelde? Of was ik te zeer afgeleid, te zeer bezig met de vraag waarom Hannah zo nerveus was? Ik had haar al heel lang niet zo meegemaakt, sinds de begintijd in Londen niet meer, nadat ze bij de spiritist was geweest.

'Goed dat ik je heb gevonden!' Nancy stond in de deuropening, amechtig, met een verhit gezicht. 'Een van de vrouwen van mevrouw Townsend is bezweken aan de vermoeienissen en nu hebben we niemand om de strudels te bestrooien.'

Pas rond middernacht liep ik de trap op om naar bed te gaan. Het feest was nog in volle gang, maar mevrouw Townsend had me weggestuurd zodra ze me kon missen. Hannahs nervositeit was blijkbaar besmettelijk en een drukke keuken was geen plek voor iemand met twee linkerhanden.

Ik liep langzaam de trap op. Mijn voeten deden pijn, want gedurende de jaren dat ik als kamenier had gewerkt waren ze zacht geworden. Eén avond in de keuken had me een paar flinke blaren bezorgd. Ik had van mevrouw Townsend een zakje zuiveringszout meegekregen en was van plan een heerlijk warm bad te nemen.

Je kon die avond onmogelijk aan de muziek ontsnappen: die vulde de lucht, drong door tot in de stenen muren van het huis, werd steeds wilder naarmate de avond vorderde, gelijke tred houdend met de uitbundigheid van de feestgangers. Ik kon de drumslagen in mijn buik voelen, zelfs op de zolder. Tot op de dag van vandaag krijg ik kippenvel van jazz.

Eenmaal boven was ik van plan meteen het bad te laten vollopen, maar uiteindelijk besloot ik eerst mijn nachtpon en toiletspulletjes te gaan halen.

De gevangen warmte sloeg me in het gezicht toen ik de deur van mijn slaapkamer opende. Ik trok aan het koord van het elektrische licht en strompelde de kamer door om het raam open te zetten.

Ik bleef een ogenblik staan, genietend van de koelte en rook een vage geur van sigarettenrook en parfum. Ik haalde diep adem. Eerst een warm bad en dan lekker naar bed. Ik pakte het stuk zeep van de ladekast en hinkte naar mijn bed om mijn nachtpon te pakken.

Toen pas zag ik de enveloppen. Twee stuks. Schuin tegen mijn kussen.

Een ervan was aan mij geadresseerd. Op de andere stond Emmelines naam.

Het was Hannahs handschrift.

Ik kreeg een angstig voorgevoel. Het was een zeldzame intuïtie.

Ik begreep meteen dat de verklaring voor haar eigenaardige gedrag in die brief stond.

Meteen liet ik mijn nachtpon vallen en ik pakte de envelop waar *Grace* op stond. Met trillende vingers scheurde ik hem open. Ik streek het vel papier glad. Mijn ogen zagen de tekst, maar de teleurstelling was groot.

De brief was in steno.

Ik ging op de rand van het bed zitten en staarde naar de brief, alsof ik door pure wilskracht zou kunnen lezen wat erin stond.

Dat hij in code was geschreven, maakte voor mij nog duidelijker dat de inhoud heel belangrijk was.

Ik pakte de tweede envelop, die aan Emmeline was geadresseerd. Streek met mijn wijsvinger over de rand.

Ik weifelde maar een ogenblik. Ik had immers geen keuze?

En toen, God sta me bij, heb ik de envelop opengemaakt.

Ik was aan het rennen: de pijn aan mijn voeten was vergeten, mijn bloed joeg door mijn aderen, ik voelde mijn hartslag in mijn hoofd kloppen, mijn adem zwoegde op de maat van de muziek. De trap af, het huis door, het terras op.

Ik bleef staan, hijgend, zocht de menigte af naar Teddy, zag hem niet, al moest hij zich tussen de bewegende schaduwen en wazige gezichten bevinden.

Er was geen tijd. Ik zou in mijn eentje moeten gaan.

Ik stortte me in de menigte, mijn blik flitste langs de gezichten – rode lippen, beschilderde ogen, lachende open monden. Ik ontweek sigaretten en champagneglazen, onder de gekleurde lampionnen door, rond de druipende ijssculptuur, naar de dansvloer. Ellebogen, knieën, schoenen, polsen wervelden langs me heen. Kleur. Beweging. Bloed bonkte in mijn hoofd. Adem gierde door mijn keel.

Toen: Emmeline. Boven aan de stenen trap. Cocktail in haar hand, hoofd lachend achterover, parelketting vanaf haar nek rond die van haar metgezel. Zijn jasje rond haar schouders.

Twee konden meer dan één.

Ik bleef staan. Probeerde op adem te komen.

Ze richtte zich op en bekeek me met halfgesloten ogen. 'Grace toch,' zei ze met zorgvuldige articulatie, 'had je geen mooiere jurk om aan te trekken?' Ze gooide haar hoofd achterover, schaterend om de gerekte j-klanken.

'Juffrouw Emmeline, ik moet u spreken…'

Haar metgezel fluisterde haar iets in het oor; ze gaf hem speels een tik tegen zijn neus.

Ik probeerde op adem te komen. 'Het is dringend…'

'O ja? Wat spannend.'

'Alstublieft…' zei ik, 'onder vier ogen…'

Ze zuchtte theatraal, lichtte de parelketting van de nek van de man, kneep in zijn wangen en zei met een pruilmondje: 'Zul je netjes op me wachten, mijn lieve Harry?'

Ze zwikte op haar hoge hakken, gilde van het lachen, bleef giechelen toen ze zwikkend de trap af kwam. 'Wat is er aan de hand, Gracie?' lispelde ze toen we beneden waren.

'Het gaat om juffrouw Hannah… Ze gaat… Ze gaat iets afgrijselijks doen, bij het meer…'

'Nee!' zei Emmeline en ze boog zich zo dicht naar me toe dat ik gin rook. 'Ze gaat toch niet in haar blootje zwemmen? Dat zou echt s-s-schandalig zijn!'

'Ik geloof dat ze van plan is zich van het leven te beroven, juffrouw. Of eigenlijk weet ik dat zeker.'

De glimlach verdween en ze zette grote ogen op. 'Wat?!'

'Ik heb een brief gevonden, juffrouw.' Ik gaf haar de brief.

Ze slikte, wankelde, haar stem steeg een octaaf. 'Maar… heb je… Teddy?'

'Geen tijd, juffrouw.'

Ik greep haar pols en sleepte haar mee over het Lange Pad.

De bovenranden van de hoge heggen waren naar elkaar toe gegroeid en eronder was het pikkedonker. We renden, struikelden, hielden onze handen zijwaarts uitgestoken, naar het gebladerte tastend om de weg te vinden. Met iedere bocht werden de feestgeluiden onwerkelijker. Ik herinner me dat ik dacht dat Alice zich zo gevoeld moest hebben toen ze in het konijnenhol viel.

We waren in de Egeskovtuin toen Emmelines hak ergens achter bleef hangen en ze struikelde.

Ik viel bijna over haar heen, hield halt, wilde haar overeind helpen.

Ze duwde mijn hand weg, krabbelde overeind en holde weer verder.

Er klonk een geluid in de tuin en het leek alsof een van de beelden bewoog. Het giechelde, kreunde: geen beeld maar een verliefd stelletje. Zij negeerden ons en wij negeerden hen.

Het tweede draaihek stond open en we holden naar de open plek rond de fontein. De vollemaan stond hoog aan de hemel en Icarus en zijn meerminnen glansden spookachtig in het witte licht. Zonder de heggen klonken de muziek en de kreten van de feestgangers weer luider. Eigenaardig dichtbij.

In het licht van de maan holden we over het smalle pad dat naar het meer voerde. We bereikten de barricade, het bord met VERBODEN TOEGANG en toen, eindelijk, het punt waarop het pad op de oever van het meer eindigde.

We bleven hijgend staan in de beschutting van de laatste bocht en bekeken de omgeving. Het meer lag stil te glinsteren. Het zomerhuis en de stenige oever baadden in het zilveren maanlicht.

Emmelines adem stokte.

Ik volgde haar blik.

Op de stenen aan de rand van het water lagen Hannahs zwarte schoenen. De schoenen die ik haar een paar uur geleden had aangetrokken.

Emmeline blies haar adem uit en hinkte eropaf. In het maanlicht zag ze erg bleek; haar slanke lichaam was eigenaardig klein onder het mannenjasje dat ze nog droeg.

Een geluid uit het zomerhuis. Een deur die openging.

Emmeline en ik keken op.

Daar stond iemand. Hannah. Springlevend.

Emmeline hapte naar adem. 'Hannah,' riep ze, haar stem schor van de alcohol en de paniek, echoënd over het meer.

Hannah bleef stokstijf staan, aarzelde, wierp een blik op het zomerhuis en keek toen naar Emmeline. 'Wat doe je hier?' vroeg ze. Haar stem klonk stroef.

'Ik kom je redden,' zei Emmeline en ze begon hysterisch te lachen. Van opluchting natuurlijk.

'Ga terug,' zei Hannah snel. 'Je moet teruggaan.'

'Zodat jij je kunt gaan verzuipen?'

'Ik ga me niet verzuipen,' zei Hannah. Ze keek weer naar het zomerhuis.

'Wat ben je dan aan het doen? Je schoenen aan het luchten?' Emmeline hield ze omhoog en liet ze toen weer zakken. 'Ik heb je brief gelezen.'

'Ik meende het niet. De brief was… een grap.' Hannah slikte. 'Een spel.'

'Een spel?'

'Je had hem pas later te zien moeten krijgen.' Hannahs stem werd vaster. 'Ik had een spel gepland. Voor morgen. Voor de gasten.'

'Een soort vossenjacht?'

'Zoiets.'

Mijn adem stokte in mijn keel. De brief was niet echt. Hij maakte deel uit van een ingewikkeld spel. En de brief aan mij? Had Hannah gewild dat ik haar zou helpen? Was dat de verklaring voor haar nervositeit? Ging het niet om het feest, maar om het succes van het spel?

'Daarom ben ik hier,' zei Hannah. 'Om aanwijzingen te verstoppen.'

Emmeline bleef staan, knipperend met haar ogen. Haar lichaam schokte alsof ze de hik had. 'Een spel,' zei ze traag.

'Ja.'

Emmeline begon hees te lachen en liet de schoenen op de grond vallen. 'Waarom heb je dat niet gezegd? Ik ben dol op spelletjes! Wat een goed idee van je!'

'Ga terug naar het feest,' zei Hannah. 'En zeg tegen niemand dat je me hebt gezien.'

Emmeline draaide met een denkbeeldige sleutel haar lippen op slot. Ze keerde zich om en zocht zich over de stenen een weg terug naar het pad. Ze keek me boos aan toen ze dicht bij mijn schuilplaats kwam. Haar make-up was uitgelopen.

'Het spijt me, juffrouw Emmeline,' fluisterde ik. 'Ik dacht dat het echt was.'

'Je boft nog dat je niet alles hebt bedorven.' Ze ging op een groot rotsblok zitten en trok het jasje om zich heen. 'Nu heb ik een verzwikte enkel en zal ik een deel van het feest moeten missen omdat ik eventjes moet gaan zitten. Als ik het vuurwerk maar niet misloop.'

'Ik wacht wel. Om u te helpen terug te lopen.'

'Dat zou ik denken,' zei Emmeline.

We zaten daar een poosje, terwijl de muziek in de verte doorging en er af en toe opgewonden kreten opklonken. Emmeline masseerde haar enkel, zette nu en dan haar voet op de grond, probeerde of ze er al op kon staan.

Boven het moeras hing een nevel die langzaam naar het meer kroop. Het zou weer een warme dag worden, maar de nacht was koel vanwege de mist.

Emmeline huiverde, hield één pand van het jasje van haar vriend open en stak haar hand in de grote binnenzak. In het maanlicht blonk iets, een zwart, glanzend voorwerp. Het zat achter een bandje aan de voering van het jasje. Mijn adem stokte: het was een pistool.

Emmeline merkte hoe ik reageerde en keek me opgewonden aan. 'Je hebt zeker nog nooit een vuurwapen gezien? Je bent zo groen als gras, Grace.' Ze haalde het tevoorschijn, draaide het om, hield het me voor. 'Hier. Wil je het even vasthouden?'

Ik schudde mijn hoofd. Ze begon te lachen en ik wou dat ik de brieven niet had gezien. Dat Hannah me niet bij dit spel had betrokken.

'Maar beter ook,' zei Emmeline. Ze hikte. 'Vuurwapens en feestjes: geen goede combinatie.'

Ze stak het pistool weer in de binnenzak, bleef snuffelen, vond een zilveren heupflacon. Ze draaide de dop eraf, hield haar hoofd achterover en nam een paar flinke slokken.

'Die goeie, ouwe Harry,' zei ze, met haar lippen smakkend. 'Altijd van zessen klaar.' Ze nam nog een slok en stak het flesje terug in de jaszak. 'Nou, laten we maar gaan. Dit is een goede pijnstiller.'

Ik hielp haar overeind, met mijn hoofd gebogen terwijl ze zich aan mijn schouders vastgreep. 'Zo gaat het wel,' zei ze. 'Als jij nou…'

Ik wachtte. 'Juffrouw?'

Ze slaakte een ingehouden kreet. Ik hief mijn hoofd op en volgde haar blik naar het meer. Hannah stond bij het zomerhuis en ze was niet alleen. Er was een man bij haar. Er hing een sigaret aan zijn onderlip en hij droeg een koffertje.

Emmeline herkende hem nog eerder dan ik.

'Robbie,' zei ze. Ze was haar enkel meteen vergeten. 'Goeie genade, het is Robbie.'

Emmeline hinkte moeizaam naar de oever van het meer; ik bleef achter, in het donker. 'Robbie!' riep ze en ze begon te zwaaien. 'Hallo, Robbie!'

Hannah en Robbie bevroren. Keken elkaar aan.

'Wat doe jij hier?' vroeg Emmeline opgewonden. 'En waarom ben je achterom gekomen?'

Robbie nam een trek van zijn sigaret en frunnikte aan het filter toen hij de rook uitblies.

'Kom mee naar het feest,' zei Emmeline. 'Kom wat drinken.'

Robbie keek over het meer naar een plek in de verte. Ik volgde zijn blik en zag aan de overkant metaal glanzen. Een motorfiets, besefte ik, stond klaar op de plek waar de buitenste weiden aan het meer grensden.

'Ik weet het al,' zei Emmeline opeens. 'Je helpt Hannah met haar spel.'

Hannah kwam naar voren, het maanlicht in. 'Emme…'

'Kom,' zei Emmeline snel. 'Laten we samen teruggaan naar het huis en een kamer zoeken voor Robbie. Dan kan hij zijn koffer wegzetten.'

'Robbie gaat niet naar het huis,' zei Hannah.

'Natuurlijk wel. Hij kan moeilijk de hele nacht hier blijven,' zei Emmeline met een tinkelende lach. 'Het is dan wel juni, maar het is best frisjes.'

Hannah keek naar Robbie en hij naar haar.

Emmeline zag de blik en ik merkte hoe op dat moment, met het bleke maanlicht op haar gezicht, haar opwinding overging in verwarring, en hoe de verwarring plaatsmaakte voor een verlammend besef. Al die maanden in Londen, alle keren dat Robbie te vroeg op nummer 17 was aangekomen, de manier waarop ze misbruik van haar hadden gemaakt.

'Er is geen spel,' zei ze zachtjes.

'Nee.'

'De brief?'

'Een vergissing,' zei Hannah.

'Waarom heb je hem geschreven?' zei Emmeline.

'Ik wilde niet dat je met vragen zou blijven zitten,' zei Hannah. 'Over waar ik was gebleven.' Ze keek naar Robbie. Hij knikte kort. 'Waar we waren gebleven.'

Emmeline zei niets.

'Kom,' zei Robbie gejaagd. Hij pakte de koffer en liep naar het meer. 'Het is al laat.'

'Probeer er begrip voor te hebben, Emme,' zei Hannah. 'Je hebt het zelf gezegd: we moeten elkaar het leven gunnen dat we willen.' Ze aarzelde: Robbie gebaarde dat ze moest opschieten. Ze liep achteruit. 'Ik kan het nu niet uitleggen, daar heb ik geen tijd voor. Ik zal je schrijven, je laten weten waar we zijn. Dan kun je op bezoek komen.' Ze draaide zich om, wierp nog een laatste blik op Emmeline en liep met Robbie mee over de mistige oever van het meer.

Emmeline bleef staan waar ze stond, met haar handen in de zakken van het jasje. Ze zwaaide wat heen en weer, rilde alsof er iemand over haar graf liep.

En toen zei ze: 'Nee,' zo zachtjes dat ik het amper hoorde. 'Nee.' Ze riep: 'Wacht!'

Hannah keek om. Robbie trok haar aan haar hand mee, probeerde haar bij zich te houden. Ze zei iets, begon terug te lopen.

'Ik laat jullie niet gaan,' zei Emmeline.

Hannah was nu dicht bij haar. Haar stem klonk bedaard en ferm: 'Je zult wel moeten.'

Emmeline stak haar hand in de binnenzak. Ze hikte. 'Nee.'

Haar hand kwam tevoorschijn. De glans van metaal. Het pistool.

Hannah slaakte een kreet van schrik.

Robbie holde naar Hannah toe.

Mijn hartslag bonkte binnen in mijn schedel.

'Je krijgt hem niet,' zei Emmeline. Haar hand beefde.

Hannahs borst ging op en neer, bleek in het maanlicht. 'Doe niet zo dom. Stop dat ding weg.'

'Ik ben niet dom.'

'Stop dat pistool weg.'

'Nee.'

'Je gaat het toch niet gebruiken.'

'Jawel.'

'Wie van ons ga je neerschieten?' vroeg Hannah.

Robbie stond nu bij Hannah en Emmeline keek met trillende lippen van de een naar de ander.

'Je gaat geen van ons beiden neerschieten,' zei Hannah.

Emmelines gezicht vertrok en ze begon te huilen. 'Nee.'

'Stop dat pistool dan weg.'

'Nee.'

Tot mijn afgrijzen zag ik dat Emmeline haar bevende hand ophief en het pistool tegen haar eigen hoofd zette.

'Emmeline!' zei Hannah.

Emmeline snikte het uit. Diepe, amechtige snikken.

'Geef me het pistool,' zei Hannah. 'Laten we erover praten. Een oplossing zoeken.'

'Hoe?' Emmelines stem was verstikt van tranen. 'Geef je hem aan me te-rug? Of zul je hem evengoed houden, net zoals je hen allemaal voor jezelf hebt gehouden – Papa, David, Teddy?'

'Zo moet je het niet zien,' zei Hannah.

'Nu ben ík aan de beurt,' zei Emmeline.

Opeens klonk er een harde knal. Vuurwerk. Ze schokten van de schrik. Een rode gloed op hun gezichten. Duizenden rode puntjes waaierden uit boven het meer.

Robbie sloeg zijn handen voor zijn gezicht.

Hannah sprong naar voren en griste het pistool uit Emmelines slappe vingers. Snelde terug.

Emmeline holde op haar af, haar gezicht besmeurd met tranen en lippenstift. 'Geef terug! Als je het niet teruggeeft, ga ik gillen. Waag het niet om weg te gaan. Ik zal het aan iedereen vertellen. Ik zal aan iedereen vertellen dat je ervandoor bent gegaan en Teddy zal je weten te vinden en…'

Boem! Groen vuurwerk spatte uiteen.

'… Teddy zal je niet laten gaan, hij zal ervoor zorgen dat je blijft en dan zul je Robbie nooit meer zien en…'

Boem! Zilver.

Hannah klom op een hoger deel van de oever. Emmeline volgde haar huilend. Vuurpijlen explodeerden.

Feestmuziek galmde tussen de bomen, boven het meer, echode tegen de muren van het zomerhuis.

Robbie stond er ineengedoken bij, met zijn handen tegen zijn oren. Grote ogen, wit gezicht.

Aanvankelijk kon ik hem niet horen, maar ik zag zijn lippen bewegen. Hij wees naar Emmeline en riep iets naar Hannah.

Boem! Rood.

Robbie kromp ineen. Zijn gezicht in paniek vetrokken. Hij bleef schreeuwen.

Hannah aarzelde, keek onzeker naar hem. Ze had verstaan wat hij zei. Er brak iets in haar.

Het vuurwerk was voorbij; brandende vonken tuimelden uit de lucht.

En toen verstond ik het ook.

'Schiet haar dood!' riep hij. 'Schiet haar dood!'

Mijn bloed stolde.

Emmeline bleef abrupt staan en hapte naar adem. 'Hannah?' De stem van een angstig kind. 'Hannah?'

'Schiet haar dood,' zei hij weer. 'Ze zal alles bederven.' Hij holde op Hannah af.

Hannah staarde naar hem. Ze kon het niet bevatten.

'Schiet haar dood!' Hij was helemaal buiten zichzelf.

Haar handen trilden. 'Dat kan ik niet doen,' zei ze uiteindelijk.

'Geef mij dat ding dan.' Hij was nu bijna bij haar. 'Dan doe ik het.'

En hij had het ook gedaan. Dat wist ik zeker. Wanhoop en vastberadenheid streden om voorrang op zijn gezicht.

Emmelines lichaam schokte. Ze begreep het. Holde naar Hannah.

'Ik kan het niet,' zei Hannah.

Robbie graaide naar het pistool; Hannah stak haar arm de lucht in, viel achterover, krabbelde verder de oever op.

'Doe het!' zei Robbie. 'Anders doe ik het.'

Hannah stond nu op het hoogste punt van de oever. Robbie en Emmeline kwamen op haar af. Ze kon nergens naartoe. Ze keek van de een naar de ander.

De tijd stond stil.

Twee punten van een driehoek, losgelaten door de derde, waren steeds verder uit elkaar gedreven. Het elastiek, strak gespannen, kon niet verder gerekt worden.

Ik hield mijn adem in, maar het elastiek brak niet.

Het zwiepte terug.

De twee punten klapten tegen elkaar, een botsing van trouw, zusterschap en ondergang.

Hannah richtte het pistool en haalde de trekker over.

De nasleep. Ja, er is altijd een nasleep. Dat vergeten de mensen wel eens. Bloed, heel veel bloed. Op hun japonnen, hun gezichten, in hun haar.

Het pistool viel op de grond. Viel met een klap op de stenen en bleef liggen.

Hannah wankelde, op het hoogste punt van de oever.

Robbies lichaam lag iets lager. Waar zijn hoofd was geweest, was nu een massa botsplinters, hersenen en bloed.

Ik bleef als versteend staan; mijn hart klopte in mijn oren, mijn huid was warm en koud tegelijk. Opeens moest ik vreselijk braken.

Emmeline stond er roerloos bij, haar ogen stijf dicht. Ze huilde niet. Niet meer. Ze maakte een afgrijselijk geluid, dat ik nooit ben vergeten. Ze stikte half bij het ademhalen. Iedere ademhaling bleef steken in haar keel.

Momenten verstreken, ik weet niet hoeveel, tot ik ver weg, ver achter me, stemmen hoorde. Gelach.

'We zijn er nu bijna,' zei een stem die door de zachte wind werd meegevoerd. 'Wacht maar tot u het ziet, lord Gifford. De trap is nog niet af – die verdraaide Fransen moesten weer eens oponthoud veroorzaken –, maar u bent vast onder de indruk.'

Ik veegde mijn mond af en holde vanuit mijn schuilplaats naar de rand van het meer.

'Meneer Teddy komt eraan,' zei ik, tegen niemand in het bijzonder. Ook ik verkeerde in een shocktoestand. 'Meneer Teddy komt eraan.'

'Je bent te laat,' zei Hannah, die verwoed over haar gezicht, haar nek en haar haar wreef. 'Je bent te laat.'

'Meneer Teddy komt eraan, mevrouw.' Ik huiverde.

Emmeline deed haar ogen open. Een flits van schemerig zilverblauw in het maanlicht. Ze rilde, rechtte haar rug, wees naar Hannahs koffer. 'Breng die koffer naar het huis,' zei ze schor. 'Met een omweg.'

Ik aarzelde.

'Snel!'

Ik knikte, pakte de koffer en holde weg in de richting van het bos. Ik kon niet helder denken. Ik bleef staan toen ik uit het zicht was en keek om. Mijn tanden klapperden.

Meneer Teddy en lord Gifford hadden het einde van het pad bereikt en liepen de oever op.

'Lieve hemel,' zei meneer Teddy en hij bleef abrupt staan. 'Wat...?'

'Teddy!' zei Emmeline. 'Godzijdank.' Ze draaide zich schokkerig naar hem om en zei toonloos: 'Meneer Hunter heeft zichzelf van het leven beroofd.'

De brief

Vanavond sterf ik en begint mijn leven.

Ik vertel het aan jou, alleen aan jou. Je vergezelt me al zo lang in dit avontuur. Ik wil je duidelijk maken dat ik, wanneer men de komende dagen het meer zal dreggen, op zoek naar een lijk dat ze nooit zullen vinden, nog springlevend ben.

We gaan eerst naar Frankrijk en daarna zien we wel. Hopelijk zal ik Nefertiti's hoofdmasker te zien krijgen!

Ik heb een tweede brief bij je achtergelaten, geadresseerd aan Emmeline. Het is een zelfmoordbrief, over een zelfmoord die nooit zal plaatsvinden. Ze mag die morgen pas krijgen. Niet eerder. Pas op haar, Grace. Het komt wel goed met haar. Ze heeft zo veel vrienden.

Ik moet nog één gunst van je vragen. Iets heel belangrijks. Wat er ook gebeurt, hou Emmeline vanavond bij het meer vandaan. Robbie en ik vertrekken daarvandaan. Daar mag ze niet achter komen. Ze zou het niet begrijpen. Nog niet.

Ik zal later contact met haar opnemen. Wanneer het veilig is.

En dan nog een laatste punt. Misschien heb je al gemerkt dat het medaillon dat ik je heb gegeven, niet leeg is. Er zit een sleuteltje in, een geheime sleutel van een kluis bij Drummonds op Charing Cross. De kluis staat op jouw naam, Grace, en alles wat erin zit is voor jou. Ik weet dat je niet van cadeautjes houdt, maar pak dit alsjeblieft aan en kijk niet om. Is het aanmatigend van me als ik ervan uitga dat het de poort naar een nieuw leven voor je zal openen?

Vaarwel, Grace. Ik wens je een lang leven toe, vol avonturen en liefde. Wens me hetzelfde toe…

Ik weet hoe goed je geheimen kunt bewaren.

Dankbetuiging

Ik wil graag de volgende personen bedanken:

Op de allereerste plaats mijn beste vriendin Kim Wilkins, omdat ik zonder haar aanmoedigingen nooit aan dit boek zou zijn begonnen, laat staan dat ik het had afgemaakt.

Davin, voor zijn geduld, steun en onwankelbare vertrouwen.

Oliver, die de emotionele grenzen van mijn leven heeft verlegd en me van een schrijversblok heeft genezen.

De familie: Warren, Jenny, Julia en in het bijzonder mijn moeder Diane, wier moed, charme en schoonheid een bron van inspiratie zijn.

Herbert en Rita Davies, lieve vrienden die me prachtige verhalen hebben verteld. Blijf zo briljant!

Mijn geweldige literair agente, Selwa Anthony, met haar ongeëvenaarde toewijding, zorg en vakkennis.

Selena Hanet-Hutchins voor al haar inspanningen.

De *sf-sassies* voor de steun van collega-schrijvers.

Alle mensen van Allen & Unwin, in het bijzonder Annette Barlow, Catherine Milne, Christa Munns, Christen Cornell, Julia Lee en Angela Namoi.

Julia Stiles, die in alle opzichten de redactrice was op wie ik hoopte.

Dalerie en Lainie, voor hun hulp met Oliver (meer liefde kan een kind niet ontvangen!) en voor dat kostbare geschenk dat 'tijd' heet.

De lieve mensen bij Mary Ryan's, die zo van boeken houden en geweldige koffie zetten.

Inzake specifieke onderwerpen: dank aan Mirko Ruckels die vragen beantwoordde over muziek en opera; aan Drew Whitehead, die me het verhaal vertelde van Miriam en Aäron; aan Elaine Rutherford, die informatie van medische aard heeft verstrekt; en aan Diane Morton voor haar gedetailleerde, zeer goed van pas komende adviezen over antiek en tradities, en voor haar uitmuntende oordeel over goede smaak.

Tot slot wil ik graag Beryl Popp en Dulcie Connelly noemen. Twee grootmoeders die erg geliefd waren en erg gemist worden. Ik hoop dat Grace van u beiden iets heeft meegekregen.

Aantekening van de auteur

De personen in *Het geheim van de zusters* zijn fictief, maar het milieu waartoe ze behoren, is dat niet. De sociaalhistorische locatie van dit boek heeft me altijd geboeid: de negentiende eeuw was net overgegaan in de twintigste en de wereld zoals we die nu kennen, begon vorm te krijgen. Koningin Victoria overleed en samen met haar verdwenen oude zekerheden in het graf: de aristocratie begon te verbrokkelen, het mensdom voerde oorlog op een onvoorstelbare schaal, vrouwen werden gedeeltelijk bevrijd van rigide tradities en sociale functies.

Wanneer je als schrijver de sfeer wilt scheppen van een historisch tijdperk dat je zelf niet hebt meegemaakt, is het uiteraard noodzakelijk onderzoek te doen. Het zou geen doen zijn om iedere bron te vermelden waarvan ik gebruik heb gemaakt, maar ik wil er toch een paar noemen die van grote waarde zijn geweest voor het schrijven van dit boek. *The Rare and the Beautiful* van Cressida Connolly; *1939: The Last Season* en *The Viceroy's Daughters* van Anne de Courcy; *Vita* van Victoria Glendinning, *The Mitford Girls* van Mary S. Lovell, *Life in a Cold Climate* van Laura Thompson, en *The Edwardian Country House*, de televisieserie van Channel 4 die kleurige illustraties leverde van het leven op de landgoederen in het begin van de twintigste eeuw.

Meer in het algemeen heb ik veel gehad aan *The Brontë Myth* van Lucasta Miller, *Voices from the Trenches: Letters from Home* van Noel Carthew, *The Theory of the Leisure Class* van Thorstein Veblen, *Paris 1919* van Margaret Macmillan, *Forgotten Voices of the Great War* van Max Arthur, *A History of London* van Stephen Inwood, *Yesterday's Britain* van Reader's Digest, 'The Repression of War Experience' van W.H. Rivers, '*Flapper Jane*' van Bruce Bliven, 'Moving Frontiers and the Fortunes of the Aristocratic Townhouse' van F.M.L. Thompson, en Michael Duffy's website firstworldwar.com.

Behalve dergelijke secundaire bronnen hebben ook *Sweet and Twenties* van Beverly Nichols, *Child of the Twenties* van Frances Donaldson, *Myself When Young* van Daphne du Maurier, het tijdschrift *Punch*, en de door Charlotte Mosley geredigeerde *The Letters of Nancy Mitford and Evelyn Waugh* interessante, veelzijdige verhalen geleverd over het literaire leven in de jaren twintig. Ook wil ik melding maken van Esther Wesleys verslag van 'Life Below Stairs at Gayhurst House' dat op de website staat van de Stoke Goldington Association. Voor informatie over de edwardiaanse etiquette heb ik gebruikgemaakt, net als vele dames vóór mij, van *The Essential Handbook of Victorian Etiquette* van professor Thomas E. Hill, en van *Manners and Rules of Good Society or Solecisms to Be Avoided*, dat in 1924 is gepubliceerd door 'Een Lid van de Aristocratie'.

Verder heb ik dankbaar gebruikgemaakt van de kostbare historische informatie die bewaard is gebleven in de romans en toneelstukken die in die tijd zijn geschreven. In het bijzonder wil ik graag de volgende auteurs bedanken: Nancy Mitford, Evelyn Waugh, Daphne du Maurier, F. Scott Fitzgerald, Michael Arlen, Noel Coward en H.V. Morton. Ook wil ik graag een paar hedendaagse verhalenvertellers noemen die mijn belangstelling voor de sociaalhistorische periode hebben gevoed: Kazuo Ishiguro's *Remains of the Day*, Robert Altmans *Gosford Park* en natuurlijk de serie *Upstairs Downstairs* van de Britse televisie.

Ik heb al heel lang belangstelling, als lezer en als onderzoeker, voor romans als *Het geheim van de zusters*, die gebruikmaken van stijlfiguren als de gothic literatuur: het heden dat wordt overschaduwd door het verleden, de rode draad van geheimen binnen de familie, de terugkeer van het zwarte schaap, erfenis (materieel, psychologisch en fysiek) als centraal thema, spookhuizen (vooral in de metaforische zin van het woord), achterdocht ten opzichte van nieuwe technologie en veranderende levenswijzen, het keurslijf van vrouwen (fysiek en sociaal) en de daarbij behorende claustrofobie, karakterwendingen, de onbetrouwbaarheid van het geheugen en de partijdigheid van de geschiedenis, mysteries en de dingen die onzichtbaar blijven, ontboezemende verhalen, ingekapselde teksten. Hier is een aantal voorbeelden voor lezers die dit met me delen en er meer over willen lezen: *The Chatham School Affair* van Thomas H. Cook, *Possession* van A.S. Byatt, *The Blind Assasin* van Margaret Atwood, *Half Broken Things* van Morag Joss en *A Dark-Adapted Eye* van Barbara Vine.

Tot slot, nadat ik zo vrij ben geweest al deze referenties en interesses te noemen, verklaar ik dat alle halve waarheden en onnauwkeurige feiten geheel van mij afkomstig zijn.